CRIME ET CHATIMENT

suivi du

JOURNAL DE RASKOLNIKOV

(tome II)

ŒUVRES DE DOSTOÏEVSKI

MÉMOIRES ÉCRITS DANS UN SOUTERRAIN
JOURNAL D'UN ECRIVAIN
UN JOUEUR
NOTES D'HIVER SUR DES IMPRESSIONS D'ÉTÉ
L'IDIOT
CRIME ET CHATIMENT
L'ÉTERNEL MARI
L'ADOLESCENT
LES FRÈRES KARAMAZOV
LES POSSÉDÉS, *suivi de* LA CONFESSION DE STAVROGUINE
SOUVENIRS DE LA MAISON DES MORTS
MORCEAUX CHOISIS
HUMILIÉS ET OFFENSÉS
Œuvres complètes (13 volumes).

Bibliothèque de la Pléiade

I : CRIME ET CHATIMENT - JOURNAL DE RASKOLNIKOV - LES CARNETS DE « CRIME ET CHATIMENT » - SOUVENIRS DE LA MAISON DES MORTS.
II : LES FRÈRES KARAMAZOV - LES CARNETS DES « FRÈRES KARAMAZOV » - NIETOTCHKA NIEZVANOV.
III : L'IDIOT - LES CARNETS DE « L'IDIOT » - HUMILIÉS ET OFFENSÉS.
IV : LES DÉMONS - CARNETS DES DÉMONS - LES PAUVRES GENS.
V : L'ADOLESCENT - LES NUITS BLANCHES - LE SOUS-SOL - LE JOUEUR - L'ÉTERNEL MARI.

Parus dans Le Livre de Poche :

L'ÉTERNEL MARI
LE JOUEUR
LES POSSÉDÉS
LES FRÈRES KARAMAZOV (2 tomes)
L'IDIOT (2 tomes)

DOSTOIEVSKI

Crime et châtiment

TRADUIT PAR D. ERGAZ

suivi du

Journal de Raskolnikov

TRADUIT PAR V. POZNER

Tome II

LE LIVRE DE POCHE

QUATRIÈME PARTIE

I

« Se peut-il que ce soit mon rêve qui continue? » pensa encore Raskolnikov, en considérant le visiteur inattendu d'un air attentif et méfiant « Svidrigaïlov! Quelle absurdité! »

« Impossible », fit-il enfin à haute voix dans sa stupéfaction.

L'étranger ne parut pas surpris par cette exclamation.

« Je suis venu chez vous pour deux raisons; d'abord je désirais faire votre connaissance, car j'ai beaucoup entendu parler de vous et cela dans les termes les plus flatteurs. Ensuite, j'espère que vous ne me refuserez peut-être pas votre concours pour un projet qui intéresse votre sœur Avdotia Romanovna. Seul et sans recommandation, j'aurais des chances d'être mis à la porte par elle, maintenant qu'elle est prévenue contre moi, tandis qu'avec votre aide, eh bien, je compte au contraire...

— Vous avez tort, l'interrompit Raskolnikov.

— Ces dames ne sont arrivées que d'hier? Permettez-moi de vous le demander. »

Raskolnikov ne répondit pas.

« D'hier, je le sais. Moi-même, je ne suis ici que depuis avant-hier. Eh bien, voici ce que je vais vous dire à ce propos, Rodion Romanovitch. Je juge superflu de me justifier, mais permettez-moi de vous demander : qu'y a-t-il dans tout cela de particulièrement criminel de ma part, si l'on veut, bien entendu, apprécier les choses sainement et sans préjugés? Vous me direz, n'est-ce pas, que j'ai poursuivi dans ma propre maison une jeune fille sans défense et que je l'ai insultée par mes propositions honteuses (vous voyez que je vais moi-même au-devant de l'accusation), mais considérez seulement que je suis un homme *et nihil humanum*... en un mot, que je suis en état de subir un entraînement, de tomber amoureux (chose qui ne dépend pas de notre volonté) et alors tout s'explique de la façon la plus naturelle. Toute la question est là : suis-je un monstre ou une victime? Admettons que je sois une victime, car, enfin, quand je proposais à l'objet de ma flamme de fuir avec moi en Amérique ou en Suisse, je nourrissais peut-être les sentiments les plus respectueux à son égard et ne songeait qu'à assurer notre bonheur commun. La raison est l'esclave de la passion. C'est surtout à moi-même que je risquais de nuire...

— Il ne s'agit nullement de cela, répliqua Raskolnikov avec dégoût. Que vous ayez tort ou raison, vous êtes tout simplement odieux et nous ne voulons rien avoir de commun avec vous. Je vous chasse, filez. »

Svidrigaïlov partit brusquement d'un éclat de rire.

« Ah! oui! on peut dire que vous... que vous ne vous laissez pas entortiller, dit-il avec une franche gaieté. Je pensais faire le malin, mais, avec vous, ça ne prend pas.

— Et pourtant, vous continuez à vouloir m'entortiller!

— Eh bien, quoi? Eh bien, quoi? répétait Svidrigaïlov en riant de tout son cœur. C'est de *bonne guerre*[1], comme on dit, et la ruse la plus innocente, mais vous ne m'avez pas laissé achever : quoi qu'il en soit, je continue à affirmer qu'il ne se serait rien passé d'ennuyeux sans cet incident au jardin. Marfa Petrovna...

— On prétend aussi que vous avez tué Marfa Petrovna, interrompit grossièrement Raskolnikov.

— Ah! on vous a parlé de cela aussi! Du reste ça n'a rien d'étonnant... Eh bien, pour ce qui est de cette question que vous me posez, je ne sais vraiment que vous répondre, quoique ma conscience soit parfaitement tranquille à cet égard. N'allez pas croire que j'aie à redouter les suites de cette affaire. Toutes les formalités d'usage ont été accomplies de la façon la plus correcte, la plus minutieuse : l'enquête médicale a constaté une attaque d'apoplexie provoquée par un bain pris au sortir d'un plantureux repas, au cours duquel la défunte avait bu près d'une bouteille de vin; on ne pouvait d'ailleurs rien découvrir d'autre... Non, ce n'est pas cela qui m'inquiète. Voici à quoi je pensais en cours de route et surtout pendant que je roulais en wagon. N'avais-je pas, je me le demandais, moralement contribué à ce malheur... par mon irritation ou quelque chose d'approchant? Mais j'en ai conclu qu'il n'avait pu en être ainsi. »

Raskolnikov se mit à rire.

« De quoi allez-vous vous préoccuper?

— Qu'avez-vous à rire? Pensez : je lui donnais à peine deux petits coups de cravache, qui n'ont même pas laissé de traces... Ne me jugez pas cynique, je vous en prie. Je sais parfaitement que c'était ignoble de ma part, oui, etc. Mais je sais également que Marfa Petrovna avait été contente de ce... disons de mon emportement. L'histoire avec votre sœur était usée jusqu'à la corde, et Marfa Petrovna, n'ayant plus rien à colporter en ville, était depuis trois jours forcée de rester chez elle; elle avait d'ailleurs fini par ennuyer tout le monde avec la lecture de sa lettre (en avez-vous entendu parler?). Et, tout à coup, ces deux coups de cravache providentiels! Son premier soin fut de faire atteler!... Sans parler des cas où les femmes éprouvent un grand plaisir à être offensées, malgré toute l'indignation qu'elles affichent (ces cas se présentent). L'homme, en général, aime beaucoup à être humilié; l'avez-vous remarqué? Mais ce trait est particulièrement fréquent chez les femmes; on peut même affirmer que c'est la chose essentielle de leur vie. »

Un moment, Raskolnikov songea à se lever et à s'en aller pour couper court à l'entretien, mais une certaine curiosité, et même une sorte de calcul, le décidèrent à patienter.

« Vous aimez jouer de la cravache? demanda-t-il d'un air distrait.

— Non, pas beaucoup, répondit tranquillement Svidrigaïlov. Quant à Marfa Petrovna, je ne me querellais presque jamais avec elle. Nous vivions en fort bonne intelligence et elle était contente de moi. Je n'ai usé de la cravache que deux fois pendant nos sept années de vie commune (si l'on ne compte pas un troisième cas assez ambigu). La première fois, c'était deux mois après notre mariage, à notre arrivée dans la propriété, la seconde et dernière fois dans les circonstances auxquelles je faisais allusion. Et vous, vous me jugiez un monstre, n'est-ce pas, un homme arriéré, un partisan du servage, hé, hé!... A propos, ne vous souvenez-vous pas, Rodion Romanovitch, qu'il y a quelques années, au temps des bienheureuses assemblées municipales, on a couvert d'opprobre un propriétaire foncier, je ne me souviens plus de son nom, coupable d'avoir cravaché une étrangère en wagon. Vous vous rappelez? C'était la même année, je crois bien, qu'eut lieu cet « horrible incident du *Siècle* ». Allons, les *Nuits égyptiennes*[1], les conférences, vous y êtes? Les yeux noirs! O temps merveilleux de notre jeunesse, où es-tu? Eh bien, voici mon opinion! Je blâme profondément le monsieur qui a cravaché l'étrangère, car c'est là une action... Comment ne pas la blâmer, je vous le demande? Mais je ne puis m'empêcher d'ajouter qu'on rencontre parfois de ces « étrangères » qui vous poussent si bien à la violence que l'homme le plus avancé ne pourrait répondre de lui. Personne n'a jamais examiné la question sous cet angle, mais c'est, je vous l'assure, une erreur, car mon point de vue est tout à fait humain. »

En prononçant ces mots, Svidrigaïlov se remit à rire. Raskolnikov comprit parfaitement qu'il avait un projet bien arrêté et le jugea un fin matois.

« Vous devez avoir passé plusieurs jours sans ouvrir la bouche à âme qui vive? demanda-t-il.

— Il y a un peu de cela, mais dites-moi, n'êtes-vous pas étonné de me voir si bon caractère?

— Non, ce qui m'étonne, au contraire, c'est de vous voir trop bon caractère.

— Vous dites cela parce que je ne me suis pas formalisé de la grossièreté de vos questions, n'est-ce pas? Oui... mais pourquoi m'en formaliser? Vous m'avez interrogé et je vous ai répondu, ajouta-t-il avec une bonhomie extraordinaire. Car je ne m'intéresse pour ainsi dire à rien, continua-t-il d'un air pensif. Surtout maintenant, je ne fais littéralement rien... Vous pouvez du reste vous imaginer que je cherche à gagner vos bonnes grâces par intérêt, puisque surtout je tiens à voir votre sœur, comme je vous l'ai déclaré. Mais je vous avouerai franchement que je m'ennuie beaucoup. Surtout depuis ces trois jours, si bien que j'ai été heureux de vous voir... Ne vous fâchez pas, Rodion Romanovitch, mais vous me paraissez vous-même fort étrange. Vous aurez beau dire; il vous arrive quelque chose, et précisément en ce moment : je ne parle pas de cette minute présente, mais de ces temps-ci en général. Allons, allons, je me tais, ne vous renfrognez pas. Je ne suis pas un ours aussi mal léché que vous le pensez. »

Raskolnikov lui jeta un regard sombre.

« Peut-être ne l'êtes-vous pas du tout, dit-il. Il me semble que vous êtes un homme de fort bonne compagnie, ou, du moins, vous savez vous montrer convenable quand il le faut.

— Mais je ne me soucie de l'opinion de personne, répondit Svidrigaïlov, d'un ton sec et un peu hautain. Dès lors, pourquoi ne pas prendre les façons d'un personnage mal élevé, dans un pays où elles sont si commodes, et surtout... quand on y est porté naturellement? acheva-t-il en riant...

— J'ai cependant entendu dire que vous connaissiez beaucoup de monde ici, car vous n'êtes pas ce qu'on appelle « un homme sans relations ». Que venez-vous donc faire chez moi, si vous ne poursuivez aucun but?

— Il est vrai que j'ai, comme vous dites, des relations, reprit le visiteur sans répondre à la question principale qui lui était adressée. J'en ai déjà rencontré, car c'est le troisième jour que je passe à me balader. Je les reconnais et ils me reconnaissent, je le crois. C'est bien simple, je suis convenablement vêtu et réputé pour être un homme aisé, car l'abolition du servage nous a épargnés. Il nous reste des bois, des prairies fertilisées par nos rivières et nous continuons à en tirer des revenus... Mais je ne veux pas renouer mes anciennes relations; elles m'ennuyaient déjà autrefois. Il y a trois jours que j'erre et je ne me suis encore rappelé au souvenir de personne... Et puis cette ville! Comment s'est-elle édifiée, je vous le demande! Une ville de fonctionnaires et de séminaristes. Vrai, il y a bien des choses que je ne remarquais pas autrefois, quand j'y flânais, il y a huit ans de cela. Je n'ai plus foi qu'en l'anatomie.

— Quelle anatomie?

— Je parle de ces cercles, de ces clubs, Dussaud [1], etc. Ah! tout cela se passera de nous, fit-il, comme s'il ne remarquait pas l'interrogation muette de l'autre. Et quel plaisir peut-on éprouver à tricher?

— Ah! vous trichiez au jeu?

— Sans doute; nous étions tout un groupe de gens comme il faut, il y a sept ans, et nous tuions le temps ainsi. Des gens de la meilleure société. Il y avait parmi nous des poètes, des capitalistes. Avez-vous d'ailleurs remarqué que chez nous, en Russie, les gens du meilleur ton sont des filous? Moi, voyez-vous, je vis maintenant à la campagne. Cependant, j'ai bien failli faire de la prison pour dettes, par la faute d'un petit Grec de Néjine. C'est alors que j'ai rencontré Marfa Petrovna; elle est entrée en arrangement avec mon créancier, a marchandé, m'a libéré de ma dette moyennant 30 000 roubles (je n'en devais que 70 000 en tout). Nous convolâmes en justes noces et elle m'emmena aussitôt dans sa propriété comme un trésor. Elle était de cinq ans plus âgée que moi et m'aimait beaucoup. J'y suis resté sept ans sans bouger. Et remarquez qu'elle a gardé toute sa vie, à titre de précaution contre moi, le billet signé d'un faux nom que j'avais souscrit au Grec, si bien que, si j'avais essayé de secouer le joug, elle m'eût aussitôt fait coffrer. Oh! elle l'aurait fait comme je vous le dis. Les femmes ont de ces contradictions.

— Et n'était ce billet, l'auriez-vous plantée là?

— Je ne sais que vous dire. Cette pièce ne me gênait guère. Je n'avais envie d'aller nulle part, et Marfa Petrovna, voyant que je m'ennuyais, m'engagea elle-même à deux reprises à faire un voyage à l'étranger. Mais, quoi, j'y étais déjà allé autrefois et je m'y étais affreusement déplu. Vous y contemplez un lever de soleil ou la baie de Naples, la mer, et une tristesse vous envahit; le plus vexant est que vous éprouvez une véritable nostalgie. Non, on est mieux chez nous. On peut au moins y accuser les autres de tout le mal et se justifier à ses propres yeux. Je serais peut-être parti à présent pour une expédition au pôle Nord, car *j'ai le vin mauvais* [1] et boire me dégoûte. Or, il ne me reste rien d'autre à faire. J'ai déjà essayé. Dites donc, on assure que Berg va tenter dimanche une ascension en ballon, au jardin Ioussoupov, et qu'il consent à prendre des passagers payants; est-ce vrai?

— Vous voulez donc monter en ballon?

— Moi? Non... je dis ça comme ça... » marmotta Svidrigaïlov d'un air pensif.

« Mais serait-il sincère? » pensa Raskolnikov.

« Non, le papier ne m'a jamais gêné, continua Svidrigaïlov comme s'il poursuivait sa pensée. C'est de mon plein gré que je restais à la campagne. D'ailleurs, il y aura bientôt un an que Marfa Petrovna, à l'occasion de mon anniversaire, me rendit ce document en y joignant une somme importante, à titre de cadeau... Car elle était riche. « Vous voyez « quelle confiance j'ai en vous, Arcade Ivano- « vitch », me dit-elle. Oui, je vous assure, elle s'est exprimée ainsi. Vous ne le croyez pas? Et je remplissais fort bien mes devoirs de propriétaire rural; on me connaît dans le pays. Puis je faisais venir des livres. Marfa Petrovna avait commencé par m'approuver, puis elle avait fini par craindre de me voir me fatiguer par trop d'application.

— Il me semble que Marfa Petrovna vous manque beaucoup!

— A moi? Peut-être bien. A propos, croyez-vous aux apparitions?

— Quelles apparitions?

— Comment, quelles... Aux apparitions dans le sens où on l'entend communément.

— Et vous, vous y croyez?

— Oui et non; si vous voulez, non, *pour vous plaire...* [1], c'est-à-dire je ne puis l'affirmer.

— Pourquoi? il vous arrive d'en avoir? »

Svidrigaïlov lui jeta un coup d'œil bizarre.

« Marfa Petrovna veut bien venir me rendre visite, dit-il, la bouche tordue par un sourire indéfinissable.

— Comment cela?

— Eh bien, elle m'est déjà apparue trois fois. La première, c'était le jour même de son enterrement, une heure après mon retour du cimetière, la veille de mon départ pour Pétersbourg. La seconde fois, il y a deux jours, pendant mon voyage; c'était à l'aube, à la station de Malaïa-Vichera[1], et la troisième, il y a à peine deux heures, dans la chambre où je loge. J'étais seul.

— Vous étiez éveillé?

— Tout à fait; toutes les trois fois. Elle apparaît, me parle un instant et sort par la porte, toujours par la porte. On croirait presque l'entendre s'en aller.

— Mais pourquoi avais-je le sentiment que des choses pareilles devaient vous arriver? » proféra tout à coup Raskolnikov étonné lui-même de ces paroles dès qu'il les eut prononcées. Il se sentit extraordinairement ému.

« Tiens, vous avez pensé à cela? demanda Svidrigaïlov d'un ton surpris. Non vraiment? Ah! je disais bien que nous avions des points communs.

— Vous ne l'avez jamais dit, répliqua brusquement Raskolnikov.

— Je ne l'ai pas dit?

— Non.

— Ah! je l'avais cru. Quand je suis entré tantôt et que je vous ai vu couché, les yeux clos et feignant le sommeil, je me suis dit aussitôt : « C'est lui-même. »

— Que veut dire cette expression : lui-même? A quoi faites-vous allusion? cria Raskolnikov.

— A quoi? Mais je l'ignore, je vous assure... » balbutia naïvement Svidrigaïlov, démonté.

Un moment, ils gardèrent le silence en se dévorant des yeux.

« Tout ça, ce sont des sottises, cria Raskolnikov avec irritation. Et que vous dit-elle lorsqu'elle vous apparaît?

— Elle? Figurez-vous qu'elle me parle de niaiseries et, voyez un peu ce qu'est l'homme, c'est cela qui me fâche précisément. La première fois, elle est entrée (moi, voyez-vous, j'étais fatigué : le service funèbre, le *Requiem*, puis le repas des funérailles; enfin je pouvais m'isoler dans mon cabinet, j'allumai un cigare et m'abandonnai à mes réflexions). Tout à coup, elle entre par la porte. « Et vous, me dit-elle, Arcade Ivanovitch, vous « avez oublié aujourd'hui, avec tous ces tracas « que vous avez eus, de remonter la pendule de la « salle à manger. » C'était moi, en effet, qui, depuis sept ans, remontais chaque semaine la pendule et quand je l'oubliais, elle m'y faisait toujours penser.

« Le lendemain, je me mets en route pour Pétersbourg. A l'aube, arrivé à une station, j'entre au buffet de la gare. J'avais mal dormi, j'étais courbatu, les yeux gonflés, je demande du café. Tout à coup, que vois-je? Marfa Petrovna qui s'assied près de moi, un jeu de cartes à la main. « Voulez-« vous, Arcade Ivanovitch, que je vous prédise « comment se passera votre voyage? » me dit-elle. Elle était, il faut vous dire, passée maîtresse en cet art. Je ne me pardonnerai jamais de n'y avoir pas consenti. Je m'enfuis, saisi d'épouvante; il est vrai que la cloche du départ sonnait déjà...

« Aujourd'hui, j'étais assis chez moi, après un détestable dîner de gargote que je ne parvenais pas à digérer. Je fumais... Soudain, Marfa Petrovna entra de nouveau, cette fois en grande toilette; elle portait une robe verte toute neuve, à traîne immense. « Bonjour, Arcade Ivanovitch; comment « trouvez-vous ma robe? Aniska ne serait pas « capable d'en faire une pareille. » (Aniska est une couturière de chez nous, une ancienne serve qui avait été en apprentissage à Moscou, un joli brin de fille.) Marfa Petrovna est là, à tourner devant moi. J'examine la robe, puis je la regarde, elle, attentivement, en pleine figure. « Qu'avez-vous « besoin, lui dis-je, de vous déranger pour de « pareilles niaiseries, Marfa Petrovna? — Ah! mon « Dieu, si on ne peut même plus venir vous déran- « ger! — Et moi, lui dis-je pour la taquiner, moi, « Marfa Petrovna, je veux me remarier. — On « pouvait s'y attendre de vous, Arcade Ivanovitch, « me répondit-elle. Cela ne vous fait pas honneur « d'aller vous remarier sitôt votre femme enterrée, « et même fissiez-vous un bon choix, vous ne vous « attirerez que les quolibets des braves gens. » Sur ce, elle sortit et je crus même entendre le froufrou de sa traîne. Quelles absurdités, hein?

— Mais tout cela, ce ne sont peut-être que des mensonges? fit Raskolnikov.

— Je mens rarement, répondit Svidrigaïlov d'un ton pensif et sans paraître remarquer la grossièreté de la question.

— Et avant cela, il ne vous était jamais arrivé de voir des apparitions?

— Non — ou plutôt, une seule fois, il y a six ans. J'avais un domestique, Philka. On venait de l'enterrer, quand je me mets à crier par distraction : « Philka, ma pipe! » Il entra et alla droit à l'étagère où étaient rangés mes ustensiles de fumeur. « Il se venge », pensai-je, car nous avions eu une vive altercation peu avant sa mort. « Comment oses-tu, lui dis-je, te présenter devant « moi avec un habit troué au coude? Hors d'ici, « misérable! » Il se détourna, sortit et ne reparut plus. Je n'en ai pas parlé à Marfa Petrovna. J'avais l'intention de faire dire une messe pour lui, puis je me suis dit que ce serait de l'enfantillage.

— Allez donc voir un médecin.

— Je n'ai pas besoin de vous pour me rendre compte que je suis malade, bien qu'à la vérité je ne sache pas de quoi. Selon moi, je me porte au moins cinq fois mieux que vous. Je ne vous ai pas demandé : croyez-vous qu'on puisse voir des apparitions? mais : croyez-vous qu'elles existent?

— Non certes, je ne pourrai jamais le croire, cria Raskolnikov avec une sorte de fureur.

— Que dit-on ordinairement? murmura Svidrigaïlov en manière de soliloque — il inclinait la tête avec un regard de côté. On dit : tu es malade et par conséquent tout ce qui t'apparaît est dû au délire. Ce n'est pas raisonnable avec une logique rigoureuse. J'admets que les apparitions ne se montrent qu'aux malades, mais cela ne prouve qu'une chose, c'est qu'il faut être malade pour les voir et non qu'elles n'existent pas en soi.

— Certainement qu'elles n'existent pas, insista Raskolnikov avec emportement.

— Non, c'est votre avis? » continua Svidrigaïlov, et il le considéra longuement.

« Eh bien, mais ne pourrait-on pas raisonner de la façon suivante? Aidez-moi donc! Les apparitions sont en quelque sorte des fragments d'autres mondes, leurs embryons. Un homme bien portant n'a naturellement aucune raison de les voir, car un homme sain est surtout un homme terrestre, c'est-à-dire matériel. Il doit donc vivre, pour rester dans l'ordre, la seule vie d'ici-bas. Mais à peine vient-il à être malade et l'ordre normal, terrestre de son organisme à se détraquer, que la possibilité d'un autre monde commence à se manifester aussitôt à lui et, à mesure que s'aggrave la maladie, les rapports avec ce monde deviennent plus étroits, jusqu'à ce que la mort l'y fasse entrer de plain-pied. Si vous croyez à une vie future, rien ne vous empêche d'admettre ce raisonnement.

— Je ne crois pas à la vie future », dit Raskolnikov. Svidrigaïlov semblait plongé dans une méditation.

« Et s'il n'y avait là que des araignées ou autres bêtes semblables? » dit-il tout à coup.

« Il est fou », pensa Raskolnikov.

« Nous nous représentons toujours l'éternité comme une idée impossible à comprendre, quelque chose d'immense. Mais pourquoi en serait-il nécessairement ainsi? Et si, au lieu de tout cela, il n'y a, figurez-vous, qu'une petite chambre, comme qui dirait une de ces cabines de bain villageoises tout enfumées, avec des toiles d'araignées dans tous les coins : la voilà, l'éternité. Moi, vous savez, c'est ainsi que je l'imagine parfois.

— Eh quoi! Se peut-il que vous ne puissiez vous en faire une idée plus juste, plus consolante? cria Raskolnikov, avec un sentiment de malaise.

— Plus juste? Eh! qui sait? Ce point de vue est peut-être le plus vrai; je m'arrangerais pour qu'il en fût ainsi si cela dépendait de moi », fit Svidrigaïlov avec un sourire vague.

Cette réponse absurde fit frissonner Raskolnikov. Svidrigaïlov leva la tête, le regarda fixement et partit d'un éclat de rire.

« Non, mais rendez-vous compte : est-ce assez curieux? s'écria-t-il. Il y a une demi-heure, nous ne nous étions jamais vus, et maintenant encore nous nous considérons comme des ennemis. Il nous reste une affaire à régler entre nous et voilà que nous laissons tout de côté pour nous mettre à philosopher. Quand je vous le disais que nous sommes deux têtes sous le même bonnet.

— Pardon, reprit Raskolnikov tout agacé; permettez-moi de vous prier de vous expliquer sur-le-champ, apprenez-moi ce qui me vaut l'honneur de votre visite et... et... je suis pressé... j'ai à sortir...

— Soit, et même volontiers. Votre sœur Avdotia Romanovna épouse Piotr Petrovitch Loujine?

— Je vous prierais de ne pas mêler ma sœur à cet entretien et d'éviter de prononcer son nom. Je ne comprends même pas que vous osiez la nommer, si vous êtes vraiment Svidrigaïlov.

— Mais puisque je suis venu exprès pour vous parler d'elle, comment ne pas la nommer?

— C'est bien, parlez donc, mais faites vite.

— Je suis sûr que votre opinion est déjà faite sur ce M. Loujine, mon parent par alliance, pour peu que vous ayez pu le voir une demi-heure ou en entendre parler par une personne digne de foi. Ce n'est pas un parti convenable pour Avdotia Romanovna. D'après moi, Avdotia Romanovna, dans cette affaire, se sacrifie d'une façon aussi magnanime qu'inconsidérée pour... pour sa famille. J'ai pensé, d'après tout ce que j'ai entendu dire de vous, que vous-même seriez très heureux de voir ces fiançailles rompues, sans porter préjudice à votre sœur. Maintenant que j'ai fait votre connaissance, j'en suis persuadé.

— Tout cela est fort naïf de votre part, excusez-moi, je voulais dire effronté, dit Raskolnikov.

— Vous voulez dire que je suis poussé par mon intérêt? Soyez tranquille, Rodion Romanovitch, je saurais mieux cacher mon jeu s'il en était ainsi. Je ne suis tout de même pas un imbécile. Je vais, à ce propos, vous découvrir une bizarrerie psychologique. Tantôt, je m'excusais d'avoir aimé votre sœur en disant que j'avais été moi-même une victime. Eh bien, sachez que je n'éprouve plus aucun amour pour elle, au point que je m'en étonne, car enfin j'avais été vraiment épris...

— C'était un caprice d'homme désœuvré et de libertin, l'interrompit Raskolnikov.

— Je suis en effet désœuvré et libertin. Du reste, votre sœur possède tant de mérites qu'il n'est pas étonnant que je n'aie pu y résister. Mais tout cela n'était qu'un feu de paille, comme je m'en rends compte à présent.

— Il y a longtemps que vous avez fait cette découverte?

— Je m'en doutais depuis quelque temps, mais je ne m'en suis définitivement convaincu qu'avant-hier, à l'instant de mon arrivée à Pétersbourg. Du reste, je dois vous dire qu'à Moscou encore, j'étais persuadé que je me rendais ici afin d'obtenir la main d'Avdotia Romanovna et de triompher de Loujine.

— Excusez-moi de vous interrompre, mais ne pourriez-vous pas abréger et en venir immédiatement à l'objet de votre visite? Je suis pressé, j'ai des courses à faire...

— Très volontiers. Décidé à entreprendre... certain voyage, je voudrais régler préalablement différentes affaires... Mes enfants sont restés chez leur tante; ils sont riches et n'ont nullement besoin de moi. Et d'ailleurs quel père suis-je? Pour mes besoins personnels je n'ai emporté que la somme qui m'a été donnée l'année dernière par Marfa Petrovna. Elle me suffira. Excusez-moi, j'en viens au fait. Je tiens avant ce voyage projeté, et qui sera réalisé, peut-être, à en finir avec M. Loujine. Ce n'est point que je le haïsse particulièrement, mais il a été cause de ma dernière querelle avec ma femme : je me suis fâché en apprenant qu'elle avait manigancé ce mariage. Maintenant je désirerais obtenir, grâce à votre concours, une entrevue avec Avdotia Romanovna, pour lui expliquer en votre présence, si vous le voulez, que non seulement un mariage avec M. Loujine ne pourrait lui apporter aucun avantage, mais qu'il présenterait, au contraire, de graves inconvénients. Ensuite, quand je me serai excusé pour tous les ennuis que j'ai pu lui causer, je lui demanderai l'autorisation de lui offrir dix mille roubles et de lui faciliter ainsi la rupture avec M. Loujine, rupture à laquelle, j'en suis persuadé, elle-même ne répugnerait pas si elle en entrevoyait la possibilité.

— Mais vous êtes positivement fou! s'écria Raskolnikov, moins irrité que surpris. Comment osez-vous tenir ce langage?

— Je savais bien que vous alliez pousser les hauts cris, mais je commence par vous faire observer, que, quoique je ne sois pas riche, je puis parfaitement disposer de ces dix mille roubles, je veux dire que je n'en ai nullement besoin. Si Avdotia Romanovna se refuse à les accepter, Dieu sait quel stupide usage j'en ferai. En second lieu, ma conscience est bien tranquille. Je vous fais cette offre sans aucun calcul intéressé. Vous pouvez ne pas me croire, mais vous aurez l'occasion de vous en convaincre, ainsi qu'Avdotia Romanovna, par la suite. Le fait est que j'ai réellement causé beaucoup d'ennuis à votre très honorée sœur, tout est là, et comme j'en éprouve un repentir sincère, je désire de tout cœur, non pas racheter mes fautes ou payer ces ennuis, mais lui rendre simplement un petit service, car enfin, il n'est pas dit que j'aie acheté le privilège de ne lui faire que du mal. Si ma proposition cachait la moindre arrière-pensée, je ne l'aurais pas faite avec cette franchise et je ne me serais pas borné à ne lui offrir que dix mille roubles, quand je lui en ai proposé davantage il y a cinq semaines. Je vais d'ailleurs me marier bientôt, très probablement, avec une jeune fille, et dans ce cas on ne peut me soupçonner de vouloir séduire Avdotia Romanovna. Je vous dirai, pour en finir, qu'en épousant M. Loujine, Avdotia Romanovna accepte cette même somme d'un autre côté, voilà toute la différence. Allons, ne vous fâchez pas, Rodion Romanovitch, et jugez avec calme et sang-froid. »

Svidrigaïlov, lui-même, avait prononcé ces mots avec un flegme extraordinaire.

« En voilà assez, dit Raskolnikov. Cette proposition est d'une insolence impardonnable.

— Pas le moins du monde. D'après vous, un homme dans ce monde n'est autorisé qu'à faire du mal à son semblable et il n'a pas le droit de lui faire le moindre bien, à cause des sottes convenances sociales. C'est absurde. Si moi, par exemple, je venais à mourir et à léguer cette somme à votre sœur, par testament, refuserait-elle de l'accepter?

— C'est bien possible.

— Oh! ça, je suis bien sûr que non. Du reste, n'en parlons plus, mais laissez-moi vous dire que dix mille roubles sont une excellente chose à l'occasion. Quoi qu'il en soit, je vous prie de transmettre notre conversation à Avdotia Romanovna.

— Je n'en ferai rien.

— Dans ce cas, Rodion Romanovitch, je me verrai obligé de rechercher une entrevue avec elle au risque de l'ennuyer.

— Et si je lui communique votre proposition, vous ne chercherez pas à la voir en particulier?

— Je ne sais vraiment que vous dire. J'aurais fort envie de la voir une fois.

— N'y comptez pas.

— Tant pis. Du reste, vous ne me connaissez pas; peut-être des relations amicales pourront-elles s'établir entre nous.

— Vous le croyez?

— Et pourquoi pas? » fit Svidrigaïlov avec un sourire; puis il se leva, prit son chapeau; « ce n'est pas que je veuille vous importuner. En venant ici, je ne comptais pas trop... quoique votre physionomie m'ait frappé, ce matin même...

— Où m'avez-vous vu ce matin? demanda Raskolnikov d'un air inquiet.

— Je vous ai aperçu par hasard. Il me semble que vous avez quelque chose de commun avec moi... Mais ne vous agitez donc pas, je ne veux pas être importun. J'ai pu m'entendre avec des tricheurs et n'ai jamais ennuyé mon parent éloigné, le prince Svirbey, un grand personnage; j'ai même su écrire des pensées sur la Madone de Raphaël, dans l'album de Mme Priloukov. J'ai pu vivre sept ans avec Marfa Petrovna sans bouger de sa propriété... Autrefois j'ai passé bien des nuits dans la maison Viasemsky, sur la place des Halles, et peut-être vais-je monter en ballon avec Berg.

— Allons, c'est bien. Permettez-moi de vous demander si vous comptez entreprendre bientôt votre voyage.

— Quel voyage?

— Mais le voyage dont vous parliez tantôt.

— Un voyage? Ah! oui... je vous en ai parlé, en effet. Oh! c'est une question très vaste... Si vous saviez pourtant quel problème vous venez de soulever! ajouta-t-il, et il partit d'un rire haut et bref. Au lieu de voyager, je vais peut-être me marier, on me fait des propositions.

— Ici?

— Oui.

— Vous n'avez pas perdu de temps depuis votre arrivée.

— Mais je désirerais beaucoup voir une fois Avdotia Romanovna. Je vous en prie, sérieusement. Allons, au revoir... Ah! oui, j'allai oublier... Dites à votre sœur, Rodion Romanovitch, que Marfa Petrovna lui a légué trois mille roubles. C'est positivement vrai. Marfa Petrovna a pris ces dispositions, en ma présence, huit jours avant sa mort. Avdotia Romanovna pourra toucher cet argent dans trois semaines environ.

— Vous dites vrai?

— Oui, dites-le-lui. Allons, votre serviteur! J'habite très près de chez vous. »

En sortant Svidrigaïlov croisa Rasoumikhine, sur le seuil.

II

Il était près de huit heures. Les deux jeunes gens partirent rapidement pour la maison Bakaleev, afin d'y arriver avant Loujine.

« Mais qui était-ce donc? demanda Rasoumikhine, dès qu'ils furent dans la rue.

— C'était Svidrigaïlov, ce propriétaire chez qui ma sœur fut offensée pendant qu'elle y était gouvernante. La cour qu'il lui faisait l'obligea à quitter la maison, chassée par sa femme, Marfa Petrovna. Cette Marfa Petrovna a ensuite demandé pardon à Dounia et elle vient de mourir subitement. C'est d'elle qu'on parlait tantôt. Je ne sais pas pourquoi je redoute si fort cet homme. Il est arrivé ici aussitôt après l'enterrement de sa femme. Il est fort étrange et paraît nourrir un projet mystérieux. Mais lequel? Il faut protéger Dounia contre lui... Voilà ce que je voulais te dire, tu entends?

— La protéger! Mais que peut-il contre Avdotia Romanovna? Allons, je te remercie, Rodia, de m'avoir parlé ainsi... Nous la protégerons, sois tranquille. Où habite-t-il?

— Je n'en sais rien.

— Pourquoi ne le lui as-tu pas demandé? Eh! c'est fâcheux. Du reste, je le saurai.

— Tu l'as vu? demanda Raskolnikov après un silence.

— Oui, je l'ai parfaitement examiné.

— Non, mais l'as-tu bien vu, enfin, vu distinctement? insista Raskolnikov.

— Mais oui, je me souviens fort bien de ses traits, je le reconnaîtrais entre mille, car j'ai la mémoire des visages. »

Ils se turent de nouveau.

« Hum... allons, c'est bien... marmotta Raskolnikov, car tu sais, moi, je pensais... il me semble toujours que ce ne peut être qu'une illusion.

— Mais de quoi parles-tu? Je ne te comprends pas.

— Voilà, vous prétendez tous, continua Raskolnikov, la bouche tordue par un sourire, que je suis devenu fou, et il m'a semblé que j'ai peut-être perdu la raison, en effet, et n'ai vu qu'un spectre.

— Mais, voyons, que dis-tu là!

— Qui sait, je suis peut-être fou, et tous les événements de ces derniers jours n'ont peut-être eu lieu que dans mon imagination...

— Eh! Rodia, on t'a encore troublé l'esprit. Mais que t'a-t-il dit? Que te voulait-il? »

Raskolnikov ne lui répondit pas. Rasoumikhine réfléchit un instant.

« Allons, écoute mon compte rendu, fit-il. Je suis passé chez toi, tu dormais; ensuite nous avons dîné, puis j'ai été chez Porphyre. Zamiotov s'y trouvait encore. Je voulais commencer à m'expliquer, mais je n'ai pas pu y arriver; impossible d'entrer en matière comme il faut. Ils semblaient ne pas comprendre, sans d'ailleurs témoigner le moindre embarras. J'emmène enfin Porphyre près de la fenêtre et me mets à lui parler, sans y réussir beaucoup mieux. Il regarde d'un côté, moi de l'autre; finalement je lui mets mon poing sous le nez en lui disant que je vais le démolir. Il se contente de me regarder en silence. Je crache et je m'en vais, voilà tout. C'est très bête. Avec Zamiotov je n'ai pas échangé un mot. Seulement, vois-tu, je craignais de t'avoir fait du tort; mais en descendant l'escalier, une pensée soudaine m'a illuminé. De quoi nous préoccupons-nous, toi et moi? Si tu étais menacé d'un danger, je comprendrais, mais qu'as-tu à craindre, en l'occasion? Tu n'y es pour rien, et par conséquent tu te moques d'eux. Plus tard on se paiera leur tête. A ta place je me ferais un plaisir de les mystifier. Pense quelle honte ils auront de s'être si grossièrement trompés. N'y songe plus, on pourra les rosser comme il faut plus tard, mais maintenant bornons-nous à nous moquer d'eux.

— C'est juste! » fit Raskolnikov. « Et que dirastu demain? pensa-t-il. Chose étrange, l'idée ne m'est jamais venue de me demander ce que dira Rasoumikhine quand il apprendra. » A cette pensée il regarda fixement son ami. Le récit de la visite à Porphyre l'avait fort peu intéressé. Tant de sujets de préoccupation étaient venus s'ajouter aux anciens pendant ces dernières heures!

Dans le corridor ils rencontrèrent Loujine; il était arrivé à huit heures précises et cherchait le numéro de la chambre, si bien qu'ils entrèrent ensemble tous les trois, sans toutefois se regarder, ni se saluer. Les jeunes gens pénétrèrent les premiers dans la pièce et Piotr Petrovitch, pour observer les convenances, s'attarda un moment dans l'antichambre, en enlevant son pardessus. Pulchérie Alexandrovna s'avança aussitôt au-devant de lui, tandis que Dounia souhaitait le bonsoir à son frère.

Piotr Petrovitch entra à son tour et salua ces dames d'un air assez aimable, mais avec une gravité outrée. Il paraissait, du reste, un peu déconcerté. Pulchérie Alexandrovna, qui semblait troublée, elle aussi, s'empressa de faire asseoir tout son monde autour de la table ronde où bouillait le samovar. Dounia et Loujine se trouvèrent placés l'un en face de l'autre, et Rasoumikhine ainsi que Raskolnikov s'assirent en face de Pulchérie Alexandrovna, Rasoumikhine du côté de Loujine et Raskolnikov près de sa sœur. Il y eut un moment de silence. Piotr Petrovitch tira, sans hâte, un mouchoir de batiste parfumé et se moucha de l'air d'un homme bienveillant sans doute, mais quelque peu offensé dans sa dignité d'homme et décidé à réclamer des explications. A peine entré dans l'antichambre, tout à l'heure, une pensée lui était venue : ne pas enlever son pardessus, se retirer pour châtier sévèrement les deux dames, et leur faire comprendre ainsi la gravité de l'action qu'elles venaient de commettre. Mais il n'avait pu s'y décider. D'autre part, il aimait les situations nettes et il voulait éclaircir la chose suivante : elles devaient avoir une raison pour oser braver si ouvertement sa défense, et cette raison, il devait la connaître avant tout; il aurait toujours ensuite le temps de sévir et le châtiment ne dépendait que de lui.

« J'espère que vous avez fait bon voyage? demanda-t-il d'un ton officiel à Pulchérie Alexandrovna.

— Oui, grâce à Dieu, Piotr Petrovitch.

— J'en suis fort heureux. Et Avdotia Romanovna n'a pas été fatiguée, non plus?

— Moi, je suis jeune et forte et je ne me fatigue pas, mais pour maman ce voyage a été fort pénible, répondit Dounia.

— Que voulez-vous, nos routes nationales sont fort longues, répondit-il. Notre mère la Russie, comme on dit, est très vaste... Moi, je n'ai pu, malgré tout le désir que j'en avais, aller à votre rencontre. J'espère cependant que vous n'avez pas eu trop d'ennuis?

— Oh! Piotr Petrovitch, nous avons été fort embarrassées, au contraire, se hâta de répondre Pulchérie Alexandrovna, avec une intonation particulière, et si Dieu lui-même, je pense, ne nous avait envoyé hier Dmitri Prokofitch, je ne sais vraiment ce que nous serions devenues. Le voilà, permettez-moi de vous le présenter. Dmitri Prokofitch Rasoumikhine, ajouta-t-elle s'adressant à Loujine.

— Comment donc! J'ai eu le plaisir... hier », marmotta Loujine en lançant au jeune homme un regard oblique et malveillant; puis il se renfrogna et se tut.

Piotr Petrovitch semblait appartenir à cette catégorie de gens qui s'efforcent de se montrer fort aimables en société, mais perdent tous leurs moyens à la moindre contrariété, au point de ressembler plutôt à des soliveaux qu'à de brillants cavaliers. Il y eut encore un moment de silence; Raskolnikov s'enfermait dans un mutisme obstiné. Avdotia Romanovna jugeait que le moment n'était pas venu pour elle de rompre le silence. Rasoumikhine, lui, n'avait rien à dire, si bien que Pulchérie Alexandrovna se vit obligée de payer encore de sa personne.

« Marfa Petrovna est morte, le saviez-vous? demanda-t-elle, recourant à sa suprême ressource.

— Comment donc! J'en ai été informé aussitôt, et je puis même vous apprendre qu'Arcade Ivanovitch Svidrigaïlov, aussitôt après l'enterrement de sa femme, est parti précipitamment pour Pétersbourg. Je tiens cette nouvelle d'une source sûre.

— Pour Pétersbourg? Pour ici? demanda Dounetchka d'une voix alarmée, en échangeant un regard avec sa mère.

— Parfaitement. Et l'on doit supposer que ce n'est pas sans intentions, étant donné la précipitation de ce départ et les circonstances qui l'ont précédé.

— Seigneur! Est-il possible qu'il vienne relancer Dounetchka jusqu'ici?

— Il me semble que vous n'avez, ni l'une ni l'autre, à vous inquiéter beaucoup, du moment que vous éviterez toute espèce de relations avec lui. Quant à moi, j'ai l'œil ouvert et je saurai bientôt où il est descendu...

— Ah! Piotr Petrovitch, vous ne sauriez vous imaginer à quel point vous m'avez troublée, continua Pulchérie Alexandrovna. Je ne l'ai vu que deux fois en tout, mais il m'a paru effrayant, effrayant! Je suis sûre qu'il a causé la mort de la défunte Marfa Petrovna.

— On ne peut rien conclure là-dessus. J'ai des renseignements précis. Je ne nie pas que ses mauvais procédés n'aient pu, dans une certaine mesure, hâter le cours des choses. Quant à sa conduite et en général au caractère moral du personnage, je suis d'accord avec vous... J'ignore s'il est riche maintenant et ce qu'a pu lui laisser Marfa Petrovna, mais je le saurai dans le plus bref délai. Ce qui est certain, c'est qu'ici, à Pétersbourg, il reprendra, s'il a les moindres ressources, son ancien genre de vie. C'est l'homme le plus perdu de vices, le plus dépravé qui soit. J'ai de bonnes raisons de croire que Marfa Petrovna, qui avait eu le malheur de s'amouracher de lui et de payer toutes ses dettes, il y a huit ans, lui a encore été utile sous un autre rapport; elle est arrivée à force de démarches et de sacrifices à étouffer dès son origine une affaire criminelle, qui pouvait bel et bien envoyer M. Svidrigaïlov en Sibérie. Il s'agissait d'un assassinat commis dans des circonstances épouvantables, et pour ainsi dire fantastiques.

— Ah! Seigneur! » s'écria Pulchérie Alexandrovna. Raskolnikov écoutait attentivement.

« Vous parlez, dites-vous, d'après des renseignements sûrs? demanda Dounia d'un air grave et sévère.

— Je ne répète que ce qui m'a été confié en secret par Marfa Petrovna. Il faut remarquer que cette affaire est fort obscure au point de vue juridique. A cette époque habitait ici, il paraît même qu'elle y habite toujours, une certaine Resslich, une étrangère, qui prêtait à la petite semaine, et qui exerçait également divers autres métiers. Des relations aussi intimes que mystérieuses s'étaient depuis longtemps établies entre cette femme et M. Svidrigaïlov. Elle avait chez elle une parente éloignée, une nièce, je crois, fillette de quinze ou même quatorze ans, qui était sourde-muette. La Resslich ne pouvait souffrir cette enfant; elle lui reprochait chaque morceau de pain et la battait d'une façon inhumaine. Un jour la malheureuse fut trouvée étranglée dans le grenier. On conclut à un suicide. Après les formalités d'usage, l'affaire semblait devoir se terminer ainsi, quand la police fut informée que l'enfant avait été... violée par Svidrigaïlov. Il est vrai que tout cela était assez obscur, la dénonciation émanant d'une autre Allemande, femme d'une immoralité notoire et dont le témoignage ne pouvait être pris en considération; enfin la dénonciation fut retirée, grâce aux efforts et à l'argent de Marfa Petrovna. Tout se borna à de méchants bruits. Mais ces bruits étaient fort significatifs. Vous avez certainement entendu conter, pendant que vous étiez chez eux, l'histoire de ce domestique Philippe, mort à la suite de mauvais traitements, il y a six ans de cela, au temps du servage.

— J'ai entendu dire, au contraire, que ce Philippe s'était suicidé.

— C'est parfaitement vrai, mais il a été forcé ou plutôt poussé à se donner la mort par les mauvais traitements et les vexations systématiques de son maître.

— J'ignorais cela, répondit sèchement Dounia. J'ai seulement entendu conter, à ce propos, une histoire fort étrange. Ce Philippe était, paraît-il, un neurasthénique, une sorte de philosophe d'antichambre. Ses camarades disaient de lui : « C'est « l'excès de lecture qui lui a troublé l'esprit », et l'on prétend qu'il s'est suicidé pour échapper aux railleries plutôt qu'aux coups de M. Svidrigaïlov. Je l'ai toujours vu traiter ses gens humainement; il était même aimé d'eux, quoique, je l'avoue, je les ai entendus l'accuser, eux aussi, de la mort de Philippe.

— Je vois, Avdotia Romanovna, que vous avez tendance à le justifier, fit remarquer Loujine, la bouche tordue par un sourire équivoque. Le fait est que c'est un homme rusé et habile à gagner le cœur des dames. La pauvre Marfa Petrovna, qui vient de mourir dans des circonstances bizarres, en est la preuve lamentable. Je ne voulais que vous aider de mes conseils, vous et votre mère, en prévision des tentatives qu'il ne manquera pas de renouveler. Quant à moi, je suis convaincu que cet homme retournera bientôt à la prison pour dettes. Marfa Petrovna n'a jamais eu l'intention de lui assurer une part importante de sa fortune, car elle songeait à ses enfants et si elle lui a laissé quelque chose, c'est une somme des plus modestes, le strict nécessaire, une aisance éphémère, à peine de quoi vivre un an, pour un homme de ses goûts.

— Piotr Petrovitch, ne parlons pas, je vous en prie, de M. Svidrigaïlov, dit Dounia. Cela me rend nerveuse.

— Il est venu tout à l'heure chez moi », dit tout à coup Raskolnikov, en ouvrant la bouche pour la première fois.

Tous se tournèrent vers lui avec des exclamations de surprise. Piotr Petrovitch lui-même parut ému.

« Il y a une heure et demie, pendant que je dormais, il est entré, m'a réveillé et s'est présenté à moi, continua Raskolnikov. Il semblait fort à l'aise, et assez gai; il espère se lier avec moi. Entre autres choses, il sollicite vivement une entrevue avec toi, Dounia, et m'a prié de lui servir d'intermédiaire à ce sujet. Il a une proposition à te faire et m'a dit en quoi elle consiste. Il m'a en outre positivement assuré que Marfa Petrovna, huit jours avant sa mort, t'a légué, Dounia, par testament, trois mille roubles, et que tu pourras toucher cette somme dans le plus bref délai.

— Dieu soit loué! s'écria Pulchérie Alexandrovna, et elle se signa. Prie pour elle, Dounia, prie!

— C'est exact! ne put s'empêcher de reconnaître Loujine.

— Eh bien, et ensuite? fit vivement Dounetchka.

— Ensuite il m'a dit qu'il n'est pas riche, car la propriété revient aux enfants restés chez leur tante. Puis il m'a appris qu'il loge près de chez moi, mais où? je l'ignore, je ne le lui ai pas demandé...

— Mais quelle proposition voulait-il faire à Dounetchka? demanda Pulchérie Alexandrovna tout effrayée. Te l'a-t-il confiée?

— Oui.

— Eh bien?

— Je vous le dirai plus tard. » Raskolnikov se tut et se mit à boire son thé.

Piotr Petrovitch tira sa montre de sa poche et y jeta les yeux.

« Une affaire urgente m'oblige à vous quitter; ainsi je ne gênerai pas votre entretien, ajouta-t-il d'un air assez piqué en se levant de son siège.

— Restez, Piotr Petrovitch, dit Dounia. Vous aviez l'intention de me consacrer votre soirée. De plus, vous avez écrit que vous désiriez avoir une explication avec maman.

— C'est vrai, Avdotia Romanovna, fit Loujine d'un air solennel, et il se rassit, mais garda son chapeau à la main. Je désirais, en effet, m'expliquer avec vous et votre honorée mère sur quelques points de la plus haute gravité. Mais de même que votre frère ne peut répéter devant moi certaines propositions de M. Svidrigaïlov, moi, à mon tour, je ne veux et ne puis m'expliquer... devant des tiers... sur certains points d'une extrême importance. D'autre part, il n'a pas été tenu compte du désir capital et formel que j'ai manifesté... »

La figure de Loujine prit une expression d'amertume et avec dignité il se tut.

« C'est sur mes seules instances qu'il n'a pas été tenu compte de votre désir de voir mon frère exclu de cette entrevue, dit Dounia. Vous nous avez écrit que vous aviez été insulté par lui. Je pense qu'il faut tirer cette accusation au clair le plus rapidement possible et vous réconcilier. Et si Rodia vous a réellement offensé, il vous *doit* des excuses et il vous en *fera.* »

En entendant ces paroles, Piotr Petrovitch s'enhardit aussitôt.

« Il est des offenses, Avdotia Romanovna, qu'on ne peut oublier, avec la meilleure volonté du monde. En toutes choses il y a une limite dangereuse à dépasser, car cette limite une fois franchie, le retour en arrière est impossible.

— Ah! ce n'est pas ce que je voulais dire, Piotr Petrovitch, l'interrompit Dounia, avec quelque impatience. Comprenez-moi bien, tout notre avenir dépend de la solution rapide de cette question : les choses pourront-elles s'arranger ou non? Je vous dis franchement, et dès le début, que je ne puis considérer les choses autrement et pour peu que vous teniez à moi, vous devez comprendre qu'il faut que cette histoire prenne fin aujourd'hui, si difficile que cela puisse paraître.

— Je m'étonne que vous puissiez poser la question ainsi, Avdotia Romanovna, fit Loujine avec une irritation croissante. Je puis vous apprécier et vous chérir tout en n'aimant pas quelque membre de votre famille. Je prétends au bonheur d'obtenir votre main, sans pour cela m'engager à accepter des devoirs incompatibles...

— Ah! laissez cette vaine susceptibilité, Piotr Petrovitch, l'interrompit Dounia d'une voix émue, et montrez-vous l'homme intelligent et noble que j'ai toujours vu et veux continuer à voir en vous. Je vous ai fait une grande promesse, je suis votre fiancée; fiez-vous à moi dans cette affaire et croyez-moi capable de juger impartialement. Le rôle d'arbitre que je m'attribue en ce moment doit surprendre mon frère autant que vous. Quand je l'ai prié instamment aujourd'hui, après la réception de votre lettre, de venir à notre entrevue, je ne lui ai point fait part de mes intentions. Comprenez que si vous refusez de vous réconcilier, je me verrai obligée de choisir entre vous. C'est ainsi que la question a été posée par vous deux. Je ne veux et ne dois pas me tromper dans ce choix. Pour vous, je dois rompre avec mon frère; pour lui, me brouiller avec vous. Je veux être édifiée à présent sur vos sentiments à mon égard, et j'en ai le droit. Je saurai si lui est un frère pour moi et si vous, vous m'appréciez, si vous savez m'aimer comme un mari.

— Avdotia Romanovna, reprit Loujine vexé, vos paroles me semblent significatives. Je dirai même que je les trouve blessantes étant donné la situation que j'ai l'honneur d'occuper par rapport à vous. Sans parler de ce qu'il y a d'offensant pour moi à me voir mis sur le même rang qu'un... un jeune homme orgueilleux, vous semblez admettre la possibilité d'une rupture entre nous. Vous dites : vous ou lui, et vous me montrez ainsi que je suis peu pour vous... Je ne puis accepter cela étant donné nos relations... et nos engagements réciproques.

— Comment! s'écria Dounia avec emportement. Je mets votre intérêt en balance avec tout ce que j'ai eu de plus précieux jusqu'ici dans la vie et vous vous plaignez de compter peu pour moi! »

Raskolnikov eut un sourire caustique. Rasoumikhine était hors de lui, mais Piotr Petrovitch ne parut pas admettre l'argument; il devenait d'instant en instant plus rouge et plus intraitable.

« L'amour pour l'époux, pour le futur compagnon de la vie, doit l'emporter sur l'amour fraternel, fit-il sentencieusement; je ne puis, dans tous les cas, être mis sur le même plan... Bien que j'aie refusé tout à l'heure de m'expliquer en présence de votre frère sur l'objet de ma visite, je veux néanmoins m'adresser à votre honorée mère pour éclaircir un point fort important et que je regarde comme très offensant pour moi. Votre fils, fit-il à Pulchérie Alexandrovna, hier, en présence de de M. Razoudkine (oui, je crois que c'est bien votre nom, excusez-moi, je ne m'en souviens plus, fit-il avec un salut aimable à Rasoumikhine) m'a offensé en dénaturant une pensée que je vous avais exposée en prenant le café chez vous. J'avais dit que, d'après moi, une jeune fille pauvre et déjà éprouvée par le malheur offrait à son mari plus de garanties de bonheur qu'une personne qui n'aurait connu que l'aisance. Votre fils a volontairement exagéré la portée de mes paroles et en a dénaturé le sens jusqu'à l'absurde. Il m'a attribué des intentions odieuses, en se référant, semble-t-il, à votre propre correspondance. Je serais heureux si vous pouviez, Pulchérie Alexandrovna, me prouver que je me trompe et ainsi me rassurer grandement.

Dites-moi donc exactement dans quels termes vous avez transmis ma pensée dans votre lettre à Rodion Romanovitch?

— Je ne m'en souviens plus, fit Pulchérie Alexandrovna toute troublée. J'ai écrit ce que j'avais compris moi-même. J'ignore comment Rodia vous l'a répété... Il a peut-être exagéré.

— Il n'a pu le faire qu'en s'inspirant de votre lettre.

— Piotr Petrovitch, fit Pulchérie Alexandrovna avec dignité, la preuve que nous n'avons pas pris vos paroles en trop mauvaise part, c'est notre présence ici.

— Très bien, maman. approuva Dounia.

— Ainsi, c'est moi qui ai tort, fit Loujine blessé.

— Voyez-vous, Piotr Petrovitch, vous êtes toujours à accuser Rodia, mais vous-même, vous avez écrit sur lui tantôt des choses fausses, ajouta Pulchérie Alexandrovna, qui reprenait courage.

— Je ne me rappelle pas avoir rien écrit de faux.

— Vous avez écrit, déclara âprement Raskolnikov, sans se tourner vers Loujine, que j'ai donné hier mon argent non à la veuve de l'homme écrasé, mais soi-disant à sa fille, que je voyais pour la première fois. Vous l'avez écrit dans l'intention de me brouiller avec ma famille et, pour être plus sûr de réussir, vous vous êtes exprimé de la façon la plus ignoble sur le compte d'une jeune fille que vous ne connaissez pas. C'est une bassesse et une calomnie.

— Excusez-moi, monsieur, s'écria Loujine, tout tremblant de colère, si dans ma lettre je me suis étendu sur tout ce qui vous concerne, c'est uniquement pour obéir aux désirs de votre mère et de votre sœur, qui m'avaient prié de leur apprendre comment je vous avais trouvé et quelle impression vous m'aviez produite. D'ailleurs je vous défie de relever une seule ligne mensongère dans le passage auquel vous faites allusion. Nierez-vous avoir dépensé cet argent et que cette famille, malheureuse je le veux bien, a un membre indigne?

— Et d'après moi, avec toutes vos qualités, vous ne valez pas le petit doigt de cette malheureuse jeune fille à laquelle vous jetez la pierre.

— Ainsi vous n'hésiteriez pas à l'introduire dans la société de votre mère et de votre sœur?

— Je l'ai déjà fait, si vous désirez le savoir. Je l'ai invitée aujourd'hui à prendre place à côté de maman et de Dounia.

— Rodia! » s'écria Pulchérie Alexandrovna.

Dounetchka rougit, Rasoumikhine fronça les sourcils, Loujine souriait d'un air méprisant et hautain.

« Jugez vous-même, Avdotia Romanovna, si un accord est possible. J'espère que l'affaire peut être considérée comme finie et qu'il n'en sera plus question. Je me retire pour ne pas gêner plus longtemps votre réunion de famille; vous avez d'ailleurs des secrets à vous communiquer. »

Il se leva et prit son chapeau.

« Mais je me permets de vous faire remarquer, avant de m'en aller, que j'espère n'être plus exposé jamais à de pareilles rencontres et à de pareils compromis pour ainsi dire. C'est à vous particulièrement, très honorée Pulchérie Alexandrovna, que je m'adresse, d'autant plus que ma lettre n'était destinée qu'à vous et à personne d'autre. »

Pulchérie Alexandrovna fut un peu froissée.

« Vous vous croyez donc tout à fait notre maître, Piotr Petrovitch? Dounia vous a expliqué pour quelle raison on n'a pas tenu compte de votre désir : elle n'avait que de bonnes intentions. Mais vraiment vous m'écrivez d'un style bien impérieux! Se peut-il que nous soyons obligées de considérer votre moindre désir comme un ordre? Je vous dirai, au contraire, que vous devez nous traiter avec des égards tout à fait particuliers, maintenant que nous avons mis notre confiance en vous, tout quitté pour venir ici, et que nous sommes par conséquent à votre merci.

— Ce n'est plus tout à fait exact, Pulchérie Alexandrovna, à présent surtout que vous connaissez le legs de trois mille roubles fait à votre fille par Marfa Petrovna, somme qui vient fort à propos, à en juger par le ton que vous venez de prendre avec moi, ajouta-t-il aigrement.

— Cette remarque pourrait faire croire, en effet, que vous avez spéculé sur notre dénuement, fit observer Dounia avec irritation.

— Quoi qu'il en soit, c'est bien fini et surtout je ne veux pas vous empêcher davantage d'entendre les propositions secrètes qu'Arcade Ivanovitch Svidrigaïlov a chargé votre frère de vous transmettre. Elles sont, sans doute, d'une signification capitale à vos yeux et même fort agréables.

— Oh! mon Dieu! » s'écria Pulchérie Alexandrovna.

Rasoumikhine ne pouvait plus tenir en place.

« N'as-tu pas honte, enfin, ma sœur? demanda Raskolnikov.

— Oui, j'ai honte, Rodia, murmura Dounia. Piotr Petrovitch, sortez », dit-elle en pâlissant de colère.

Ce dernier ne s'attendait nullement à pareil dénouement. Il avait trop présumé de lui-même, de sa puissance, trop compté sur la faiblesse de ses victimes. Maintenant encore il ne pouvait en croire ses oreilles. Il pâlit et ses lèvres se mirent à trembler.

« Avdotia Romanovna, si je sors à cet instant et dans ces conditions, soyez sûre que je ne reviendrai pas. Réfléchissez bien. Je n'ai qu'une parole.

— Quelle insolence! s'écria Dounia en bondissant de sa chaise. Mais je ne veux pas vous voir revenir!

— Comment? c'est ainsi! vociféra Loujine, d'autant plus déconcerté qu'il n'avait pas cru un seul instant à la possibilité d'une rupture. Ah! c'est ainsi! Mais savez-vous que je pourrais protester?

— De quel droit vous permettez-vous de lui parler ainsi? fit vivement Pulchérie Alexandrovna. Contre quoi protesterez-vous? Quels sont vos droits? Pensez-vous que j'irai donner ma Dounia à un homme tel que vous? Allez et laissez-nous désormais en repos. Nous avons eu tort de consentir à une chose malhonnête, et moi surtout je...

— Cependant, Pulchérie Alexandrovna, répliqua Piotr Petrovitch exaspéré, vous m'avez lié par votre promesse que vous voulez retirer à présent... et enfin... enfin, j'ai été entraîné, pour ainsi dire, à certains frais... »

Cette dernière récrimination était si bien dans le caractère de Loujine, que Raskolnikov, malgré la fureur à laquelle il était en proie, ne put y tenir et partit d'un éclat de rire. Quant à Pulchérie Alexandrovna, ces paroles la mirent hors d'elle.

« Des frais? Quels frais, je vous prie? S'agirait-il par hasard de la malle que vous vous êtes chargé de faire parvenir? Mais vous en avez obtenu le transport gratuit. Seigneur! Vous prétendez que c'est nous qui vous avons lié! Pensez à ce que vous dites, Piotr Petrovitch. C'est vous qui nous avez tenues pieds et poings liés à votre merci.

— Assez, maman, assez, je vous en prie, suppliait Avdotia Romanovna. Piotr Petrovitch, faites-moi le plaisir de vous retirer.

— Je m'en vais... Un dernier mot seulement, répondit-il presque hors de lui. Votre mère semble avoir complètement oublié que j'ai demandé votre main au moment où de mauvais bruits couraient sur vous dans toute la contrée. Ayant bravé pour vous l'opinion publique et rétabli votre réputation, je pouvais espérer que vous m'en sauriez gré et compter sur votre reconnaissance... Mes yeux se sont dessillés maintenant, et je vois que j'ai peut-être été très imprudent en méprisant l'opinion publique.

— Il veut se faire casser la tête, s'écria Rasoumikhine, en bondissant pour châtier l'insolent.

— Vous êtes un homme vil et un scélérat, dit Dounia.

— Pas un mot, pas un geste! » cria Raskolnikov en retenant Rasoumikhine. Puis il s'approcha de Loujine à le toucher et dit d'une voix basse et nette :

« Veuillez sortir! Pas un mot de plus, sinon... »

Piotr Petrovitch dont le visage était blême et contracté par la colère, le regarda un moment en silence, puis il tourna les talons et sortit, le cœur plein d'une haine mortelle pour Raskolnikov, auquel il imputait sa disgrâce. Chose curieuse à noter, il s'imaginait encore en descendant l'escalier, que tout n'était pas définitivement perdu et qu'il pouvait fort bien espérer une réconciliation avec les deux femmes.

III

L'ESSENTIEL était qu'il n'avait pas, jusqu'au dernier moment, prévu pareil dénouement. Il avait toujours fanfaronné, car il ne pouvait admettre que deux femmes, seules et pauvres, fussent capables d'échapper à sa domination. Cette conviction était raffermie par sa vanité et une confiance en soi portée à un point qui le rendait aveugle. Piotr Petrovitch, parti de rien, avait pris l'habitude presque maladive de s'admirer profondément. Il avait une très haute opinion de son intelligence, de ses capacités, et même il lui arrivait parfois, resté seul, d'admirer son visage dans un miroir. Mais ce qu'il aimait plus que tout au monde, c'était son argent, acquis par son travail, et d'autres moyens encore. Cette fortune le rendait l'égal de tous les gens supérieurs à lui, croyait-il. Il était fort sincère en rappelant amèrement à Dounia qu'il s'était décidé à demander sa main malgré les bruits défavorables qui couraient sur elle. Il éprouvait même, en évoquant ces souvenirs, une profonde indignation pour cette noire ingratitude. Et cependant dès ses fiançailles il était parfaitement sûr de l'absurdité des calomnies démenties publiquement par Marfa Petrovna, et depuis longtemps rejetées par la petite ville qui avait déjà réhabilité Dounia dans son opinion. Du reste, il n'aurait même pas nié avoir su ces choses au moment des fiançailles. Il n'en appréciait pas moins la décision qu'il avait prise d'élever Dounia jusqu'à lui et considérait cet acte comme un exploit héroïque. Il était entré, l'autre jour, chez Raskolnikov avec le sentiment d'un bienfaiteur, prêt à cueillir les fruits de son acte magnanime et à s'entendre couvrir des plus douces louanges. Inutile d'ajouter qu'il descendait maintenant l'escalier avec l'impression d'avoir été profondément offensé et méconnu.

Quant à Dounia, elle lui paraissait déjà indispensable à sa vie et il ne pouvait admettre l'idée de renoncer à elle. Il y avait longtemps, plusieurs années même, qu'il rêvait voluptueusement au mariage, mais il se contentait d'amasser de l'argent et d'attendre. Il imaginait, avec des délices secrètes, une pure et pauvre jeune fille (il était indispensable qu'elle fût pauvre!), très jeune, très jolie, noble et instruite, déjà épouvantée par la vie, car elle aurait beaucoup souffert et abdiquerait toute volonté devant lui, une femme qui le considérerait, toute sa vie durant, comme un sauveur, le vénérerait, se soumettrait à lui, et l'admirerait, toujours, lui seul. Que de scènes, que d'épisodes délicieux inventés par son imagination sur ce sujet séduisant et voluptueux, quand il se reposait de ses travaux. Et voilà que le rêve, tant d'années caressé, était sur le point de se réaliser. La beauté et l'instruction d'Avdotia Romanovna l'avaient émerveillé, la situation cruelle où elle se trouvait l'avait enflammé au plus haut point. Elle réalisait tout ce qu'il avait pu rêver et peut-être même davantage. Il voyait une jeune fille fière, noble et volontaire, plus instruite, plus cultivée que lui (il le sentait) et cette créature allait lui vouer une reconnaissance d'esclave, intime, éternelle pour son action héroïque, elle allait s'abîmer devant lui dans une vénération passionnée, et lui, il étendrait sur elle sa domination absolue et sans limites... Il s'était justement décidé, quelque temps avant cet événement, à élargir son activité en choisissant un champ d'action plus vaste que le sien et à s'introduire ainsi, peu à peu, dans un monde supérieur, chose dont il rêvait depuis longtemps passionnément... En un mot, il avait résolu de tenter la chance à Pétersbourg. Il savait qu'on peut arriver à bien des choses par les femmes. Le charme d'une adorable femme, vertueuse et cultivée en même temps, pouvait merveilleusement orner sa vie, lui attirer des sympathies, lui créer une sorte d'auréole... et voici que tout croulait. Cette rupture, aussi inattendue qu'horrible, le surprenait comme un coup de tonnerre. C'était une monstrueuse plaisanterie, une absurdité. Il n'avait fait que crâner un peu, sans avoir le temps de s'exprimer. Il avait plaisanté, puis il s'était laissé entraîner et tout se terminait par une rupture si sérieuse! Enfin, il aimait déjà Dounia à sa façon, il la gouvernait, il la dominait dans ses rêves, et brusquement... Non, il fallait réparer cela, dès le lendemain arranger les choses, et surtout anéantir ce blanc-bec, ce gamin, cause de tout le mal. Il évoquait aussi involontairement et avec une sorte de nervosité maladive, ce Rasoumikhine... mais il se rassura, du reste, rapidement là-dessus. « Me comparer à un individu pareil! » Celui qu'il redoutait sérieusement, c'était Svidrigaïlov... Bref, il avait bien des soucis en perspective.

.. ..

« Non, c'est moi la plus coupable, disait Dounia en caressant sa mère. Je me suis laissé tenter par son argent, mais je te jure, mon frère, que je ne m'imaginais pas qu'il pouvait être si indigne. Si je l'avais deviné plus tôt, je ne me serais jamais laissé tenter ainsi. Ne m'accuse pas, Rodia!

— Dieu nous a délivrées de lui, Dieu nous a délivrées de lui », marmottait Pulchérie Alexandrovna d'un air presque inconscient; on eût dit qu'elle ne se rendait pas bien compte de ce qui venait d'arriver.

Tous semblaient contents et au bout de cinq minutes ils riaient déjà Seule Dounetchka pâlissait par moments et fronçait les sourcils au souvenir de la scène précédente. Pulchérie Alexandrovna ne pouvait s'imaginer qu'elle-même pût être heureuse de cette rupture, qui, le matin, lui apparaissait comme un malheur épouvantable. Quant à Rasoumikhine, il était enchanté. Il n'osait manifester sa joie, mais il en tremblait tout entier fiévreusement, comme si un poids énorme eût été retiré de dessus son cœur. Maintenant il avait le droit de donner sa vie aux deux femmes, de les servir... Et puis Dieu sait ce qui pouvait arriver... Il refoulait toutefois peureusement ses pensées et craignait de donner libre cours à son imagination. Seul Raskolnikov demeurait immobile, presque maussade même, distrait. Lui, qui avait tant insisté sur la rupture avec Loujine, semblait, maintenant qu'elle était consommée, s'y intéresser moins que les autres. Dounia ne put s'empêcher de penser qu'il lui en voulait toujours, et Pulchérie Alexandrovna l'examinait avec inquiétude.

« Que t'a donc dit Svidrigaïlov? lui demanda Dounia.

— Ah! oui, oui », s'écria Pulchérie Alexandrovna.

Raskolnikov releva la tête.

« Il tient absolument à te faire cadeau de dix mille roubles et désire te voir une fois en ma présence.

— La voir! pour rien au monde! s'écria Pulchérie Alexandrovna. Et il ose proposer de l'argent! »

Ensuite Raskolnikov rapporta (assez sèchement) sa conversation avec Svidrigaïlov en omettant toutefois le récit des apparitions de Marfa Petrovna, pour ne pas se montrer trop prolixe. Il éprouvait d'ailleurs un véritable dégoût à l'idée de parler plus qu'il n'était strictement nécessaire.

« Que lui as-tu donc répondu? demanda Dounia.

— J'ai commencé par refuser de te transmettre quoi que ce soit. Alors il m'a déclaré qu'il allait s'arranger seul et par n'importe quel moyen pour avoir une entrevue avec toi. Il m'a assuré que sa passion pour toi n'avait été qu'une lubie et qu'il n'éprouve plus aucun sentiment à ton égard. Il ne veut pas te voir épouser Loujine... En général il parlait d'une manière assez décousue et contradictoire...

— Que penses-tu de lui, Rodia? Quelle impression t'a-t-il faite?

— J'avoue que je n'y comprends pas grand-chose. Il t'offre dix mille roubles et avoue lui-même n'être pas riche. Il se déclare sur le point de partir en voyage, et au bout de dix minutes il a déjà oublié ce projet... Tout à coup il affirme vouloir se marier, il prétend qu'on lui cherche une fiancée... Il a certainement son but, un but indigne, sans doute. Mais là encore, il est difficile de croire qu'il s'y serait si sottement pris s'il nourrissait quelque mauvais dessein contre toi... J'ai, bien entendu, catégoriquement refusé cet argent en ton nom. Bref, il m'a paru étrange... et même... il me semble présenter des symptômes de folie, mais j'ai pu me tromper; il ne s'agissait peut-être que d'une comédie. La mort de Marfa Petrovna a dû le frapper profondément.

— Paix à son âme, Seigneur! s'écria Pulchérie Alexandrovna, je prierai toujours, toujours pour elle. Que serions-nous maintenant devenues, Dounia, sans ces trois mille roubles? Mon Dieu, on croirait que cet argent nous tombe du Ciel. Ah! Rodia, pense qu'il ne nous restait que trois roubles ce matin, et nous ne songions, Dounia et moi, qu'à engager la montre pour ne pas lui demander d'argent, à lui, avant qu'il nous en proposât. »

Dounia semblait bouleversée par la proposition de Svidrigaïlov. Elle demeurait pensive.

« Il aura conçu quelque affreux dessein », murmura-t-elle à part soi, presque frissonnante.

Raskolnikov remarqua cette frayeur excessive.

« Je crois que j'aurai l'occasion de le voir plus d'une fois, dit-il à Dounia.

— Surveillons-le! Moi! je découvrirai ses traces, s'écria énergiquement Rasoumikhine. Je ne le perdrai pas de vue. Rodia me l'a permis. Lui-même m'a dit tantôt : « Veille sur ma sœur. » Vous me le permettez, Avdotia Romanovna? »

Dounia sourit et lui tendit la main, mais son visage demeurait soucieux. Pulchérie Alexandrovna lui lançait de timides regards; pourtant, la pensée des trois mille roubles la rassurait considérablement.

Un quart d'heure plus tard, ils étaient en conversation animée. Raskolnikov lui-même, sans toutefois ouvrir la bouche, écouta un moment avec attention ce qui se disait. C'était Rasoumikhine qui pérorait : « Et pourquoi, pourquoi repartiriez-vous? s'écria-t-il en se laissant aller avec délices à l'enthousiasme qui l'avait envahi. Que ferez-vous dans votre méchante petite ville? L'essentiel est que vous êtes ici tous ensemble, indispensables l'un à l'autre, et combien indispensables, comprenez-moi... Restez au moins quelque temps. Quant à moi, acceptez-moi pour ami, pour associé, et je vous assure que nous monterons une excellente affaire. Ecoutez, je vais vous exposer mon projet dans ses moindres détails. Cette idée m'était déjà venue ce matin, quand il ne s'était encore rien passé... Voici la chose : j'ai un oncle (je vous ferai faire sa connaissance, c'est un vieillard des plus gentils et des plus respectables,) cet oncle possède un capital de mille roubles et vit lui-même d'une pension qui suffit à ses besoins.

« Depuis deux ans il ne cesse d'insister pour me faire accepter cette somme à six pour cent d'intérêt. Je vois le truc : il a simplement envie de me venir en aide. L'année dernière je n'en avais pas besoin, mais cette année je n'attends que son arrivée pour lui demander la somme. A ces mille roubles vous joignez mille des vôtres, et en voilà assez pour nos débuts : nous sommes donc associés. Qu'allons-nous faire? »

Rasoumikhine se mit alors à développer son projet; il s'attarda longtemps sur le fait que la plupart des libraires et éditeurs connaissaient mal leur métier et faisaient de mauvaises affaires, mais qu'on pouvait couvrir ses frais et même gagner de l'argent avec de bons ouvrages. C'est à ce métier d'éditeur [1] que rêvait le jeune homme, qui avait travaillé deux ans pour les autres et connaissait assez bien trois langues, quoiqu'il eût prétendu six jours auparavant ne pas savoir l'allemand (mais c'était là un prétexte pour décider son ami à accepter la moitié de la traduction, et les trois roubles d'arrhes). Raskolnikov n'avait d'ailleurs pas été dupe de ce mensonge.

« Pourquoi négligerions-nous une bonne affaire quand nous possédons le moyen d'action essentiel, l'argent, continua Rasoumikhine en s'échauffant. Sans doute il faudra beaucoup travailler, mais nous travaillerons, vous, Avdotia Romanovna, moi, Rodion... Certaines éditions rapportent gros! Nous aurons surtout cet avantage de savoir ce qu'il faut traduire. Nous serons traducteurs, éditeurs et élèves en même temps. Je puis être utile, car j'ai une certaine expérience. Voilà bientôt deux ans que je cours les éditeurs, et je sais le fond du métier. Ce n'est pas la mer à boire, croyez-moi. Pourquoi ne pas profiter de l'occasion qui s'offre à nous? Je pourrais citer deux ou trois livres étrangers qui, indiqués à un éditeur, rapporteraient cent roubles chacun, et il y en a un dont je ne donnerais pas le nom pour cinq cents roubles. Ils seraient encore capables d'hésiter, les imbéciles! Quant à la partie matérielle de l'entreprise, impression, papier, vente, fiez-vous à moi là-dessus, cela me connaît. Nous commencerons modestement pour nous agrandir peu à peu. En tout cas cela suffira à nous faire vivre. »

Les yeux de Dounia brillaient.

« Ce que vous me proposez me plaît beaucoup, Dmitri Prokofitch, dit-elle.

— Moi, naturellement, je n'y entends rien, fit Pulchérie Alexandrovna. C'est peut-être une bonne affaire, Dieu le sait, mais c'est un peu surprenant. Nous sommes d'ailleurs forcées de rester ici quelque temps au moins... » Et elle regarda Rodia.

« Qu'en penses-tu, mon frère? fit Dounia.

— Je pense que c'est une très bonne idée; on n'improvise pas, bien sûr, une grosse librairie, mais on peut publier quelques volumes dont le succès serait assuré. Je connais moi-même un ouvrage qui se vendrait certainement. Quant à ses capacités, vous pouvez être tranquilles, il connaît son affaire... Vous avez du reste le temps de reparler de tout cela...

— Hourra! s'écria Rasoumikhine, maintenant attendez, il y a dans cette maison un appartement indépendant de ce local et qui appartient au même propriétaire; il est meublé et pas cher... il comprend trois petites pièces. Je vous conseille de le louer. Quant à votre montre, je vais vous l'engager demain et vous en rapporter l'argent, le reste s'arrangera. L'essentiel est que vous pourrez y vivre tous les trois. Rodia sera auprès de vous... Mais où vas-tu, Rodia?

— Comment, Rodia, tu t'en vas? » demanda Pulchérie Alexandrovna avec effroi.

« A un pareil moment! » s'écria Rasoumikhine.

Dounia, elle, regardait son frère avec une surprise pleine de méfiance. Il tenait sa casquette à la main et s'apprêtait à sortir.

« On dirait qu'il s'agit d'une séparation éternelle; voyons, vous ne m'enterrez pas! » fit-il d'un air étrange.

Il sourit, mais de quel sourire!

« Après tout, qui sait? C'est peut-être la dernière fois que nous nous voyons », ajouta-t-il par mégarde. Ces mots lui avaient échappé malgré lui; ils exprimaient une réflexion qu'il se faisait à lui-même.

« Mais qu'as-tu? fit anxieusement sa mère.

— Où vas-tu, Rodia? demanda Dounia d'un air étrange.

— Je dois m'en aller », dit-il; sa voix était hésitante, mais son visage pâle exprimait une résolution invincible.

« Je voulais vous dire en venant ici... Je voulais vous dire, maman, et à toi aussi, Dounia... que nous devons nous séparer pour quelque temps. Je ne me sens pas très bien... Je suis agité... Je reviendrai plus tard quand... je le pourrai. Je pense à vous et je vous aime. Laissez-moi... Laissez-moi seul. Je l'avais déjà décidé auparavant. C'est une décision irrévocable... Dussé-je périr, je veux être seul. Oubliez-moi, cela vaut mieux... Ne vous informez pas de moi. Je viendrai moi-même quand il le faudra... ou bien je vous ferai appeler. Peut-être tout reviendra-t-il...! Et maintenant si vous m'aimez, renoncez à moi... sinon je vous haïrai, je le sens. Adieu.

— Seigneur! » s'écria Pulchérie Alexandrovna.

La mère, la sœur, Rasoumikhine furent saisis d'une frayeur horrible.

« Rodia. Rodia, réconcilions-nous, redevenons amis », s'écria la pauvre femme.

Il se détourna lentement et fit un pas vers la porte. Dounia le rejoignit.

« Rodia! Comment peux-tu agir ainsi avec maman? murmura-t-elle indignée.

— Ce n'est rien, je reviendrai, je viendrai vous voir », marmotta-t-il à mi-voix d'un air presque inconscient. Puis il sortit.

« Egoïste, cœur dur et sans pitié! cria-t-elle.

— Il est fou mais pas égoïste; c'est un a-li-é-né, vous dis-je, c'est vous qui êtes dure, si vous ne voulez pas le comprendre, dit ardemment Rasoumikhine à l'oreille de la jeune fille, en lui serrant énergiquement la main.

— Je reviens tout de suite », cria-t-il à Pulchérie Alexandrovna presque défaillante, et il s'élança hors de la pièce.

Raskolnikov l'attendait au bout du corridor.

« Je savais bien que tu allais accourir, dit-il. Retourne auprès d'elles, ne les quitte pas... Va les voir demain... sois toujours auprès d'elles, moi, je viendrai peut-être... si je peux. Adieu. »

Et il s'éloigna sans lui tendre la main.

« Mais où vas-tu? Qu'est-ce qui te prend? Que t'arrive-t-il? Peut-on agir ainsi? »

Raskolnikov s'arrêta encore.

« Je te le dis une fois pour toutes : ne m'interroge jamais sur rien. Je n'ai rien à te répondre... Ne viens pas me voir. Peut-être reviendrai-je ici... laisse-moi, et elles... elles, ne les abandonne pas. Tu me comprends? »

Il faisait sombre dans le couloir et ils se tenaient près de la lampe. Un moment ils se regardèrent en silence. Rasoumikhine devait se rappeler cette minute toute sa vie; le regard brûlant et fixe de Raskolnikov semblait devenir plus perçant d'instant en instant et pénétrer son âme et sa conscience. Soudain Rasoumikhine tressaillit. Quelque chose d'étrange venait de passer entre eux... C'était une idée qui glissait, furtive, mais horrible, atroce, et que tous deux comprirent... Rasoumikhine devint pâle comme un spectre.

« Comprends-tu maintenant? dit Raskolnikov avec une affreuse grimace... Retourne auprès d'elles », ajouta-t-il. Il se détourna et sortit rapidement.

On ne saurait décrire la scène qui suivit, ce soir-là, le retour de Rasoumikhine chez Pulchérie Alexandrovna, ce qu'il mit en œuvre pour calmer les deux femmes, les serments qu'il leur fit. Il leur assura que Rodia était malade, qu'il avait besoin de repos; il leur jura qu'elles le reverraient, qu'il viendrait tous les jours, qu'il était très tourmenté, qu'il ne fallait pas l'irriter, que lui, Rasoumikhine, ferait venir un excellent médecin, le meilleur de tous, qu'on organiserait une consultation... Bref, à dater de ce soir-là, Rasoumikhine fut pour elles un fils et un frère.

IV

Raskolnikov se rendit droit à la maison du canal où habitait Sonia. C'était une vieille bâtisse à trois étages, peinte en vert. Il trouva non sans peine le concierge et obtint de vagues indications sur le logement occupé par le tailleur Kapernaoumov. Ayant découvert dans un coin de la cour l'entrée d'un escalier étroit et sombre, il monta au deuxième, et s'engagea dans la galerie qui bordait la façade du côté de la tour. Tandis qu'il errait dans l'ombre, une porte s'ouvrit soudain à trois pas de lui; il en saisit machinalement le battant.

« Qui est là? demanda une voix de femme avec inquiétude.

— C'est moi... qui viens chez vous », dit Raskolnikov, et il entra dans un vestibule minuscule. Une chandelle y brûlait sur un plateau tout bosselé posé sur une chaise défoncée.

« C'est vous? Seigneur! cria faiblement Sonia qui semblait figée de stupeur.

— C'est par ici chez vous? »

Et Raskolnikov passa rapidement dans la pièce en s'efforçant de ne pas regarder la jeune fille.

Au bout d'un instant Sonia le rejoignit, la chandelle à la main; elle la déposa sur la table et s'arrêta devant lui, éperdue, en proie à une agitation extraordinaire. Cette visite qu'elle n'attendait point, semblait l'avoir effrayée. Tout à coup un grand flot de sang colora son visage pâle et des larmes lui vinrent aux yeux... Elle éprouvait une extrême confusion et une grande honte mêlée à une certaine douceur... Raskolnikov se détourna rapidement, et s'assit sur une chaise devant la table. Il embrassa la pièce d'un coup d'œil rapide.

C'était une grande chambre, très basse de plafond, la seule que louât Kapernaoumov, et elle communiquait avec le logement du tailleur par une porte percée dans le mur de gauche. Du côté opposé, dans le mur, à droite, se trouvait une seconde porte, toujours fermée à clef, qui donnait dans un autre appartement. La pièce ressemblait à un hangar. Elle avait la forme d'un quadrilatère irrégulier, ce qui lui donnait un aspect biscornu. Le mur percé de trois fenêtres qui donnaient sur le canal s'en allait de biais et formait un angle aigu, et si profond qu'on n'y pouvait rien distinguer dans la faible clarté répandue par la chandelle. Quant à l'autre angle, il était exagérément obtus. Toute cette grande pièce était presque vide de meubles. Dans le coin, à droite, se trouvait le lit, entre le lit et la porte une chaise. Du même côté, contre la porte qui donnait dans le logement voisin, une simple table de bois blanc recouverte d'une nappe bleue, près de la table deux sièges de jonc. Le long du mur opposé, près de l'angle aigu, une commode de bois blanc, qui semblait perdue dans ce vide. C'était tout. Le papier jaunâtre, sale et usé était noirci aux angles. En hiver la pièce devait être humide et enfumée. Tout, dans ce local, dénonçait la pauvreté. Le lit n'avait même pas de rideaux.

Sonia examinait en silence son hôte, occupé à étudier si attentivement et avec tant de sans-gêne son logis. Elle se mit même bientôt à trembler de tous ses membres, comme si elle se fût trouvée devant son juge et l'arbitre de son destin.

« Je viens tard... Est-il onze heures déjà? demanda-t-il sans lever les yeux sur elle.

— Oui, marmotta Sonia. Ah! oui, répéta-t-elle avec une hâte soudaine, comme si elle eût trouvé en ces mots la solution de son sort. La pendule de ma logeuse vient de sonner... et je l'ai entendue moi-même... oui.

— Je viens chez vous pour la dernière fois », continua Raskolnikov d'un air sombre. Il paraissait oublier que c'était en même temps la première. « Je ne vous verrai peut-être plus...

— Vous... partez?

— Je l'ignore... demain tout...

— Ainsi vous n'irez pas demain chez Catherine Ivanovna? fit Sonia et sa voix eut un tremblement.

— Je l'ignore, demain matin tout... Il ne s'agit pas de cela, je suis venu vous dire un mot... »

Il leva sur elle son regard pensif et remarqua tout à coup qu'il était assis, tandis qu'elle se tenait debout devant lui.

« Pourquoi restez-vous debout? Asseyez-vous », fit-il d'une voix changée, devenue soudain basse et caressante.

Elle s'assit. Il la considéra un moment d'un air bienveillant et presque apitoyé.

« Que vous êtes donc maigre! Et quelle main vous avez! Elle est tout à fait transparente, on dirait des doigts de morte. »

Il lui prit la main. Sonia sourit faiblement.

« J'ai toujours été ainsi, dit-elle.

— Même quand vous viviez chez vos parents?

— Oui.

— Hé! sans doute », fit-il d'une voix entrecoupée. Un nouveau changement s'était subitement opéré dans l'expression de son visage et le son de sa voix.

Il promena encore ses yeux autour de la pièce.

« Vous louez cette pièce à Kapernaoumov?

— Oui...

— Ils demeurent là, derrière cette porte?

— Oui... Ils ont une pièce pareille à celle-ci.

— Ils n'ont qu'une pièce pour eux tous?

— Oui.

— Moi, à votre place, j'aurais peur dans cette pièce, fit-il remarquer d'un air sombre.

— Mes logeurs sont de braves gens, très affables, répondit Sonia, qui ne semblait pas avoir encore recouvré sa présence d'esprit, et tous les meubles, tout... leur appartient. Ils sont très bons; leurs enfants viennent souvent me voir...

— Ils sont bègues?

— Oui... le père est bègue et boiteux. La mère aussi... ce n'est pas qu'elle bégaie, mais elle ne peut pas s'exprimer. Elle est très bonne. Et lui est un ancien serf. Ils ont sept enfants... L'aîné seul est bègue, les autres sont simplement maladifs... ils ne bégaient pas... Mais comment êtes-vous donc renseigné là-dessus? ajouta-t-elle fort étonnée.

— Votre père m'avait tout raconté... J'ai appris par lui toute votre histoire... Il m'a raconté comment vous étiez sortie à six heures et rentrée à neuf heures et que Catherine Ivanovna avait passé la nuit à genoux, près de votre lit... »

Sonia se troubla.

« Il me semble que je l'ai vu aujourd'hui, murmura-t-elle d'un air hésitant.

— Qui?

— Mon père. Je marchais dans la rue, je tournais le coin près d'ici, vous savez, et tout à coup, il me sembla le voir s'avancer vers moi. C'était tout à fait lui. Je me préparais à entrer chez Catherine Ivanovna...

— Vous vous promeniez?

— Oui, murmura Sonia, d'une voix entrecoupée; elle se troubla encore et baissa les yeux.

— Catherine Ivanovna allait jusqu'à vous battre, n'est-ce pas, quand vous habitiez chez votre père?

— Ah! non! Que dites-vous là? non, non, jamais, dit Sonia en le regardant avec une sorte de frayeur.

— Ainsi vous l'aimez?

— Elle? Oh! oui-i! fit Sonia d'une voix plaintive et elle joignit brusquement les mains d'un air de souffrance. Ah! vous ne la... Si vous saviez seulement. Elle est comme une enfant... Elle est presque folle... de douleur. Elle était intelligente et noble... et bonne! Vous ne savez rien, rien... ah! » Tout cela fut dit d'un accent déchirant. Sonia était en proie à une terrible agitation, elle se désolait, se tordait les mains... Ses joues pâles s'étaient empourprées de nouveau et ses yeux exprimaient une profonde souffrance. Raskolnikov venait apparemment de toucher en elle une corde sensible. Elle éprouvait un besoin passionné de s'expliquer, de défendre sa belle-mère. Soudain ses traits exprimèrent une compassion *insatiable,* si l'on peut dire ainsi.

« Me battre! Mais que dites-vous là? Seigneur, me battre! Et même si elle m'avait battue, qu'importe? Vous ne savez rien... rien... C'est une femme si malheureuse. Et malade... elle ne demande que la justice... Elle est pure. Elle croit que la justice doit régner dans la vie et elle la réclame... Vous pouvez la torturer, elle ne fera rien d'injuste. Elle ne remarque pas que la justice ne peut pas gouverner le monde et elle s'irrite... comme une enfant, comme une enfant, vous dis-je. Elle est juste, très juste.

— Et vous, qu'allez-vous devenir? »

Sonia lui jeta un regard interrogateur.

« Les voilà à votre charge. Il est vrai qu'il en a toujours été ainsi, le défunt venait, lui aussi, vous demander de l'argent pour boire. Mais maintenant?...

— Je ne sais pas, répondit tristement Sonia.

— Ils vont rester dans le même logement?

— Je ne sais pas. Ils doivent à leur logeuse et elle a, paraît-il, dit aujourd'hui qu'elle voulait les mettre à la porte. Catherine Ivanovna, de son côté, prétend qu'elle n'y restera pas une minute de plus.

— D'où lui vient cette assurance? C'est sur vous qu'elle compte?

— Ah! non! ne dites pas cela... Nous sommes très unis, nous partagerons tout, reprit vivement Sonia, dont l'indignation à ce moment rappelait la colère d'un canari ou de tout autre oiselet inoffensif. D'ailleurs, que ferait-elle? Que ferait-elle? reprit-elle en s'animant de plus en plus. Et ce qu'elle a pleuré aujourd'hui! Elle a l'esprit dérangé, vous ne l'avez pas remarqué? Si, je vous assure : tantôt elle s'inquiète comme une enfant des préparatifs à faire pour que tout soit convenable demain, le repas et le reste... tantôt elle se tord les mains puis crache le sang, pleure, se frappe la tête de désespoir contre le mur. Puis elle se calme de nouveau.

Elle compte beaucoup sur vous, elle dit que vous allez être son soutien, qu'elle se procurera un peu d'argent et retournera dans sa ville natale avec moi. Elle pense y fonder un pensionnat de jeunes filles nobles et m'en confier la surveillance. Elle est persuadée qu'une vie nouvelle, merveilleuse, s'ouvrira pour nous et elle m'embrasse, m'enlace, me console. C'est qu'elle y croit, elle croit à toutes ses fantaisies. Et peut-on la contredire? Avec tout ça elle a passé la journée d'aujourd'hui à laver, récurer, raccommoder. Toute faible qu'elle est, elle a apporté un cuvier dans la chambre, puis de fatigue elle est tombée sur le lit. Et dans la matinée nous étions allées acheter des bottines à Poletchka et à Lena, car les leurs ne valent plus rien, mais nous n'avons pas eu assez d'argent. Il s'en fallait de beaucoup, Elle avait choisi de si jolis souliers, car elle a du goût, vous savez... Alors elle s'est mise à pleurer, là, en pleine boutique, devant les commis, parce qu'elle n'avait pas assez d'argent... Ah! Quelle pitié de voir cela!

— On comprend après cela que... vous meniez cette vie, fit Raskolnikov avec un sourire amer.

— Et vous n'avez pas pitié d'elle, non? s'emporta Sonia. Je sais que vous vous êtes dépouillé pour elle, sans avoir encore rien vu. Mais si vous aviez pu tout voir, ô mon Dieu! Que de fois, que de fois je l'ai fait pleurer, la semaine dernière encore, huit jours avant la mort de mon père! Oh! j'ai été cruelle, et combien de fois ai-je agi ainsi, combien! Quel chagrin pour moi, de me rappeler cela toute la journée. »

Elle se tordait les mains de douleur.

« C'est vous qui êtes dure?

— Oui, moi, moi. J'étais allée les voir un jour,

continua-t-elle en pleurant, et voilà que mon pauvre père me dit : « Fais-moi la lecture, Sonia, j'ai « mal à la tête... voici le livre. » C'était un volume à André Simionovitch Lebeziatnikov, qui habite la même maison et nous prêtait toujours des livres fort drôles. Et moi je lui dis : « Il faut que je « m'en aille. » Car je n'avais pas envie de lire, j'étais entrée chez eux pour montrer à Catherine Ivanovna des cols et des manchettes brodés, très bon marché, que la marchande Lisbeth m'avait apportés. Catherine Ivanovna les a trouvés fort jolis, elle les a essayés devant la glace, elle s'y regardait, ils lui plaisaient beaucoup. Elle me dit : « Donne-les-moi, Sonia, je t'en prie. » *Je t'en prie,* fit-elle avec envie! Où les aurait-elle mis?... Mais voilà, cela lui rappelait l'heureux temps de sa jeunesse. Elle se regardait dans la glace, elle s'admirait. Pensez qu'il y a tant d'années qu'elle n'a plus ni robes, ni rien. Jamais elle ne demandera quoi que ce soit à personne, elle est très fière, elle préfère donner plutôt le peu qu'elle possède. Elle insista donc pour avoir ces cols et ces manchettes, tant ils lui plaisaient. Moi je ne pouvais me résoudre à les lui donner. « Qu'en avez-vous besoin, Cathe- « rine Ivanovna? », lui dis-je. Oui, je lui ai dit cela. Elle me regarda d'un air si affligé que cela faisait peine à voir... Ce n'était pas les cols qu'elle regrettait, mais mon refus qui l'avait peinée. Ah! si je pouvais réparer tout cela, effacer ces paroles... Oh! si je... mais... vous vous moquez bien de tout cela...

— Vous connaissiez cette Elisabeth la marchande?

— Oui... et vous, vous la connaissiez aussi? demanda Sonia avec quelque étonnement.

— Catherine Ivanovna est phtisique au dernier degré, elle mourra, elle mourra bientôt, dit Raskolnikov après un silence et sans répondre à la question.

— Oh! non, non, non! » Sonia lui saisit les deux mains, dans un geste inconscient, comme si elle le suppliait de leur éviter ce malheur.

« Mais il vaut mieux qu'elle meure.

— Non, non, pas mieux du tout, répétait-elle éperdument dans son effroi.

— Et les enfants? Qu'en ferez-vous? puisque vous ne pouvez pas les prendre chez vous.

— Oh! je ne sais pas », s'écria Sonia désespérément en se prenant la tête à deux mains. On voyait que cette pensée lui était souvent venue et que Raskolnikov ne faisait que la réveiller par ses questions.

« Et si vous tombez malade, du vivant de Catherine Ivanovna encore, et qu'on vous porte à l'hôpital, qu'arrivera-t-il alors? insistait-il impitoyablement.

— Ah! que dites-vous, que dites-vous, mais c'est impossible! » Le visage de Sonia se tordit dans une expression d'épouvante indicible.

« Comment impossible? reprit Raskolnikov avec un sourire sarcastique. Vous n'êtes pas assurée, n'est-ce pas? Que deviendront-ils alors? Ils iront tous ensemble dans la rue, la mère demandera l'aumône en toussant, puis elle se frappera la tête contre le mur comme aujourd'hui, et les enfants pleureront... Elle tombera, ensuite on la portera au commissariat et de là à l'hôpital, elle mourra, et les enfants...

— Oh! non!... Dieu ne permettra pas ça », proféra enfin Sonia d'une voix étranglée. Elle l'écoutait suppliante, les mains jointes dans une prière muette, comme si tout dépendait de lui.

Raskolnikov se leva et se mit à arpenter la pièce. Une minute passa ainsi. Sonia restait debout, les bras pendants, la tête baissée, en proie à une angoisse horrible.

« Et vous ne pouvez pas faire des économies? Mettre de l'argent de côté? demanda-t-il tout à coup en s'arrêtant devant elle.

— Non, murmura Sonia.

— Naturellement! Avez-vous essayé? ajouta-t-il avec un sourire moqueur.

— Oui.

— Et vous n'avez pas réussi? Bien sûr, cela se comprend! Inutile de le demander. »

Et il reprit sa promenade à travers la chambre. Il y eut une seconde minute de silence.

« Vous ne gagnez pas d'argent tous les jours? » demanda-t-il.

Sonia se troubla encore davantage et le sang lui remonta au visage.

« Non, murmura-t-elle avec un effort douloureux.

— Le même sort attend Poletchka, sans doute, fit-il tout à coup.

— Non, non, c'est impossible! Non! cria Sonia désespérément; on eût dit que ces paroles l'avaient blessée comme un coup de couteau. Dieu, Dieu ne permettra pas une telle abomination!...

— Il en permet bien d'autres.

— Non, non, Dieu la protégera, elle, Dieu... répétait-elle hors d'elle-même.

— Mais peut-être n'existe-t-il pas », répondit Raskolnikov avec une sorte de triomphe cruel. Il éclata de rire et la regarda.

A ces mots un brusque changement s'opéra sur les traits de Sonia, des frissons nerveux la parcoururent. Elle lui lança un regard de reproche indicible, et voulut parler, mais aucun mot ne sortit de ses lèvres, elle se mit brusquement à sangloter amèrement en couvrant son visage de ses mains.

« Vous dites que Catherine Ivanovna a l'esprit troublé, mais le vôtre l'est aussi », fit-il après un moment de silence.

Cinq minutes passèrent. Il arpentait toujours la pièce, de long en large, en silence et sans la regarder. Enfin, il s'approcha d'elle, ses yeux étincelaient. Il lui mit les deux mains sur les épaules et fixa son visage tout couvert de larmes. Son regard était sec, dur et brûlant, ses lèvres tremblaient convulsivement... Tout à coup il s'inclina, se courba jusqu'à terre et lui baisa le pied. Sonia recula pleine d'horreur comme si elle avait eu affaire à un fou. Et il avait bien l'air d'un dément, en effet.

« Que faites-vous? Devant moi! » balbutia-t-elle, en pâlissant le cœur étreint d'une douleur affreuse.

Il se releva aussitôt.

« Ce n'est pas devant toi que je me suis prosterné, mais devant toute la douleur humaine, fit-il d'un air étrange, et il alla s'accouder à la fenêtre. Ecoute, ajouta-t-il, en revenant bientôt vers elle, j'ai dit tantôt à un insolent personnage qu'il ne valait pas ton petit doigt... et que j'ai fait un honneur à ma sœur, aujourd'hui, en l'invitant à s'asseoir près de toi.

— Ah! que lui avez-vous dit là! Et devant elle encore! s'écria Sonia tout effrayée. S'asseoir près de moi, un honneur! Mais je suis... une créature déshonorée... Ah! comment avez-vous pu dire cela!

— Je ne songeais en parlant ainsi ni à ton déshonneur, ni à tes fautes, mais à ton horrible martyre. Sans doute, tu es une grande pécheresse, ajouta-t-il avec une sorte d'enthousiasme, et surtout pour t'être immolée *en pure perte*. Certes, tu es malheureuse. Vivre dans cette boue que tu hais et savoir (il suffit d'ouvrir les yeux pour cela) que cela ne sert de rien et que tu ne peux sauver personne par ce sacrifice... Enfin, dis-moi, fit-il avec rage, comment cette ignominie, cette bassesse peuvent-elles voisiner en toi avec d'autres sentiments si opposés, des sentiments sacrés? Car il vaudrait mille fois mieux se jeter à l'eau la tête la première et en finir d'un coup.

— Et eux, que deviendraient-ils? » demanda faiblement Sonia en levant sur lui un regard douloureux, mais sans marquer cependant de surprise à se voir donner ce conseil. Raskolnikov l'enveloppa d'un regard bizarre et ce seul coup d'œil lui suffit pour déchiffrer les pensées de la jeune fille. C'est donc qu'elle-même avait eu cette idée. Peut-être avait-elle songé plus d'une fois, dans son désespoir, au moyen d'en finir d'un seul coup. Elle y avait même pensé si sérieusement qu'elle n'était pas étonnée de sa proposition. Elle n'avait pas remarqué la cruauté de ses paroles; le sens des reproches du jeune homme lui avait également échappé; il s'en apercevait bien, mais il comprit parfaitement combien la pensée de son déshonneur, de sa situation infamante avait dû la torturer. « Qu'est-ce qui a donc pu l'empêcher, se demandait-il, d'en finir avec la vie? » Et ce n'est qu'à ce moment qu'il comprit ce qu'étaient pour elle ces pauvres enfants orphelins et cette pitoyable Catherine Ivanovna, à moitié folle, tuberculeuse et qui se cognait la tête contre les murs.

Néanmoins, il vit clairement que Sonia avec son caractère et son éducation ne pouvait rester indéfiniment dans cette situation. Il se posait encore une autre question : comment avait-elle pu tenir si longtemps sans devenir folle, puisque l'énergie de se jeter à l'eau lui manquait? Certes, il comprenait que la situation de Sonia était un phénomène social exceptionnel, quoique malheureusement ni unique, ni extraordinaire; mais n'était-ce pas une raison de plus, ainsi que son éducation, toute sa vie paspée, pour qu'elle fût tuée rapidement, à son premier pas dans cette horrible voie? Qu'est-ce qui la soutenait? Pas le vice pourtant? Toute cette honte n'avait touché que son corps. Pas une goutte n'en était tombée dans son cœur. Il le voyait bien : il lisait en elle.

« Elle n'a que trois solutions : se jeter dans le canal, finir dans un asile d'aliénés ou bien... se lancer dans la débauche qui abrutit l'esprit et pétrifie le cœur. » Cette dernière pensée était celle qui lui répugnait davantage, mais, déjà sceptique, il était en même temps jeune, doué d'un esprit abstrait et partant cruel et il ne pouvait s'empêcher de considérer la dernière éventualité comme la plus probable.

« Mais se peut-il qu'il en soit ainsi, se disait-il à lui-même, se peut-il que cette créature qui a conservé sa pureté d'âme finisse par s'enfoncer sciemment dans cette fosse horrible et puante? Se peut-il que cet enlisement ait déjà commencé et qu'elle n'ait jusqu'ici supporté sa vie que parce que le vice ne lui paraît pas répugnant? Non, non, c'est impossible, s'écria-t-il, comme Sonia tantôt, non, ce qui l'a empêchée de se jeter dans le canal jusqu'ici, c'est la peur de commettre un péché et leur pensée à eux... Et si elle n'est pas devenue folle... Mais qui dit qu'elle ne l'est pas? A-t-elle sa raison? Peut-on parler comme elle le fait, quand on n'est pas folle? Peut-on demeurer tranquille en allant à sa perte et se pencher sur cette fosse puante qui l'aspire peu à peu, et se boucher les oreilles quand on lui parle du danger? N'attend-elle pas un miracle, par hasard? Oui, sûrement. Est-ce que ce ne sont pas là des signes d'aliénation mentale? »

Il s'arrêtait obstinément à cette pensée. Cette solution lui plaisait plus que toute autre. Il se mit à l'examiner plus attentivement.

« Ainsi tu pries beaucoup Dieu, Sonia? » demanda-t-il.

Sonia se taisait. Debout à ses côtés, il attendait une réponse.

« Que serais-je devenue sans Dieu? » murmura-t-elle d'une voix basse et rapide. Elle lui jeta un vif regard de ses yeux étincelants et lui serra la main avec force.

« Je ne me trompais pas », se dit-il.

« Mais que fait Dieu pour toi? » demanda-t-il en continuant son interrogatoire. Sonia resta longtemps silencieuse, comme si elle avait été incapable de répondre. L'émotion gonflait sa faible poitrine.

« Taisez-vous! Ne m'interrogez pas. Vous n'êtes pas digne... », s'écria-t-elle tout à coup en le regardant avec colère et sévérité.

« C'est cela, c'est bien cela », se répétait-il.

« Il fait tout », murmura-t-elle rapidement en baissant de nouveau les yeux.

« Voilà la solution, voilà l'explication trouvée », décida-t-il en continuant de l'examiner avec une curiosité avide.

Il éprouvait une sensation étrange, presque maladive à contempler ce petit visage pâle, maigre, irrégulier et anguleux, ces doux yeux bleus, qui pouvaient lancer de telles flammes, exprimer une passion si austère et véhémente, ce petit corps qui tremblait encore de colère et d'indignation. Tout cela lui paraissait de plus en plus étrange, presque fantastique. « Elle est folle! elle est folle! » se répétait-il.

Un livre se trouvait sur la commode. Raskolnikov y jetait un coup d'œil à chacune de ses allées et venues; enfin, il le prit et l'examina. C'était une traduction russe du Nouveau Testament [1], un vieux livre relié en maroquin. « D'où vient ce livre? » lui cria-t-il d'un bout à l'autre de la pièce. Quant à elle, elle se tenait toujours immobile à trois pas de la table.

« On me l'a donné, répondit-elle comme à contrecœur et sans lever les yeux sur lui.

— Qui cela?

— Elisabeth. »

« Elisabeth! C'est étrange », pensa-t-il. Tout chez Sonia prenait à ses yeux un caractère d'instant en instant plus bizarre. Il approcha le livre de la chandelle et se mit à le feuilleter.

« Où est le chapitre sur Lazare? » demanda-t-il tout à coup. Sonia fixait obstinément le sol et ne répondit rien. Elle s'était un peu détournée de la table.

« Les pages où il est question de la résurrection de Lazare... Trouve-moi ça, Sonia. »

Elle lui jeta un regard oblique.

« Ce n'est pas là... Dans le quatrième Evangile, murmura-t-elle d'un air sombre et sans bouger de sa place.

— Trouve-moi ce passage et lis-le-moi », dit-il;

puis il s'assit, s'accouda sur la table, appuya la tête sur sa main, et, les yeux ailleurs, morne, il s'apprêtait à écouter.

« Il faudra venir me voir, d'ici quinze jours, trois semaines, à la septième verste[1]! J'y serai, sans doute, s'il ne m'arrive rien de pis encore », bougonnait-il à part soi.

Sonia fit un pas vers la table, hésita... Elle avait écouté avec méfiance l'étrange désir manifesté par Raskolnikov. Néanmoins, elle prit le livre.

« Vous ne l'avez donc jamais lu? » demanda-t-elle en lui jetant un regard en dessous. Sa voix devenait de plus en plus froide et dure.

« Il y a longtemps... quand j'étais enfant. Lis.

— Et ne l'avez-vous pas entendu à l'église?

— Je... je n'y vais pas. Et toi?

— N-non », balbutia Sonia.

Raskolnikov sourit.

« Je comprends. Et tu n'assisteras pas demain aux funérailles de ton père?

— Si. J'ai été à l'église la semaine dernière, j'ai assisté à une messe de requiem.

— Pour qui?

— Pour Elisabeth. On l'a tuée à coups de hache. »

Les nerfs du jeune homme étaient de plus en plus tendus. La tête commençait à lui tourner.

« Tu étais liée avec Elisabeth?

— Oui... C'était une femme juste, elle venait me voir... Rarement... elle ne pouvait pas... Nous lisions ensemble... et nous causions. Elle voit Dieu maintenant. »

Etranges paraissaient à Raskolnikov ces paroles livresques et cet événement! Que pouvaient être les mystérieux entretiens de ces deux femmes, deux idiotes?

« Il y a de quoi devenir fou soi-même, c'est contagieux », pensa-t-il.

« Lis », s'écria-t-il tout à coup avec un accent irrité et pressant.

Sonia hésitait toujours. Son cœur battait avec force. Elle n'osait pas lire devant lui. Il regarda d'un air presque douloureux la pauvre aliénée.

« Que vous importe cela, puisque vous ne croyez pas? murmura-t-elle d'une voix basse et entrecoupée.

— Lis! Je le veux, insista-t-il. Tu lisais bien à Elisabeth! »

Sonia ouvrit le livre, trouva la page. Ses mains tremblaient et la voix s'étouffait dans sa gorge. Elle s'y reprit à deux fois sans arriver à articuler le premier mot.

« Un certain Lazare de Béthanie était donc malade », prononça-t-elle enfin avec effort, mais au troisième mot sa voix vibra et se brisa comme une corde trop tendue. Le souffle manquait à sa poitrine oppressée. Raskolnikov s'expliquait en partie la raison pour laquelle Sonia refusait de lui obéir, mais cela ne faisait, semblait-il, qu'augmenter son insistance et le rendre plus grossier. Il ne comprenait que trop combien il en coûtait à la jeune fille de lui ouvrir son monde intérieur. Il sentait que ces sentiments constituaient son véritable et peut-être très ancien *secret,* un secret qu'elle gardait depuis son adolescence, depuis le temps où elle vivait encore dans sa famille, près de son malheureux père et de sa belle-mère devenue folle à force de chagrin, parmi les enfants affamés, et les cris affreux, les reproches. Mais il comprenait en même temps, il en était sûr, que malgré cette répugnance et cet effroi qui l'avaient envahie à l'idée de lire, elle en avait grande envie elle-même, une envie douloureuse, elle avait envie de lui lire *à lui,* surtout *maintenant,* quoi qu'il dût arriver par la suite... Il lisait tout cela dans ses yeux et le comprenait à l'émotion qui l'agitait... Elle se domina cependant, vainquit le spasme qui lui serrait la gorge et reprit la lecture du onzième chapitre de l'Evangile selon saint Jean. Elle arriva ainsi au verset 19 :

« Et de nombreux Juifs étaient venus vers Marthe et Marie pour les consoler de la mort de leur frère. Marthe ayant appris l'arrivée de Jésus s'en alla au-devant de lui, tandis que Marie demeurait au logis. Marthe dit à Jésus : « Seigneur, si tu « avais été ici, mon frère ne serait pas mort; mais « maintenant même je sais que tout ce que tu « demanderas à Dieu, Dieu te l'accordera. » Ici la jeune fille s'interrompit encore pour surmonter l'émotion qui, elle le sentait, allait briser sa voix... « Jésus lui dit : « Ton frère ressuscitera. » Marthe lui répondit : « Je sais qu'il ressuscitera au jour « de la résurrection des morts. » Jésus lui dit : « *Je suis la résurrection et la vie,* celui qui croit « en moi, s'il est mort, ressuscitera, et quiconque « vit et croit en moi ne mourra jamais! Crois-tu « en cela? » Elle lui dit :

(Et Sonia, reprenant son souffle péniblement, articula ces mots avec force, comme si elle avait fait elle-même publiquement sa profession de foi.)

« Oui, Seigneur, je crois que tu es le Christ, le Fils de Dieu descendu sur terre. »

Elle s'arrêta, leva rapidement les yeux sur Raskolnikov, puis se domina et reprit sa lecture. Le jeune homme, lui, accoudé sur la table, écoutait sans bouger, ni se tourner vers elle. Ils arrivèrent ainsi au trente-deuxième verset.

« Lorsque Marie cependant fut arrivée au lieu où se trouvait le Christ et qu'elle Le vit, elle tomba à Ses pieds et Lui dit : « Seigneur, si Tu avais été « ici, mon frère ne serait pas mort. » Et quand Jésus la vit qui pleurait et les Juifs venus avec elle qui pleurait également, Il s'attrista en son esprit et se révolta et dit : « Où l'avez-vous déposé? » On Lui répondit : « Seigneur, va et regarde. » Alors Jésus pleura et les Juifs disaient : « Voyez comme « Il l'aimait! » Et quelques-uns d'entre eux s'écrièrent : « Ne pouvait-Il, Lui qui a rendu la vue à « un aveugle, empêcher que cet homme ne « mourût? »

Raskolnikov s'était tourné vers Sonia et la regardait avec émotion.

Oui, c'était bien cela! Elle tremblait toute de fièvre. Il s'y était attendu. Elle approchait du miraculeux récit et un sentiment de triomphe solennel s'emparait d'elle. Sa voix prenait une sonorité métallique, la joie et le triomphe qu'elle exprimait semblaient la raffermir. Les lignes se brouillaient devant ses yeux obscurcis, mais elle savait par cœur ce qu'elle lisait. Au dernier verset : « Lui qui a rendu la vue à un aveugle... » elle baissa la voix pour traduire avec un accent passionné le doute, le blâme et les reproches de ces Juifs aveugles, qui, dans un moment, allaient, comme frappés de la foudre, tomber à genoux, sangloter et croire... Et lui, lui qui ne croyait pas, lui aveugle également, allait entendre et croire, oui, oui, bientôt, à l'instant même, rêvait-elle, et elle tremblait dans sa joyeuse attente.

« Jésus, donc, plein de tristesse profonde, se rendit au tombeau. C'était une grotte fermée par une pierre. Jésus dit : « Enlevez la pierre. » Marthe, la sœur du défunt. Lui répondit : « Seigneur, il « sent déjà mauvais, car il y a *quatre* jours qu'il « est dans le tombeau. »

Elle appuya avec force sur le mot *quatre*.

« Jésus lui dit alors : « Ne t'ai-je pas dit que si « tu as la foi tu verras la gloire de Dieu? » Ainsi, l'on retira la pierre de la grotte où reposait le mort. Jésus, cependant, leva les yeux au ciel et dit : « Mon Père, je Te rends grâces que Tu m'aies « exaucé. Je savais que Tu m'exauces toujours et « n'ai prononcé ces mots que pour le peuple qui « m'environne, afin qu'il croie que c'est Toi qui « m'as envoyé sur terre. » Ayant dit ces mots Il appela d'une voix sonore : « Lazare, sors! » *Et le mort sortit...* »

(Sonia lut ces mots d'une voix claire et triomphante, en tremblant comme si elle avait vu le miracle de ses propres yeux)... « les mains et les pieds liés de bandelettes mortuaires et le visage enveloppé d'un linge. Jésus leur dit : « Déliez-le « et laissez-le aller. » *Alors de nombreux Juifs venus chez Marie et témoins du miracle de Jésus crurent en Lui.* »

Elle ne put aller plus loin dans sa lecture, ferma le livre et se leva rapidement.

« C'est tout pour la résurrection de Lazare [1] », fit-elle d'une voix basse et grave, et elle se détourna, puis resta immobile, n'osant jeter les yeux sur Raskolnikov. Son tremblement fiévreux durait toujours. Le bout de chandelle achevait de se consumer dans le chandelier tordu, et éclairait faiblement cette pièce misérable où un assassin et une prostituée s'étaient si étrangement unis pour lire le Livre Eternel.

« Je suis venu te parler d'une affaire », fit tout à

coup Raskolnikov d'une voix forte. Alors il se rembrunit, se leva et s'approcha de Sonia. Celle-ci tourna les yeux vers lui, silencieusement. Son regard très dur exprimait une résolution farouche. « J'ai abandonné aujourd'hui ma famille, dit-il, ma mère et ma sœur. Je ne retournerai plus chez elles. La rupture est consommée.

— Pourquoi? » demanda Sonia stupéfaite. Sa rencontre de tantôt avec Pulchérie Alexandrovna et Dounia lui avait laissé une impression ineffaçable, quoique confuse, et la nouvelle de la rupture la frappa d'effroi.

« Je n'ai maintenant que toi, ajouta-t-il. Viens avec moi... Je suis venu vers toi. Nous sommes maudits tous les deux, allons-nous-en ensemble. » Ses yeux étincelaient.

« Il a l'air d'un fou », pensa Sonia à son tour.

« Où aller? demanda-t-elle avec effroi en faisant un pas en arrière.

— Comment puis-je le savoir? Je sais seulement que nous suivons la même route, toi et moi, et nous n'avons qu'un seul but. »

Elle le regardait et n'y comprenait rien. Elle ne voyait qu'une chose : il était terriblement, infiniment malheureux.

« Personne ne comprendrait, si tu te mettais à leur parler, continua-t-il, et moi, j'ai compris. J'ai besoin de toi, voilà pourquoi je suis venu.

— Je ne comprends pas, balbutia Sonia.

— Tu comprendras plus tard. N'as-tu pas agi comme moi? Toi aussi tu as franchi le pas, tu as pu le franchir. Tu as porté les mains sur toi, tu as perdu une vie... *la tienne* il est vrai, mais qu'importe. Tu aurais pu vivre avec ton âme et ton esprit et tu finiras sur la place des Halles... Mais tu n'y peux plus tenir et si tu restes seule tu deviendras folle, comme moi je deviendrai fou. Tu sembles déjà à moitié privée de raison; c'est donc que nous devons suivre la même route, côte à côte! Viens!

— Pourquoi? Pourquoi dites-vous cela? fit Sonia étrangement émue, bouleversée même, par ces paroles.

— Pourquoi? Parce qu'on ne peut pas vivre ainsi. Voilà pourquoi il faut raisonner sérieusement et voir les choses sous leur vrai jour, au lieu de pleurer comme une enfant et de crier que Dieu ne le permettra pas. Qu'arrivera-t-il, je te le demande, si demain on te porte à l'hôpital? L'autre est folle et phtisique, elle mourra bientôt; et les enfants? Poletchka ne sera-t-elle pas perdue? N'as-tu pas vu ici des enfants que leurs mères envoient mendier? J'ai appris où vivent ces mères et comment! Dans ces endroits-là, les enfants ne sont point pareils aux autres. Un gamin de sept ans y est vicieux et voleur. Et cependant les enfants sont l'image du Sauveur. « Le royaume de Dieu leur « appartient. » Il a ordonné que nous les respections et que nous les aimions, car ils sont l'humanité future...

— Que faire, mais que faire? répétait Sonia en pleurant désespérément et en se tordant les mains.

— Que faire? Rompre une fois pour toutes et accepter la souffrance. Quoi? tu ne comprends pas? Tu comprendras plus tard... La liberté et la puissance, la puissance surtout... la domination sur toutes les créatures tremblantes. Oui, dominer toute la fourmilière... voilà le but. Souviens-t'en! C'est le testament que je te laisse. Peut-être est-ce la dernière fois que je te parle. Si je ne viens pas demain, tu apprendras tout et alors souviens-toi de mes paroles. Et peut-être, dans plusieurs années, comprendras-tu un jour leur signification Si je viens demain, je te dirai qui a tué Elisabeth. »

Sonia tressaillit.

« Vous le savez donc? demanda-t-elle glacée de terreur en lui lançant un regard effaré.

— Je le sais et je te le dirai... Rien qu'à toi. Je t'ai choisie. Je ne viendrai pas demander pardon, mais te le dire simplement. Il y a longtemps que je t'ai choisie pour te le dire, le jour même où ton père m'a parlé de toi, et quand Elisabeth vivait encore. Adieu! Ne me donne pas la main. A demain. »

Il sortit, laissant à Sonia l'impression d'avoir eu affaire à un fou; mais elle-même était comme privée de raison, elle le sentait bien. La tête lui tournait. « Seigneur, comment sait-il qui a tué Elisabeth? Que signifient ces paroles? » Tout cela était effrayant. Pourtant elle n'eut pas le moindre soupçon de la vérité. « Oh! il doit être terriblement malheureux, se disait-elle... Il a abandonné sa mère et sa sœur. Pourquoi? Que s'est-il passé? Et quelles sont ses intentions? Que signifient ses paroles? » Il lui a baisé le pied et lui a dit... il lui a dit (oui, il lui a dit clairement) qu'il ne pouvait pas vivre sans elle... « Oh! Seigneur! »

Sonia fut toute la nuit en proie à la fièvre et au délire. Elle bondissait par moments, pleurait, se tordait les mains, puis elle retombait dans son sommeil fiévreux et rêvait de Poletchka, de Catherine Ivanovna, d'Elisabeth, de la lecture de l'Evangile et de lui... lui avec son visage pâle, ses yeux brûlants... Il lui baisait les pieds et pleurait... Oh! Seigneur!

Derrière la porte qui séparait la chambre de Sonia du logement de Gertrude Karlovna Resslich, se trouvait une pièce intermédiaire et vide qui dépendait de ce logement, et qui était à louer, comme l'indiquaient un écriteau accroché à la porte cochère et des affiches collées aux fenêtres donnant sur le canal. Sonia avait pris depuis longtemps l'habitude de la considérer comme inoccupée. Et pourtant, pendant toute la durée de la scène précédente, M. Svidrigaïlov, debout derrière la porte de cette chambre, avait prêté une oreille attentive à ce qui se disait chez elle! Lorsque Raskolnikov sortit, Svidrigaïlov réfléchit un moment, rentra sur la pointe des pieds dans sa chambre contiguë à la pièce vide, y prit une chaise et vint la placer tout contre la porte de la chambre de Sonia. L'entretien qu'il venait d'entendre lui avait paru fort curieux, l'avait même si fortement intéressé, qu'il apportait cette chaise afin de pouvoir la prochaine fois, demain, par exemple, s'installer confortablement et jouir de son plaisir sans subir le désagrément de passer une demi-heure debout.

V

QUAND le lendemain, à onze heures précises, Raskolnikov se présenta chez le juge d'instruction, il s'étonna de faire antichambre assez longtemps. Dix minutes, au moins, s'écoulèrent, avant qu'on l'appelât, tandis qu'il avait pensé être reçu dès qu'il se serait fait annoncer. Il était là, dans la pièce d'entrée, à voir passer et repasser devant lui des gens qui ne lui prêtaient aucune attention. Dans la salle voisine, une sorte de chancellerie, travaillaient quelques scribes et il était évident qu'aucun d'eux n'avait la moindre idée de ce que pouvait être Raskolnikov. Le jeune homme promena autour de lui un regard méfiant : ne se trouvait-il pas là quelque sbire, quelque espion chargé de le surveiller, de l'empêcher de fuir? Pourtant il ne découvrit rien de semblable : il ne voyait que des visages de fonctionnaires, marqués de soucis mesquins, puis d'autres personnes encore, mais nul ne s'intéressait à lui : il pouvait s'en aller au bout du monde qu'on n'y ferait pas attention. Il se persuadait peu à peu que, si ce mystérieux personnage, ce fantôme surgi de terre qui lui était apparu hier savait tout, s'il avait tout vu, lui, Raskolnikov, ne pourrait pas demeurer si tranquillement dans cette pièce. Aurait-on attendu sa visite jusqu'à onze heures? L'aurait-on laissé venir de son propre gré? C'était donc que cet homme n'avait rien dit ou... qu'il ne savait rien, qu'il n'avait rien vu (et comment aurait-il pu voir?), et tout ce qui s'était produit hier n'avait été qu'un mirage amplifié par son cerveau malade. Cette explication, qui lui semblait de plus en plus plausible, lui était venue la veille encore, au moment où ses inquiétudes, ses terreurs étaient les plus fortes. Tandis qu'il réfléchissait à tout cela et se préparait à une nouvelle lutte, Raskolnikov se sentit trembler tout à coup, et il fut pris de fureur à la pensée qu'il craignait peut-être l'entrevue avec l'odieux Porphyre Petrovitch. Ce qui lui paraissait le plus terrible, c'était l'idée de revoir cet homme! Il le haïssait démesurément, infiniment, il craignait même que sa haine ne le trahît, et si forte était cette colère qu'elle arrêta net son tremblement. Il se prépara à entrer d'un air froid et insolent et se promit de parler le moins possible, de surveiller son adversaire en se tenant sur ses gardes et de triompher pour une fois de son naturel irascible. A cet instant il fut appelé chez Porphyre Petrovitch.

Le juge d'instruction se trouvait précisément tout seul dans son cabinet. La pièce, de grandeur moyenne, était meublée d'une grande table à écrire placée devant un canapé tendu de toile cirée, d'un bureau, d'une armoire et de quelques chaises, tout ce mobilier en bois jaune et fourni par l'Etat. Dans le mur, ou plutôt dans la cloison du fond, se trouvait une porte close : il devait donc y avoir d'autres pièces derrière cette cloison. A l'entrée de Raskolnikov, Porphyre Petrovitch referma aussitôt la porte derrière lui et ils restèrent seuls. Il reçut son hôte de l'air le plus joyeux et le plus aimable; au bout d'un instant seulement, Raskolnikov s'aperçut que ses manières étaient un peu embarrassées. Il semblait qu'on l'eût dérangé au milieu d'une occupation clandestine...

« Ah! vous voilà, mon respectable ami... dans nos parages, vous aussi, commença Porphyre en lui tendant les deux mains. Asseyez-vous donc, mon cher, ou peut-être n'aimez-vous pas être traité de respectable et... appelé mon cher, là, *tout court* [1]. Ne prenez pas cela pour de la familiarité, je vous prie. Asseyez-vous sur le divan. »

Raskolnikov s'assit sans le quitter des yeux. Ces mots « dans nos parages », « pour de la familiarité », l'expression française « tout court », et bien d'autres signes encore lui semblaient fort caractéristiques. « Il m'a cependant tendu les deux mains, sans m'en laisser prendre une seule, il les a retirées à temps », pensa-t-il, mis en méfiance. Ils se surveillaient mutuellement, mais à peine leurs regards se croisaient-ils qu'ils détournaient les yeux avec la rapidité de l'éclair.

« Je vous ai apporté ce papier au sujet de la montre... est-il bien ou dois-je le recopier?...

— Quoi? Un papier? Ah! oui, oui... Ne vous inquiétez pas, c'est très bien », fit Porphyre Petrovitch avec une sorte de précipitation et avant même d'avoir pu voir la feuille; ensuite il la prit et l'examina. « Oui, c'est très bien, et c'est tout ce qu'on vous réclame », affirmait-il avec la même hâte en le déposant sur la table. Un instant plus tard il le serra dans son bureau en causant d'autre chose.

« Vous avez, il me semble, exprimé hier le désir

de m'interroger... dans les formes... sur mes relations avec... la femme assassinée », commença Raskolnikov. « Ah! pourquoi ai-je fourré cet *il me semble?* Cette pensée traversa son esprit comme un éclair; et pourquoi m'inquiéter tant de cet *il me semble?* » songea-t-il tout aussi rapidement. Et il sentit tout à coup que sa méfiance, grâce à la seule présence de Porphyre, grâce à deux mots, deux regards échangés avec lui, avait pris en deux minutes des proportions insensées... Cette disposition d'esprit était extrêmement dangereuse, il le sentait : ses nerfs s'irritaient, son agitation croissait : « Mauvais, mauvais, je vais encore lâcher une sottise. »

« Oui, oui, oui, ne vous inquiétez pas! nous avons le temps, tout le temps », marmotta Porphyre Petrovitch en allant et venant dans la chambre, sans but, semblait-il; tantôt il s'approchait de son bureau; l'instant d'après, il se précipitait vers la fenêtre, revenait à la table, toujours attentif à éviter le regard méfiant de Raskolnikov, après quoi il s'arrêtait brusquement et le fixait en plein visage. C'était un spectacle bizarre qu'offrait ce petit corps gras et rond, dont les évolutions rappelaient celles d'une balle qui aurait rebondi d'un mur à l'autre.

« Rien ne presse, nous avons bien le temps... Vous fumez? Avez-vous du tabac? Voici une cigarette... Vous savez, je vous reçois ici, mais mon logement est là, derrière cette cloison, c'est l'Etat qui me le fournit. J'en habite un autre, provisoirement, parce que celui-ci nécessite quelques réparations. Maintenant il est presque prêt... Fameuse chose qu'un appartement fourni par l'Etat, hein? Qu'en pensez-vous?

— Oui, c'est une fameuse chose, répondit Raskolnikov en le regardant d'un air presque moqueur.

— Une fameuse chose, une fameuse chose... répétait Porphyre Petrovitch distraitement, oui, une fameuse chose », fit-il brusquement d'une voix tonnante en s'arrêtant à deux pas du jeune homme. L'incessante et sotte répétition de cette phrase sur les avantages d'un logement gratuit contrastait étrangement par sa platitude avec le regard sérieux, profond et énigmatique qu'il fixait maintenant sur son hôte.

Cela ne fit qu'accroître la colère de Raskolnikov qui ne put s'empêcher de lancer au juge d'instruction un défi ironique et assez imprudent :

« Vous savez, commença-t-il avec une insolence qui semblait lui procurer une profonde jouissance, c'est un principe, une règle pour tous les juges d'instruction, de placer l'entretien sur des niaiseries, ou bien sur des choses sérieuses, si vous voulez, mais qui n'ont rien à voir avec le véritable sujet, afin d'enhardir, si je puis m'exprimer ainsi, ou de distraire celui qu'ils interrogent, d'endormir sa méfiance, puis brusquement, à l'improviste, ils lui assènent, en pleine figure, la question la plus dangereuse. Est-ce que je me trompe? N'est-ce pas une coutume, une règle rigoureusement observée dans votre métier?

— Ainsi, ainsi... vous pensez que je ne vous ai parlé du logement fourni par l'État que pour... » En disant ces mots Porphyre Petrovitch cligna de l'œil et une expression de gaieté et de ruse parcourut son visage. Les rides de son front disparurent soudain, ses yeux parurent rétrécis et ses traits se détendirent, il plongea son regard dans les yeux de Raskolnikov, puis éclata d'un long rire nerveux qui lui secouait tout le corps. Le jeune homme se mit à rire lui aussi, d'un rire un peu forcé, mais quand l'hilarité de Porphyre, à cette vue, eut redoublé jusqu'à lui empourprer le visage, Raskolnikov fut pris d'un tel dégoût qu'il en perdit toute prudence. Il cessa de rire, se renfrogna, attacha sur Porphyre un regard haineux et ne le quitta plus des yeux tant que dura cette gaieté prolongée et un peu factice, semblait-il. Il faut dire, du reste, que l'autre ne se montrait pas plus prudent que lui : car, au fait, il s'était mis à rire au nez de son hôte, et paraissait se soucier fort peu que celui-ci eût très mal pris la chose. Cette dernière circonstance parut extrêmement significative au jeune homme; il crut comprendre que le juge d'instruction avait de tout temps été parfaitement à son aise et que c'était lui, Raskolnikov, qui s'était laissé prendre dans un traquenard. Il y avait là, de toute évidence, quelque piège, un dessein qu'il n'apercevait pas; la mine était peut-être chargée et allait éclater dans un instant.

Il alla droit au fait, se leva et prit sa casquette.

« Porphyre Petrovitch, déclara-t-il d'un air décidé, mais où perçait une assez vive irritation, vous avez manifesté hier le désir de me faire subir un *interrogatoire* (il appuya sur le mot interrogatoire). Je suis venu me mettre à votre disposition; si vous avez des questions à me poser, faites-le, sinon, permettez-moi de me retirer. Je n'ai pas de temps à perdre, j'ai autre chose à faire, on m'attend à l'enterrement de ce fonctionnaire qui a été écrasé... et dont... vous avez également entendu parler... », ajouta-t-il; mais il s'en voulut aussitôt de ces paroles. Puis il poursuivit avec une irritation croissante : « J'en ai assez de tout cela, entendez-vous? Il y a longtemps que j'en ai assez... C'est une des causes de ma maladie... Bref, cria-t-il, sentant combien cette phrase sur sa maladie était déplacée, bref, veuillez m'interroger ou souffrez que je m'en aille sur-le-champ... Mais si vous m'interrogez, que ce soit dans les règles et non autrement. En attendant, adieu, car pour le moment, nous n'avons rien à nous dire.

— Seigneur, mais que dites-vous là? Mais sur quoi vous interrogerais-je? partit tout à coup Porphyre Petrovitch, en changeant immédiatement de ton et en cessant de rire. Mais ne vous inquiétez pas, poursuivit-il en recommençant son va-et-vient, pour se précipiter l'instant d'après sur Raskolnikov et le faire asseoir. Rien ne presse, rien ne presse et tout cela n'a aucune importance. Je suis heureux, au contraire, que vous soyez venu chez nous... Je vous reçois en ami. Quant à ce rire maudit, excusez-le, mon cher Rodion Romanovitch : c'est bien Rodion Romanovitch que vous vous appelez, n'est-ce pas? Je suis un homme nerveux et vous m'avez beaucoup amusé par la finesse de votre remarque. Il m'arrive parfois d'être secoué de rire comme une balle élastique... et cela pendant une demi-heure... Je suis rieur de nature; mon tempérament me fait même redouter l'apoplexie; mais asseyez-vous donc, je vous en prie, cher ami, ou je vous croirais fâché!... »

Raskolnikov ne disait rien, il écoutait et observait seulement, les sourcils toujours froncés. Cependant, il s'assit, mais sans lâcher sa casquette.

« Je veux vous dire une chose, mon cher Rodion Romanovitch, une chose qui vous aidera à vous expliquer mon caractère, continua Porphyre Petrovitch, sans cesser de tourner dans la pièce, mais en évitant toujours de rencontrer les yeux de Raskolnikov... Je suis, voyez-vous, un célibataire, un homme assez peu mondain, un inconnu et, par-dessus le marché, un homme fini, engourdi, glacé et... et... avez-vous remarqué, Rodion Romanovitch, que chez nous, c'est-à-dire chez nous en Russie, et surtout dans nos cercles pétersbourgeois, quand viennent à se rencontrer deux hommes intelligents qui ne se connaissent pas bien encore, mais s'estiment réciproquement, ils ne peuvent rien trouver à se dire pendant toute une demi-heure? Ils sont là paralysés, l'un en face de l'autre et confus. Tout le monde a un sujet de conversation, les dames par exemple... les gens du monde... ceux de la haute société... Toutes ces personnes savent de quoi causer, *c'est de rigueur* [1], et les gens de la classe moyenne, comme nous, sont timides et taciturnes... Je veux parler de ceux qui sont capables de réfléchir, n'est-ce pas? Comment expliquez-vous cela, mon cher ami? Manquons-nous d'intérêt pour les questions sociales? Non, ce n'est pas cela. Alors, est-ce par excès d'honnêteté? Sommes-nous des gens trop loyaux, qui ne voulons pas nous tromper mutuellement? Je l'ignore, n'est-ce pas? Qu'en pensez-vous? Mais, laissez votre casquette, on dirait que vous êtes sur le point de vous en aller; cela me gêne, je vous jure... quand je suis au contraire si heureux... »

Raskolnikov déposa sa casquette sans se départir de son mutisme. Les sourcils froncés, il prêtait une oreille attentive au bavardage décousu de Porphyre. « Pense-t-il donc détourner mon attention par ces sornettes qu'il me débite? »

« Je ne vous offre pas de café, ce n'est pas le lieu; mais vous pouvez bien passer cinq minutes avec un ami, histoire de vous distraire un peu, poursuivit l'intarissable Porphyre, et voyez-vous, toutes ces obligations imposées par le service... Ne vous formalisez pas, mon cher, de mon va-et-vient continuel et excusez-moi. J'ai maintenant très peur de vous froisser... mais l'exercice m'est indispensable. Je suis toujours assis et c'est un grand bonheur pour moi de pouvoir remuer cinq minutes... Ces hémorroïdes, n'est-ce pas... J'ai toujours l'intention de me traiter par la gymnastique. On raconte que des conseillers d'Etat et même des conseillers intimes, ne dédaignent pas de sauter à la corde. Voilà où va la science à notre époque... Voilà. Quant à ces obligations de ma charge, à ces interrogatoires et tout ce formalisme... dont vous-même venez de parler, eh bien, je vous dirai, mon cher Rodion Romanovitch, qu'ils déroutent parfois le magistrat plus que le prévenu. Vous l'avez fait remarquer tout à l'heure avec autant d'esprit que de raison (Raskolnikov n'avait fait aucune remarque de ce genre). On s'y perd! Je vous assure qu'il y a de quoi s'y perdre et c'est toujours la même chose, toujours le même air! Voilà qu'on nous promet des réformes, les termes seront du moins changés, hé! hé! hé! Pour ce qui est de nos coutumes juridiques, comme vous l'avez fait remarquer avec tant d'esprit, eh bien, je suis pleinement d'accord avec vous. Quel est, dites-moi, l'accusé, fût-il le moujik le plus obtus, pour ignorer qu'on commencera, par exemple, par endormir sa méfiance (selon votre heureuse expression) afin de lui assener ensuite un coup de hache en plein sur le crâne! hé! hé! hé! pour me servir de votre ingénieuse métaphore, hé! hé! Vous avez donc pensé que je ne parlais de logement que pour... On peut dire que vous êtes un homme ironique!

Non, non, je ne reviens pas là-dessus. Ah! oui, à propos, un mot en amène un autre et les pensées s'attirent mutuellement. Vous parliez aussi tantôt d'interrogatoire dans les formes, mais qu'est-ce que les formes? Les formes, c'est, en bien des cas, une absurdité. Parfois, un simple entretien amical donne de meilleurs résultats. Les formes n'en disparaissent pas pour cela. Permettez-moi de vous rassurer, mais, au fond, qu'est-ce que les formes, je vous le demande? On ne doit en aucun cas les faire traîner comme un boulet par le juge d'instruction. La besogne du magistrat enquêteur est, en son genre, un art, ou enfin quelque chose d'approchant, hé... hé!... »

Porphyre Petrovitch s'arrêta un instant pour reprendre haleine. Il parlait sans s'arrêter, pour ne rien dire le plus souvent, il dévidait une suite d'absurdités, de phrases stupides où glissait tout à coup un mot énigmatique rapidement noyé dans le cours du bavardage, sans queue ni tête. Maintenant, il courait presque dans la pièce en agitant de plus en plus vite ses petites jambes grasses, les yeux fixés à terre, la main droite derrière le dos, tandis que la gauche esquissait continuellement des gestes qui n'avaient aucun rapport avec ses paroles.

Raskolnikov crut remarquer tout à coup qu'une ou deux fois, arrivé près de la porte, il s'était arrêté et avait paru prêter l'oreille. « Attendrait-il quelqu'un? »

« Et vous avez parfaitement raison, reprit gaiement Porphyre, en regardant le jeune homme avec une bonhomie qui fit tressaillir ce dernier et lui inspira de la méfiance. Vous avez raison de vous moquer si spirituellement de nos coutumes juridiques, hé! hé! Ces procédés (certains naturellement) prétendus inspirés par une profonde psychologie sont parfaitement ridicules et souvent même stériles, surtout si les formes sont scrupuleusement observées; oui... J'en reviens donc aux formes, eh bien, supposons que je soupçonne quelqu'un, enfin un certain monsieur, d'être l'auteur d'un crime dont l'instruction m'a été confiée. Vous faisiez votre droit, n'est-il pas vrai, Rodion Romanovitch?

— Oui, je l'ai commencé...

— Eh bien, voilà pour ainsi dire un exemple pour l'avenir, c'est-à-dire ne pensez pas que je me permette de faire le professeur avec vous qui écrivez des articles si graves dans les revues. Non, je prends seulement la liberté de vous présenter un petit fait à titre d'exemple. Si je considère un individu quelconque comme un criminel, pourquoi, je vous le demande, l'inquiéterais-je prématurément, lors même que j'aurais des preuves contre lui? Il y en a que je suis obligé d'arrêter tout de suite, mais d'autres sont d'un tout autre caractère, je vous assure. Pourquoi ne laisserais-je pas mon criminel se promener un peu par la ville? hé! hé! Non, je vois que vous ne me comprenez pas tout à fait; je vais donc m'expliquer plus clairement. Si, par exemple, je me hâte de l'arrêter, je lui fournis là un point d'appui moral pour ainsi dire, hé! hé! Vous riez? (Raskolnikov ne songeait pas le moins du monde à rire, il avait les lèvres serrées et son regard brûlant ne quittait pas les yeux de Porphyre Petrovitch.) Et cependant j'ai raison, pour certains individus tout au moins, car les hommes sont divers et notre seule conseillère est la pratique que nous en avons. Mais, du moment que vous possédez des preuves, me direz-vous... Eh!

mon Dieu, cher ami, les preuves, vous savez ce que c'est : pour les trois quarts du temps elles sont douteuses et moi, juge d'instruction, je suis homme et par conséquent sujet à des faiblesses, je l'avoue. Ainsi, je voudrais que mon enquête eût la rigueur d'une démonstration mathématique. Il me faudrait donc une preuve évidente, telle que deux et deux font quatre, ou qui ressemblât à une démonstration claire et nette. Or, si je le fais arrêter avant le temps voulu, j'aurai beau être convaincu que c'est lui le coupable, je me prive ainsi des moyens de le prouver ultérieurement, et cela pourquoi? Parce que je lui donne, pour ainsi dire, une situation normale; il se retire dans sa coquille; il m'échappe, ayant compris qu'il n'est qu'un détenu. On raconte qu'à Sébastopol, aussitôt après la bataille de l'Alma, les hommes étaient terriblement effrayés à l'idée d'une attaque probable de l'ennemi; ils ne doutaient pas qu'il prendrait Sébastopol d'assaut. Mais, quand ils le virent commencer un siège régulier et creuser la première parallèle, ils se réjouirent et se rassurèrent. Je parle des gens intelligents. « Nous en avons au moins pour deux mois, « disaient-ils, car il faut du temps pour un siège « régulier. » Vous riez encore, vous ne me croyez pas? Au fond, vous aussi vous avez raison, oui, vous avez raison. Ce ne sont là que des cas particuliers; je suis parfaitement d'accord avec vous là-dessus et le cas que je vous offrais en exemple est également particulier. Mais voici ce qu'il nous faut remarquer à ce sujet, mon cher Rodion Romanovitch : de cas général, c'est-à-dire qui réponde à toutes les formes et formules juridiques, de cas type pour lequel les règles sont faites et écrites, il n'y en a point, pour la bonne raison que chaque cause, chaque crime, si vous voulez, à peine accompli, se transforme en un cas particulier, et combien spécial parfois : un cas qui ne ressemble à rien de ce qui a été et paraît n'avoir aucun précédent.

« Il s'en présente quelquefois de bien comiques. Ainsi, supposons que je laisse un de ces messieurs en liberté. Je ne le touche point, je ne l'arrête pas; il doit fort bien savoir, à chaque heure, à chaque instant, ou tout au moins soupçonner que je suis au courant de tout; je connais toute sa vie, je le surveille nuit et jour; je le suis partout et sans relâche et je vous jure que, pour peu qu'il en soit persuadé, il arrivera par être pris de vertige et viendra se livrer lui-même; il me fournira, au surplus, des armes qui donneront à mon enquête un caractère mathématique, ce qui ne manque pas de charme. Ce procédé peut réussir avec un moujik mal dégrossi, mais d'autant mieux avec un homme intelligent, éclairé et cultivé à certains égards. Car une chose fort importante, mon cher, est d'établir dans quel sens un homme s'est développé. Les nerfs, qu'en faites-vous? Vous les oubliez? Nos contemporains les ont excités, malades, irritables... Et la bile? Ce qu'ils ont de bile! Je vous répète qu'il y a là une vraie source de renseignements. Pourquoi m'inquiéterais-je de voir mon homme aller et venir librement? Je peux bien le laisser se promener, jouir de son reste, car je sais qu'il est ma proie et qu'il ne m'échappera pas. Où irait-il? hé! hé! Il s'enfuirait à l'étranger, dites-vous? Un Polonais peut s'enfuir à l'étranger, mais pas *lui,* d'autant plus que je le surveille et que toutes les mesures ont été prises en conséquence. Fuira-t-il dans l'intérieur du pays? Mais il n'y trouvera que de grossiers moujiks, des gens primitifs, de vrais

Russes, et un homme cultivé préférera le bagne à la vie parmi les étrangers que sont pour lui les moujiks, hé! hé! D'ailleurs, tout cela ne signifie rien; ce n'est que le côté extérieur de la question. Fuir! ce n'est qu'un mot; non seulement il ne fuira pas, car il n'a pas où aller, mais il m'appartient *psychologiquement,* hé! hé! Que dites-vous de l'expression? C'est pour obéir à une loi naturelle qu'il ne pourra fuir, le voudrait-il. N'avez-vous jamais vu un papillon devant une bougie? Eh bien, lui, il tournera sans cesse autour de moi comme cet insecte autour de la flamme! La liberté n'aura plus de charme pour lui; il deviendra de plus en plus inquiet; il s'empêtrera de plus en plus, il sera gagné par une épouvante mortelle. Bien mieux, il se livrera à des agissements tels que sa culpabilité en ressortira claire comme deux et deux font quatre. Il suffit pour cela de lui fournir un entracte de bonne longueur. Et toujours, toujours, il ira tournant autour de moi, décrivant des cercles de plus en plus étroits jusqu'à ce qu'enfin, paf! il tombe dans ma propre bouche et se laisse avaler par moi, ce qui ne manquera pas d'agrément. Vous ne me croyez pas? »

Raskolnikov ne répondit point; il demeurait immobile et pâle, mais continuait à observer Porphyre de toute son attention tendue.

« La leçon est bonne, pensait-il, glacé d'épouvante. Ce n'est même plus le jeu du chat et de la souris comme hier. Et ce n'est pas pour le seul plaisir de faire vainement parade de sa force qu'il me parle ainsi... Il est beaucoup trop intelligent pour ça... Non, il a un autre dessein, mais lequel? Eh! ce n'est rien, rien qu'une simple ruse destinée à m'effrayer! Tu n'as pas de preuves et l'homme d'hier n'existe pas. Et toi, tu veux tout simplement me dérouter et m'irriter davantage pour m'assener alors le grand coup; seulement tu te trompes et tu seras attrapé. Mais pourquoi, pourquoi parler ainsi à mots couverts? Il spécule sur mes nerfs ébranlés... Non, mon ami, ça ne prendra pas. Tu seras attrapé quoique tu aies manigancé quelque chose... Nous allons bien voir ce que tu as préparé... »

Il tendit toutes ses forces pour affronter bravement la catastrophe épouvantable et mystérieuse qu'il prévoyait. Par moments, l'envie le prenait de se jeter sur Porphyre et de l'étrangler séance tenante. Tout à l'heure déjà, à peine entré dans le cabinet du juge, il craignait de ne pouvoir se maîtriser. Il sentait son cœur battre avec violence; ses lèvres étaient desséchées et souillées d'écume. Mais il décida cependant de se taire et de ne pas laisser échapper un mot prématuré. Il comprenait que c'était la meilleure tactique qu'il pût suivre dans sa position, car ainsi, non seulement il ne risquait point de se compromettre, mais il réussirait peut-être à irriter son adversaire et à lui arracher une parole imprudente. Tel était du moins son espoir.

« Non, je vois bien que vous ne me croyez pas. Vous pensez toujours que ce sont de petites plaisanteries innocentes que je vous fais là, reprit Porphyre, qui semblait de plus en plus gai et ne cessait de faire entendre son petit ricanement satisfait, en se remettant à tourner dans la pièce. Vous avez raison : Dieu m'a donné une silhouette qui n'éveille chez les autres que des pensées comiques. J'ai l'air d'un bouffon! Mais voici ce que je veux vous confier et dois vous répéter, mon cher Rodion

Romanovitch... Mais excusez le langage d'un vieillard; vous êtes un homme dans la fleur de l'âge et même dans la première jeunesse et, comme tous les jeunes gens, vous n'appréciez rien tant que l'intelligence humaine. Un esprit piquant et les déductions abstraites de la raison vous séduisent. Cela me rappelle les anciennes affaires militaires de l'Autriche, autant que je puisse juger de ces matières; sur le papier, les Autrichiens étaient vainqueurs de Napoléon et le faisaient même prisonnier. Bref, dans leur cabinet, ils arrangeaient les choses de la façon la plus merveilleuse, mais, en réalité, que voyait-on? Le général Mack se rendre avec toute son armée, hé! hé! hé! Je vois, je vois bien, mon cher Rodion Romanovitch, que vous vous moquez de moi, parce que le civil, l'homme paisible que je suis, emprunte tout le temps ses exemples à l'histoire militaire... Mais que faire? C'est ma faiblesse. J'aime les choses militaires et je lis tout ce qui a trait à la guerre... J'ai décidément manqué ma carrière. J'aurais dû prendre du service dans l'armée. Je ne serais peut-être pas devenu un Napoléon, mais j'aurais certainement atteint le grade de major, hé! hé! hé! Eh bien, je vous dirai maintenant, mon cher, toute la vérité au sujet de *ce cas particulier* qui nous intéresse. La réalité et la nature sont des choses importantes, cher monsieur, et qui réduisent parfois à néant le plus habile calcul. Croyez-en un vieillard, Rodion Romanovitch (en prononçant ces mots, Porphyre Petrovitch, qui comptait à peine trente-cinq ans, semblait avoir vieilli en effet; sa voix avait même changé et il paraissait soudain voûté). Je suis, au surplus, un homme sincère... Suis-je sincère? dites-le-moi; qu'en pensez-vous? Je crois qu'on ne peut l'être davantage, je vous confie de ces choses... sans exiger la moindre récompense, hé! hé! hé!

« Eh bien, voilà, je continue. L'esprit est, à mon avis, une chose merveilleuse, c'est pour ainsi dire l'ornement de la nature, une consolation dans la vie et avec cela on peut, semble-t-il, rouler facilement un pauvre juge d'instruction qui, en outre, est trompé par sa propre imagination, car il n'est qu'un homme. Mais la nature vient au secours de ce pauvre juge, voilà le malheur. C'est ce dont la jeunesse confiante en son esprit et qui « franchit tous les obstacles » (comme vous vous êtes ingénieusement exprimé) ne veut pas tenir compte.

« Supposons, par exemple, qu'il mente, je veux parler de cet homme, *de notre cas particulier*, incognito, et qu'il mente supérieurement; il n'attend donc plus que son triomphe et croit n'avoir qu'à cueillir les fruits de son adresse, quand, tout à coup, crac! il s'évanouit à l'endroit le plus compromettant pour lui. Mettons qu'il explique cette syncope par la maladie ou l'atmosphère étouffante, ce qui est assez fréquent dans les pièces... et cependant... il n'en a pas moins fait naître les soupçons... Son mensonge a été incomparable, mais il n'a pas su tenir compte de la nature. Voilà où est le piège.

« Un autre jour, entraîné par son humeur moqueuse, il s'amuse à mystifier quelqu'un qui le soupçonne. Il fait semblant de pâlir de peur, par jeu naturellement, mais voilà : cette comédie est trop bien jouée, cette pâleur paraît *trop naturelle* et ce sera encore un indice. Sur le moment, son interlocuteur pourra être dupe, mais, s'il n'est pas un niais, il se ravisera dès le lendemain et ainsi à chaque pas. Que dis-je? Il viendra lui-même se fourrer là où il n'est pas appelé; il se répandra en paroles imprudentes, en allégories dont le sens n'échappera à personne, hé! hé! Il viendra lui-même et se mettra à demander pourquoi on ne l'a pas encore arrêté, hé! hé! hé! Et cela peut arriver à l'homme le plus fin, à un psychologue, à un littérateur. La nature est un miroir, le miroir le plus transparent et il suffit de le contempler. Mais pourquoi avez-vous pâli ainsi, Rodion Romanovitch? Vous étouffez peut-être, voulez-vous que j'ouvre la fenêtre?

— Oh! ne vous inquiétez pas, je vous prie, s'écria Raskolnikov, et il éclata tout à coup de rire, je vous en prie, ne vous dérangez pas. »

Porphyre s'arrêta en face de lui; il attendit un moment, puis se mit à rire lui aussi. Alors Raskolnikov, dont l'hilarité convulsive s'était calmée, se leva du divan.

« Porphyre Petrovitch, fit-il d'une voix haute en articulant chacun de ses mots, malgré la peine qu'il avait à se tenir sur ses jambes tremblantes, je vois enfin clairement que vous me soupçonnez positivement du meurtre de cette vieille et de sa sœur Elisabeth. Je vous déclare, de mon côté, que j'ai depuis longtemps assez de tout cela. Si vous vous croyez le droit de me poursuivre et de m'arrêter, faites-le. Mais je ne vous permettrai pas de vous moquer de moi en pleine figure et de me torturer. »

Ses lèvres frémirent tout à coup, ses yeux s'enflammèrent de colère et sa voix, contenue jusque-là, se mit à vibrer.

« Je ne le permettrai pas, cria-t-il en assenant un violent coup de poing sur la table. Vous entendez bien, Porphyre Petrovitch, je ne le permettrai pas...

— Ah! Seigneur, mais qu'est-ce qui vous prend

encore! s'écria Porphyre Petrovitch, qui semblait affolé, mon cher Rodion Romanovitch, mon ami, qu'avez-vous?

— Je ne le permettrai pas, cria encore Raskolnikov.

— Ne criez donc pas si fort! On peut nous entendre, on va accourir, et que leur dirons-nous? pensez donc! chuchota Porphyre Petrovitch, tout effrayé, en rapprochant son visage jusqu'à toucher celui de Raskolnikov.

— Je ne le permettrai pas, je ne le permettrai pas », répétait l'autre machinalement; mais il avait lui aussi baissé le ton et parlait dans un murmure. Porphyre se détourna rapidement et courut ouvrir la fenêtre.

« Il faut aérer la pièce. Et vous devriez boire un peu d'eau, mon ami, car c'est un véritable accès que vous avez. »

Il se précipitait déjà vers la porte pour demander de l'eau, quand il aperçut une carafe pleine dans un coin.

« Tenez. Buvez-en un peu, marmotta-t-il en accourant vers lui, la carafe à la main, peut-être cela vous... » La frayeur et la sollicitude de Porphyre Petrovitch semblaient si peu feintes que Raskolnikov se tut et se mit à l'observer avec une vive curiosité. Il refusa cependant l'eau qu'on lui offrait.

« Rodion Romanovitch, mon cher ami, mais vous vous rendrez fou, je vous assure. Ah! buvez, je vous en prie, mais buvez donc une gorgée au moins! »

Il lui mit presque de force le verre d'eau dans la main. L'autre le porta machinalement à ses lèvres, puis, revenu à lui, le déposa sur la table avec dégoût.

« Oui, vous avez eu un petit accès. Vous en ferez tant, mon ami, que vous aurez une rechute de votre mal, s'écriait affectueusement Porphyre Petrovitch qui semblait fort troublé du reste. Seigneur, peut-on se ménager si peu? C'est comme Dmitri Prokofitch, qui est venu me voir hier. Je reconnais avec lui que j'ai le caractère caustique, mauvais en un mot, mais quelles conclusions en a-t-il tirées... Seigneur! Il est venu hier, après votre visite; nous étions en train de dîner et il a parlé, parlé, je n'ai pu qu'ouvrir les bras d'étonnement. « Ah! bien... pensais-je, ah! Seigneur mon Dieu! » C'était vous qui l'aviez envoyé, n'est-ce pas? Mais, asseyez-vous, cher ami, asseyez-vous, pour l'amour de Dieu.

— Non, ce n'est pas moi qui l'ai envoyé, mais je savais qu'il allait chez vous et la raison de cette visite, répondit sèchement Raskolnikov.

— Vous le saviez?

— Oui. Qu'en concluez-vous donc?

— J'en conclus, mon cher Rodion Romanovitch, que je connais encore bien d'autres exploits dont vous pouvez vous targuer. Je suis au courant de tout, voilà! Je sais comment vous êtes allé *louer un appartement* à la nuit tombante et que vous vous êtes mis à tirer le cordon de la sonnette et à questionner au sujet des taches de sang; si bien que les ouvriers et le portier en ont été stupéfaits. Oh! je comprends votre état d'âme, c'est-à-dire celui où vous vous trouviez ce jour-là... mais il n'en est pas moins vrai que vous allez vous rendre fou ainsi, parole d'honneur! Vous allez perdre la tête, vous verrez; une noble indignation bouillonne en vous; vous avez à vous plaindre tout d'abord de la destinée, puis des policiers; aussi courez-vous de tous côtés pour forcer les gens à formuler leurs soupçons au plus vite et en finir ainsi, car vous en avez assez de ces commérages stupides et de ces soupçons. Je ne me trompe pas, n'est-ce pas? J'ai bien deviné votre état d'esprit? Mais si vous continuez ainsi, ce n'est pas vous seul qui deviendrez fou. Vous ferez perdre aussi la tête à mon pauvre Rasoumikhine, et vous savez que ce serait dommage d'affoler un si *brave* garçon. Vous, vous êtes malade, mais lui il n'a que trop de bonté et c'est cette bonté qui l'expose particulièrement au danger de la contagion... Quand vous serez un peu calmé, mon ami, je vous raconterai... Mais asseyez-vous donc, pour l'amour de Dieu, reposez-vous, je vous prie, vous êtes blanc comme un linge, asseyez-vous, vous dis-je. »

Raskolnikov obéit. Le tremblement qui l'avait envahi s'apaisait peu à peu et la fièvre s'emparait de lui. Il écoutait avec une profonde surprise Porphyre Petrovitch lui prodiguer les marques de son intérêt, malgré son effroi visible. Mais il n'ajoutait foi à aucune de ses paroles, bien qu'il éprouvât une tendance étrange à y croire. La phrase qu'avait tout à coup laissée tomber Porphyre sur le logement le frappait d'étonnement.

« Comment a-t-il appris cela, se demandait-il, et pourquoi m'en parle-t-il? »

« Oui, nous avons eu, dans notre pratique judiciaire, un cas presque analogue, un cas morbide, continua rapidement Porphyre. Un homme s'est accusé d'un meurtre qu'il n'avait pas commis, et si vous saviez comment il a arrangé cela! Il était le jouet d'une véritable hallucination; il présentait des faits, racontait les événements, embrouillait tout le monde. Et tout cela pourquoi? Parce qu'il avait indirectement, et sans qu'il y eût de sa faute, favorisé un meurtre, mais rien qu'en partie; seulement, quand il s'en rendit compte, il fut si désolé, si angoissé, qu'il en perdit la raison et s'imagina être l'assassin. Enfin, le Sénat débrouilla l'affaire et le malheureux fut acquitté, mais, sans le Sénat, c'en était fait de lui. Oh! là, là! En continuant comme vous faites, mon cher, vous risquez d'attraper une fièvre cérébrale, si vous vous excitez les nerfs ainsi et allez tirer les cordons de sonnette la nuit ou interroger les gens sur des taches de sang... Moi, voyez-vous, c'est dans l'exercice de ma profession que j'ai eu l'occasion d'étudier toute cette psychologie. C'est un vertige semblable qui pousse un homme à se jeter par la fenêtre ou à sauter du haut d'un clocher, une sorte d'attirance... une maladie, Rodion Romanovitch, une maladie, vous dis-je, et pas autre chose... Vous négligez trop la vôtre. Vous devriez consulter un bon médecin et non ce gros type qui vous soigne... Vous avez le délire et tout cela ne provient que du délire... »

Un instant, Raskolnikov crut voir tous les objets tourner autour de lui. « Se peut-il, mais se peut-il donc qu'il mente encore? Impossible, c'est impossible! » se répétait-il, en repoussant de toutes ses forces une pensée qui, il le sentait, menaçait de le rendre fou de rage.

« Ce n'était pas du délire, j'avais toute ma conscience, s'écria-t-il, l'esprit tendu pour essayer de pénétrer le jeu de Porphyre. J'avais toute ma raison, toute ma raison, vous entendez?

— Oui, je comprends et j'entends. Vous le disiez hier encore et vous insistiez même sur ce point. Je comprends d'avance tout ce que vous pourrez dire. Ah!... Ecoutez-moi donc, Rodion Romanovitch, mon cher ami, promettez-moi de vous soumettre encore une observation. Si vous étiez coupable ou mêlé de quelque façon à cette maudite affaire, auriez-vous, je vous le demande, soutenu que vous aviez toute votre raison? Tout au contraire, à mon avis, vous auriez affirmé, sans en vouloir démordre, que vous étiez en proie au délire. N'ai-je pas raison? non, mais dites, est-ce vrai? »

Le ton de la question laissait prévoir un piège. Raskolnikov se rejeta sur le dossier du divan pour s'écarter de Porphyre dont le visage se penchait sur lui et il se mit à l'examiner en silence d'un regard fixe et chargé d'étonnement.

« C'est comme pour la visite de M. Rasoumikhine. Si vous étiez coupable, vous devriez dire qu'il est venu chez moi de sa propre inspiration et cacher que vous l'aviez poussé à cette démarche. Or, vous affirmez, au contraire, que c'est vous qui l'avez envoyé. »

Raskolnikov n'avait jamais affirmé cela. Un frisson glacé lui courut dans le dos.

« Vous mentez toujours, fit-il d'une voix lente et faible en ébauchant un sourire pénible. Vous voulez encore me montrer que vous lisez dans mon jeu, que vous pouvez prédire d'avance toutes mes réponses, continua-t-il, en sentant lui-même qu'il était désormais incapable de peser ses paroles. Vous voulez me faire peur... et vous vous moquez de moi tout simplement... »

Il ne cessait en parlant ainsi de fixer le juge d'instruction et, tout à coup, une fureur terrible étincela dans ses yeux.

« Vous ne faites que mentir, s'écria-t-il. Vous savez parfaitement vous-même que la meilleure tactique pour un coupable est de s'en tenir à la vérité, autant que possible.. d'avouer ce qu'il n'est pas nécessaire de cacher. Je ne vous crois pas!

— Quelle girouette vous faites, dit l'autre en ricanant; pas moyen de s'entendre avec vous, c'est une idée fixe. Vous ne me croyez pas? Et moi je vous dirai que vous commencez à me croire; dix centimètres de foi en attendant et je ferai si bien que vous finirez par me croire tout à fait, tout le mètre y passera, car je vous aime sincèrement et vous veux du bien... »

Les lèvres de Raskolnikov frémirent.

« Oui, je vous veux du bien, poursuivit Porphyre en serrant amicalement le bras du jeune homme et je vous le dis une fois pour toutes. Soignez-vous. De plus, voilà que votre famille est venue vous retrouver. Pensez à elle. Vous devriez faire le bonheur de vos parents et vous ne leur causez que des inquiétudes au contraire...

— Que vous importe? Comment savez-vous cela? De quoi vous mêlez-vous? C'est donc que vous me surveillez, et vous tenez à ne pas me le laisser ignorer?

— Mon ami! Mais voyons, c'est de vous, de vous seul que j'ai tout appris; vous ne remarquez même pas que, dans votre agitation, vous racontez toutes vos affaires à moi comme aux autres. M. Rasoumikhine m'a également communiqué bien des choses intéressantes. Non, vous m'avez interrompu quand j'allais vous dire que, malgré votre intelligence, votre méfiance vous empêche de juger raisonnablement les choses.

« Eh bien, tenez, par exemple, si nous revenons au même sujet, prenez cet incident du cordon de sonnette: voilà un fait précieux, inappréciable, pour un magistrat enquêteur, que je vous livre naïvement, entièrement, moi, le juge d'instruction. Et vous n'en pouvez rien conclure? Mais si je vous croyais coupable le moins du monde, aurais-je agi ainsi? Je devais, au contraire, commencer par endormir votre méfiance, ne pas vous laisser soupçonner que j'étais au courant de ce fait, détourner votre attention pour vous assener ensuite, sur le crâne, selon votre propre formule, la question suivante : « Que faisiez-vous, monsieur, à dix heures « passées et même à onze heures, dans l'apparte- « ment de la victime? Et pourquoi tiriez-vous le « cordon de sonnette et parliez-vous de taches de « sang? Et pourquoi affoliez-vous les concierges en « leur demandant de vous mener au commissa- « riat? » Voilà comment j'aurais dû agir si je vous soupçonnais le moins du monde. Je vous aurais fait subir un interrogatoire en règle, j'aurais ordonné une perquisition chez vous, vous aurais fait arrêter... Si j'agis autrement, c'est donc que je ne vous soupçonne pas. Mais vous avez perdu le sens de la réalité et vous ne voyez rien, je le répète. »

Raskolnikov tressaillit de tout son corps si violemment que Porphyre put facilement s'en apercevoir.

« Vous ne faites que mentir, répéta-t-il violemment; j'ignore le but que vous poursuivez, mais vous mentez toujours. Ce n'est pas ainsi que vous parliez tout à l'heure et je ne puis me tromper... Vous mentez!

— Je mens? » reprit Porphyre Petrovitch, qui s'échauffait visiblement, mais gardait son ton ironique et enjoué et semblait n'attacher aucune importance à l'opinion que Raskolnikov pouvait avoir de lui. « Je mens, dites-vous? Et comment ai-je agi tantôt avec vous? Quand moi, juge d'instruction, je vous ai suggéré tous les arguments psychologiques que vous pouviez faire valoir! La maladie, le délire, l'amour-propre à vif à force de souffrances, la neurasthénie et ces policiers par-dessus le marché, et tout le reste, hein? hé! hé! hé! Et pourtant, soit dit en passant, ces moyens de défense ne tiennent pas debout. Ils sont à deux fins et on peut les retourner contre vous. Vous direz : la maladie, le délire, les cauchemars, je ne me souviens plus de rien, et l'on vous répondra : « Tout cela est fort bien, mon ami, mais pourquoi « la maladie, le délire affectent-ils chez vous tou- « jours les mêmes formes, pourquoi vous inspi- « rent-ils ces cauchemars précisément? » Cette maladie pouvait se manifester autrement, n'est-il pas vrai, hé! hé! hé! »

Raskolnikov le regarda avec une fierté méprisante.

« En fin de compte, dit-il avec force en se levant et en repoussant légèrement Porphyre, je veux savoir si je puis ou *non* me considérer comme définitivement hors de soupçons. Dites-le-moi, Porphyre Petrovitch; expliquez-vous sans ambages et une fois pour toutes, à l'instant.

— Eh mon Dieu! en voilà une exigence! Non, mais vous en avez des exigences! s'écria Porphyre d'un air parfaitement calme et goguenard, et qu'avez-vous besoin d'en savoir tant, puisqu'on ne vous inquiète pas? Vous êtes comme un enfant qui demande à toucher le feu. Et pourquoi vous agitez-vous ainsi et venez-vous chez nous quand on ne vous y appelle pas? hé! hé! hé!

— Je vous répète, cria Raskolnikov pris de fureur, que je ne puis supporter...

— Quoi? L'incertitude? l'interrompit Porphyre.

— Ne me poussez pas à bout... Je ne le permettrai pas... Je vous dis que je ne le veux pas... Je ne puis et ne veux le supporter... Vous entendez? Entendez-vous! cria-t-il en donnant un coup de poing sur la table.

— Chut, plus bas, parlez plus bas, on va nous entendre, je vous en préviens sérieusement; prenez garde à vous, je ne plaisante pas », murmura Porphyre, mais son visage avait perdu son expression de bonhomie efféminée et de frayeur. Maintenant il ordonnait franchement, sévèrement, les sourcils froncés d'un air menaçant. Il semblait en avoir fini avec les allusions, les mystères et prêt à lever le masque. Mais cette attitude ne dura qu'un instant. Intrigué d'abord, Raskolnikov fut soudain pris d'un transport de fureur; pourtant, chose étrange, cette fois encore, et bien qu'il fût au comble de l'exaspération, il obéit à l'ordre de baisser la voix.

« Je ne me laisserai pas torturer », murmura-t-il du même ton que tout à l'heure, mais il reconnaissait, avec une amertume haineuse, qu'il lui était impossible de passer outre, et cette pensée ne faisait qu'augmenter sa fureur. « Arrêtez-moi, fouillez-moi, mais veuillez agir selon les règles et non jouer avec moi, je vous le défends.

— Ne vous inquiétez donc pas des règles, interrompit Porphyre avec son même sourire goguenard, tandis qu'il contemplait Raskolnikov avec une sorte de jubilation; c'est, mon cher, familièrement et tout à fait en ami que je vous ai demandé de venir me voir.

— Je ne veux pas de votre amitié et je m'en moque. Vous entendez? Et maintenant, je prends ma casquette et je m'en vais. Alors, qu'en direz-vous si vous avez l'intention de m'arrêter? »

Il prit sa casquette et se dirigea vers la porte.

« Ne voulez-vous pas voir une petite surprise? » ricana Porphyre en le prenant de nouveau par le bras et en l'arrêtant devant la porte. Il paraissait de plus en plus joyeux et goguenard, ce qui mettait Raskolnikov hors de lui.

« Quelle surprise? De quoi s'agit-il? demanda celui-ci, en le regardant avec effroi.

— Une petite surprise, qui se trouve là derrière la porte, hé! hé! hé! (Il indiquait du doigt la porte fermée qui donnait accès dans son propre logement, situé derrière la cloison.) Je l'ai même enfermée à clef pour qu'elle ne puisse s'échapper.

— Quoi donc? Où cela? Qu'est-ce que c'est? » Raskolnikov s'approcha de la porte et essaya de l'ouvrir, mais elle était verrouillée.

« Elle est fermée; en voici la clef. »

Et il lui montra en effet une clef qu'il venait de tirer de sa poche.

« Tu ne fais que mentir, hurla Raskolnikov, qui ne se possédait plus. Tu mens, maudit polichinelle! » Et il se jeta sur le juge d'instruction qui recula vers la porte sans témoigner du reste aucune frayeur.

« Je comprends tout, tout, s'écria Raskolnikov, en se précipitant sur lui, tu mens et tu me nargues pour me forcer à me trahir...

— Mais, mon cher Rodion Romanovitch, vous n'avez plus à vous trahir... Voyez dans quel état vous vous êtes mis. Ne criez pas ou j'appelle.

— Tu mens; il ne se passera rien; tu peux appeler! Tu me savais malade et tu voulais m'irriter, m'affoler, pour m'obliger à me trahir, voilà le but que tu poursuivais. Non, apporte des faits. J'ai tout compris! Tu n'as pas de preuves, tu n'as que de pauvres et misérables soupçons, les conjectures de Zamiotov... Tu connaissais mon caractère et tu as voulu me mettre hors de moi pour faire ensuite apparaître brusquement les popes et les témoins... Tu les attends, hein? Mais qu'attends-tu pour les faire entrer? Où sont-ils? Allons, fais-les venir...

— Mais que parlez-vous de témoins, mon ami? En voilà des idées! On ne peut pas suivre aussi aveuglément les règles, comme vous dites; vous n'entendez rien à la procédure, mon cher... Les formes seront observées au moment voulu. Vous le verrez vous-même », marmotta Porphyre qui semblait prêter l'oreille à ce qui se passait derrière la porte.

Du bruit se fit entendre en effet dans la pièce voisine.

« Ah! on vient, cria Raskolnikov. Tu les as envoyé chercher... Tu les attendais... Tu avais calculé... Eh bien, fais-les donc entrer tous... tous les témoins, qui tu voudras... Allons, fais-les venir! Je suis prêt, tout à fait prêt! »

Mais il se produisit à ce moment un incident étrange et si peu en rapport avec le cours ordinaire des choses que, sans doute, ni Porphyre, ni Raskolnikov n'eussent jamais pu le prévoir.

VI

Voici le souvenir que cette scène laissa dans l'esprit de Raskolnikov :

Le bruit qui se faisait dans la pièce voisine augmenta rapidement et la porte s'entrouvrit.

« Qu'y a-t-il? cria Porphyre Petrovitch d'un ton mécontent. J'avais pourtant prévenu... »

Personne ne répondit, mais on pouvait deviner qu'il y avait derrière la porte plusieurs personnes qui s'efforçaient de maîtriser quelqu'un.

« Mais enfin, que se passe-t-il? répéta Porphyre d'un air inquiet.

— On amène l'inculpé Nicolas, fit une voix.

— Inutile, remmenez-le! Attendez!... Que vient-il faire ici? En voilà un désordre! cria Porphyre en se précipitant vers la porte.

— Mais il... », reprit la même voix, qui se tut brusquement. On entendit pendant deux secondes le bruit d'une véritable lutte, puis quelqu'un parut en repousser avec force un autre et un homme fort pâle fit irruption dans le cabinet de Porphyre Petrovitch.

Le nouveau venu pouvait, à première vue, sembler fort étrange. Il avait les yeux fixés droit devant lui, mais paraissait ne voir personne. La résolution se lisait dans son regard étincelant, mais son visage cependant était livide comme celui d'un condamné qu'on mène à l'échafaud. Ses lèvres toutes blanches frémissaient légèrement.

Il était fort jeune, vêtu comme un homme du peuple, maigre et de taille moyenne; il portait les cheveux taillés en rond, ses traits étaient secs et fins. Celui qu'il venait de repousser subitement se précipita le premier derrière lui et lui mit la main sur l'épaule. C'était un gendarme, mais Nicolas réussit à se dégager encore une fois.

Quelques curieux se pressaient dans la porte. Plusieurs d'entre eux s'efforçaient d'entrer dans la pièce. Tout cela s'était passé en moins de temps qu'il n'en faut pour l'écrire.

« Hors d'ici, il est trop tôt! Attends qu'on t'appelle... Pourquoi l'a-t-on amené? » marmotta Porphyre aussi irrité que surpris.

Tout à coup, Nicolas s'agenouilla.

« Qu'est-ce qui te prend? cria Porphyre tout ébahi.

— Je suis coupable, c'est mon crime! Je suis un assassin », fit Nicolas d'une voix entrecoupée, mais assez forte cependant.

Il y eut pendant dix secondes un silence aussi profond que si tous les assistants étaient tombés en catalepsie. Le gendarme lui-même avait reculé et n'osait s'approcher de Nicolas. Il se retira vers la porte et y demeura immobile.

« Qu'est-ce que tu dis? cria Porphyre Petrovitch revenu de sa stupeur.

— Je... suis un assassin... répéta Nicolas après un silence.

— Comment... toi... Je ne comprends pas. Qui as-tu tué? » Porphyre Petrovitch semblait absolument déconcerté.

Nicolas attendit un moment pour répondre.

« Alena Ivanovna et sa sœur Elisabeth Ivanovna... Je les ai tuées... avec une hache. J'avais l'esprit égaré... » ajouta-t-il, et il se tut de nouveau, mais il restait toujours agenouillé.

Porphyre Petrovitch parut un moment réfléchir profondément, puis, d'un geste violent, il réitéra aux spectateurs improvisés son ordre de quitter la pièce. Ils s'éclipsèrent aussitôt et la porte se referma. Alors, il jeta un coup d'œil à Raskolnikov debout dans son coin, qui contemplait Nicolas d'un air pétrifié. Il fit un pas vers lui, mais se ravisa, s'arrêta, le regarda encore, puis tourna les yeux vers Nicolas pour les reporter sur Raskolnikov et tout aussitôt sur le peintre. Enfin, il s'adressa à Nicolas avec une sorte d'emportement :

« Attends que je t'interroge pour me parler de ton égarement, lui cria-t-il avec une sorte de fureur. Je ne t'ai pas encore demandé si tu avais subi un égarement... Parle! Tu as tué?

— Je suis un assassin... j'avoue... fit Nicolas.

— Et avec quoi as-tu tué?

— Avec une hache que j'avais apportée.

— Eh! Ce qu'il est pressé! Seul? »

Nicolas ne comprit pas la question.

« Tu n'as pas eu de complices?

— Non, Mitka est innocent; il n'a pris aucune part au crime.

— Ne te presse donc pas de parler de Mitka. Et... mais comment, dis-moi, comment as-tu descendu l'escalier? Les concierges vous ont vus ensemble.

— Ça, c'était pour détourner les soupçons... J'ai

alors couru avec Mitka, répondit vivement Nicolas (on eût dit qu'il récitait une leçon préparée d'avance).

— Allons, ça y est; il répète des paroles apprises », grommela Porphyre comme à part soi, et soudain ses yeux rencontrèrent Raskolnikov dont il avait visiblement oublié la présence dans l'émotion que lui causait cette scène avec Nicolas. En l'apercevant, il revint à lui et parut se troubler.

« Rodion Romanovitch, mon cher ami, excusez-moi, et il se précipita vers lui. On ne peut pas... je vous en prie..., vous n'avez ici rien à... moi-même, vous voyez quelle surprise... Allez, je vous en prie... »

Et il le prit par le bras en lui indiquant la porte.

« Il paraît que vous ne vous attendiez pas à cela, fit observer Raskolnikov, qui naturellement se rendait bien compte de ce qui arrivait et avait repris courage.

— Mais vous non plus, mon cher; voyez donc comme votre main tremble, hé! hé! hé!

— Vous aussi vous tremblez, Porphyre Petrovitch.

— C'est vrai, je ne m'attendais pas à cela. »

Ils étaient déjà devant la porte. Porphyre attendait impatiemment le départ de son visiteur.

« Et la surprise, vous ne me la montrerez donc pas? fit tout à coup Raskolnikov.

— Ecoutez-le parler quand ses dents s'entrechoquent dans sa bouche. Hé! hé! vous êtes un homme caustique. Allons, au revoir.

— Je crois qu'il vaut mieux dire *adieu*.

— Ce sera comme Dieu voudra, comme Dieu voudra », marmotta Porphyre, avec un sourire qui lui tordit le visage.

En traversant la chancellerie, Raskolnikov remarqua que plusieurs des employés le regardaient fixement. Dans l'antichambre, il reconnut, parmi la foule, les deux concierges de *l'autre* maison, à qui il avait demandé l'autre jour de le conduire au commissariat. Ils paraissaient attendre. A peine arrivé dans l'escalier il entendit de nouveau la voix de Porphyre Petrovitch. Il se retourna et aperçut le juge d'instruction qui courait après lui, tout essoufflé.

« Un mot, Rodion Romanovitch. Il en sera de cette affaire comme Dieu voudra, mais j'aurai encore quelques renseignements à vous demander pour la forme... Nous nous reverrons certainement, n'est-ce pas? »

Et Porphyre s'arrêta devant lui, en souriant.

« Voilà », répéta-t-il.

On pouvait supposer qu'il avait envie d'ajouter quelque chose, mais il n'en fit rien.

« Et vous, Porphyre Petrovitch, excusez-moi pour tout à l'heure... J'ai été un peu vif, répondit Raskolnikov, qui avait repris courage et éprouvait un désir irrésistible de fanfaronner devant le magistrat.

— Ce n'est rien, ce n'est rien, dit Porphyre d'un ton presque joyeux... Moi-même j'ai... un caractère fort désagréable, je l'avoue. Mais nous nous reverrons. Si Dieu le permet, nous nous reverrons sûrement...

— Et nous achèverons de faire connaissance, dit Raskolnikov.

— Oui, répéta Porphyre, en le regardant sérieusement de ses yeux mi-clos. Maintenant, vous allez à un anniversaire?

— A un enterrement.

— Ah! oui! c'est vrai, à un enterrement. Prenez soin de votre santé, prenez-en bien soin...

— Et moi je ne sais que vous souhaiter à mon tour, fit Raskolnikov qui commençait à descendre, mais se retourna tout à coup. — Je vous aurais souhaité de grands succès, mais vous voyez vous-même combien vos fonctions peuvent être comiques.

— Pourquoi comiques? » Le juge d'instruction, qui s'apprêtait à rentrer, avait dressé l'oreille à ces derniers mots.

« Comment donc? Voilà ce pauvre Mikolka que vous avez dû tourmenter, torturer à votre manière psychologique jusqu'à le faire avouer. Vous lui répétiez sans doute jour et nuit sur tous les tons : « Tu es un assassin, tu es un assassin... » et maintenant qu'il a avoué, vous recommencerez à le griller à petit feu en lui serinant une autre chanson : « Tu mens, tu n'es pas un assassin, tu n'as pu « commettre ce crime, tu répètes des paroles ap- « prises. » Eh bien, soutenez après cela que vos fonctions ne sont pas comiques!

— Hé! hé! hé! Vous avez donc remarqué que j'ai dit tout à l'heure à Nicolas qu'il répétait des paroles apprises?

— Comment ne l'aurais-je pas remarqué?

— Hé hé! Vous avez l'intelligence subtile, très subtile; rien ne vous échappe et votre esprit en outre est malicieux; vous saisissez immédiatement le moindre trait comique... hé! hé! C'était, je crois, Gogol, qui, entre tous les écrivains, se faisait surtout remarquer par ce trait.

— Oui, Gogol.

— Gogol en effet... Au plaisir de vous revoir. »

Raskolnikov rentra immédiatement chez lui. Il était si surpris, si décontenancé par tout ce qui venait de se passer qu'arrivé dans sa chambre il se jeta sur son divan et y resta un quart d'heure à se reposer, en essayant de reprendre ses esprits. Il ne tenta même pas de s'expliquer la conduite de Nicolas. Il se sentait trop surpris pour cela. Il comprenait aussi que cet aveu devait cacher un mystère qu'il ne parvenait pas à déchiffrer, sur le moment du moins. Pourtant, cet aveu était un fait réel dont les conséquences lui apparaissaient clairement : le mensonge ne pouvait manquer d'être découvert et on s'en reprendrait à lui. Mais, en attendant, il était libre et il devait prendre ses précautions en vue du danger qu'il jugeait imminent.

Jusqu'à quel point cependant était-il menacé? La situation commençait à se préciser. Il ne put s'empêcher de frissonner d'effroi en évoquant toute la scène qui venait de se dérouler entre lui et Porphyre. Certes, il ne pouvait pénétrer toutes les intentions du juge d'instruction, ni deviner ses calculs, mais ce qu'il en avait tiré au clair lui permettait de comprendre, mieux que quiconque, le danger qu'il avait couru. Un peu plus et il se perdait sans retour. Le terrible magistrat, qui connaissait l'irritabilité maladive de son caractère, l'avait déchiffré à première vue, s'était engagé à fond, un peu trop hardiment peut-être, mais presque sans risques. Sans doute, Raskolnikov s'était déjà bien compromis tantôt, mais les imprudences commises ne constituaient pas encore des preuves contre lui et tout cela n'était que relatif. Cependant, ne se trompait-il pas en jugeant ainsi? Quel était le but visé par Porphyre? Avait-il réellement préparé une surprise pour aujourd'hui? Et en quoi consistait-elle? Comment cette entrevue aurait-elle fini sans le coup de théâtre de l'apparition de Nicolas?

Porphyre avait découvert presque tout son jeu, tactique hasardeuse sans doute, mais dont il courait le risque. Raskolnikov continuait à le penser. Eût-il d'autres atouts qu'il les eût montrés également. Quelle était cette « surprise »? Une façon de le tourner en dérision? Avait-elle une signification? Pouvait-elle cacher un semblant de preuve? Tout au moins un fait accusateur? L'homme d'hier? Comment avait-il disparu ainsi? Et aujourd'hui où était-il? Car si Porphyre avait une preuve, elle devait se rapporter à la visite de l'inconnu d'hier.

Raskolnikov était assis sur son divan, la tête inclinée, les coudes appuyés sur les genoux et le visage dans les mains. Un tremblement nerveux continuait à agiter tout son corps. Enfin, il se leva, prit sa casquette, s'arrêta un moment pour réfléchir, puis se dirigea vers la porte.

Il pressentait qu'il était, ce jour-là tout au moins, hors de danger. Tout à coup, il éprouva une sorte de joie : le désir lui vint de se rendre au plus vite chez Catherine Ivanovna. Il était, bien entendu, trop tard pour aller à l'enterrement, mais il arriverait à temps pour le repas et là il verrait Sonia.

Il s'arrêta, réfléchit, esquissa un sourire douloureux.

« Aujourd'hui! Aujourd'hui, se répéta-t-il, oui, aujourd'hui même, il le faut... »

Il se préparait à ouvrir la porte quand celle-ci s'entrebâilla d'elle-même. Il fut pris d'un tremblement et recula précipitamment. La porte s'ouvrait lentement, sans bruit, et soudain elle laissa apparaître la silhouette du personnage de la veille, de l'homme surgi de terre...

Celui-ci s'arrêta sur le seuil, regarda silencieusement Raskolnikov et fit un pas dans la pièce. Il était vêtu exactement comme le jour précédent, mais son visage et l'expression de son regard avaient changé : il semblait fort affligé et, après un moment de silence, il poussa un profond soupir. Il ne lui manquait que d'appuyer la joue sur sa main et de tourner la tête pour ressembler à une bonne femme désolée.

« Que voulez-vous? » demanda Raskolnikov paralysé de peur.

L'homme ne répondit pas et tout à coup il s'inclina si bas devant lui que sa main droite toucha terre [1].

« Que faites-vous? cria Raskolnikov.

— Je suis coupable, fit l'homme à voix basse.

— De quoi?

— De mauvaises pensées. »

Ils se regardaient mutuellement.

« J'étais inquiet... Quand vous êtes venu l'autre jour, ivre peut-être, et que vous avez demandé aux concierges de vous mener au commissariat, puis que vous avez interrogé ces peintres au sujet des taches de sang, j'ai vu, avec regret, qu'ils ne tenaient aucun compte de vos paroles et qu'ils vous prenaient pour un homme saoul; alors j'en ai été si tourmenté que je ne pouvais dormir. Et comme je me rappelais votre adresse, nous sommes venus hier et nous avons demandé...

— Qui est venu? interrompit Raskolnikov qui commençait à comprendre.

— Moi, c'est-à-dire que c'est moi qui vous ai insulté.

— Vous habitez donc cette maison-là?

— Oui, je me trouvais avec eux tous, devant la porte cochère, vous vous en souvenez? J'exerce même mon métier depuis longtemps, je suis ouvrier en pelleterie et je travaille chez moi... Mais ce qui m'a tourmenté le plus... »

Raskolnikov se remémora soudain toute la scène de l'avant-veille : il y avait en effet, en dehors des concierges, plusieurs personnes encore sous la porte cochère, des hommes et quelques femmes. Il se souvint de la voix d'un assistant qui proposait de l'emmener au commissariat. Il ne pouvait se rappeler le visage de celui qui avait émis cet avis et maintenant encore il ne le reconnaissait pas, mais il se souvenait de lui avoir répondu quelque chose, de s'être tourné vers lui... Ainsi, voilà comment s'expliquait l'effrayant mystère de la veille. Et ce qu'il y avait de plus terrible, c'est qu'il avait failli se perdre pour un fait aussi *insignifiant*. Cet homme n'avait donc rien à raconter, sauf l'incident de la location et les questions sur les taches de sang. Et Porphyre, par conséquent, n'en savait pas davantage. Il ne connaissait que l'accès de *délire*, pas de faits en dehors de cela, rien, hormis cette *psychologie à deux fins*, rien de positif. Donc, s'il ne surgissait pas d'autres faits (et il ne devait pas en surgir) que pouvait-on lui faire? Comment pouvait-on le confondre, même si on l'arrêtait? Il résultait encore de tout cela que Porphyre venait d'apprendre à l'instant même sa visite au logement des victimes; auparavant il n'en savait rien.

« C'est vous qui avez raconté aujourd'hui à Porphyre... ma visite? demanda-t-il, frappé d'une idée subite.

— A quel Porphyre?

— Le juge d'instruction.

— Oui, c'est moi. Les concierges n'y étaient pas allés ce jour-là. Alors, moi je l'ai fait.

— Aujourd'hui?

— J'y étais une minute avant votre arrivée. J'ai assisté à toute la scène; je l'ai entendu vous torturer.

— Où cela? Comment? Quand?

— Mais j'étais chez lui, derrière la cloison; j'y suis resté tout le temps.

— Comment? C'était donc vous la surprise? Mais comment cela a-t-il pu arriver? Parlez donc.

— Voyant, commença l'homme, que les concierges refusaient d'aller prévenir la police sous prétexte qu'il était tard et qu'ils allaient être grondés pour être venus à pareille heure, j'en fus si tourmenté que j'en perdis le sommeil et je commençai à me renseigner sur vous. Ayant donc pris mes renseignements hier, je me rendis aujourd'hui chez le juge d'instruction. La première fois que je me présentai, il était absent. Je suis revenu une heure plus tard et ne fus pas reçu. Enfin, la troisième fois, j'ai été introduit auprès de lui. Je racontai les choses exactement comme elles s'étaient passées; en m'écoutant, il courait dans la pièce et se donnait des coups de poing dans la poitrine. « Que faites-vous de moi, « brigands que vous êtes? criait-il, si j'avais su « cela plus tôt je l'aurais fait amener par les gen- « darmes. » Ensuite, il sortit précipitamment, appela quelqu'un, se mit à causer avec lui dans un coin, puis revint vers moi et recommença à me questionner en m'injuriant. Il me faisait beaucoup de reproches; je lui ai tout raconté : que vous n'aviez pas osé répondre à mes paroles d'hier et que vous ne m'aviez pas reconnu. Alors, il s'est remis à courir, en se frappant toujours la poitrine et, quand vous vous êtes fait annoncer, il est venu à moi et m'a dit : « Passe derrière la cloison et reste là sans bou- « ger, quoi que tu puisses entendre. » Il m'apporta une chaise et m'enferma en ajoutant : « il se peut « que je te fasse venir. » Mais, quand on amena Nicolas, il me fit sortir après votre départ. « Je

« vais te faire appeler encore, me dit-il, car j'aurai « à t'interroger... »

— A-t-il interrogé Nicolas devant toi?

— Il m'a fait sortir aussitôt après vous et ce n'est qu'alors qu'il s'est mis à interroger Nicolas. »

L'homme s'arrêta et salua de nouveau jusqu'à terre.

« Pardonnez-moi ma dénonciation et ma méchanceté.

— Que Dieu te pardonne », fit Raskolnikov. A ces mots, l'homme s'inclina encore, mais non plus jusqu'à terre et se retira à pas lents.

« Il ne reste plus que des preuves à deux fins », pensa Raskolnikov, et il sortit tout réconforté.

« Maintenant, nous continuons la lutte », se disait-il avec un mauvais sourire, tandis qu'il descendait l'escalier. Ce n'était qu'à lui-même qu'il en voulait : il songeait avec humiliation et mépris à sa « pusillanimité ».

CINQUIÈME PARTIE

I

Piotr Petrovitch, le lendemain du jour fatal où il avait eu son explication avec Dounia et Pulchérie Alexandrovna, revint à lui dès le matin. Ses pensées s'étaient éclaircies et force lui fut de reconnaître, à son vif mécontentement, que le fait accompli la veille, qui lui avait paru fantastique et presque impossible sur l'heure, était bel et bien réel, et irrévocable. Le noir serpent de l'amour-propre offensé l'avait mordu au cœur toute la nuit. Son premier mouvement, au saut du lit, fut d'aller s'examiner dans la glace; il craignait un épanchement de bile.

Il n'en était heureusement rien. La vue de son visage blanc, distingué et un peu empâté le consola même un instant, en lui donnant la conviction qu'il ne serait pas embarrassé pour remplacer avantageusement Dounia; mais il ne tarda pas cependant à revenir à une juste notion des choses et il lança un vigoureux jet de salive, ce qui amena un sourire sarcastique sur les lèvres de son jeune ami et compagnon de chambre, André Simionovitch Lebeziatnikov. Ce sourire n'échappa pas à Piotr Petrovitch qui le porta au débit, passablement chargé depuis quelque temps, de ce jeune homme.

Sa colère redoubla; et il pensa qu'il n'aurait pas

dû confier les résultats de son entrevue d'hier à André Simionovitch. C'était la seconde sottise que son emportement et le besoin d'épancher son irritation lui avaient fait commettre... Enfin, la malchance s'ingénia à le poursuivre toute la matinée. Au Sénat même, l'affaire dont il s'occupait lui apporta un échec. Un dernier incident vint mettre le comble à sa mauvaise humeur : le propriétaire de l'appartement qu'il avait loué en vue de son prochain mariage et qu'il s'était occupé de faire réparer à ses frais, se refusa catégoriquement à rompre le contrat qu'il avait signé. Cet homme, un Allemand, ancien ouvrier enrichi, réclamait le paiement du dédit stipulé dans le bail, bien que Piotr Petrovitch lui rendît l'appartement presque entièrement remis à neuf. De même, le marchand de meubles prétendait garder jusqu'au dernier rouble les arrhes versées pour un mobilier dont Piotr Petrovitch n'avait pas encore pris livraison. « Je ne peux pourtant pas me marier pour mes meubles », s'écriait ce dernier en grinçant des dents. Et, en même temps, un dernier espoir, un espoir fou passait en son esprit. « Le mal est-il bien sans remède? Ne pourrait-on tenter la chance encore une fois? » La pensée séduisante de Dounetchka lui traversait le cœur comme une aiguille, et sans doute, s'il avait suffi d'un simple désir pour tuer Raskolnikov, Piotr Petrovitch l'eût immédiatement exprimé.

« Une autre faute de ma part a été de ne pas leur donner d'argent, pensa-t-il, en retournant mélancoliquement à la chambrette de Lebeziatnikov, et pourquoi diable ai-je été si juif? Le calcul était mauvais sous tous les rapports. Je pensais qu'en les laissant provisoirement dans la misère, je les pré-

parerais à voir ensuite en moi une Providence et elles... me glissent entre les doigts. Non, si je leur avais donné, par exemple, quinze cents roubles, de quoi se monter un trousseau, acheter quelque cadeau, tous ces petits écrins, ces trousses de voyage, ces pierres, ces étoffes, enfin cette saleté qu'on trouve au magasin anglais, je me serais montré plus habile et l'affaire aurait mieux marché. Elles ne m'auraient pas lâché si facilement. Ce sont des personnes qui se croiraient obligées de rendre, en cas de rupture, les cadeaux et l'argent qu'elles auraient reçus. Or, cette restitution ne serait ni agréable ni aisée; et puis leur conscience les aurait tourmentées. Comment, se seraient-elles dit, congédier ainsi un homme qui s'est montré si généreux et même assez délicat? Hum, j'ai commis une gaffe. »
Et Piotr Petrovitch eut un nouveau grincement de dents et se traita derechef d'imbécile, dans son for intérieur, bien entendu.

Arrivé à cette conclusion, il rentra au logis, plus irrité, plus furieux qu'il n'en était sorti. Cependant, sa curiosité fut éveillée aussitôt par le remue-ménage occasionné chez Catherine Ivanovna par les préparatifs du repas funèbre. Il en avait vaguement entendu parler la veille. Il se souvint même d'y avoir été invité, mais ses préoccupations personnelles l'avaient empêché d'y prêter attention. Il s'empressa de s'informer auprès de Mme Lippevechsel, qui, en l'absence de Catherine Ivanovna (alors au cimetière), s'affairait autour de la table où le couvert était déjà mis, et il apprit que ce repas de funérailles serait solennel; presque tous les locataires, dont quelques-uns n'avaient pas même connu le défunt, y étaient invités, André Simionovitch Lebeziatnikov également, malgré sa récente querelle avec Catherine Ivanovna; quant à lui, Piotr Petrovitch, on espérait sa présence comme celle de l'hôte le plus important de la maison. Amalia Ivanovna avait été invitée selon toutes les règles et s'était vu traiter avec beaucoup de distinction, malgré les malentendus; aussi s'occupait-elle maintenant du dîner avec une sorte de plaisir. Elle avait fait grande toilette et, quoiqu'elle fût en deuil, se montrait toute fière d'exhiber une robe de soie neuve.

Tous ces détails et ces renseignements inspirèrent à Piotr Petrovitch une idée qui le fit rentrer tout songeur dans sa chambre ou plutôt dans celle d'André Simionovitch Lebeziatnikov.

André Simionovitch avait, pour je ne sais quelle raison, passé cette matinée chez lui. Entre ce monsieur et Piotr Petrovitch s'étaient établies des relations bizarres, mais assez faciles à expliquer. Piotr Petrovitch le haïssait, le méprisait démesurément et cela à dater, ou presque, du jour où il était venu s'installer chez lui; mais il semblait en même temps le redouter. Ce n'était pas uniquement par avarice qu'il était venu habiter sa chambre, à son arrivée à Pétersbourg. Ce motif, pour être le principal, n'était pas le seul. Il avait entendu parler, dans sa province encore, d'André Simionovitch, son ancien pupille, comme l'un des jeunes progressistes les plus avancés de la capitale et même comme d'un membre fort en vue de certains cercles très curieux, qui jouissaient d'une réputation extraordinaire. Cette circonstance avait frappé Piotr Petrovitch. Ces cercles tout-puissants, instruits de tout, qui méprisaient et démasquaient tous et chacun, le remplissaient d'une vague terreur. Il ne pouvait naturellement, vu son éloignement, s'en faire une idée bien nette. Il avait entendu dire, comme les autres, qu'il existait à Pétersbourg des progressistes, des nihilistes, toutes sortes de redresseurs de torts, etc., mais il s'exagérait, comme la plupart des gens, la signification de ces mots, de la façon la plus absurde. Ce qu'il redoutait par-dessus tout, depuis plusieurs années, et ce qui le remplissait d'une inquiétude continuelle et exagérée, c'étaient les *enquêtes* menées par ces partis. Cette raison l'avait longtemps fait hésiter à choisir Pétersbourg comme centre de son activité.

Ces sociétés lui inspiraient une *terreur* qu'on pouvait qualifier d'*enfantine*. Quelques années auparavant, alors qu'il commençait seulement sa carrière en province, il avait vu les agissements de deux hauts fonctionnaires protecteurs de ses débuts, démasqués par des révolutionnaires. Un de ces cas s'était terminé de façon scandaleuse pour le fonctionnaire dénoncé et l'autre avait également eu une fin assez ennuyeuse. Voilà pourquoi Piotr Petrovitch tenait à en apprendre le plus possible, dès son arrivée, sur le rôle de ces associations, pour pouvoir, en cas de nécessité, prendre les devants et s'assurer, si besoin, les bonnes grâces de nos jeunes générations... Il comptait pour cela sur André Simionovitch, et il s'était rapidement adapté, la visite à Raskolnikov le prouvait, au langage des réformateurs...

Toutefois, il conclut très vite qu'André Simionovitch n'était qu'un pauvre homme fort médiocre et assez bête; mais cela ne changea point ses convictions et ne suffit point à le rassurer Si même il s'était convaincu que tous les progressistes étaient aussi stupides, son inquiétude ne se fût point calmée.

Toutes ces doctrines et ces pensées, tous ces systèmes (qu'André Simionovitch lui jetait à la tête) ne le touchaient guère au fond. Il poursuivait son propre dessein et ne désirait savoir qu'une chose, comment ces *scandales* survenaient et si ces *hommes* étaient vraiment tout-puissants. Bref, aurait-il à s'inquiéter, s'il était dénoncé dans le cas où il entreprendrait une affaire? Et s'il était démasqué, pour quels agissements au juste? Quels étaient ceux qui appelaient l'attention de ces inspecteurs? Bien plus, ne pouvait-il s'arranger avec eux et, en même temps, les rouler, s'ils étaient réellement redoutables? Fallait-il essayer? Et ne pouvait-on se pousser même, grâce à eux?... Il avait ainsi au moins cent questions à résoudre.

Cet André Simionovitch était un petit homme malingre et scrofuleux, fonctionnaire quelque part dans l'administration. Il avait les cheveux extraordinairement pâles et des favoris en côtelette dont il se montrait très fier; de plus, ses yeux le faisaient presque toujours souffrir. Quoique assez brave homme au fond, il tenait un langage d'une présomption souvent poussée jusqu'à l'outrecuidance et qui contrastait de façon ridicule avec son aspect chétif. Au demeurant il passait pour un des locataires les plus convenables d'Amalia Ivanovna, car il ne s'enivrait pas et payait régulièrement son loyer.

Malgré toutes ces qualités, André Simionovitch était en réalité assez bête; seul un entraînement irréfléchi l'avait porté à devenir un partisan du progrès. C'était un de ces innombrables niais, de ces pauvres êtres, de ces ignorants sottement têtus, qui s'engouent toujours de l'idée à la mode, pour l'avilir et la discréditer aussitôt, enfin pour rendre ridicule toute cause à laquelle ils se sont, parfois sincèrement, attachés.

Il faut dire du reste que, malgré son bon caractère, Lebeziatnikov commençait lui aussi à ne plus pouvoir supporter son hôte et ancien tuteur Piotr Petrovitch; l'antipathie avait été de part et d'autre spontanée et réciproque. Si sot que fût André Simionovitch, il commençait à s'apercevoir que Piotr Petrovitch le trompait et le méprisait secrètement, qu'enfin il n'était pas tel qu'il voulait se montrer. Il avait essayé de lui exposer le système de Fourier et la théorie de Darwin, mais Piotr Petrovitch, depuis quelque temps surtout, l'écoutait de façon sarcastique; il s'était même, depuis peu, mis à lui dire de véritables injures. Le fait est que Loujine se rendait compte que Lebeziatnikov était non seulement un imbécile, mais encore un hâbleur qui n'avait en réalité point de relations importantes dans son propre parti, et ne savait les choses que fort indirectement, qui, bien plus, ne paraissait pas très ferré sur sa fonction spéciale, *la propagande*, car il lui arrivait de patauger dans ses explications; et certes, il n'était pas à craindre comme enquêteur.

Notons en passant que Piotr Petrovitch, depuis qu'il était installé chez Lebeziatnikov, acceptait volontiers (surtout les premiers temps) les compliments fort bizarres de son hôte, ou du moins ne protestait-il pas en entendant celui-ci le déclarer prêt à favoriser l'établissement d'une nouvelle *commune* dans la rue des Bourgeois [1] ou, par exemple, à laisser Dounetchka prendre un amant, un mois après son mariage, ou à s'engager à ne pas faire baptiser ses enfants, etc. L'amour des louanges, quelle qu'en fût la qualité, était si puissant en Piotr Petrovitch, qu'il ne s'élevait point contre ces compliments.

Il avait négocié quelques titres dans la matinée et comptait maintenant, assis devant la table, les liasses de billets qu'il venait de recevoir. André Simionovitch, presque toujours à court d'argent, se promenait dans la pièce en affectant de considérer ces papiers avec une indifférence qui allait jusqu'au dédain. Piotr Petrovitch n'aurait jamais admis que cette attitude pût être sincère; de son côté Lebeziatnikov devinait cette pensée, non sans amertume, et il se disait que Loujine au surplus était peut-être bien aise d'étaler son argent pour le narguer, lui faire sentir son insignifiance et lui rappeler la distance que la fortune mettait entre eux.

Son hôte lui semblait ce jour-là fort mal disposé et très distrait, quoique lui, Lebeziatnikov, se fût mis à exposer son thème favori : l'établissement d'une nouvelle « commune ».

Les objections et les brèves reparties que lâchait par intervalles Loujine, tout à ses comptes, semblaient volontairement empreintes d'une ironie qui allait jusqu'à l'impolitesse. Mais André Simionovitch attribuait cette humeur à l'impression laissée par la rupture de la veille avec Dounetchka et il brûlait du désir d'aborder ce sujet. Il avait à émettre là-dessus des vues progressistes qui pouvaient contribuer à consoler son respectable ami et à favoriser ses progrès ultérieurs.

« Qu'est-ce que ce repas de funérailles que donne cette... veuve?... demanda tout à coup Piotr Petrovitch en interrompant Lebeziatnikov à l'endroit le plus intéressant de son exposé.

— Comment, vous ne le saviez pas? Je vous en

ai parlé hier et vous ai donné mon opinion sur toutes ces cérémonies... Du reste elle vous a invité vous aussi, j'en suis témoin. Vous avez même causé hier avec elle...

— Je n'aurais jamais cru que cette pauvresse imbécile irait gaspiller pour un repas de funérailles tout l'argent que lui a remis cet autre idiot... Raskolnikov. J'ai même été stupéfait de voir en passant, tout à l'heure, ces préparatifs... ces vins... Elle a invité plusieurs personnes. Le diable sait ce que c'est, continuait Piotr Petrovitch, qui semblait avoir abordé ce sujet avec une intention secrète. Quoi? Vous dites qu'on m'a invité, moi aussi? ajouta-t-il tout à coup en levant la tête Quand donc? Je ne m'en souviens plus. Du reste, je n'irai pas. Qu'y ferais-je? Je ne lui ai parlé qu'une minute, hier, pour lui dire qu'elle pourrait, en qualité de veuve de fonctionnaire, plongée dans la misère, obtenir en manière de secours une somme représentant un an de traitement du défunt. Serait-ce pour cela qu'elle m'invite? hé! hé!

— Je n'ai pas non plus l'intention d'y aller, dit Lebeziatnikov.

— Il ne manquerait plus que cela; après l'avoir battue de vos propres mains, je comprends que cela vous gêne, hé! hé! hé!

— Qui ai-je battu? De qui parlez-vous? fit Lebeziatnikov tout troublé et en rougissant.

— Mais de vous, qui avez battu Catherine Ivanovna, il y a un mois, je crois, on me l'a raconté hier... Les voilà, vos convictions! Vous avez mis votre féminisme au clou, pour un moment, hé! hé! hé! »

Et Piotr Petrovitch, qui paraissait soulagé, se remit à ses comptes.

« Ce sont des sottises et des calomnies, s'écria Lebeziatnikov qui redoutait toujours que cette histoire ne fût remise en question, et ce n'est pas du tout ainsi que les choses se sont passées, pas du tout... Ce qu'on vous a raconté est faux, c'est une calomnie. Je n'ai fait que me défendre ce jour-là. C'est elle qui s'est jetée sur moi la première, griffes en avant; elle m'a presque arraché un favori... Tout homme a, j'espère, le droit de défendre sa personnalité. D'autre part, je ne tolérerai jamais la moindre violence sur moi... C'est un principe. Sinon ce serait du presque despotisme. Que devais-je donc faire? Me laisser battre sans bouger? Je me suis contenté de la repousser.

— Hé! hé! hé! continuait à ricaner méchamment Loujine.

— Vous ne me cherchez chicane que parce que vous êtes de mauvaise humeur. Et vous lancez des sottises qui n'ont rien à voir avec la question du féminisme! Vous m'avez mal compris; j'ai été jusqu'à penser que si l'on considère la femme comme l'égale de l'homme, même sous le rapport des forces physiques (c'est une opinion qui commence à se répandre), l'égalité doit donc exister en ce domaine également. Naturellement, j'ai réfléchi plus tard qu'au fond il n'y avait pas lieu de poser la question, car il ne doit pas exister de querelles, la société future n'en devant plus fournir l'occasion... et qu'il est par conséquent absurde de chercher l'égalité dans les querelles et les coups. Je ne suis pas si sot... quoique les querelles existent... c'est-à-dire que plus tard il n'y en aura plus, mais à présent, voilà, elles existent encore... Ah! diable! on perd le fil de ses idées avec vous. Ce n'est pas à cause de cet ennuyeux incident que je n'assisterai pas au repas de funérailles, mais tout simplement par principe, pour ne pas favoriser, par ma présence, ce préjugé stupide des repas funéraires. Voilà! j'aurais du reste pu m'y rendre pour m'amuser tout simplement et en rire... Il n'y aura pas de popes malheureusement. Sinon, j'y serais allé à coup sûr.

— C'est-à-dire que vous accepteriez l'hospitalité d'autrui et iriez vous asseoir à la table de quelqu'un pour vous gausser de vos hôtes et cracher sur eux pour ainsi dire, si je vous comprends bien.

— Pas cracher du tout, mais protester. J'agis en vue d'un but utile. Je puis ainsi aider indirectement à la propagande et à la civilisation, ce qui est le devoir de chacun; peut-être le remplit-on d'autant mieux qu'on y met moins de formes. Je puis semer l'idée, le bon grain... De ce grain naîtra un fait. En quoi est-ce que je les blesse? Ils commenceront par s'offenser, puis ils verront que je leur ai rendu service. Ainsi on a reproché à Terebieva (qui fait partie de la commune maintenant), quand elle a quitté sa famille pour... se donner librement, d'avoir écrit à son père et à sa mère qu'elle ne voulait plus vivre parmi les préjugés et qu'elle allait contracter une union libre. On prétendait que c'était parler trop grossièrement à ses parents, qu'elle aurait dû avoir pitié d'eux, y mettre des formes. Eh bien, moi, je trouve que tout cela est absurde et qu'il ne faut point de formes, mais une protestation immédiate et directe. Tenez, Varenetza a vécu sept ans avec son mari et l'a abandonné avec deux enfants en lui écrivant carrément : « Je me suis rendu compte que je ne « peux pas être heureuse avec vous. Je ne vous « pardonnerai jamais de m'avoir trompée en me

« cachant qu'il existe une autre organisation so-
« ciale : la commune. Je ne l'ai appris que dernièrement,
« rement, d'un homme magnanime auquel je me
« suis donnée et que je vais suivre pour fonder avec
« lui une commune. Je vous parle ainsi car je juge-
« rais honteux de vous tromper. Quant à vous,
« faites ce que vous voulez; n'espérez jamais me voir
« revenir, il est trop tard. Je vous souhaite d'être
« heureux! » Voilà comme on devrait écrire ce
genre de lettres.

— Mais cette Terebieva, c'est elle dont vous me racontiez qu'elle en est à sa troisième union libre?

— Non, à sa deuxième si l'on considère les choses sous leur vrai jour. Et quand bien même ce serait la quatrième ou la quinzième, tout cela, ce sont des absurdités! Si j'ai jamais regretté d'avoir perdu mon père et ma mère, c'est bien maintenant. J'ai maintes fois rêvé à la protestation que je leur aurais envoyée. Je me serais arrangé pour en faire naître l'occasion... Je leur aurais bien fait voir! Je les aurais stupéfiés! Vrai, je regrette de n'avoir plus personne...

— A étonner? Hé! hé! Enfin, soit! l'interrompit Piotr Petrovitch, mais dites-moi plutôt, vous connaissez la fille du défunt, une petite maigrichonne?... C'est bien vrai ce qu'on dit d'elle, hein?

— En voilà une affaire! Selon moi, c'est-à-dire d'après mes convictions personnelles, c'est la situation la plus normale de la femme. Pourquoi pas. C'est-à-dire *distinguons*[1]. Dans la société actuelle, sans doute, ce genre de vie n'est pas normal, car il est forcé, mais il le sera dans la société future où il sera libre. D'ailleurs, elle avait, même maintenant, le droit de s'y livrer. Elle souffrait : or, c'était son fonds, son capital pour ainsi dire, dont elle pouvait disposer librement. Naturellement, le capital dans la société future n'aura aucune raison d'être, mais le rôle de la femme galante prendra une autre signification et sera réglé de façon rationnelle.

« En ce qui concerne Sophie Simionovna, je considère, quant à présent, ses actes comme une protestation énergique, la protestation symbolique contre l'état actuel de la société, et je l'en estime profondément. Je dirai plus, je me réjouis en la regardant.

— Et moi, on m'a raconté que c'est vous qui l'aviez fait mettre à la porte de la maison. »

Lebeziatnikov se mit en colère.

« Nouvelle calomnie! hurla-t-il, ce n'est pas du tout ainsi que les choses se sont passées, ah! ça non, par exemple! C'est Catherine Ivanovna qui a tout raconté de travers parce qu'elle n'y a rien compris. Je n'ai jamais cherché les faveurs de Sophie Simionovna. Je me suis simplement attaché à la cultiver de la façon la plus désintéressée, en m'efforçant d'éveiller en elle l'esprit de protestation... Je ne voulais pas autre chose. Elle a senti elle-même qu'elle ne pouvait pas rester ici.

— On l'invitait à faire partie de la commune.

— Vous ne faites que plaisanter d'une façon assez malheureuse, permettez-moi de vous le faire remarquer. Vous ne comprenez rien. La commune n'admet pas ces rôles-là : elle n'est fondée que pour les supprimer. Ce rôle, dans la commune, perdra son ancienne signification, et ce qui paraît bête maintenant semblera intelligent, et ce qui, dans les conditions actuelles, nous paraît dénaturé sera parfaitement simple, au contraire. Tout dépend du milieu, de l'entourage. Le milieu est tout et l'homme rien. Quant à Sophie Simionovna, je suis resté en bons termes avec elle, ce qui vous prouve qu'elle ne m'a jamais considéré comme son ennemi. Oui, je m'efforce de l'attirer dans notre groupe, mais avec de tout autres intentions. Pourquoi riez-vous? Nous voulons établir notre propre commune sur des bases plus solides que la précédente. Nous allons plus loin que nos devanciers; nous nions plus de choses! Si Dobrolioubov [1] sortait du tombeau, je discuterais avec lui. Quant à Bielinsky [2], celui-là, je lui riverais son clou! En attendant, je continue à cultiver Sophie Simionovna, c'est une belle, une très belle nature.

— Dont vous profitez, hein? Hé! hé!

— Non, non oh! non, au contraire!

— Ah! au contraire, dit-il, hé! hé! hé! Non, mais il en a de ces expressions!

— Mais croyez-moi, vous dis-je! Pour quelle raison irais-je vous tromper, je vous le demande? Au contraire, et la chose m'étonne moi-même, elle semble, avec moi particulièrement, presque maladivement pudique!

— Et vous, naturellement, vous continuez à la développer, hé! hé! hé! Vous lui démontrez que toutes ces pudeurs sont absurdes, hé! hé! hé!

— Pas du tout, mais pas du tout, vous dis-je. Oh! quel sens grossier et, pardonnez-moi, stupide vous donnez au mot culture. Vous n'y comprenez rien; mon Dieu, que vous êtes encore peu... avancé. Nous voulons la liberté de la femme, et vous, vous ne pensez qu'à ces choses... Laissant de côté les questions de chasteté féminine, de pudeur, que je juge en elles-mêmes « absurdes et inutiles », j'admets parfaitement sa réserve envers moi. Ce n'est qu'ainsi qu'elle peut manifester sa liberté. C'est le seul droit qu'elle puisse exercer. Assurément, si elle venait me dire d'elle-même : « Je te veux », je me considérerais comme très favorisé, car cette jeune fille me plaît beaucoup, mais, dans l'état actuel des choses, nul, sans doute, ne se montre avec elle plus convenable que moi. J'attends et j'espère, voilà tout.

— Vous feriez mieux de lui offrir un cadeau. Je jurerais que vous n'y avez jamais pensé.

— Vous ne comprenez rien, je vous l'ai déjà dit; certes, c'est sa situation qui vous autorise à penser cela, mais là n'est pas la question, oh! pas du tout. Vous la méprisez tout simplement. Vous référant à un fait qui vous paraît, à tort, méprisable, vous refusez de considérer humainement un être humain. Vous ne savez pas quelle nature c'est; ce qui m'ennuie, c'est qu'elle a cessé de lire, ces derniers temps; elle ne me demande plus de livres comme autrefois. Je regrette aussi que, malgré toute son énergie et toute la force de protestation dont elle s'est montrée capable, elle fasse encore preuve d'un certain manque de décision, d'indépendance pour ainsi dire, de négation, si vous voulez, qui l'empêche de rompre avec certains préjugés... avec certaines sottises. Malgré cela, elle comprend parfaitement bien des questions. Ainsi, par exemple, celle du baisemain : c'est-à-dire qu'elle se rend compte que l'homme offense la femme : il lui prouve qu'il ne la juge pas son égale en lui baisant la main. Cette question a été discutée chez nous et je la lui ai rapportée. Elle m'a aussi fort attentivement écouté lorsque je lui ai parlé des associations ouvrières en France. Maintenant, je traite pour elle le problème de l'entrée libre chez les particuliers, dans notre société future.

— Qu'est-ce encore?

— On a débattu, ces derniers temps, la question suivante : un membre de la commune a-t-il le droit d'entrer librement chez un autre à n'importe quelle heure, celui-ci fût-il un homme ou une femme... Eh bien, on a opté pour l'affirmative...

— Et si celui-ci ou celle-là est occupé à satisfaire une nécessité urgente, hé! hé! hé! »

André Simionovitch fut pris de fureur.

« Vous n'avez qu'une chose en tête. Vous ne pensez qu'à ces maudites « nécessités », cria-t-il haineusement. Oh! comme je m'en veux de vous avoir prématurément exposé mon système et parlé de ces maudites nécessités! Le diable m'emporte! C'est la pierre de touche de tous les hommes pareils à vous. Ils se moquent avant de savoir de quoi il s'agit. Et ils croient encore avoir raison, ils ont l'air de s'enorgueillir de je ne sais quoi. J'ai toujours affirmé que cette question ne peut être exposée aux novices qu'en tout dernier lieu, quand ils sont bien entrés dans le système, en un mot après qu'ils ont été dirigés, cultivés. Mais enfin, dites-moi, je vous prie, ce que vous trouvez de si honteux, de si vil dans ces... disons fosses d'aisances. Je suis prêt, tout le premier, à nettoyer toutes les fosses que vous voudrez et il n'y a là aucun sacrifice. Il ne s'agit que d'un travail, d'une activité noble parce que bienfaisante à la société, qui en vaut n'importe quelle autre, et bien supérieure dans tous les cas à l'œuvre d'un Raphaël ou d'un Pouchkine, parce qu'elle est plus utile.

— Et plus noble, plus noble, hé! hé! hé!

— Qu'entendez-vous par plus noble? Je ne comprends pas ces expressions lorsqu'elles prétendent définir l'activité humaine. Plus noble, plus magnanime, ce sont des absurdités, des sottises, de vieilles phrases qui sentent le préjugé et que moi je nie. Tout ce qui est utile à l'humanité est noble. Je ne comprends qu'un mot : *l'utilité*. Vous pouvez ricaner tant que vous voudrez mais c'est ainsi. »

Piotr Petrovitch riait de tout son cœur. Il avait fini de compter son argent et l'avait serré, en laissant cependant quelques billets sur la table. Cette question de « fosses d'aisances » avait été, malgré sa vulgarité, la cause de plus d'une discussion entre Piotr Petrovitch et son jeune ami; ce qui rendait le fait ridicule, c'est que celui-ci se fâchait pour de bon. Loujine, lui, n'y voyait qu'un moyen de passer sa mauvaise humeur et il éprouvait à cette minute un désir tout particulier de voir Lebeziatnikov en colère.

« C'est votre échec d'hier qui vous rend si mauvais et si tracassier », laissa enfin échapper celui-ci qui, malgré toute son indépendance et ses protestations, n'osait tenir tête à Piotr Petrovitch et lui témoignait, par une vieille habitude sans doute, un certain respect.

« Dites-moi plutôt, l'interrompit Loujine avec un dédain maussade, pouvez-vous... ou pour mieux dire, êtes-vous réellement assez lié avec la jeune fille dont nous parlions pour la prier de venir une minute ici... Je crois qu'ils sont tous revenus du cimetière... Je les ai entendus monter... J'ai besoin de voir un instant cette jeune personne.

— Mais pourquoi? demanda André Simionovitch avec étonnement.

— J'ai à lui parler. Je vais bientôt m'en aller d'ici et je voudrais lui faire savoir... Vous pourrez du reste assister à l'entretien, cela vaudra même mieux, car autrement Dieu sait ce que vous en penseriez...

— Je ne penserais rien du tout... Je vous ai posé cette question sans y attacher d'importance. Si vous avez affaire à elle, rien de plus facile que de la faire venir. J'y vais et croyez bien que je ne viendrai pas vous déranger... »

Effectivement, au bout de cinq minutes Lebeziatnikov revenait avec Sonetchka. Elle arriva extrêmement surprise et troublée à son ordinaire. Elle était toujours intimidée en pareil cas et les visages nouveaux lui inspiraient une véritable frayeur. C'était chez elle une impression d'enfance, encore accrue à présent...

Piotr Petrovitch lui fit un accueil poli et bienveillant, non exempt d'une certaine familiarité enjouée qui semblait devoir convenir à l'homme respectable et sérieux qu'il était, quand il s'adressait à une créature aussi jeune et, sous certains rapports, aussi *intéressante* qu'elle. Il se hâta de la mettre à l'aise et la fit asseoir en face de lui, à table. Sonia s'assit, jeta un coup d'œil autour d'elle, regarda Lebeziatnikov, l'argent qui se trouvait sur la table, puis ses yeux se reportèrent sur Piotr Petrovitch dont ils ne purent plus se détacher. On eût dit qu'elle était fascinée. Lebeziatnikov se dirigea vers la porte.

Piotr Petrovitch se leva, fit signe à Sonia de ne pas bouger et arrêta André Simionovitch au moment où celui-ci allait sortir.

« Votre Raskolnikov est là? Il est déjà arrivé? lui demanda-t-il à voix basse.

— Raskolnikov? Il est là. Pourquoi? Oui, il est là, je l'ai vu entrer. Eh bien?

— Je vous prie instamment de rester ici et de

ne pas me laisser seul avec cette... demoiselle. L'affaire dont il s'agit est insignifiante, mais Dieu sait quelles conclusions ils en pourraient tirer... Je ne veux pas que Raskolnikov aille raconter *partout*... Vous comprenez de quoi je veux parler?

— Ah! oui! je comprends, je comprends, répondit Lebeziatnikov, éclairé soudain; oui, vous êtes dans votre droit. Certes, vos craintes sont fort exagérées d'après moi, mais... vous n'en avez pas moins le droit d'agir ainsi. Soit, je resterai. Je me mettrai près de la fenêtre et ne vous gênerai pas... D'après moi, vous avez le droit... »

Piotr Petrovitch retourna au divan et s'assit en face de Sonia. Il la considéra attentivement et son visage prit une expression extrêmement grave, sévère même. « N'allez pas vous figurer, vous non plus, des choses qui n'existent pas », avait-il l'air de dire. Sonia perdit définitivement contenance.

« Tout d'abord, veuillez m'excuser, Sophie Simionovna, auprès de votre honorée maman... Je ne me trompe pas? Catherine Ivanovna est votre seconde mère, n'est-ce pas? » commença-t-il d'un air fort sérieux, mais assez aimable. On voyait qu'il nourrissait les intentions les plus amicales à l'égard de la jeune fille.

« Oui, en effet, elle me tient lieu de mère, répondit précipitamment celle-ci tout effrayée.

— Bon, alors excusez-moi auprès d'elle, car des circonstances indépendantes de ma volonté ne me permettent pas d'assister à ce festin... je veux dire au repas de funérailles auquel elle m'a gracieusement invité.

— Bien, je le lui dirai tout de suite. » Et Sonetchka se leva vivement.

« Ce n'est pas tout ce que j'avais à vous dire, fit

Piotr Petrovitch en souriant de la naïveté de la jeune fille et de son ignorance des usages mondains, vous ne me connaissez guère, chère Sophie Simionovna, si vous pouvez penser que je me serais permis de déranger et de faire venir ici une personne telle que vous pour un motif aussi futile et qui ne présente d'intérêt que pour moi. Non, mes intentions sont différentes. »

Sonia s'empressa de se rasseoir. Les billets multicolores papillotèrent de nouveau devant ses yeux, mais elle se détourna bien vite et son regard se reporta sur Loujine. Regarder l'argent d'autrui lui semblait tout à coup extrêmement inconvenant, surtout dans la position où elle se trouvait... Elle se mit donc à considérer le lorgnon à monture d'or que Piotr Petrovitch retenait de la main gauche, puis en même temps la lourde et superbe bague, ornée d'une pierre jaune, qu'il portait au médius de la même main. Enfin, ne sachant plus que faire de ses yeux, elle finit par les fixer sur le visage de Loujine. Ce dernier, après un silence encore plus majestueux, reprit :

« Il m'est arrivé hier d'échanger deux mots, en passant, avec la malheureuse Catherine Ivanovna. Cela m'a suffi pour me rendre compte qu'elle se trouve dans un état anormal, si l'on peut s'exprimer ainsi.

— Oui... anormal, c'est vrai, s'empressa de répéter Sonia.

— Ou, pour parler plus clairement et plus exactement aussi, un état maladif.

— Oui, plus clairement et plus exact... oui, maladif.

— Bon. Alors, mû par un sentiment d'humanité, e-e-et... pour ainsi dire de compassion, je désirerais, pour ma part, lui être utile en prévision de la position extrêmement triste où elle va inévitablement se trouver. Il me semble que toute cette malheureuse famille n'a plus que vous pour soutien.

— Permettez-moi de vous demander, fit Sonia en se levant brusquement, si vous lui avez dit hier qu'elle pourrait recevoir une pension. Car elle m'a dit hier que vous vous étiez chargé de lui en faire obtenir une. Est-ce vrai?

— Pas le moins du monde, et c'est même une absurdité en un certain sens. Je n'ai parlé que d'un secours temporaire qui lui serait délivré en sa qualité de veuve d'un fonctionnaire mort au service et qu'elle ne pourrait obtenir que si elle avait des protections, mais il me semble que feu votre père n'a non seulement pas servi assez longtemps pour se créer des droits à la retraite, mais qu'il n'était même plus au service au moment de sa mort. Bref, on peut toujours espérer, mais cet espoir serait peu fondé, car il n'existe en l'espèce aucun droit à un secours, au contraire... Ah! elle rêvait déjà d'une pension, hé! hé! hé! c'est une dame qui n'a pas froid aux yeux!

— Oui, d'une pension, c'est vrai... car elle est crédule et bonne, et sa bonté la pousse à croire à tout... et... et... et son esprit est... c'est vrai... excusez-moi, fit Sonia, et elle se leva de nouveau pour s'en aller.

— Permettez, ce n'est pas encore tout.

— Ah! bon! marmotta Sonia.

— Asseyez-vous donc. »

Sonia parut toute confuse et se rassit pour la troisième fois.

« La voyant dans une telle situation, avec de malheureux enfants en bas âge, je désirerais, comme je vous l'ai déjà dit, lui être utile dans la mesure de mes moyens, comprenez-moi bien, dans la mesure de mes moyens et rien de plus. On pourrait, par exemple, organiser une souscription à son profit, ou une loterie, ou quelque chose d'analogue, comme le font toujours, en pareil cas, les proches ou étrangers qui désirent venir en aide aux malheureux. Voilà ce que j'avais l'intention de vous dire, ce serait une chose possible.

— Oui, c'est très bien... Que Dieu vous en soit... balbutia Sonia les yeux fixés sur Piotr Petrovitch.

— Une chose possible. Oui, mais... nous y viendrons plus tard, quoique l'on puisse commencer dès aujourd'hui. Nous nous verrons ce soir et nous pourrons poser les bases de l'affaire, pour ainsi dire. Venez me trouver ici vers les sept heures. J'espère qu'André Simionovitch voudra bien être des nôtres... Mais il y a une circonstance dont je voudrais vous entretenir sérieusement au préalable. C'est pour cela que je me suis permis de vous déranger aujourd'hui, Sophie Simionovna. Je pense que l'argent ne doit pas être remis entre les mains de Catherine Ivanovna; je n'en veux d'autre preuve que le repas d'aujourd'hui. N'ayant pour ainsi dire pas un croûton de pain à manger pour demain, et pas de chaussures à se mettre aux pieds... et tout le reste, elle achète aujourd'hui du rhum de la Jamaïque et je crois même du café et du vin de Madère. Je l'ai vu en passant. Demain, toute la famille retombera à votre charge et vous devrez lui procurer jusqu'au dernier morceau de pain; c'est absurde. Voilà pourquoi je suis d'avis d'organiser la souscription à l'insu de la malheureuse veuve, de façon que vous seule ayez la disposition de l'argent. Qu'en pensez-vous?

— Je ne sais pas. Ce n'est qu'aujourd'hui qu'elle est ainsi... une fois dans sa vie... elle tenait beaucoup à honorer la mémoire... mais elle est fort intelligente. Vous pouvez d'ailleurs agir à votre guise et je vous serai très, très... et eux tous seront... et Dieu vous... et les orphelins aussi... »

Sonia ne put achever et fondit en larmes.

« Ainsi, c'est une affaire entendue. Maintenant, veuillez accepter pour les premiers besoins de votre parente cette somme qui représente mon offrande personnelle. Je désire vivement que mon nom ne soit pas prononcé à cette occasion. Voilà. Ayant moi-même des charges, je regrette de ne pouvoir faire davantage... »

Et Piotr Petrovitch tendit à Sonia un billet de dix roubles, après l'avoir déplié avec soin. Sonia le prit, rougit, bondit de son siège, balbutia quelques mots indistincts et se hâta de prendre congé. Piotr Petrovitch la reconduisit solennellement jusqu'à la porte. Elle se précipita hors de la pièce, toute bouleversée, et revint chez Catherine Ivanovna en proie à une émotion extraordinaire.

Pendant toute la durée de cette scène, André Simionovitch, qui ne voulait pas troubler l'entretien, s'était tenu près de la fenêtre ou bien avait parcouru la pièce, mais quand Sonia se fut retirée, il s'approcha tout à coup de Piotr Petrovitch et lui tendit la main d'un geste solennel.

« J'ai tout vu et tout *entendu*, dit-il en appuyant particulièrement sur le dernier mot. Ce que vous faites est noble, c'est-à-dire humain. Vous voulez éviter les remerciements, je l'ai vu. Et, quoique mes principes m'interdisent, je l'avoue, la charité privée, car elle est non seulement insuffisante à extirper le mal, mais elle le favorise au contraire, je ne puis néanmoins m'empêcher de reconnaître que j'ai assisté à votre geste avec plaisir. Oui, oui, tout cela me plaît.

— Eh! c'est la moindre des choses, marmottait Piotr Petrovitch, un peu ému, et il enveloppa Lebeziatnikov d'un coup d'œil attentif.

— Non, ce n'est pas la moindre des choses. Un homme offensé et ulcéré comme vous par ce qui s'est passé hier, capable de s'intéresser au malheur d'autrui... un homme pareil... bien que ses actes constituent une erreur sociale, est néanmoins... digne d'estime. Je n'aurais pas attendu cela de vous, Piotr Petrovitch, étant donné vos idées surtout; oh! quelle entrave elles sont encore pour vous!... Et comme vous voilà ému par votre échec d'hier, s'écria le brave André Simionovitch, qui sentait se réveiller toute sa sympathie pour Piotr Petrovitch, et dites-moi pourquoi, mais pourquoi tenez-vous tant au mariage *légal*, très noble et très cher Piotr Petrovitch? Pourquoi attacher tant d'importance à cette *légalité?* Vous pouvez me battre si vous voulez, mais je vous dirai que je suis heureux, oui, heureux, de voir ce mariage manqué, de vous savoir libre, et de penser que vous n'êtes pas entièrement perdu pour l'humanité, heureux, oui... Vous voyez, je suis franc!

— Je tiens au mariage légal parce que je ne veux pas porter de cornes, ni élever des enfants dont je ne serais pas le père, comme cela arrive dans votre union libre, répondit, pour dire quelque chose, Loujine, qui semblait préoccupé.

— Les enfants? Les enfants, dites-vous? reprit André Simionovitch, qui avait frémi comme un cheval de bataille au son de la trompette. Les enfants, voilà une question sociale de la plus haute importance, je vous l'accorde, mais elle sera tout autrement résolue que maintenant. Certains d'entre nous veulent même l'ignorer comme tout ce qui rappelle la famille. Nous en parlerons plus tard; en attendant, occupons-nous des « cornes ». Je vous avouerais que c'est là mon point faible. Cette expression, basse et grossière, mise en circulation par Pouchkine, ne figurera pas au dictionnaire de l'avenir. Car enfin, qu'est-ce que les cornes? Oh! quelle aberration! Quelles cornes? Et pourquoi des cornes? Absurde, vous dis-je. Au contraire, l'union libre les fera disparaître. Les cornes ne sont que la conséquence naturelle du mariage légal, son correctif pour ainsi dire, une protestation, et, envisagées ainsi, elles n'ont même rien d'humiliant... et, si jamais — chose absurde à supposer — je contractais une union légale, je me sentirais fort heureux de porter ces maudites cornes, et je dirais à ma femme : « Jusqu'ici, mon amie, je me suis borné à « t'aimer, mais maintenant je te respecte pour « avoir su protester! » Vous riez? C'est parce que vous n'avez pas la force de rompre avec les préjugés. Le diable m'emporte! Je comprends l'ennui d'être trompé quand on est légalement marié, mais ce n'est qu'une misérable conséquence d'une situation dégradante et humiliante pour les deux conjoints; or, quand on vous met les cornes ouvertement, comme dans l'union libre, on peut dire qu'elles n'existent plus; elles perdent toute signification et jusqu'à leur nom. Au contraire, votre femme vous prouve par là qu'elle vous estime, elle vous juge incapable de mettre obstacle à son bonheur et assez cultivé pour ne pas essayer de tirer vengeance de son nouvel époux. Le diable m'emporte! Je rêve parfois que si l'on me mariait, si je me mariais, je veux dire (union libre ou légitime n'importe), et que ma femme tardât à prendre un amant, je lui en amènerais un moi-même et lui dirais : « Mon amie, je t'aime, mais je désire « par-dessus tout mériter ton estime. Voilà! » Ai-je raison? »

Piotr Petrovitch ricanait, mais sans grande conviction. Sa pensée semblait ailleurs et Lebeziatnikov lui-même finit par remarquer son air préoccupé. Loujine paraissait ému, il se frottait les mains d'un air pensif. André Simionovitch devait s'en souvenir plus tard...

II

Il serait difficile de dire comment l'idée de ce repas insensé avait pris naissance dans la cervelle détraquée de Catherine Ivanovna. Il lui coûta en fait plus de la moitié de l'argent que lui avait remis Raskolnikov pour les funérailles de Marmeladov. Peut-être se croyait-elle tenue à honorer convenablement la mémoire du défunt, afin de prouver à tous les locataires, et surtout à Amalia Ivanovna, qu'il valait autant qu'eux, sinon bien davantage et que nul d'entre eux n'avait le droit de prendre des airs en se comparant à lui. Peut-être encore obéissait-elle à cette *fierté des pauvres,* qui dans certaines circonstances, à l'occasion de cérémonies publiques obligatoires pour tous et chacun dans notre société, pousse les malheureux à tenter un suprême effort et à sacrifier leurs dernières ressources uniquement pour faire les choses aussi bien que les autres et ne point prêter aux commérages.

Il se peut aussi qu'au moment où elle semblait abandonnée et plus malheureuse que jamais, Catherine Ivanovna ait éprouvé justement le désir de montrer à tous ces gens de rien, que non seulement elle savait vivre et recevoir, mais que, fille d'un colonel, élevée dans une noble et aristocratique maison, elle n'était certes point faite pour balayer son plancher ou laver, la nuit, le linge de ses mioches. Ces accès de fierté et de vanité exaspérée s'emparent parfois des créatures les plus misérables et prennent la forme d'un besoin furieux et irrésistible. En outre, Catherine Ivanovna n'était pas de ces êtres hébétés par le malheur; la mauvaise fortune pouvait l'accabler, mais non la briser moralement et annihiler sa volonté.

N'oublions pas aussi que Sonetchka affirmait, non sans raison, qu'elle avait l'esprit détraqué. Le fait n'était pas encore prouvé, mais pendant ces derniers temps, cette dernière année surtout, sa pauvre tête avait été à trop rude épreuve pour résister. Enfin, selon les médecins, la phtisie à une période avancée de son évolution trouble les facultés mentales.

Les bouteilles n'étaient ni nombreuses ni variées et l'on ne voyait point de *madère* sur la table. Loujine avait exagéré. Cependant, il y avait du vin, de la vodka, du rhum et du porto, le tout de la plus mauvaise qualité, mais en quantité suffisante. Le menu du repas, préparé dans la cuisine d'Amalia Ivanovna, comprenait, outre le koutia rituel [1], trois ou quatre plats et, entre autres, des crêpes.

De plus, deux samovars étaient tenus prêts pour ceux des convives qui voudraient prendre le thé et du punch après le repas.

Catherine Ivanovna s'était occupée elle-même des achats, avec l'aide d'un locataire de la maison, un Polonais famélique qui habitait Dieu sait pourquoi chez Mme Lippevechsel et avait, dès le premier moment, offert ses services à la veuve. Il s'était depuis la veille prodigué avec un zèle qu'il ne perdait aucune occasion de faire ressortir. Il accourait à chaque instant et pour la moindre vétille auprès de Catherine Ivanovna et la poursuivait même jusqu'au Gostiny Dvor[1] en l'appelant « pani[2] commandante ». Si bien qu'après avoir déclaré qu'elle n'aurait su que devenir sans cet homme serviable et magnanime, elle finit par ne plus pouvoir le supporter. Elle s'engouait ainsi, souvent, du premier venu, le parait de toutes les qualités, lui prêtait mille mérites qu'il n'avait point, mais auxquels elle croyait de tout son cœur, pour être bientôt déçue et chasser, avec force paroles injurieuses, celui devant lequel elle s'était inclinée avec la plus vive admiration quelques heures auparavant. Elle était d'un naturel rieur et bienveillant, mais ses malheurs et la malchance qui la poursuivait lui faisaient *si furieusement* souhaiter la paix et la joie *universelle*, que la moindre dissonance dans l'accord parfait, le moindre échec, avaient maintenant pour effet de la mettre hors d'elle-même; et alors aux espoirs les plus brillants, les plus fantastiques, succédaient les malédictions; elle déchirait, détruisait tout ce qui lui tombait sous la main et finissait par se frapper la tête contre les murs.

Amalia Feodorovna prit aussi une soudaine et extraordinaire importance aux yeux de Catherine Ivanovna et grandit considérablement dans son estime, pour cette seule raison, peut-être, qu'elle s'était donnée tout entière à l'organisation du repas. Elle s'était chargée de mettre la table, de fournir le linge, la vaisselle, etc., et de préparer les plats dans sa propre cuisine. Catherine Ivanovna lui avait délégué ses pouvoirs en partant pour le cimetière, et Amalia Feodorovna sut se montrer digne de cette confiance. Le couvert était en effet assez convenablement dressé; sans doute, la vaisselle, les fourchettes, les couteaux, les verres, les tasses étaient dépareillés, car ils avaient été empruntés à droite et à gauche, mais, à l'heure dite, chaque chose était à sa place et Amalia Feodorovna, consciente d'avoir parfaitement accompli ses fonctions, se pavanait dans une robe noire et un bonnet orné de rubans de deuil flambant neufs, et recevait les invités avec un orgueil satisfait. Cet orgueil, tout légitime pourtant, déplut à Catherine Ivanovna. Elle pensa : « On dirait vraiment que nous aurions été incapables de mettre le couvert sans Amalia Feodorovna. » Le bonnet orné de rubans neufs la choqua également. « Cette sotte Allemande n'aurait-elle pas, par hasard, conçu quelque fierté en se disant qu'elle a daigné, par charité, venir au secours de pauvres locataires? Par charité, voyez-vous ça! » Chez le père de Catherine Ivanovna, qui était colonel et presque gouverneur, on avait parfois quarante personnes à dîner et une Amalia Feodorovna, ou, pour mieux dire, Ludwigovna, n'aurait même pas été reçue à l'office!... Catherine Ivanovna décida d'ailleurs de ne point manifester ses sentiments tout de suite, mais elle se promit de remettre aujourd'hui même à sa place cette impertinente qui se faisait Dieu sait quelles idées sur elle-même. Pour le moment, elle se contenta de se montrer très froide avec elle.

Une autre circonstance contribua encore à irriter Catherine Ivanovna. A l'exception du Polonais, aucun des locataires n'était venu jusqu'au cimetière. En revanche, quand il s'agit de se mettre à table, on vit arriver ce qu'il y avait de plus pauvre, de plus insignifiant parmi les habitants de la maison; quelques-uns même se présentèrent dans une tenue plus que négligée, tandis que les gens un peu convenables semblaient s'être donné le mot pour ne pas venir, à commencer par Loujine, le plus respectable de tous. Pourtant, la veille au soir encore, Catherine Ivanovna s'était hâtée d'apprendre au monde entier, c'est-à-dire à Amalia Feodorovna, à Poletchka, à Sonia et au Polonais, qu'il était l'homme le plus magnanime, le plus noble, avec cela puissamment riche et possédant de magnifiques relations, ami de son premier mari; il avait fréquenté autrefois chez son père et était venu lui promettre, affirmait-elle, de mettre tout en œuvre pour lui faire obtenir une pension importante. Notons, à ce propos, que, si Catherine Ivanovna vantait la fortune ou les relations de quelqu'un et semblait en tirer vanité, ce n'était point par calcul mais simplement pour rehausser le prestige de celui qu'elle louait.

Avec Loujine, et sans doute pour prendre exemple sur lui, manquait ce vaurien de Lebeziatnikov. Quelle idée celui-là se faisait-il de lui-même? Il n'avait été invité que par charité, parce qu'il partageait la chambre de Piotr Petrovitch et qu'il eût été peu convenable de ne point l'inviter. On remarquait également l'absence d'une dame du monde et de sa fille, une demoiselle plus toute jeune; ces deux personnes n'habitaient que depuis une quinzaine de jours chez Mme Lippevechsel, mais elles avaient eu le temps de se plaindre à plusieurs reprises, du bruit et des cris qui s'élevaient de la chambre des Marmeladov, surtout quand le défunt rentrait ivre; comme bien l'on pense, Catherine Ivanovna en avait été rapidement informée par Amalia Ivanovna elle-même, qui, au cours de ses démêlés avec elle, n'avait pas craint de la menacer de la chasser avec toute sa famille, attendu, criait-elle à tue-tête, qu'ils troublaient le repos d'honorables locataires dont eux-mêmes n'étaient pas dignes de délacer les chaussures.

Catherine Ivanovna avait expressément tenu à inviter en cette circonstance les dames « dont elle n'était pas digne de délacer les chaussures », et d'autant plus qu'elles avaient jusqu'ici l'habitude de détourner dédaigneusement la tête quand il leur arrivait de la rencontrer. C'était, pensait Catherine Ivanovna, une façon de leur prouver qu'on leur était supérieure par les sentiments et qu'on savait pardonner les mauvais procédés. D'autre part, ces dames pourraient se convaincre que Catherine Ivanovna n'était pas née pour la condition où elle se trouvait placée. Elle avait l'intention de leur expliquer tout cela à table et de leur parler en même temps des fonctions de gouverneur remplies autrefois par son père, puis de leur faire observer, en passant, qu'il n'y avait pas lieu de détourner la tête quand on la rencontrait, et qu'agir ainsi était même parfaitement sot.

Un gros lieutenant-colonel (en réalité capitaine en retraite) manquait également, mais on apprit qu'il était cloué sur son lit depuis la veille, par la maladie.

En un mot, on ne vit arriver, outre le Polonais, qu'un petit employé de chancellerie minable, en habits graisseux, affreux, tout bourgeonnant et répandant une odeur infecte et, par-dessus le marché, muet comme une carpe; puis un petit vieillard sourd et presque aveugle qui avait autrefois servi dans un bureau de poste et dont la pension, chez Amalia Ivanovna, était payée, depuis des temps immémoriaux, et nul ne savait pourquoi, par un inconnu. Ensuite, ce fut le tour d'un lieutenant en retraite, ou, pour mieux dire, un employé manutentionnaire. Il entra en riant aux éclats de la façon la plus inconvenante. Sans gilet! Un autre invité alla se mettre à table de but en blanc, sans même saluer Catherine Ivanovna. Enfin un individu se présenta, faute de vêtements, en robe de chambre. Cette fois, c'en était trop et Amalia Ivanovna réussit à le faire sortir avec l'aide du Polonais. Celui-ci avait, du reste, amené deux compatriotes qui n'avaient jamais habité chez Mme Lippevechsel et que personne ne connaissait dans la maison.

Tout cela irritait profondément Catherine Ivanovna. « C'était bien la peine de faire tous ces préparatifs! » se disait-elle. Elle avait même été, par crainte de manquer de place, jusqu'à dresser le couvert des enfants, non à la table commune qui occupait toute la place, mais sur une malle, dans un coin. Les deux plus jeunes avaient été installés sur une banquette et Poletchka, en sa qualité d'aînée, devait en prendre soin, les faire manger, les moucher, etc. Dans ces conditions, Catherine Ivanovna se crut obligée de recevoir ses invités avec la plus grande dignité et même une certaine hauteur; elle leur jeta, à quelques-uns surtout, un regard sévère et les invita dédaigneusement à s'asseoir à table. Rendant, on ne sait pourquoi, Amalia Ivanovna responsable de l'absence de tous les autres invités, elle le prit soudain sur un ton si désobligeant avec elle que l'autre ne tarda pas à s'en apercevoir et en fut extrêmement froissée.

Le repas commençait sous de fâcheux auspices. Enfin, on se mit à table; Raskolnikov parut au moment où l'on rentrait du cimetière; Catherine

Ivanovna fut ravie de le voir, d'abord parce qu'il était de toutes les personnes présentes la seule qui fût cultivée, et elle le présenta à ses invités comme devant occuper dans deux ans une chaire de professeur à l'université de Pétersbourg; ensuite parce qu'il s'excusa aussitôt, très respectueusement, de n'avoir pu, malgré tout son désir, assister à l'enterrement. Elle se précipita sur lui, le fit asseoir à sa gauche (Amalia Ivanovna prit place à sa droite) et elle se mit, malgré le bruit qui remplissait la pièce et ses préoccupations de maîtresse de maison soucieuse de voir tout son monde convenablement servi, malgré la toux qui lui déchirait la poitrine, à s'entretenir avec lui à voix basse et à lui confier sa juste indignation de voir ce repas manqué, indignation souvent coupée par les plus irrésistibles, les plus joyeuses moqueries lancées à l'adresse des invités et surtout de la propriétaire.

« Tout cela c'est la faute de cette vilaine chouette, vous comprenez de qui je veux parler, d'elle, d'elle! » et Catherine Ivanovna lui indiqua la logeuse d'un signe de tête. « Regardez-la, elle écarquille les yeux, car elle sent que nous parlons d'elle, mais elle ne peut comprendre ce que nous disons, voilà pourquoi elle ouvre des yeux ronds comme des lunes. Fi la chouette! ha! ha! ha! Hi, hi, hi! Et que prétend-elle nous prouver avec son bonnet? Hi, hi, hi! Avez-vous remarqué qu'elle désire faire croire à tout le monde que je suis sa protégée et qu'elle me fait honneur en daignant assister à ce repas? Je l'ai priée de m'amener, comme une personne convenable, des gens convenables, de préférence ceux qui ont connu le défunt, et voyez qui elle a fait venir, de vrais pantins, des saligauds! Voyez-moi celui-ci avec son visage sale!

On dirait une morve vivante. Et ces Polonais... ha! ha! ha! Hi, hi, hi, hi, personne ne les a jamais vus ici. Moi je ne les connais ni d'Eve ni d'Adam. — Enfin pourquoi sont-ils venus, je vous le demande? Ils sont là bien sages côte à côte. — Eh! pane[1], cria-t-elle tout à coup à l'un d'eux, avez-vous pris des crêpes? Reprenez-en! Buvez de la bière! Voulez-vous de la vodka? Tenez, regardez-le : il s'est levé et salue, regardez, regardez; ils doivent être affamés, les pauvres diables. Eh bien, qu'ils mangent. Au moins ils ne font pas de bruit eux. Seulement... j'ai peur pour les couverts d'argent de la logeuse. — Amalia Ivanovna — fit-elle presque à haute voix en s'adressant à Mme Lippevechsel — sachez que si l'on vole par hasard vos cuillers, je n'en suis pas responsable, je vous préviens. Ha! ha! ha! » Et elle se remit à rire aux éclats en désignant encore à Raskolnikov la logeuse. Elle paraissait tout heureuse de sa sortie.

« Elle n'a pas compris, elle n'a encore pas compris. Elle est là bouche bée — regardez-la — une vraie chouette, une chouette aux rubans neufs, ha! ha! ha! »

Ce rire se termina de nouveau par un accès de toux terrible qui dura cinq minutes; son mouchoir se tacha de sang et la sueur perla sur son front; elle montra silencieusement le sang à Raskolnikov et dès qu'elle eut repris son souffle, se remit à lui parler avec une animation extraordinaire, tandis que des taches rouges apparaissaient à ses pommettes.

« Ecoutez, je lui avais confié la mission fort délicate, on peut le dire, d'inviter cette dame et sa fille... vous comprenez de qui je veux parler? Il fallait procéder avec beaucoup de tact; eh bien, elle s'y est prise de telle façon que cette stupide étrangère, cette espèce de créature orgueilleuse, cette misérable petite provinciale, qui en sa qualité de veuve d'un major est venue solliciter une pension et hante du matin au soir les chancelleries avec un pied de fard sur les joues, à cinquante-cinq ans!... eh bien, cette mijaurée, dis-je, n'a non seulement pas daigné répondre à mon invitation, mais elle n'a même pas jugé nécessaire de se faire excuser, comme l'exigeait la politesse la plus élémentaire. Je ne peux pas comprendre non plus pourquoi Piotr Petrovitch manque lui aussi. Mais où est passée Sonia, où est-elle? Ah! la voilà, enfin! Que se passe-t-il, Sonia? Où étais-tu? Je trouve étrange que tu ne puisses t'arranger pour être exacte au repas de funérailles de ton père! Rodion Romanovitch, faites-lui place près de vous. Voici ta place, Sonetchka... prends ce que tu veux. Je te recommande cette viande en gelée. On apporte les crêpes tout de suite. Et les enfants ont-ils été servis? Poletchka, avez-vous tout ce qu'il vous faut? Hi, hi, hi! Bon. Sois sage, Léna, et toi, Kolia, ne remue pas ainsi les jambes. Tiens-toi comme doit se tenir un enfant de bonne famille. Que dis-tu, Sonetchka? » Sonia se hâta de lui transmettre les excuses de Piotr Petrovitch, en s'efforçant de parler haut pour que chacun l'entende et en amplifiant les expressions respectueuses dont il s'était servi. Elle ajouta qu'il l'avait chargée de lui dire qu'il viendrait la voir aussitôt que cela lui serait possible, pour parler d'affaires avec elle et décider des démarches à entreprendre, etc.

Sonia savait que ces paroles tranquilliseraient Catherine Ivanovna et seraient surtout un baume à son amour-propre. Elle s'assit à côté de Raskolnikov et le salua rapidement en lui jetant un bref et curieux regard. Mais ensuite, pendant le reste du repas, elle parut éviter de tourner les yeux de son côté ou de lui adresser la parole.

Elle semblait à la fois distraite et attentive à guetter le moindre désir sur le visage de sa belle-mère. Aucune des deux femmes n'était en deuil, faute de vêtements. Sonia portait un costume d'un brun assez sombre et Catherine Ivanovna une robe d'indienne foncée à rayures, la seule qu'elle possédât.

Les excuses de Piotr Petrovitch produisirent la meilleure impression. Après avoir écouté le récit de Sonia d'un air important, Catherine Ivanovna, avec la même dignité, s'informa de la santé de Piotr Petrovitch. Ensuite, elle confia à Raskolnikov, presque à haute voix, qu'il eût été étrange en effet de voir un homme aussi sérieux et respectable que Loujine dans cette société bizarre, et qu'elle comprenait qu'il ne fût pas venu malgré les liens d'amitié qui l'unissaient à sa famille.

« Voilà pourquoi je vous suis particulièrement reconnaissante, Rodion Romanovitch, de n'avoir pas dédaigné mon hospitalité, offerte dans de pareilles conditions, ajouta-t-elle assez haut pour être entendue de tous. Je suis d'ailleurs bien sûre que seule la grande amitié que vous portiez à mon pauvre défunt vous a poussé à tenir votre parole. »

Ensuite elle parcourut ses hôtes d'un nouveau regard plein de morgue et tout à coup s'informa d'un bout à l'autre de la table auprès du petit vieillard sourd s'il ne voulait pas reprendre du rôti et s'il avait bu du porto. Le petit vieux ne répondit rien et fut un long moment avant de comprendre ce qu'on lui demandait, quoique ses voisins se fussent mis à le houspiller pour s'amuser. Lui ne faisait que jeter des regards ahuris autour de lui, ce qui mettait le comble à la gaieté générale.

« Quel idiot! Regardez, regardez-moi ça, pourquoi l'ont-ils amené? Quant à Piotr Petrovitch j'ai toujours été sûre de lui, dit Catherine Ivanovna à Raskolnikov, et certes on peut dire qu'il ne ressemble pas — elle s'adressait maintenant à Amalia Ivanovna et d'un air si sévère que l'autre en fut intimidée — qu'il ne ressemble pas à vos chipies endimanchées; celles-là, mon père n'en aurait pas voulu pour cuisinières et si mon défunt mari leur avait fait l'honneur de les recevoir, ce n'eût été que par sa bonté excessive.

— Oui, il aimait bien boire, on peut dire qu'il avait un faible pour la boisson », cria soudain l'ancien manutentionnaire en vidant son deuxième verre de vodka.

Catherine Ivanovna releva vertement ces paroles.

« Mon défunt mari avait en effet ce défaut, nul ne l'ignore, mais c'était un homme noble et bon, qui aimait et respectait sa famille; le malheur est que, dans sa bonté excessive, il se liait trop facilement avec toutes sortes de gens débauchés, et Dieu sait avec qui il n'a pas bu! Les individus qu'il fréquentait ne valaient pas son petit doigt. Imaginez-vous, Rodion Romanovitch, qu'on a trouvé dans sa poche un petit coq en pain d'épice. Au plus fort de l'ivresse, il n'oubliait pas les enfants.

— Un co-oq? vous avez dit un co-oq? » cria le manutentionnaire. Catherine Ivanovna ne daigna pas lui répondre; elle semblait rêveuse et tout à coup poussa un soupir.

« Vous croyez sans doute comme tout le monde

que j'étais trop sévère avec lui, continua-t-elle en s'adressant à Raskolnikov. C'est pourtant une erreur; il me respectait, il me respectait infiniment. Il avait une belle âme! J'avais tellement pitié de lui parfois! Quand, assis dans son coin, il levait les yeux sur moi, je me sentais si attendrie que j'avais envie de me montrer douce avec lui; mais je me disais : impossible, il se remettrait à boire. On ne pouvait le tenir un peu que par la rigueur.

— Oui, il se faisait tirer par les tifs, et plus d'une fois encore! reprit le manutentionnaire en lampant un nouveau verre de vodka.

— Il y a des imbéciles qu'on devrait non seulement tirer par les cheveux, mais chasser à coups de balai, et je ne parle pas du défunt maintenant », répliqua Catherine Ivanovna d'un ton tranchant.

Ses pommettes s'empourpraient de plus en plus, elle haletait de fureur et paraissait prête à faire un éclat. Plusieurs des invités ricanaient et semblaient s'amuser de cette scène. On excitait le manutentionnaire, on lui parlait tout bas; c'était à qui envenimerait les choses.

« Et per-me-e-e-ettez-moi de vous demander de qui vous voulez parler, fit l'employé. A-qui... en avez-vous?... Non, ce n'est pas la peine du reste! La chose n'a aucune importance. Une veuve! une pauvre veuve! Je lui pardonne. Là, c'est fini! » et il entonna un nouveau verre de vodka.

Raskolnikov écoutait tout cela en silence et avec dégoût. Il ne mangeait que par égard pour Catherine Ivanovna, se bornant à goûter du bout des dents aux mets dont elle emplissait continuellement son assiette. Toute son attention était concentrée sur Sonia. Celle-ci semblait de plus en plus soucieuse et inquiète, car elle aussi pressentait que ce repas finirait mal et elle suivait avec effroi les progrès de l'exaspération de Catherine Ivanovna. Elle savait bien qu'elle était la cause principale du refus insultant opposé par les deux dames à l'invitation de sa belle-mère. Elle avait appris par Amalia Ivanovna que la mère s'était même jugée offensée et avait demandé : « Comment pouvait-on faire asseoir sa fille à côté de *cette demoiselle?* » La jeune fille se doutait que sa belle-mère était déjà au courant de cette histoire et l'insulte qui lui était faite à elle, Sonia, atteignait Catherine Ivanovna plus qu'un affront direct à elle-même, à ses enfants, à la mémoire de son père. Bref, c'était un outrage mortel et elle devinait que Catherine Ivanovna n'aurait de cesse « qu'elle n'eût prouvé à ces chipies ce qu'elles étaient toutes deux », etc.

Comme par un fait exprès, au même instant, un convive, assis du côté opposé, fit passer à Sonia une assiette où s'étalaient deux cœurs percés d'une flèche, modelés dans du pain de seigle. Catherine Ivanovna, enflammée aussitôt de colère, déclara d'une voix retentissante que l'auteur de cette plaisanterie était assurément un âne ivre.

Amalia Ivanovna, en proie elle aussi à de mauvais pressentiments sur l'issue du repas, et, d'autre part, profondément blessée par la morgue que Catherine Ivanovna affichait à son égard, pour détourner l'attention générale et se faire valoir en même temps aux yeux de tous, se mit à raconter tout à coup, de but en blanc, qu'un de ses amis, un certain Karl, le pharmacien, avait pris, une nuit, une voiture dont le cocher « voulut l'assassiner, et alors Karl le supplia beaucoup de ne pas le tuer, et il pleurait et joignait ses mains, et il fut si effrayé qu'il en eut le cœur transpercé ».

Catherine Ivanovna, bien que cette histoire la fît sourire, remarqua aussitôt qu'Amalia Ivanovna n'aurait pas dû se risquer à raconter des anecdotes en russe. L'Allemande parut encore plus offensée et riposta que « son *Vater aus Berlin*[1] fut un homme très très important et il promenait toujours ses mains dans ses poches » La moqueuse Catherine Ivanovna n'y put tenir et partit d'un grand éclat de rire, si bien qu'Amalia Ivanovna finit par perdre patience et eut peine à se contenir.

« Voyez-vous cette vieille chouette, se reprit à marmotter Catherine Ivanovna en s'adressant à Raskolnikov; elle voulait dire qu'il marchait toujours avec ses mains dans les poches et tout le monde a compris qu'il fouillait constamment dans ses poches, khi-khi! Avez-vous remarqué, Rodion Romanovitch, que, en règle générale, ces étrangers établis à Pétersbourg, les Allemands surtout, qui nous arrivent Dieu sait d'où, sont tous plus bêtes que nous? Non, mais dites-moi, peut-on raconter des histoires comme celle de ce Karl le pharmacien dont le cœur a été transpercé de peur? Ce morveux qui, au lieu de ficeler le cocher, joignait les mains, se mit à pleurer, et à supplier beaucoup. Ah! la grosse sotte! Et elle juge, par-dessus le marché, cette histoire fort touchante, sans se douter de sa bêtise! D'après moi, ce manutentionnaire ivre est bien plus intelligent qu'elle. On voit au moins du premier coup que c'est un ivrogne fieffé dont la dernière trace d'intelligence a sombré dans la boisson, tandis que tous ceux-ci, qui semblent si posés, si sérieux... Non, mais regardez les yeux qu'elle écarquille! Elle se fâche, ah! ah! ah! elle se fâche... Han, han, han! »

Catherine Ivanovna tout égayée s'étendit avec feu

sur mille choses insignifiantes et, tout à coup, annonça son dessein de se retirer, dès qu'elle aurait reçu sa pension, dans sa ville natale de T... pour y ouvrir une maison d'éducation à l'usage des jeunes filles nobles. Ce projet, dont elle n'avait pas encore fait part à Raskolnikov, lui fut exposé avec les détails les plus minutieux. Comme par enchantement, elle exhiba soudain ce même « certificat élogieux », dont le défunt Marmeladov avait déjà parlé à Rodion Romanovitch, en lui racontant au cabaret que son épouse Catherine Ivanovna avait dansé, à sa sortie du pensionnat, la danse du châle « devant le gouverneur et autres personnages ». Apparemment, ce certificat devait établir le droit de Catherine Ivanovna à ouvrir un pensionnat, mais surtout elle pensait s'en servir pour confondre définitivement les deux chipies endimanchées, dans le cas où elles se seraient décidées à assister au repas de funérailles, en prouvant ainsi qu'elle, Catherine Ivanovna, appartenait à une famille des plus nobles, « on pouvait même dire aristocratique, qu'elle était la fille d'un colonel et valait mille fois mieux que toutes ces aventurières qui s'étaient multipliées ces derniers temps d'une façon extraordinaire ». Le certificat fit bientôt le tour de la table; les convives se le passaient de main en main sans que Catherine Ivanovna s'y opposât, car ce papier la désignait *en toutes lettres*[1] comme la fille d'un conseiller à la Cour, d'un chevalier, ce qui l'autorisait presque à se dire la fille d'un colonel. Puis la veuve, enflammée d'enthousiasme, s'étendit sur l'existence heureuse et tranquille qu'elle se promettait de mener à T... Elle parlait des professeurs auxquels elle ferait appel pour instruire ses élèves, d'un respectable vieillard français, Mangot, qui lui avait appris le français. Il achevait maintenant sa vie à T... et n'hésiterait pas à venir enseigner chez elle au prix le plus modique. Enfin, elle annonça que Sonia l'accompagnerait et l'aiderait à diriger son établissement. A ces mots quelqu'un pouffa de rire au bout de la table.

Catherine Ivanovna feignit de n'avoir rien entendu, mais, élevant aussitôt la voix, elle se mit à énumérer avec animation les qualités incontestables qui devraient permettre à Sophie Simionovna de la seconder dans sa tâche; elle vanta sa douceur, sa patience, son abnégation, sa noblesse d'âme et sa vaste culture, puis elle lui tapota doucement la joue et se souleva pour l'embrasser à deux reprises. Sonia rougit et Catherine Ivanovna fondit en larmes, en remarquant soudain qu'elle n'était qu'une sotte énervée et trop bouleversée par ces événements et que, puisque aussi bien le repas était fini, on allait servir le thé. Au même instant, Amalia Ivanovna, très vexée de n'avoir pu placer un mot pendant la conversation précédente et de voir que personne n'était disposé à l'écouter, décida de risquer une dernière tentative et fit à Catherine Ivanovna, avec une certaine angoisse intérieure, cette observation profonde que, dans sa future pension, elle ferait bien de prêter la plus grande attention au linge des élèves (*die Wäsche*) et d'avoir une dame spéciale pour s'en occuper (*die Dame* [1]) qu'enfin il serait bon de surveiller les jeunes filles pour les empêcher de se livrer la nuit à la lecture des romans. Catherine Ivanovna, réellement excédée de ce repas, répondit très brusquement à la logeuse qu'elle racontait des inepties et ne comprenait rien, que le soin du *Wäsche* incombait à la femme de charge et non à la directrice d'un pensionnat de jeunes filles nobles. Quant à l'observation relative à la lecture des romans, elle la considérait comme une simple inconvenance. Bref, Amalia Ivanovna était priée de se taire. Du coup, elle rougit et fit remarquer aigrement qu'elle avait toujours eu les meilleures intentions et qu'il y avait bien longtemps qu'elle ne recevait plus de *Geld*[1] pour son logement. Catherine Ivanovna, pour rabaisser son caquet, lui répondit aussitôt qu'elle mentait en prétendant qu'elle lui voulait du bien, car elle était venue, pas plus tard qu'hier, quand le défunt était encore exposé dans la chambre, lui faire une scène à propos de ce logement. Là-dessus, la logeuse observa, avec beaucoup de logique, « qu'elle avait invité les dames, mais les dames n'étaient pas venues, car elles étaient nobles et ne pouvaient aller chez une dame pas noble ». A quoi Catherine Ivanovna objecta qu'étant une rien du tout, elle n'avait pas qualité pour juger de la véritable noblesse. Amalia Ivanovna ne put supporter cette insolence et déclara que son *Vater aus Berlin* était un homme très très important et se promenait toujours avec les deux mains dans les poches et faisait « pouff, pouff », et, pour donner une idée plus exacte de ce *Vater*, Mme Lippevechsel se leva, fourra les deux mains dans ses poches et, gonflant ses joues, émit des sons qui rappelaient en effet ce fameux « pouff, pouff », au milieu du rire général de tous les locataires, qui se plaisaient à l'exciter dans l'espoir d'assister à une bataille entre les deux femmes.

Catherine Ivanovna, incapable de se contenir davantage, déclara à haute voix qu'Amalia Ivanovna n'avait peut-être jamais eu de *Vater* qu'elle était tout simplement une Finnoise de Pétersbourg, une ivrognesse qui avait dû être jadis cuisinière ou quelque chose de pis. Mme Lippevechsel devint rouge comme une pivoine et glapit que c'était peut-être Catherine Ivanovna qui n'avait pas du tout de *Vater,* mais qu'elle, Amalia Ivanovna, avait un *Vater aus Berlin* qui portait de longues redingotes et faisait toujours « pouff, pouff, pouff »! Catherine Ivanovna riposta dédaigneusement que ses origines étaient connues de tous et qu'elle était, dans son certificat, désignée en lettres imprimées comme la fille d'un colonel, tandis que le père d'Amalia Ivanovna (à supposer qu'elle en eût un) devait être un laitier finnois; d'ailleurs il était plus que probable qu'elle n'avait pas de père du tout, attendu que personne ne savait encore quel était son patronyme, si elle s'appelait Amalia Ivanovna ou Ludwigovna. A ces mots, la logeuse, hors d'elle-même, se mit à vociférer en frappant du poing sur la table qu'elle était Amal Ivan et non Ludwigovna, que son *Vater* s'appelait Johann et qu'il était bailli, ce que n'avait jamais été le *Vater* de Catherine Ivanovna. Celle-ci se leva aussitôt et, d'une voix calme, démentie par la pâleur de son visage et l'agitation de son sein, lui dit que si elle osait comparer encore, ne fût-ce qu'une seule fois, son misérable *Vater* avec son papa à elle, Catherine Ivanovna, elle lui arracherait son bonnet pour le fouler aux pieds. A ces mots, Amalia Ivanovna se mit à courir dans la pièce, en criant de toutes ses forces qu'elle était la maîtresse de la maison et que Catherine Ivanovna avait à vider les lieux à l'instant même. Ensuite, elle se précipita vers la table et se mit à ramasser les cuillers d'argent. Il s'ensuivit une confusion, un vacarme indescriptibles; les enfants se mirent à pleurer. Sonia s'élança vers sa belle-mère pour essayer de la retenir, mais, quand Amalia Ivanovna lâcha tout à coup une allusion à la carte jaune [1], la veuve repoussa la jeune fille et marcha droit à la logeuse avec l'intention de mettre à exécution sa menace. A ce moment, la porte s'ouvrit et Piotr Petrovitch Loujine apparut sur le seuil. Il promena un regard attentif et sévère sur toute la société, Catherine Ivanovna courut à lui.

III

« PIOTR PETROVITCH, s'écria-t-elle. Vous, au moins, protégez-moi! Faites comprendre à cette sotte créature qu'elle n'a pas le droit de parler ainsi à une noble dame atteinte par l'infortune, qu'il y a des tribunaux pour cela... Je me plaindrai au gouverneur général lui-même... Elle aura à répondre... En souvenir de l'hospitalité que vous avez reçue chez mon père, défendez les orphelins...

— Permettez, madame... permettez... permettez, madame, faisait Piotr Petrovitch, en essayant d'écarter la solliciteuse; je n'ai jamais eu l'honneur comme vous le savez vous-même, de connaître votre papa. Permettez, madame (quelqu'un partit d'un bruyant éclat de rire), mais je n'ai pas la moindre intention de me mêler à vos éternelles disputes avec Amalia Ivanovna... Je viens ici pour une affaire personnelle... Je désire m'expliquer immédiatement avec votre belle-fille Sophie Ivanovna; c'est ainsi, je crois, qu'elle se nomme. Permettez-moi... »

Et Piotr Petrovitch, passant de biais devant Catherine Ivanovna, se dirigea vers le coin opposé de la pièce où se trouvait Sonia.

Catherine Ivanovna resta clouée sur place, comme foudroyée. Elle ne pouvait comprendre que Piotr

Petrovitch niât avoir été l'hôte de son papa. Cette hospitalité qu'elle-même avait imaginée était devenue pour elle un article de foi; ce qui la surprenait aussi, c'était le ton sec, hautain et même méprisant de Loujine. L'apparition de ce dernier avait d'ailleurs eu pour effet de rétablir peu à peu le silence. Outre que la correction et la gravité de cet homme d'affaires juraient étrangement avec la tenue des locataires de Mme Lippevechsel, chacun sentait que seul un motif d'une portée exceptionnelle pouvait expliquer sa présence dans ce milieu et tous s'attendaient à un coup de théâtre.

Raskolnikov, qui se trouvait à côté de Sonia, se rangea pour laisser passer Piotr Petrovitch. Celui-ci ne parut pas remarquer sa présence. Un instant plus tard, Lebeziatnikov se montrait à son tour, mais, au lieu d'entrer dans la pièce, il se contenta de rester sur le seuil; son visage portait une expression de curiosité mêlée à une sorte d'étonnement et il écoutait ce qui se disait avec un vif intérêt, mais sans paraître comprendre de quoi il s'agissait.

« Pardonnez-moi de vous déranger, mais j'y suis forcé pour une affaire assez importante, commença Piotr Petrovitch sans s'adresser à personne en particulier. Je suis même heureux de pouvoir m'expliquer devant témoins. Amalia Ivanovna, je vous prie instamment de prêter l'oreille, en votre qualité de propriétaire, à l'entretien que je vais avoir avec Sophie Ivanovna. Sophie Ivanovna, continua-t-il en se tournant vers la jeune fille extrêmement surprise et déjà effrayée, aussitôt après votre visite, j'ai constaté la disparition d'un billet de la Banque nationale d'une valeur de cent roubles, qui se trouvait sur une table de la chambre de mon ami André Simionovitch Lebeziatnikov. Si vous savez ce qu'est devenu ce billet et si vous pouvez me le dire, je vous donne, en présence de toutes ces personnes, ma parole d'honneur que l'affaire en restera là. Dans le cas contraire, je me verrai forcé de recourir à des mesures fort sérieuses, et alors... vous n'aurez à vous en prendre qu'à vous-même... »

Un profond silence suivit ces paroles; même les enfants cessèrent de pleurer. Sonia, pâle comme une morte, regardait Loujine sans pouvoir prononcer un mot. Elle semblait n'avoir pas compris encore. Quelques secondes s'écoulèrent.

« Eh bien, que décidez-vous? demanda Piotr Petrovitch en la regardant attentivement.

— Je ne sais pas... je ne sais rien, prononça-t-elle d'une voix faible.

— Non, vous ne savez pas? redemanda Loujine, et il laissa passer quelques secondes encore. Pensez-y, mademoiselle, reprit-il d'un ton d'exhortation sévère, réfléchissez. Je consens à vous donner le temps de réfléchir. Voyez, si j'étais moins sûr de mon fait, je me garderais bien de vous accuser formellement. J'ai trop l'expérience des affaires pour risquer de m'attirer un procès en diffamation. Ce matin, je suis allé négocier plusieurs titres représentant une valeur nominale de trois mille roubles. La somme est inscrite dans mon carnet. De retour chez moi, j'ai vérifié mon argent. André Simionovitch en est témoin. Après avoir compté deux mille trois cents roubles, je les ai serrés dans un portefeuille que j'ai mis dans la poche de côté de ma redingote. Sur la table restaient environ cinq cents roubles en billets de banque et, notamment, trois billets de cent roubles chacun. C'est alors que vous êtes entrée chez moi, sur mon invitation, et durant tout le temps de votre visite, vous avez paru en proie à une agitation extraordinaire, si bien que vous vous êtes même levée à trois reprises dans votre hâte de vous en aller, quoique notre entretien ne fût pas terminé. André Simionovitch peut certifier que tout cela est exact. Je pense que vous ne le nierez pas, mademoiselle; je vous ai fait appeler par André Simionovitch à seule fin de m'entretenir avec vous de la situation tragique de votre parente, Catherine Ivanovna (à l'invitation de laquelle je n'ai pu me rendre) et des moyens de lui venir en aide par une souscription, une loterie, etc. Vous m'avez remercié, les larmes aux yeux (j'entre dans tous ces détails, d'abord pour vous rappeler comment les choses se sont passées et ensuite pour vous prouver que pas un détail n'est sorti de ma mémoire). Puis, j'ai pris sur la table un billet de dix roubles et je vous l'ai remis comme mon obole personnelle et un premier secours à votre parente. Tout cela s'est passé en présence d'André Simionovitch. Ensuite, je vous ai accompagnée jusqu'à la porte; vous étiez toujours aussi troublée qu'au début. Après votre départ, j'ai causé dix minutes environ avec André Simionovitch. Enfin il s'est retiré et je me suis rapproché de la table afin d'y prendre le reste de mon argent pour le serrer après l'avoir compté. Alors, à mon vif étonnement, je me suis aperçu qu'un des billets de cent roubles manquait. Maintenant, jugez! Soupçonner André Simionovitch je ne le puis, l'idée seule m'en paraît honteuse. Je ne puis non plus supposer m'être trompé dans mes comptes, car je venais de les vérifier une minute avant votre visite et je les avais trouvés exacts. Convenez vous-même qu'en me rappelant votre agitation, votre hâte à sortir et ce fait que vous avez tenu un moment les mains sur la table, enfin considérant votre situation sociale et les habitudes qu'elle implique, je me vois obligé, malgré moi et même avec une certaine horreur, de m'arrêter à un soupçon, cruel sans doute, mais légitime. J'ajoute et vous répète encore que, si convaincu que je sois de votre culpabilité, je sais que je cours un certain risque en portant cette accusation contre vous. Cependant, je n'hésite pas à le faire et je vous dirai pourquoi : c'est, mademoiselle, uniquement à cause de votre affreuse ingratitude. Comment, je vous fais venir auprès de moi pour parler des intérêts de votre parente infortunée! Je vous remets immédiatement pour elle mon obole de dix roubles, et c'est ainsi que vous me remerciez! Non, ce n'est vraiment pas bien! Il vous faut une leçon. Réfléchissez! Bien plus, rentrez en vous-même, je vous y engage comme votre meilleur ami (vous ne pouvez en avoir en ce moment de meilleur), car s'il en est autrement, je serai inflexible. Eh bien, que décidez-vous?

— Je ne vous ai rien pris, murmura Sonia épouvantée. Vous m'avez donné dix roubles, les voici, prenez-les. » Elle tira son mouchoir de sa poche, défit un nœud qu'elle y avait fait, et tendit un billet de dix roubles à Loujine.

« Ainsi, vous persistez à nier le vol des cent roubles? » fit-il d'un ton de blâme et sans prendre l'argent.

Sonia promena ses yeux autour d'elle et ne surprit sur tous les visages qu'expressions terribles, moqueuses, sévères ou haineuses. Elle jeta un regard à Raskolnikov debout contre le mur; le jeune homme avait les bras croisés et fixait sur elle des yeux enflammés.

« Oh! Seigneur! gémit-elle.

— Amalia Ivanovna, il faudra appeler la police;

je vous prie donc en attendant de faire monter le concierge, fit Loujine d'une voix douce et presque caressante.

— *Gott der barmherzige*[1]! Je savais bien que c'était une voleuse, fit Mme Lippevechsel en frappant ses mains l'une contre l'autre.

— Vous le saviez? C'est donc que certains indices vous avaient autorisée à le penser. Je vous prie, très honorée Amalia Ivanovna, de ne pas oublier les paroles que vous venez de prononcer, devant témoins du reste. »

A ce moment, des voix bruyantes s'élevèrent de toutes parts. L'assistance s'agitait.

« Comment! s'écria tout à coup Catherine Ivanovna, sortant de sa stupeur et se précipitant vers Loujine. Comment? Vous l'accusez de vol! Elle, Sonia! Oh! lâches, lâches que vous êtes! » Et, s'élançant vers Sonia, elle la serra dans ses bras décharnés comme dans un étau.

« Sonia, comment as-tu osé accepter dix roubles de lui? Oh! la sotte! Donne-les-moi. Donne-moi cet argent, tout de suite, te dis-je. Tenez! »

Et Catherine Ivanovna, s'étant emparée du billet, le froissa dans ses mains et le jeta à la face de Loujine. Le papier, roulé en boule, atteignit Piotr Petrovitch à l'œil, puis retomba par terre. Amalia Ivanovna se précipita pour le ramasser. Quant à Loujine, il se fâcha.

« Maintenez cette folle! » cria-t-il.

Au même instant, plusieurs personnes apparurent sur le seuil de la porte, aux côtés de Lebeziatnikov et, parmi elles, les deux dames de province.

« Comment? Folle! C'est moi qui suis folle? Imbécile, glapit Catherine Ivanovna. Tu es un imbécile, un vil agent d'affaires, un homme infâme.

Sonia, Sonia lui prendre de l'argent! Sonia une voleuse! Mais elle t'en donnerait plutôt de l'argent! Imbécile! Et Catherine Ivanovna éclata d'un rire hystérique. Avez-vous vu pareil imbécile? ajouta-t-elle en courant d'un locataire à l'autre et en désignant Loujine. Comment? Et vous aussi, s'écria-t-elle en apercevant tout à coup la logeuse, toi aussi, charcutière, infâme Prussienne, tu prétends qu'elle est une voleuse? Ah! si c'est possible! Mais elle n'a pas quitté la pièce en sortant de chez toi, coquin, elle est venue se mettre à table avec nous; tout le monde l'a vue. Elle a pris place à côté de Rodion Romanovitch... Fouillez-la. Puisqu'elle n'est allée nulle part, elle doit avoir l'argent sur elle... Cherche donc, cherche, te dis-je. Mais si tu ne trouves rien, mon ami, tu en répondras. Je courrai me plaindre à l'Empereur, au Tsar lui-même, au Tsar miséricordieux; je me jetterai à ses pieds aujourd'hui, pas plus tard qu'aujourd'hui. Je suis orpheline; on me laissera entrer. Tu penses qu'il ne me recevra pas? Erreur, j'arriverai jusqu'à lui. J'y arriverai! Tu comptais sur sa douceur, sur sa timidité, n'est-ce pas? C'est sur cela que tu comptais? Mais, en revanche, moi, mon ami, je n'ai pas froid aux yeux et tu verras ce qu'il t'en coûtera. Cherche, cherche, voyons, dépêche-toi! »

Catherine Ivanovna, transportée de fureur, secouait Loujine et l'entraînait vers Sonia.

« Je suis prêt et je prends la responsabilité... mais calmez-vous, madame, calmez-vous; je vois trop bien que vous n'avez peur de rien. C'est... c'est au commissariat qu'il faudra... balbutiait Loujine. Quoiqu'il y ait ici assez de témoins... Je suis prêt... Toutefois, il est assez délicat pour un homme, à cause du sexe... Si Amalia Ivanovna voulait prêter son concours. . pourtant ce n'est pas ainsi que les choses se font... mais quoi alors?

— Faites-la fouiller par qui vous voudrez, criait Catherine Ivanovna; montre-leur tes poches. Voilà, voilà, regarde, monstre que tu es, la poche est vide; il n'y avait là qu'un mouchoir, rien de plus, comme tu peux t'en convaincre. A l'autre maintenant; voilà, voilà! Tu vois, tu vois bien! »

Et Catherine Ivanovna, non contente de vider les poches de Sonia, les retourna l'une après l'autre, mais au moment où elle achevait de déplier la doublure de la seconde, celle de droite, un petit papier s'en échappa et, décrivant une parabole en l'air, alla tomber aux pieds de Loujine. Tous le virent et plusieurs poussèrent un cri. Piotr Petrovitch se baissa, ramassa le papier entre deux doigts et l'ouvrit. C'était un billet de cent roubles, plié en huit. Piotr Petrovitch le fit tourner dans sa main pour que tout le monde pût le voir.

« Voleuse, hors d'ici! La police! la police! hurla Mme Lippevechsel. Il faut envoyer elle en Sibérie! Hors d'ici! »

Les exclamations volaient de toutes parts. Raskolnikov ne cessait de considérer silencieusement Sonia que pour reporter de temps en temps les yeux sur Loujine. La jeune fille, immobile à sa place, semblait hébétée. Elle ne paraissait même pas étonnée Tout à coup, un flot de sang empourpra son visage; elle le couvrit de ses deux mains en poussant un cri.

« Non, ce n'est pas moi. Je n'ai pas pris cet argent! Je ne sais pas », cria-t-elle d'une voix déchirante, en se précipitant vers Catherine Ivanovna. Celle-ci lui ouvrit les bras comme un asile inviolable, la serra convulsivement contre son cœur.

« Sonia, Sonia, je ne le crois pas. Tu vois que je ne le crois pas », criait Catherine Ivanovna, bien que la chose fût évidente, en la berçant dans ses bras comme un petit enfant; et elle l'embrassait mille et mille fois, ou bien elle saisissait ses mains et y imprimait des baisers passionnés. « Toi, voler? Oh! les sottes gens! Oh! Seigneur! Sots, sots que vous êtes, criait-elle en s'adressant à tout le monde, mais vous ne savez pas, non, vous ne savez pas le cœur qu'elle a, la jeune fille qu'elle est! Elle, voler? elle! Mais elle vendra sa dernière robe, elle ira pieds nus plutôt que de vous laisser sans secours si vous êtes dans le besoin. Voilà comment elle est. Elle s'est fait délivrer la carte jaune parce que mes enfants à moi mouraient de faim; elle s'est vendue pour nous!... Ah! mon cher défunt! mon cher défunt! mon pauvre défunt, vois-tu tout cela? En voilà un repas de funérailles, Seigneur! Mais défendez-la donc! Qu'est-ce que vous avez à rester là comme ça, Rodion Romanovitch? Pourquoi ne la défendez-vous pas? La croyez-vous coupable vous aussi? Vous ne valez pas son petit doigt, tous tant que vous êtes; Seigneur, mais défendez-la donc! »

Le désespoir de la malheureuse Catherine Ivanovna parut produire une profonde impression sur tout le monde. Ce pauvre visage décharné de phtisique tordu par la souffrance, ces lèvres desséchées où le sang s'était coagulé, cette voix enrouée, ces sanglots bruyants comme ceux des enfants, et enfin cet appel au secours, à la fois confiant, naïf et désespéré, tout cela exprimait une douleur si poignante qu'il était difficile de ne pas en être touché. Du moins Piotr Petrovitch parut-il apitoyé.

« Madame, madame, s'écria-t-il solennellement.

Cette affaire ne vous concerne en rien. Personne ne songe à vous accuser de préméditation ou de complicité, d'autant plus que c'est vous-même qui, en retournant la poche, avez découvert le vol. Cela suffit à prouver votre innocence. Je suis tout prêt à me montrer indulgent pour un acte auquel la misère a pu porter Sophie Simionovna; mais pourquoi, mademoiselle, ne voulez-vous pas avouer? Vous craigniez le déshonneur? C'était la première fois? Peut-être aviez-vous perdu la tête? La chose se comprend... elle se comprend fort bien... Voilà à quoi vous vous exposiez pourtant. Messieurs, continua-t-il en s'adressant aux assistants, mû par un sentiment de pitié et de sympathie, pour ainsi dire, je suis prêt à pardonner, maintenant encore, malgré les insultes qui m'ont été adressées. Puisse, ajouta-t-il en se tournant de nouveau vers Sonia, puisse l'humiliation qui vous a été infligée aujourd'hui, mademoiselle, vous servir de leçon pour l'avenir; je ne donnerai aucune suite à l'affaire, les choses en resteront là, cela suffit. »

Piotr Petrovitch jeta un regard en dessous à Raskolnikov. Leurs yeux se rencontrèrent, ceux du jeune homme lançaient des flammes.

Quant à Catherine Ivanovna, elle semblait n'avoir rien entendu; elle continuait à étreindre et à embrasser Sonia avec une sorte de frénésie. Les enfants avaient également enlacé la jeune fille et la serraient dans leurs petits bras. Poletchka, sans comprendre ce qui se passait, sanglotait à fendre l'âme, son joli visage gonflé de larmes appuyé sur l'épaule de Sonia.

« Quelle bassesse! » fit tout à coup une voix sonore à la porte.

Piotr Petrovitch se retourna vivement.

« Quelle bassesse! » répéta Lebeziatnikov en le regardant fixement.

Loujine eut comme un frisson. Tous le remarquèrent (ils s'en souvinrent plus tard). Lebeziatnikov alors pénétra dans la pièce.

« Et vous avez osé invoquer mon témoignage! dit-il en s'approchant de l'homme d'affaires.

— Qu'est-ce que cela signifie, André Simionovitch? De quoi parlez-vous? balbutia Loujine.

— Cela signifie que vous êtes... un calomniateur. Voilà ce que veulent dire mes paroles », proféra Lebeziatnikov avec emportement, et en le regardant durement de ses petits yeux myopes. Il semblait furieux. Raskolnikov, les yeux passionnément attachés au visage du jeune homme, l'écoutait avec avidité et semblait peser ses moindres paroles.

Il y eut un silence. Piotr Petrovitch parut déconcerté, au premier moment surtout.

« Si c'est à moi que vous... bégaya-t-il, mais qu'avez-vous? Etes-vous dans votre bon sens?

— Oui, moi je suis dans mon bon sens, et vous... vous êtes un misérable. Ah! quelle bassesse! Je vous ai bien écouté, et si je n'ai pas parlé plus tôt, c'était afin de mieux comprendre, car j'avoue qu'il y a encore des choses que je ne m'explique pas... Ainsi, pourquoi avez-vous fait tout cela? Je ne puis le comprendre.

— Mais qu'ai-je fait enfin? Avez-vous bientôt fini de parler par énigmes? Peut-être êtes-vous ivre?

— C'est peut-être vous, homme vil, qui vous enivrez. Moi, je ne bois jamais. Je ne prends jamais une goutte de vodka, car mes principes ne me le permettent pas. Figurez-vous que c'est lui, lui-même, qui a remis de ses propres mains ce billet de cent roubles à Sophie Simionovna. Je l'ai vu, j'en ai été témoin. Je suis prêt à l'affirmer sous serment. Lui, lui, répéta Lebeziatnikov, en s'adressant à tous et à chacun en particulier.

— Mais êtes-vous devenu fou, petit blanc-bec? glapit Loujine. Elle se trouve elle-même ici, devant vous, et vient d'affirmer publiquement, il y a un instant, n'avoir reçu de moi que dix roubles. Comment donc ai-je pu lui donner cet argent?

— Je l'ai vu; je l'ai vu, répétait Lebeziatnikov, et, quoique mes principes s'y opposent, je suis prêt à l'affirmer sous serment devant la justice, car je vous ai vu lui glisser cet argent à la dérobée. Seulement, j'ai cru, dans ma sottise, que c'était par charité. Au moment où vous lui disiez adieu devant la porte, tandis que vous lui tendiez la main droite, vous avez tout doucement introduit de la gauche un papier dans sa poche. Je l'ai vu. Je l'ai vu! »

Loujine pâlit.

« Quel conte inventez-vous là? cria-t-il d'un ton insolent. Comment pouviez-vous, étant près de la fenêtre, distinguer ce papier? Vous avez eu la berlue... avec votre mauvaise vue encore! C'est du délire!

— Non, je n'ai pas eu la berlue, et, malgré la distance, j'ai fort bien vu tout, tout, et, quoique de la fenêtre en effet il soit difficile de distinguer le papier, sous ce rapport vous dites vrai, j'ai cependant remarqué, par suite d'une circonstance particulière, que c'était un billet de cent roubles, car, lorsque vous avez donné à Sophie Simionovna le billet de dix roubles, je vous ai vu, de mes propres yeux, en prendre sur la table un autre de cent roubles (ça je l'ai vu parfaitement, j'étais à ce moment-là près de vous et je n'ai pas oublié ce détail, car il m'était venu une idée). Ce billet, vous l'avez plié et tenu serré dans le creux de votre main. Ensuite, je n'y pensais plus, mais quand vous vous êtes levé, vous avez fait passer le papier de votre main droite dans la gauche et failli le laisser tomber. Je m'en suis alors souvenu, car la même idée m'était revenue, à savoir que vous vouliez obliger Sophie Simionovna à mon insu. Vous pouvez vous imaginer avec quelle attention je me suis mis à suivre vos moindres gestes. Eh bien, j'ai vu comment vous êtes parvenu à lui fourrer le billet dans la poche. Je l'ai vu, je l'ai vu, et suis prêt à en témoigner sous la foi du serment. »

Lebeziatnikov suffoquait d'indignation. Des exclamations diverses s'élevaient de tous les coins de la pièce, la plupart exprimaient l'étonnement, mais quelques-unes étaient proférées sur un ton menaçant. Les assistants se rapprochèrent de Piotr Petrovitch et se pressèrent autour de lui. Catherine Ivanovna s'élança vers Lebeziatnikov :

« André Simionovitch, je vous avais méconnu! Défendez-la. Vous êtes seul à le faire. Elle est orpheline, c'est Dieu qui vous envoie, André Simionovitch, mon cher ami. »

Et Catherine Ivanovna se jeta presque inconsciente aux pieds du jeune homme.

« C'est fou, hurla Loujine, transporté de fureur. Vous inventez des inepties, monsieur : « J'ai oublié « et me suis rappelé, je me suis rappelé et j'ai « oublié! » Qu'est-ce que cela signifie? A vous en croire, je lui aurais glissé exprès cent roubles? Mais pourquoi? Dans quel dessein? Qu'ai-je de commun avec cette...

— Pourquoi? C'est ce que je ne comprends pas

moi-même, mais je vous assure que je dis la vérité. Je me trompe si peu, homme vil et criminel que vous êtes, que je me rappelle m'être posé cette question au moment où je vous félicitais en vous serrant la main. Avec quel dessein lui glissiez-vous ce billet à la dérobée? Ou, tout simplement, pourquoi vous cachiez-vous pour le faire? Mystère! Serait-ce, me suis-je dit, que vous teniez à me cacher cette bonne action, me sachant ennemi par principe de la charité privée, que je considère comme un vain palliatif? Je décidai donc que vous aviez honte de donner une somme si importante et que vous désiriez, d'autre part, faire une surprise à Sophie Simionovna (il y a en effet des personnes qui aiment cacher ainsi leurs bienfaits). Ensuite, je pensai que vous vouliez peut-être éprouver la jeune fille, voir si elle viendrait vous remercier quand elle aurait trouvé l'argent dans sa poche. Ou bien ne songiez-vous qu'à éviter sa reconnaissance, selon le principe qui proclame que la main droite doit ignorer... Bref, quelque chose dans ce genre-là... Enfin, Dieu sait les suppositions que j'ai pu faire; je me proposais d'y réfléchir plus tard tout à loisir, car j'aurais cru manquer à la délicatesse en vous laissant voir que je connaissais votre secret. Sur ces entrefaites, une crainte m'est venue. Sophie Simionovna, n'étant pas instruite de votre générosité, pouvait perdre l'argent sans s'en douter. Voilà pourquoi je me suis décidé à me rendre ici pour la prendre à part et lui dire que vous aviez glissé cent roubles dans sa poche. Mais je suis rentré auparavant chez les dames Kobyliatnikov, afin de leur remettre la *Vue générale sur la méthode positive*, et leur recommander particulièrement l'article de Piderit [1] (et celui de Wagner [2] aussi, du reste).

Enfin, j'arrive ici et j'assiste à ce scandale. Mais, voyons, aurais-je eu toutes ces pensées, me serais-je fait tous ces raisonnements, si je ne vous avais pas vu, de mes propres yeux, glisser les cent roubles dans la poche de Sophie Simionovna? »

André Simionovitch termina ce long discours, couronné d'une conclusion si logique, dans un état de fatigue extrême : la sueur coulait de son front. Il avait malheureusement peine à s'exprimer convenablement en russe (quoiqu'il ne connût aucune autre langue). Son effort oratoire l'avait épuisé; il semblait presque amaigri. Pourtant sa plaidoirie produisit un effet extraordinaire. Elle avait été prononcée avec tant de flamme et tant de conviction que tous les auditeurs parurent y ajouter foi. Piotr Petrovitch sentit que les choses tournaient mal pour lui.

« Que m'importent les sottes questions qui ont pu vous tourmenter l'esprit? s'écria-t-il. Ce n'est pas une preuve! Vous pouvez avoir simplement rêvé toutes ces balivernes. Et moi, je vous dis que vous mentez, monsieur. Vous mentez et vous me calomniez pour assouvir une vengeance personnelle. La vérité est que vous ne pouvez pas me pardonner d'avoir rejeté le radicalisme impie de vos théories sociales! »

Mais ce faux-fuyant, loin de tourner à son avantage, provoqua au contraire de violents murmures.

« Ah! voilà comment tu essaies de t'en tirer, cria Lebeziatnikov. Je te dis que tu mens. Appelle la police; je prêterai serment. Une seule chose reste obscure pour moi : le motif qui t'a poussé à commettre une action si vile. Oh! le misérable! le lâche!

— Moi, je puis expliquer sa conduite, et, s'il le

faut, je prêterai serment également », fit Raskolnikov d'une voix ferme, en se détachant de son groupe.

Il semblait calme et sûr de lui. Tous comprirent, à première vue, qu'il connaissait en effet le mot de l'énigme et que cette affaire touchait à son dénouement.

« Maintenant, tout me paraît parfaitement clair, fit-il en s'adressant à Lebeziatnikov. J'avais flairé, dès le début de l'incident, quelque ignoble intrigue. Ce soupçon reposait sur certaines circonstances connues de moi seul et que je vais vous révéler. Là est le nœud de l'affaire. C'est vous, André Simionovitch, qui, par votre précieuse déposition, avez fait la lumière dans mon esprit. Je prie tout le monde de prêter une oreille attentive. Ce monsieur (il désigna Loujine) avait demandé dernièrement la main d'une jeune fille, ma sœur, Avdotia Romanovna Raskolnikov; mais arrivé depuis peu à Pétersbourg, il se prit de querelle avec moi à notre première entrevue, si bien que je finis par le mettre à la porte, ainsi que deux témoins peuvent le déclarer. Cet homme est très méchant... J'ignorais qu'il logeait chez vous, André Simionovitch, ce qui fait qu'il a pu voir à mon insu, avant-hier, c'est-à-dire le jour même de notre dispute, que je donnais de l'argent, en ma qualité d'ami de feu M. Marmeladov, à sa veuve Catherine Ivanovna, pour parer aux dépenses des funérailles. Il écrivit aussitôt à ma mère que j'avais donné tout cet argent, non à Catherine Ivanovna, mais à Sophie Simionovna. Il qualifiait en même temps le... caractère de cette jeune fille en termes extrêmement outrageants et laissait entendre que j'entretenais avec elle des relations intimes. Son but, vous le comprenez, était de me brouiller avec ma mère et ma sœur, en leur faisant croire que je dépensais d'une façon indigne l'argent qu'elles m'envoient en se privant elles-mêmes. Hier soir, j'ai rétabli, en présence de ma mère, de ma sœur, et devant lui-même, la vérité des faits qu'il avait dénaturés. J'ai dit que, cet argent, je l'avais remis à Catherine Ivanovna pour l'enterrement et non à Sophie Simionovna, que je n'avais d'ailleurs jamais vue encore. Et j'ai ajouté que lui, Piotr Petrovitch Loujine, avec tous ses mérites, ne valait pas le petit doigt de Sophie Simionovna dont il disait tant de mal.

« Quand il me demanda si je ferais asseoir ma sœur à côté de Sophie Simionovna, je lui répondis que je l'avais déjà fait le jour même. Furieux de voir que ma mère et ma sœur refusaient de se brouiller avec moi sur la foi de ses calomnies, il en arriva, de fil en aiguille, à les insulter grossièrement. Une rupture définitive s'ensuivit et il fut mis à la porte. Tout cela s'est passé hier soir. Maintenant, je vous demande de m'accorder toute votre attention. S'il arrivait à prouver, dans cette circonstance, la culpabilité de Sophie Simionovna, il démontrait ainsi à ma famille que ses soupçons étaient fondés et qu'il avait été justement froissé en me voyant l'admettre dans la société de ma sœur; enfin, en s'attaquant à moi, il ne faisait que défendre l'honneur de sa fiancée. Bref, c'était pour lui un nouveau moyen de me brouiller avec ma famille et de rentrer en grâce auprès d'elle. Du même coup il se vengeait en même temps de moi, car il avait lieu de penser que l'honneur et le repos de Sophie Simionovna me sont très précieux. Voilà le calcul qu'il a fait, et comment je comprends la chose. Telle est l'explication de sa conduite et il ne saurait y en avoir d'autre. »

C'est à peu près ainsi que Raskolnikov termina son discours, fréquemment interrompu par les exclamations d'une assistance, fort attentive du reste. Il n'en garda pas moins jusqu'au bout un ton net, calme et assuré. Sa voix tranchante, son accent convaincu et la sévérité de son visage émurent profondément l'auditoire.

« Oui, oui, c'est cela, c'est bien cela, se hâta de reconnaître Lebeziatnikov enthousiasmé. Vous devez avoir raison, car il m'a précisément demandé, quand Sophie Simionovna est entrée dans la pièce, si vous étiez ici et si je vous avais vu parmi les hôtes de Catherine Ivanovna. Il m'a attiré dans l'embrasure de la fenêtre pour me poser cette question tout bas : c'est donc qu'il avait besoin de vous savoir là. Oui, c'est bien cela! »

Loujine se taisait et souriait dédaigneusement. Mais il était très pâle. Il semblait chercher un moyen de se tirer d'affaire. Peut-être se fût-il volontiers esquivé séance tenante, mais la retraite était impossible pour le moment. S'en aller ainsi eût été reconnaître le bien-fondé de l'accusation portée contre lui et s'avouer coupable d'avoir calomnié Sophie Simionovna. D'autre part, l'assistance semblait fort excitée par les copieuses libations auxquelles elle s'était livrée. Le manutentionnaire, quoique incapable de se faire une idée nette de l'affaire, criait plus haut que tous et il proposait certaines mesures fort désagréables pour Loujine.

D'ailleurs, il n'y avait pas là que des gens ivres; cette scène avait attiré nombre de locataires de toutes les pièces de la maison. Les trois Polonais, très échauffés, ne cessaient de proférer dans leur langue des injures à l'adresse de Piotr Petrovitch et de lui crier : *Pane ladak*[1]*!* Sonia écoutait avec toute son attention, mais elle aussi semblait mal comprendre ce qui se passait, comme une personne à peine sortie d'un évanouissement. Elle ne quittait pas des yeux Raskolnikov, sentant que lui seul pouvait la protéger. La respiration de Catherine Ivanovna était sifflante et pénible; elle paraissait complètement épuisée. Mais c'était Amalia Ivanovna qui faisait la plus sotte figure, avec sa bouche grande ouverte et son air ébahi. On voyait qu'elle ne comprenait rien aux événements. Elle voyait seulement que Piotr Petrovitch était en mauvaise posture.

Raskolnikov tenta de reprendre la parole, mais il dut y renoncer bientôt, car tout le monde se pressait autour de Loujine en une foule compacte d'où partaient les injures et les menaces. Pourtant, Loujine ne se laissa pas effrayer. Comprenant que la partie était définitivement perdue pour lui, il eut recours à l'insolence.

« Permettez, messieurs, permettez, ne vous pressez pas ainsi. Laissez-moi passer, disait-il en se frayant un chemin. Et ne vous donnez pas la peine d'essayer de me faire peur avec vos menaces, je vous assure que vous n'arriverez à rien et que je ne suis pas facile à effrayer. C'est vous, messieurs, qui aurez au contraire à répondre en justice de la protection que vous accordez à un acte criminel. La voleuse est plus que démasquée et je porterai plainte. Les juges ne sont pas si aveugles, ni... ivres. Ils récuseront les témoignages de deux impies, deux révolutionnaires notoires qui me calomnient par vengeance personnelle, ainsi qu'ils ont eu la sottise de le reconnaître... Oui, voilà. Permettez!

— Je ne peux pas supporter un instant de plus votre présence dans ma chambre; je vous somme de la quitter et je ne veux plus rien avoir de commun avec vous. Quand je pense que j'ai depuis deux semaines sué sang et eau à lui exposer...

— Mais, André Simionovitch, je vous ai moi-même annoncé tantôt mon départ et c'était vous qui me reteniez. Maintenant, je me bornerai à ajouter que vous êtes un sot, voilà. Je vous souhaite d'arriver à guérir votre esprit et vos yeux. Permettez, messieurs. »

Il réussit à s'ouvrir un passage, mais le manutentionnaire ne voulut pas le laisser échapper ainsi et, jugeant les injures une punition insuffisante pour lui, il prit un verre sur la table et le lui lança de toutes ses forces. Mais le projectile atteignit, par malheur, Amalia Ivanovna, qui se mit à pousser des cris perçants, tandis que le manutentionnaire, qui avait perdu son équilibre en prenant son élan, allait rouler lourdement sous la table. Piotr Petrovitch rentra chez lui, et une heure plus tard, il avait quitté la maison.

Naturellement timide, Sonia, avant cette aventure, se savait plus vulnérable qu'une autre, car chacun pouvait se risquer impunément à l'outrager. Elle avait toutefois espéré jusqu'ici pouvoir désarmer la malveillance à force de prudence, d'humilité et de douceur envers tous. Maintenant, cette illusion lui était enlevée et la déception lui paraissait trop cruelle. Certes, elle pouvait tout supporter avec patience et sans murmurer; cette épreuve même n'était pas au-dessus de ses forces, mais, sur le moment, le coup lui parut trop dur. Malgré le triomphe de son innocence, quand le premier moment de frayeur fut passé et qu'elle fut en état de se rendre compte des choses, son cœur se serra douloureusement à la pensée de son abandon et de son isolement dans la vie. Elle fut prise d'une crise nerveuse. A la fin, n'y tenant plus, elle se précipita hors de la pièce et courut chez elle. Ce fait coïncida presque avec le départ de Loujine.

Amalia Ivanovna, quand elle se vit, au milieu de la risée générale, atteinte par le projectile destiné à Loujine, prit la chose fort mal et tourna sa colère contre Catherine Ivanovna. Elle se jeta sur elle avec un hurlement, comme si elle la rendait responsable de toute l'histoire.

« Hors d'ici tout de suite! File! » En criant, elle saisissait tous les objets appartenant à sa locataire qui lui tombaient sous la main et les jetait par terre. La pauvre veuve, déjà brisée, presque défaillante, sauta à bas de son lit (elle avait dû s'étendre, vaincue par la souffrance) et se précipita sur la logeuse. Mais la lutte était inégale. Amalia Ivanovna n'eut aucune peine à la repousser comme une plume.

« Comment? Ce n'est pas assez d'avoir calomnié Sonia? Voilà que cette créature s'en prend maintenant à moi! Comment? me chasser le jour des funérailles de mon mari, après avoir reçu mon hospitalité, me chasser dans la rue avec des orphelins! Et où irai-je, sanglotait la pauvre femme à bout de souffle. Seigneur! s'écria-t-elle tout à coup; ses yeux étincelèrent. Se peut-il qu'il n'y ait aucune justice ici-bas? Qui défendras-tu si tu ne prends soin de nous, les orphelins? Eh bien, nous verrons. Il existe sur terre des juges et des tribunaux et je me plaindrai. Attends, criminelle! Poletchka, ne quitte pas les enfants, je reviendrai bientôt. Attendez-moi dans la rue, s'il le faut. Nous verrons s'il y a une justice en ce monde! »

Catherine Ivanovna, s'enveloppant la tête de ce même châle en drap vert dont il avait été question dans le récit de Marmeladov, fendit la foule avinée et houleuse des locataires qui se pressaient dans la chambre et se précipita, gémissante, tout en larmes, dans la rue. Elle était résolue à se faire rendre justice immédiatement et coûte que coûte. Poletchka, prise de terreur, se blottit avec les enfants dans un coin près de la malle, enlaça les petits et attendit ainsi le retour de sa mère. Amalia Ivanovna, pareille à une furie, allait et venait dans la pièce, hurlait de rage, se lamentait et jetait par terre tout ce qui lui tombait sous la main. Parmi les locataires, les uns commentaient l'événement à pleine voix, d'autres se disputaient, s'injuriaient, d'autres encore entonnaient des chansons...

« A mon tour de m'en aller, pensa Raskolnikov; eh bien, Sophie Simionovna, on verra ce que vous direz maintenant! »

Et il se rendit chez elle.

IV

Raskolnikov, quoiqu'il eût lui-même sa part suffisante d'horreurs et de misères à porter dans son cœur, avait vaillamment et adroitement plaidé la cause de Sonia contre Loujine. C'est que, sans parler même de l'intérêt qu'il portait à la jeune fille et qui le poussait à la défendre, il avait tant souffert dans la matinée qu'il avait accueilli avec joie cette occasion de secouer des impressions devenues insupportables. D'un autre côté, la pensée de sa prochaine entrevue avec Sonia le préoccupait et le remplissait par moments d'anxiété. Il *devait* lui révéler qui avait tué Elisabeth. Pressentant ce que cet aveu aurait de torturant, il semblait vouloir l'écarter et en détourner sa pensée. Lorsqu'il s'était écrié, en sortant de chez Catherine Ivanovna : « Eh bien, qu'allez-vous dire maintenant, Sophie Simionovna? », il subissait vraisemblablement encore l'excitation pleine de hardiesse et de défi où l'avait mis sa victoire sur Loujine. Mais, chose bizarre, lorsqu'il arriva au logement de Kapernaoumov, son assurance l'abandonna tout à coup; il se sentit faible et craintif. Il s'arrêta indécis devant la porte et se demanda : « Faut-il révéler qui a tué Elisabeth? » Ce qui rendait cette question étrange, c'était qu'il reconnaissait en même temps l'impossibilité absolue où il se trouvait, non seulement d'éviter cet aveu, mais même de le différer d'un instant. Il ne pouvait s'en expliquer la raison et se contentait de sentir qu'il en était ainsi et il souffrait horriblement, écrasé par la conscience de sa faiblesse devant cette nécessité. Pour s'épargner de plus longs tourments, il se hâta d'ouvrir la porte et, avant de franchir le seuil, regarda Sonia. Elle était assise, les coudes appuyés sur sa petite table, le visage dans les mains; mais en apercevant Raskolnikov, elle se leva précipitamment et alla au-devant de lui comme si elle l'eût attendu.

« Que serais-je devenue sans vous? » dit-elle vivement en le rejoignant au milieu de la pièce. Elle ne paraissait songer qu'au service qu'il lui avait rendu et vouloir l'en remercier au plus vite. Ensuite elle attendit. Raskolnikov s'approcha de la table, et s'assit sur la chaise que la jeune fille venait de quitter. Elle resta debout à deux pas de lui, exactement comme la veille.

« Eh bien, Sonia, dit-il, et il s'aperçut soudain que sa voix tremblait; toute l'accusation était établie sur votre situation sociale et les habitudes qu'elle implique; l'avez-vous compris tantôt? »

Le visage de Sonia exprima la souffrance.

« Seulement, ne me parlez pas comme hier, l'interrompit-elle. Non, ne commencez pas, je vous en prie. J'ai déjà assez souffert... »

Elle se hâta de sourire, craignant que ce reproche n'eût blessé son hôte.

« Je suis partie comme une folle tout à l'heure.

Que se passe-t-il maintenant là-bas? J'avais l'intention d'y retourner, mais... je pensais toujours que vous viendriez! »

Il lui raconta qu'Amalia Ivanovna les mettait à la porte et que Catherine Ivanovna était partie « chercher justice » quelque part.

« Ah! mon Dieu! s'écria Sonia, courons vite... »

Elle prit sa mantille.

« Toujours la même chose, fit Raskolnikov, tout irrité; vous ne pensez qu'à eux, restez un peu avec moi...

— Mais... Catherine Ivanovna...

— Oh! Catherine Ivanovna ne vous oubliera pas, soyez tranquille; elle passera certainement chez vous puisqu'elle est sortie, répondit-il d'un air fâché, et si elle ne vous trouvait pas, ce serait votre faute, vous pouvez en être sûre... »

Sonia s'assit en proie à une cruelle perplexité. Raskolnikov se taisait; il paraissait réfléchir, les yeux baissés...

« Admettons que Loujine ne l'a pas voulu aujourd'hui, mais s'il avait jugé de son intérêt de vous faire arrêter et que ni moi ni Lebeziatnikov ne nous fussions trouvés là, vous seriez maintenant en prison, n'est-ce pas?

— Oui, répondit-elle d'une voix faible, oui, répéta-t-elle, distraite de la conversation par l'anxiété qu'elle éprouvait.

— Or, je pouvais fort bien n'être pas là. Quant à Lebeziatnikov, c'est tout à fait par hasard qu'il est venu... »

Sonia ne répondit rien.

« Et si l'on vous avait mise en prison, que serait-il arrivé? Vous rappelez-vous ce que je vous ai dit hier? »

Elle continua à se taire. Il attendit un moment, puis reprit :

« Et moi je pensais que vous alliez répéter : « Ah! ne me parlez pas de cela, finissez », fit Raskolnikov avec un rire un peu forcé. Eh bien, quoi, vous vous taisez toujours? reprit-il au bout d'un moment. Il nous faut pourtant trouver un sujet de conversation. Tenez, je serais curieux de savoir comment vous résoudriez certaine « question », comme dirait Lebeziatnikov (il commençait visiblement à perdre son sang-froid). Non, je ne plaisante pas. Supposez, Sonia, que vous connaissiez d'avance tous les projets de Loujine et que vous sachiez (mais à coup sûr) qu'ils causeraient la perte de Catherine Ivanovna, des enfants et de vous-même par-dessus le marché (puisque vous ne vous comptez que *par-dessus le marché*). Et que Poletchka .. soit par conséquent condamnée à une vie comme la vôtre. Eh bien, voilà... S'il dépendait de vous de faire périr Loujine, c'est-à-dire de sauver Catherine Ivanovna et sa famille, ou de laisser Loujine vivre et réaliser ses infâmes projets, à quoi vous décideriez-vous? Je vous le demande. »

Sonia le regardait avec inquiétude; ces paroles, prononcées sur un ton hésitant, lui paraissaient cacher une arrière-pensée.

« J'attendais que vous me posiez une question bizarre, dit-elle en lui jetant un regard pénétrant.

— Cela se peut. Mais n'importe, que décideriez-vous?

— Pourquoi demander des choses absurdes? répondit Sonia avec répugnance.

— Ainsi, vous laisseriez plutôt Loujine vivre et commettre des scélératesses? Pourquoi n'avez-vous pas le courage de trancher au moins la question?

— Mais, voyons, je ne connais pas les intentions de la divine Providence. Et pourquoi m'interroger sur un cas impossible? A quoi bon ces vaines questions? Comment se pourrait-il que l'existence d'un homme dépendît de ma volonté? Et qui m'érigerait en arbitre de la destinée humaine, de la vie et de la mort?

— Du moment qu'on fait intervenir la Providence divine, nous n'avons plus rien à nous dire, fit Raskolnikov d'un air morose.

— Dites-moi plutôt franchement ce que vous voulez de moi, s'écria Sonia avec angoisse. Toujours vos allusions... N'êtes-vous donc venu que pour me torturer? »

Elle ne put se contenir davantage et fondit en larmes. Il la considéra d'un air sombre et angoissé Cinq minutes passèrent ainsi.

« Oui, tu as raison, Sonia », dit-il enfin à voix basse. Un brusque changement s'était opéré en lui. Son aplomb factice et le ton insolent qu'il affectait tout à l'heure avaient disparu. Sa voix même semblait affaiblie. « Après t'avoir dit moi-même, hier, que je ne viendrais pas te demander pardon aujourd'hui, voilà que c'est presque par des excuses que j'ai commencé cet entretien... En te parlant de Loujine et de la Providence, je ne parlais que pour moi... et je m'excusais, Sonia... »

Il essaya de sourire, mais il ne put esquisser qu'une pauvre grimace impuissante. Alors, il baissa la tête et couvrit son visage de ses mains.

Tout à coup, une sensation étrange et surprenante de haine pour Sonia lui traversa le cœur. Etonné, effrayé même de cette découverte bizarre, il releva la tête et considéra attentivement la jeune fille; elle fixait sur lui un regard inquiet et plein d'une sollicitude douloureuse; ce regard exprimait l'amour et sa haine s'évanouit comme un fantôme. Ce n'était pas cela, il s'était trompé sur la nature du sentiment qu'il éprouvait, il signifiait seulement que le moment fatal était venu.

Il cacha de nouveau son visage dans ses mains et baissa la tête. Soudain, il pâlit, se leva, regarda Sonia et, sans dire un mot, alla machinalement s'asseoir sur son lit. Son impression, à ce moment-là, était exactement pareille à celle qu'il avait éprouvée le jour où, debout derrière la vieille, il avait tiré la hache du nœud coulant, en se disant qu'il n'avait plus un instant à perdre.

« Qu'avez-vous? » demanda Sonia, interdite.

Il ne put proférer un seul mot. Il avait pensé *s'expliquer* dans des circonstances toutes différentes et n'arrivait pas à comprendre ce qui se passait en lui.

Elle s'approcha tout doucement, s'assit à ses côtés sur le lit et attendit sans le quitter des yeux. Son cœur battait à se rompre. La situation devenait insupportable; il tourna vers elle un visage d'une pâleur mortelle. Ses lèvres se tordaient, impuissantes à laisser échapper un mot. Alors l'épouvante s'empara de Sonia.

« Qu'avez-vous? répéta-t-elle en s'écartant un peu de lui.

— Rien, Sonia. Ne t'effraie pas... C'est une bêtise, oui, vraiment, si l'on se donne la peine d'y réfléchir, murmura-t-il du ton d'un homme en proie au délire. Seulement, pourquoi suis-je venu te tourmenter? ajouta-t-il en la regardant. Non, vraiment. Pourquoi? Je ne cesse de me poser cette question, Sonia... »

Il se l'était peut-être posée un quart d'heure auparavant, mais, à ce moment, sa faiblesse était telle qu'il avait à peine conscience de lui-même; un tremblement continuel agitait tout son corps.

« Comme vous vous tourmentez! fit la jeune fille douloureusement en le regardant.

— Ce n'est rien!... Voici ce que je voulais te dire, Sonia. » Un pâle sourire se joua deux secondes sur ses lèvres. « Te rappelles-tu ce que je voulais t'apprendre hier? »

Sonia attendit, inquiète.

« Je t'ai dit en te quittant que je te faisais peut-être mes adieux pour toujours, mais que si je revenais aujourd'hui, je t'apprendrais qui a tué Elisabeth. »

Elle se mit tout à coup à trembler de tous ses membres.

« Eh bien, voilà, je suis venu te le dire.

— Ainsi, ce que vous me disiez était sérieux! balbutia-t-elle avec effort... Mais comment le savez-vous? » ajouta-t-elle vivement comme si elle revenait à elle.

Elle avait peine à respirer. Son visage devenait de plus en plus pâle.

« Je le sais. »

Elle se tut un moment.

« On *l'a* trouvé? demanda-t-elle enfin timidement.

— Non, on ne l'a pas trouvé.

— Alors, comment *le* savez-vous? » redemanda-t-elle après un nouveau silence et d'une voix presque inintelligible.

Il se tourna vers elle et la regarda avec une fixité singulière.

« Devine? » Le même sourire impuissant flottait sur ses lèvres.

Sonia sentit tout son corps se convulser.

« Mais vous me .. Qu'avez-vous à me faire peur? fit-elle avec un sourire d'enfant.

— Pour le savoir, il faut que je sois « lié » avec *lui,* reprit Raskolnikov, dont le regard restait attaché sur elle, comme s'il n'avait pas la force de détourner les yeux. Cette Elisabeth... il n'avait pas l'intention de la tuer... Il l'a assassinée... sans préméditation... Il ne voulait tuer que la vieille... quand elle serait seule... et il alla chez elle... mais, sur ces entrefaites, Elisabeth est entrée. Il l'a tuée... elle aussi. »

Un silence lugubre suivit ces paroles Les jeunes gens se regardaient mutuellement.

« Ainsi, tu ne peux pas deviner? demanda-t-il brusquement; il avait l'impression qu'il se jetait du haut d'un clocher.

— Non, murmura Sonia d'une voix presque indistincte.

— Cherche bien. »

Il avait à peine prononcé ces paroles qu'une sensation familière lui glaçait le cœur : il regardait Sonia et croyait voir Elisabeth. Il avait gardé un souvenir ineffaçable de l'expression apparue sur le visage de la pauvre femme, quand il avançait sur elle, la hache levée, et qu'elle reculait vers le mur, les bras en avant comme font les petits enfants lorsqu'ils commencent à s'effrayer et, prêts à pleurer, fixent d'un regard effaré et immobile l'objet de leur épouvante. Telle était Sonia en ce moment. Son regard exprimait la même terreur impuissante. Tout à coup, elle étendit le bras gauche, repoussa légèrement Raskolnikov, en lui appuyant la main sur la poitrine et se leva brusquement, en s'écartant peu à peu de lui, sans cesser de le regarder. Sa terreur se communiqua au jeune homme qui se mit à la considérer d'un air aussi effaré, tandis que le même pauvre sourire *d'enfant* flottait sur ses lèvres.

« As-tu deviné? murmura-t-il.

— Mon Dieu! » laissa-t-elle échapper dans un affreux gémissement. Puis elle tomba épuisée sur son lit et son visage s'enfonça dans l'oreiller. Mais, au bout d'un instant, elle se releva vivement, s'approcha, lui saisit les deux mains que ses petits doigts minces serrèrent comme des étaux et elle attacha sur lui un long regard immobile.

Par ce suprême regard, elle espérait encore saisir une expression qui lui prouverait qu'elle s'était trompée. Mais non, il ne pouvait rester aucun *doute,* son soupçon devenait une certitude. Plus tard même, quand il lui arrivait d'évoquer cette minute, tout lui en semblait étrange, miraculeux; d'où lui était venue cette certitude *immédiate* de ne s'être pas trompée? Car, enfin, elle n'aurait pu prétendre avoir pressenti cette confession! Et cependant, à peine lui eut-il fait son aveu, qu'il lui semblait l'avoir deviné d'avance.

« Assez, Sonia, assez. Ne me tourmente pas », supplia-t-il d'une voix douloureuse. Ce n'était pas *ainsi* qu'il comptait faire l'aveu de son crime, les événements contrariaient toutes ses prévisions.

Sonia, qui semblait hors d'elle-même, bondit de son lit et gagna le milieu de la pièce en se tordant les mains, puis elle revint vivement sur ses pas et se rassit près de lui à le toucher. Tout à coup, elle frissonna, comme si elle avait été traversée par une pensée terrible, poussa un cri et, sans savoir elle-même pourquoi, tomba à genoux devant Raskolnikov.

« Ah! qu'avez-vous fait? qu'avez-vous fait de vous-même? » fit-elle désespérément et, se relevant soudain, elle se jeta à son cou et l'enlaça avec violence. Raskolnikov se dégagea et la regarda avec un triste sourire.

« Que tu es donc étrange, Sonia!... Tu m'enlaces et tu viens m'embrasser après que je t'ai avoué *cela*. Tu n'as pas conscience de ce que tu fais!

— Non, non, il n'y a pas maintenant d'homme plus malheureux que toi sur terre », cria-t-elle dans un élan d'exaltation, et sans entendre ses paroles. Puis, tout à coup, elle éclata en sanglots désespérés.

Un sentiment depuis longtemps oublié vint détendre l'âme du jeune homme. Il n'y résista point; deux larmes jaillirent de ses yeux et se suspendirent à ses cils.

« Ainsi tu ne m'abandonneras pas, Sonia? fit-il avec une sorte d'espoir.

— Non, non, jamais, nulle part, s'écria-t-elle. Je te suivrai partout. Oh! Seigneur!... oh! malheureuse que je suis!... Et pourquoi, pourquoi ne t'ai-je pas connu plus tôt? Pourquoi n'es-tu pas venu auparavant? Oh! Seigneur!

— Tu vois bien que je suis venu.

— Maintenant! Oh! que faire maintenant?... Ensemble, ensemble, répéta-t-elle avec exaltation en l'enlaçant encore. Je te suivrai au bagne. »

Ces derniers mots parurent irriter Raskolnikov; l'ancien sourire haineux et presque hautain reparut sur ses lèvres.

« Je n'ai peut-être pas encore envie d'aller au bagne, Sonia », dit-il.

Après le premier moment de pitié douloureuse et passionnée pour le malheureux, la terrible idée du meurtre revenait à la jeune fille. Le ton dont ces paroles étaient prononcées lui rappelait tout à coup qu'il était un assassin. Elle le regardait avec une sorte de saisissement. Elle ne savait encore comment ni pourquoi il était devenu criminel. Ces questions se présentaient maintenant à elle toutes à la fois, et, de nouveau, elle se prit à douter; lui un assassin? Impossible!

« Que m'arrive-t-il? Où suis-je? fit-elle avec une surprise profonde comme si elle eût peine à revenir à elle. Mais comment, comment un homme comme vous a-t-il pu se décider... Mais enfin, pourquoi?

— Eh bien, pour voler, Sonia », répondit-il d'un air las et un peu agacé. Sonia semblait stupéfaite; soudain, un cri lui échappa.

« Tu avais faim! C'était pour venir en aide à ta mère? Oui?

— Non, Sonia, non, balbutia-t-il en se détournant et en baissant la tête... Je n'avais pas si faim que ça... et voulais en effet venir en aide à ma mère, mais... ce n'est pas tout à fait cela; ne me tourmente pas, Sonia... »

La jeune fille frappa ses mains l'une contre l'autre.

« Non, mais se peut-il, se peut-il que tout cela soit réel? Et quelle réalité, Seigneur! Qui pourrait y ajouter foi! Et comment, comment se fait-il que vous vous dépouilliez pour les autres quand vous avez tué pour voler? Ah!... cria-t-elle soudain, cet argent que vous avez donné à Catherine Ivanovna... cet argent... Seigneur, se peut-il que cet argent...

— Non, Sonia, l'interrompit-il vivement, cet argent ne vient pas de là. Rassure-toi. C'est ma mère qui me l'avait envoyé par l'entremise d'un marchand et je l'ai reçu pendant ma maladie, le jour même où je l'ai donné... Rasoumikhine en est témoin... C'est lui qui a signé le reçu pour moi... Cet argent était bien ma propriété. »

Sonia écoutait, perplexe, et mettait tous ses efforts à comprendre.

« Quant à l'argent de la vieille, je ne sais du reste même pas s'il y en avait, ajouta-t-il tout bas et d'un air hésitant; j'ai détaché de son cou une bourse en peau de chamois... pleine et qui paraissait bien garnie... mais je n'en ai même pas vérifié le contenu. Je n'en ai pas eu le temps sans doute... Quant aux objets : boutons de manchettes, chaînes, etc., je les ai tous cachés, ainsi que la bourse, sous une pierre, dans une cour qui donne sur la perspective V... Tout y est encore... »

Sonia écoutait avidement.

« Mais pourquoi... puisque vous dites avoir tué pour voler... Pourquoi n'avez-vous rien pris? répliqua-t-elle vivement, en se raccrochant à un dernier espoir.

— Je ne sais pas... je n'ai pas encore décidé si je prendrais ou non cet argent, fit Raskolnikov de la même voix hésitante; puis, il parut revenir à lui et eut un bref sourire. Quelles bêtises vais-je te raconter là! » Une idée traversa brusquement l'esprit de Sonia : « Ne serait-il pas fou? » se demanda-t-elle, mais elle l'abandonna aussitôt : « Non, ce n'était pas cela. » Décidément, elle n'y comprenait rien.

« Sais-tu, Sonia, fit-il tout à coup d'un air inspiré... sais-tu ce que je vais te dire? Si la faim seule m'avait poussé à commettre cet assassinat, continua-t-il en appuyant sur chaque mot et en la fixant d'un regard énigmatique mais sincère, je serais maintenant... *heureux*, sache-le bien! Et qu'aurais-tu de plus, s'écria-t-il bientôt avec une sorte de désespoir, qu'aurais-tu de plus si je t'avouais que j'ai mal agi? Que feras-tu de ce vain triomphe sur moi? Ah! Sonia, est-ce pour cela que je suis venu chez toi? »

Elle voulut parler, n'y parvint point.

« C'est parce que je n'ai plus que toi que je te demandais hier de me suivre.

— Te suivre, où cela? demanda-t-elle timidement.

— Pas pour voler ou tuer, sois tranquille, non, répondit-il avec un sourire caustique. Nous ne sommes pas des pareils... Et vois-tu, Sonia, je viens à peine de me rendre compte de ce que je voulais en te demandant de me suivre. Hier, je l'ai fait instinctivement, sans comprendre. Je ne te demande qu'une seule chose et ne suis venu que pour cela : ne m'abandonne pas! Tu ne m'abandonneras pas? »

Elle lui serra la main.

« Et pourquoi, pourquoi lui ai-je dit cela? Pourquoi lui ai-je fait cet aveu? s'écria-t-il désespérément au bout d'un instant; il la regardait avec une douleur infinie. Voilà, tu attends que je m'explique. Sonia, je le vois bien; tu es là à attendre mon récit, mais que te dirai-je? Tu ne comprendrais rien à ce que je pourrais te dire et tu ne ferais que souffrir à cause de moi... Tu pleures maintenant et tu m'enlaces encore, mais dis, dis... pourquoi? Parce que j'ai manqué de courage pour porter mon fardeau et que je suis venu m'en décharger sur une autre en lui disant : « Souffre, toi « aussi, j'en serai soulagé. » Mais comment peux-tu m'aimer si lâche?

— Et ne souffres-tu donc pas, toi aussi? » s'écria-t-elle.

Le même sentiment afflua de nouveau au cœur du jeune homme et l'attendrit.

« Sonia, j'ai le cœur mauvais; prends-y garde; cela explique bien des choses. C'est parce que je suis mauvais que je suis venu vers toi. Il y a des gens qui ne l'auraient pas fait. Mais moi... je suis un misérable et un lâche. Enfin, soit... Ce n'est pas de cela qu'il s'agit. Je dois parler et je ne trouve pas la force de commencer. »

Il s'arrêta et parut réfléchir.

« Oui, nous ne sommes pas pareils, voilà! Mais des êtres différents. Et pourquoi, pourquoi suis-je venu? Jamais je ne pourrai me pardonner.

— Non, non, tu as bien fait de venir, s'écria Sonia. Il vaut mieux que je sache. Beaucoup mieux! »

Il la regarda douloureusement.

« Eh bien, quoi, après tout, fit-il comme s'il se décidait à parler; c'est ainsi que cela s'est passé. Oui, je voulais devenir un Napoléon, voilà pourquoi j'ai tué... Comprends-tu maintenant?

— N-non, murmura naïvement Sonia d'un air timide. Mais n'importe... parle, parle... Je trouverai en moi la force de comprendre. Je comprendrai tout, suppliait-elle.

— Tu comprendras, dis-tu? Bon, on verra... »

Il se tut et un long moment recueillit ses idées.

« Voilà la chose : je me suis un jour posé la question suivante : « Que serait-il arrivé si Napo-
« léon s'était trouvé à ma place et qu'il n'ait eu
« pour aider ses débuts ni Toulon, ni l'Egypte,
« ni le passage des Alpes au mont Blanc, mais au
« lieu de tous ces brillants exploits, une simple
« petite vieille parfaitement ridicule, une veuve
« usurière, qu'il devrait tuer au surplus pour lui
« voler l'argent de son coffre (pour sa carrière,
« comprends-tu?). Eh bien, s'y serait-il décidé

« n'ayant aucune autre alternative? N'aurait-il pas « été rebuté par ce que cette action offre de trop « peu héroïque... ce qu'elle présente de criminel? » Je te dirai que je me suis longtemps tourmenté l'esprit à réfléchir à cette question et je me suis senti tout honteux quand j'ai compris subitement que, non seulement il n'en aurait pas été rebuté, mais que l'idée ne lui serait pas venue que cette action pût sembler peu héroïque; il n'aurait même pas compris qu'on pût hésiter. Et, pour peu qu'il se sentît convaincu que c'était pour lui la seule issue, il l'aurait tuée proprement et sans le moindre scrupule... Alors, moi... eh bien, je n'avais pas à en avoir... et j'ai tué à son exemple... Voilà exactement ce qui s'est passé. Tu trouves cela risible? Oui, Sonia, et le plus risible est que les choses se sont réellement passées ainsi. »

Mais Sonia n'avait pas la moindre envie de rire.

« Vous feriez mieux de me parler simplement, sans donner d'exemples », fit-elle d'une voix plus timide encore et à peine distincte.

Il se tourna vers elle, la regarda tristement et lui prit la main.

« Tu as encore raison, Sonia. Tout cela est absurde, du bavardage tout simplement. Eh bien, vois-tu, tu sais que ma mère est presque sans ressources. Le hasard a voulu que ma sœur reçoive de l'instruction et elle a été condamnée à traîner de place en place comme institutrice. Tous leurs espoirs étaient concentrés sur moi. Je faisais mes études, mais, faute de moyens d'existence, j'ai dû quitter l'Université. Supposons même que les circonstances n'aient point changé, en mettant les choses au mieux j'aurais pu, dans dix ou douze ans, être nommé professeur de lycée ou fonctionnaire, avec mille roubles de traitement annuel... (il avait l'air de réciter des phrases apprises par cœur), mais, d'ici là, les soucis et les chagrins auraient ruiné la santé de ma mère. Quant à ma sœur... les choses auraient pu tourner plus mal encore pour elle... Et puis enfin, à quoi bon être privé de tout, laisser sa mère dans le besoin, souffrir avec résignation le déshonneur de sa sœur, tout cela pourquoi? Pour arriver à enterrer les miens et fonder une nouvelle famille destinée, elle aussi, à mourir de faim? Eh bien... voilà, je me suis décidé à prendre l'argent de la vieille pour mes débuts, pour finir mes études sans être à la charge de ma mère, bref, j'ai voulu employer une méthode radicale pour commencer une nouvelle vie, et devenir indépendant... Eh bien... voilà c'est tout. Naturellement, j'ai mal fait de tuer la vieille... mais en voilà assez... »

Il paraissait à bout de forces en arrivant à la fin de son récit et baissa la tête, accablé.

« Oh! non, non, ce n'est pas cela, s'écria Sonia avec angoisse, serait-ce possible?... Non, il y a autre chose.

— Tu juges toi-même qu'il y a autre chose; je t'ai pourtant dit toute la vérité.

— Mais quelle vérité! Oh! Seigneur!

— Après tout, Sonia, je n'ai tué qu'une ignoble vermine malfaisante...

— Cette vermine, c'était une créature humaine...

— Hé, je sais bien que ce n'était pas une vermine, répondit-il en la regardant d'un air bizarre. Du reste, ce que je dis n'a pas le sens commun, ajouta-t-il. Tu as raison. Ce sont des motifs tout différents, qui m'ont fait agir... Il y a longtemps que je n'avais adressé la parole à personne, Sonia...

et voilà que j'éprouve maintenant un violent mal de tête... »

Ses yeux brillaient d'un éclat fiévreux. Il recommençait presque à délirer et un sourire inquiet errait sur ses lèvres. Sous son animation factice perçait un épuisement terrible. Sonia comprit à quel point il souffrait. Elle aussi sentait le vertige s'emparer d'elle. Et quelle façon bizarre il avait de parler! Ses paroles semblaient claires et cependant... cependant tout cela était-il possible? Oh! Seigneur! Elle se tordait les mains de désespoir...

« Non, Sonia, ce n'est pas cela, reprit-il, en relevant la tête tout à coup comme si ses idées avaient pris une tournure nouvelle qui le frappait et le ranimait. Non, ce n'est pas cela; suppose plutôt (oui, c'est plutôt cela), suppose que je sois orgueilleux, envieux, méchant, bas et rancunier et... ajoute encore : porté à la folie (autant dire tout à la fois puisque j'ai commencé). Je t'ai dit tout à l'heure que j'avais dû quitter l'Université. Eh bien, veux-tu que je te dise? Peut-être aurais-je pu y rester. Ma mère m'aurait envoyé de quoi payer mes inscriptions et j'aurais pu gagner de quoi m'habiller et me nourrir. Oui, j'y serais sûrement arrivé. J'avais des leçons, on m'en proposait à cinquante kopecks. Rasoumikhine travaille bien, lui! J'étais exaspéré et je n'ai pas voulu. Oui, *exaspéré* est bien le mot. Alors, je me suis terré dans mon trou comme l'araignée dans son coin. Tu connais mon taudis, tu y es venue... Sais-tu, Sonia, que l'âme et l'esprit étouffent dans les pièces étroites et basses? Oh! comme je le détestais, ce taudis! Et cependant je n'en voulais pas sortir, exprès! J'y passais des jours entiers sans bouger, sans vouloir travailler. Je ne me souciais même pas de manger, je restais toujours étendu. Quand Nastassia m'apportait quelque chose, je mangeais. Sinon, je me passais de dîner. C'est exprès que je ne demandais rien. Le soir, je n'avais pas de lumière et je préférais demeurer dans l'obscurité que gagner de quoi m'acheter une bougie.

« Au lieu de travailler, j'ai vendu mes livres; il y a encore un doigt de poussière sur mes cahiers, sur mes notes et sur ma table. Je préférais songer, étendu sur mon divan. Toujours songer! Inutile de dire quelles étaient mes rêveries... bizarres et variées... C'est alors que j'ai commencé à imaginer... Non, ce n'est pas cela. Je ne présente toujours pas les choses comme elles ont été! Vois-tu, en ce temps-là, je me demandais toujours : « Puisque « tu vois la bêtise des autres, pourquoi ne cher- « ches-tu pas à te montrer plus intelligent qu'eux? » Plus tard, j'ai compris, Sonia, qu'à vouloir attendre que tout le monde devienne intelligent, on risque de perdre beaucoup de temps... Ensuite, j'ai pu me convaincre que ce moment n'arriverait jamais, que les hommes ne pouvaient changer, qu'il n'était au pouvoir de personne de les modifier. L'essayer n'eût été qu'une perte de temps inutile. Oui, tout cela est vrai... C'est la loi humaine... La loi, Sonia, voilà!... Et maintenant, je sais, Sonia, que celui qui est doué d'une volonté, d'un esprit puissants, n'a pas de peine à devenir leur maître. Qui ose beaucoup a raison devant eux. Qui les brave et les méprise gagne leur respect. Il devient leur législateur. C'est ce qui s'est vu toujours et se verra toujours. Il faudrait être aveugle pour ne pas s'en apercevoir. »

Raskolnikov, quoiqu'il regardât Sonia en prononçant ces paroles, ne s'inquiétait plus de savoir si elle arrivait à le comprendre. La fièvre l'avait repris et il était en proie à une sombre exaltation (il y avait en effet trop longtemps qu'il n'avait parlé à un être humain). Sonia comprit que ce tragique catéchisme constituait sa foi et sa loi.

« J'ai pu me convaincre alors, Sonia, continua-t-il avec feu, que le pouvoir n'est donné qu'à celui qui ose se baisser pour le prendre. Tout est là, il suffit d'oser. J'ai eu alors une idée qui n'était venue à personne jusque-là. A personne! Je me suis représenté clair comme le jour qu'il était étrange que nul, jusqu'à présent, voyant l'absurdité des choses, n'eût osé secouer l'édifice dans ses fondements et tout détruire, envoyer tout au diable... Alors moi, moi, j'ai voulu *oser* et j'ai tué... Je ne voulais que faire acte d'audace, Sonia; je ne voulais que cela : tel fut le mobile de mon acte!

— Oh! taisez-vous, taisez-vous! cria Sonia hors d'elle-même. Vous vous êtes éloigné de Dieu et Dieu vous a frappé, il vous a livré au diable...

— Ainsi, Sonia, quand toutes ces idées venaient me visiter dans l'obscurité de ma chambre, c'est le diable qui me tentait, hein?

— Taisez-vous. Ne riez pas, impie. Oh! Seigneur, il ne comprend rien, rien...

— Tais-toi, Sonia! Je ne songe pas à rire; je sais bien que c'est le diable qui m'a entraîné. Tais-toi, répéta-t-il avec une sombre obstination. Je sais tout. Tout ce que tu pourrais me dire, j'y ai songé et je me le suis répété mille fois quand j'étais couché dans les ténèbres... Que de luttes intérieures j'ai livrées! Si tu savais comme ces vaines discussions m'ont dégoûté. Je voulais tout oublier et recommencer ma vie, et surtout, Sonia, mettre fin à ces soliloques... Crois-tu que je sois allé à cela comme un écervelé? Non, je n'ai agi qu'après mûres réflexions et c'est ce qui m'a perdu. Crois-tu que je ne savais pas que le fait même de m'interroger sur mon droit à la puissance prouvait qu'il n'existait pas, puisque je le mettais en question ou que, par exemple, si je me demande : l'homme est-il une vermine? c'est qu'il n'en est pas une *pour moi*. Il ne l'est que pour celui à l'esprit duquel ne viennent pas de telles questions, celui qui suit son chemin tout droit sans s'interroger... Le fait seul de me demander : Napoléon aurait-il tué la vieille? suffirait à prouver que je n'étais pas un Napoléon... J'ai enduré jusqu'au bout la souffrance causée par ces radotages et puis j'ai eu envie de la secouer. J'ai voulu tuer, Sonia, sans casuistique, tuer pour moi-même, pour moi seul. Je me suis refusé à me tromper moi-même en cette affaire. Ce n'est pas pour venir au secours de ma mère que j'ai tué, ni pour consacrer au bonheur de l'humanité la puissance et l'argent que j'aurais conquis; non, non, j'ai simplement tué pour moi, pour moi seul et, dans ce moment-là, je m'inquiétais fort peu de savoir si je serais le bienfaiteur de l'humanité ou un vampire social, une sorte d'araignée qui attire les êtres vivants dans sa toile.. Tout m'était égal... et surtout ce ne fut pas la pensée de l'argent qui m'a poussé à tuer... Non, ce n'est pas tant d'argent que j'avais besoin, mais d'autre chose... Je sais tout maintenant... Comprends-moi... Peut-être que, si c'était à refaire, je ne recommencerais pas... Une autre question me préoccupait, me poussait à agir. Il me fallait savoir, et au plus tôt, si j'étais une vermine comme les autres ou un homme? Si je pouvais franchir l'obstacle, si j'osais me baisser pour saisir cette puissance.

Etais-je une créature tremblante ou avais-je le *droit...*?

— De tuer? Le droit de tuer? s'écria Sonia abasourdie.

— E-eh! Sonia », fit-il avec irritation. Une objection lui vint aux lèvres. « Ne m'interromps pas. Je ne voulais te dire qu'une chose : c'est le diable qui m'a poussé à cela, et ensuite il m'a fait comprendre que je n'avais pas le droit d'y aller, car je suis une vermine comme les autres. Le diable s'est moqué de moi et me voici venu chez toi. Si je n'étais une vermine, t'aurais-je fait cette visite? Ecoute, quand je me suis rendu chez la vieille je ne pensais tenter qu'une *expérience...* Sache-le. »

« Et vous avez tué! tué!

— Mais comment?... Assassine-t-on ainsi? Est-ce ainsi qu'on s'y prend pour commettre un crime? Un jour, je te raconterai les détails... Ai-je vraiment tué la vieille? C'est moi que j'ai assassiné, moi et pas elle, moi-même, et je me suis perdu à jamais... Quant à cette vieille, c'est le diable qui l'a tuée et pas moi... Assez, Sonia, assez, assez, laisse-moi, cria-t-il tout à coup d'une voix déchirante, laisse-moi... »

Raskolnikov mit les coudes sur ses genoux et pressa sa tête dans ses mains raidies comme des tenailles.

« Quelle souffrance! gémit Sonia.

— Et alors, que dois-je faire maintenant? Parle, fit-il en relevant la tête et en montrant sa figure affreusement décomposée.

— Que faire! » s'écria la jeune fille; puis elle bondit, s'élança vers lui et ses yeux, jusque-là pleins de larmes, étincelèrent tout à coup. « Lève-toi. (Elle le saisit à l'épaule; il se souleva en la regardant tout stupéfait.) Va tout de suite, tout de suite, au prochain carrefour, prosterne-toi et baise la terre que tu as souillée, puis incline-toi devant chaque passant et de tous côtés en proclamant : « J'ai tué. » Alors Dieu te rendra la vie. Tu iras? Tu iras? » demanda-t-elle en tremblant tout entière tandis qu'elle lui serrait les mains convulsivement et le fixait d'un regard de feu.

Le jeune homme était si épuisé que cette exaltation le surprit.

« Tu parles du bagne, Sonia? Tu veux que j'aille me dénoncer? fit-il d'un air sombre.

— Tu dois accepter la souffrance, l'expiation, comme un moyen de racheter ton crime.

— Non, je n'irai pas me dénoncer, Sonia...

— Et vivre! Comment vivras-tu? s'écria-t-elle. Le pourras-tu à présent? Comment, dis-moi, oseras-tu adresser la parole à ta mère? (Oh! que deviendront-elles maintenant?) Mais que dis-je? Tu as déjà abandonné ta mère et ta sœur. Voilà, tu vois bien que tu les as quittées. Oh! Seigneur. Mais il a déjà compris lui-même tout cela! Comment vivre loin de tout être humain? Que vas-tu devenir maintenant?

— Ne fais pas l'enfant, Sonia, répondit-il doucement. Quel est mon crime devant ces gens? Pourquoi irais-je chez eux et que leur dirais-je? Tout cela n'est qu'une illusion; eux-mêmes font périr des millions d'hommes et s'en font un mérite. Ce sont des coquins et des lâches, Sonia... Je n'irai pas. Et que leur dirai-je? Que j'ai assassiné et que je n'ai pas osé prendre l'argent, que je l'ai caché sous une pierre? ajouta-t-il avec un sourire amer. Mais ils se moqueraient de moi, ils diraient que je suis un imbécile de n'avoir rien pris. Un imbécile et un lâche! Ils ne comprendraient rien, rien, Sonia, et ils sont incapables de comprendre. Pourquoi irais-je? Non, je n'irai pas. Ne fais pas l'enfant...

— Tu souffriras; tu souffriras le martyre, répétait la jeune fille en tendant les bras vers lui dans une supplication désespérée.

— Peut-être me suis-je calomnié après tout, fit-il remarquer d'un air sombre et méditatif. Il se peut que je sois un homme *encore* et non une vermine et que j'aie mis trop de hâte à me condamner... Je vais essayer de lutter *encore*... »

Il eut un sourire hautain.

« Porter le fardeau d'une pareille souffrance! Et cela toute la vie, toute la vie! »

« Je m'y habituerai! fit-il du même ton morne et pensif.

« Ecoute, reprit-il au bout d'un instant, assez pleuré. Il est temps de parler sérieusement. Je suis venu te dire qu'on me cherche, on me traque...

— Ah! fit Sonia épouvantée.

— Eh bien, qu'est-ce qui te prend? Pourquoi cries-tu? Tu veux toi-même me faire aller au bagne, et tu as peur, de quoi? Seulement, écoute, je ne me laisserai pas prendre ainsi; je leur donnerai du fil à retordre et ils n'aboutiront à rien. Ils n'ont pas de preuves. Hier, j'ai été en grand danger et je me croyais déjà perdu, mais aujourd'hui l'affaire semble s'arranger. Toutes leurs preuves sont à deux fins, c'est-à-dire que je puis faire tourner à mon profit les charges produites contre moi, comprends-tu? Car maintenant j'ai acquis de l'expérience... mais je n'éviterai pas la prison. N'était une circonstance fortuite, j'y serais déjà; ils peuvent m'arrêter mais ils me relâcheront, car ils ne possèdent pas de preuve véritable et ils n'en auront pas, je t'en donne ma parole... Leurs présomptions ne suffisent pas à faire condamner un homme. Allons, assez là-dessus... Je n'ai dit ça que pour te renseigner... Quant à ma mère et à ma sœur, je m'arrangerai de façon qu'elles ne s'inquiètent pas et ne soupçonnent rien... Je crois du reste que ma sœur est maintenant à l'abri du besoin et, par conséquent, ma mère aussi... Voilà tout. Mais sois prudente. Viendras-tu me voir quand je serai en prison?

— Oh! oui, oui,,, »

Ils étaient là, tristes et abattus comme deux naufragés rejetés par la tempête sur un rivage désolé. Il regardait Sonia et sentait combien elle l'aimait. Mais, chose étrange, cette tendresse immense dont il se voyait l'objet lui causait soudain une impression pénible et douloureuse. Oui, c'était là une sensation bizarre et horrible. Il s'était rendu chez elle, tantôt, en se disant qu'elle était son seul refuge et tout son espoir. Il pensait pouvoir déposer au moins une partie de son terrible fardeau auprès d'elle et maintenant, quand elle lui avait donné son cœur, il se sentait infiniment plus malheureux qu'auparavant.

« Sonia, dit-il, il vaut mieux que tu ne viennes pas me voir pendant que je serai en prison... »

Elle ne répondit rien, elle pleurait... Quelques minutes s'écoulèrent.

« As-tu une croix? » demanda-t-elle tout à coup comme frappée d'une pensée subite

D'abord, il ne comprit pas la question.

« Non, tu n'en as pas, n'est-ce pas? Tiens, prends celle-ci, en bois de cyprès. J'en ai une autre, en cuivre, celle d'Elisabeth. Nous avions fait un échange, elle m'avait donné sa croix et moi je lui avais fait cadeau d'une image sainte. Je porterai maintenant la sienne et voici la mienne. Prends... elle m'appartient... elle m'appartient, supplia-t-elle... Nous allons maintenant souffrir ensemble et ensemble porter notre croix...

— Donne », dit Raskolnikov. Il ne voulait pas la peiner, mais il ne put s'empêcher de retirer aussitôt la main qu'il avait tendue. « Plus tard, Sonia, cela vaut mieux, ajouta-t-il pour la consoler.

— Oui, oui, cela vaut mieux! reprit-elle avec chaleur. Tu la mettras quand commencera l'expiation. Tu viendras chez moi et je te la mettrai au cou; nous ferons une prière, puis nous partirons... »

Au même instant trois coups furent frappés à la porte.

« Sophie Simionovna, peut-on entrer? » fit poliment une voix familière.

Sonia se jeta vers la porte tout effrayée. La tête blonde de Lebeziatnikov apparut dans l'entrebâillement.

V

Lebeziatnikov paraissait fort troublé.

« Je viens vous trouver, Sophie Simionovna. Excusez-moi... Je m'attendais à vous trouver ici, fit-il tout à coup, s'adressant à Raskolnikov, c'est-à-dire que je ne pensais... rien de mal... mais je m'attendais... Catherine Ivanovna a perdu la raison », reprit-il en se tournant de nouveau vers Sonia.

La jeune fille poussa un cri.

« Ou tout au moins elle en a l'air. Du reste... Mais nous ne savons que faire... Voici la chose. Elle est revenue; je crois qu'elle a été chassée et battue, selon toute apparence... Elle est allée chez le chef de Simion Zaharovitch et ne l'a pas trouvé; il dînait chez un autre général... Alors, elle, figurez-vous, s'est précipitée au domicile de ce général et a insisté pour voir le chef de son mari; il était encore à table. Vous pouvez imaginer ce qui est arrivé. On l'a naturellement mise à la porte; mais elle raconte qu'elle l'a injurié et lui a jeté un objet à la tête. Cela se peut bien; ce que je ne comprends pas, c'est qu'elle n'ait pas été arrêtée... Maintenant, elle est en train de raconter la scène à tout le monde, même à Amalia Ivanovna, mais on ne comprend rien à ce qu'elle dit tant elle hurle et se débat... Ah! oui, elle crie que puisque tout le monde l'a abandonnée, elle prendra les enfants et s'en ira dans la rue jouer de l'orgue de Barbarie et demander l'aumône pendant que les enfants iront chanter et danser, et elle ira tous les jours se placer sous les fenêtres du général, afin, dit-elle, qu'il voie les enfants d'une famille de la noblesse, ceux d'un fonctionnaire, mendier dans la rue. Elle les bat tous, ils pleurent... Elle apprend à Lena l'air de *la Petite Ferme,* au petit garçon elle enseigne la danse et à Pauline Mikhaïlovna aussi. Elle déchire toutes les robes et leur fabrique de petits chapeaux comme en portent les saltimbanques et elle se prépare à emporter, à défaut d'instrument de musique, une cuvette pour taper dessus... Elle ne veut rien entendre. Vous ne pouvez pas vous imaginer ce que c'est... »

Lebeziatnikov aurait pu continuer longtemps sur le même ton si Sonia, qui écoutait jusqu'ici haletante, n'avait brusquement pris son chapeau, sa mantille et quitté la pièce en courant. Raskolnikov, suivi de Lebeziatnikov, sortit derrière elle.

« Elle est positivement folle, dit André Simionovitch à son compagnon, quand ils furent dans la rue. Ce n'est que pour ne pas effrayer Sophie Simionovna que j'ai eu l'air d'en douter. En réalité, la chose est certaine. On prétend que chez les phtisiques il se forme des tubercules dans le cerveau. Je regrette de ne pas savoir la médecine. J'ai d'ailleurs essayé de lui expliquer la chose, mais elle ne m'écoute pas.

— Vous lui avez parlé de tubercules?

— C'est-à-dire, pas précisément de tubercules. Elle n'y aurait d'ailleurs rien compris. Non, mais je veux dire que, si on arrive à convaincre quelqu'un, à l'aide de la logique, qu'il n'a pas lieu de pleurer, eh bien, il ne pleurera plus... C'est clair. Et vous, vous pensez le contraire?

— La vie serait trop facile, alors, répondit Raskolnikov.

— Permettez, permettez. Certes, Catherine Ivanovna aurait eu peine à comprendre ce que je vais vous dire. Mais savez-vous qu'on s'est livré à Paris à de sérieuses expériences sur les moyens de guérir les fous par la seule action de la logique? Un des professeurs de là-bas, un grand savant qui vient de mourir, a prétendu la chose possible. Son idée primordiale était que la folie ne comporte pas un détraquement sérieux des organes, qu'elle n'est pour ainsi dire qu'une erreur de logique, une faute de jugement, un point de vue erroné sur les choses. Il a essayé de contredire progressivement ses malades, de réfuter leurs opinions, et figurez-vous qu'il est arrivé à de bons résultats. Mais, comme il employait, en même temps, les douches, on peut dire que la valeur de sa méthode n'est pas entièrement établie... C'est du moins ce qu'il me semble... »

Mais Raskolnikov n'écoutait plus... Arrivé devant sa demeure, il salua Lebeziatnikov d'un signe de tête et franchit la porte cochère. Quant à André Simionovitch, il reprit aussitôt ses esprits, jeta un coup d'œil autour de lui et poursuivit son chemin.

Raskolnikov entra dans la mansarde. s'arrêta au milieu de la pièce et se demanda : « Pourquoi suis-je venu ici? » Il considérait la tapisserie jaunâtre qui s'en allait en lambeaux, cette poussière... son divan... De la cour arrivait un bruit sec, incessant; un bruit de marteau, de clous qu'on enfonce... Il s'approcha de la fenêtre, se dressa sur la pointe des pieds et regarda longuement avec une attention extraordinaire. Mais la cour était vide, il n'aperçut personne. Dans l'aile gauche, quelques fenêtres étaient ouvertes. Des pots de maigres géraniums garnissaient certaines embrasures. Au-dehors, du linge séchait, étendu sur des cordes... Tout ce tableau, il le connaissait par cœur. Il se détourna et s'assit sur son divan. Il ne s'était jamais senti si isolé.

Et il éprouva de nouveau un sentiment de haine pour Sonia; oui, il la haïssait maintenant qu'il avait ajouté à son infortune. « Pourquoi était-il allé quêter ses larmes? Quel besoin avait-il d'empoisonner sa vie? O lâcheté! »

« Je resterai seul, fit-il tout à coup avec décision, et elle ne viendra pas me voir en prison. »

Au bout de cinq minutes, il releva la tête et sourit d'un étrange sourire. La pensée qu'il venait d'avoir était bizarre en effet. « Peut-être est-il vrai que je serais mieux au bagne? » avait-il songé.

Il ne put jamais se rappeler combien avait pu durer cette rêverie peuplée d'idées vagues. Soudain, la porte s'ouvrit et Avdotia Romanovna entra. Elle s'arrêta d'abord sur le seuil et commença par le regarder comme il l'avait fait pour Sonia, tout à l'heure, puis elle traversa la pièce et vint s'asseoir sur une chaise en face de lui, à la même place que la veille. Il la considéra en silence et d'un air distrait.

« Ne te fâche pas, mon frère. Je ne suis venue que pour un instant », dit Dounia. L'expression de son visage était pensive mais non sévère, et son regard semblait clair et doux. Il vit que « celle-là » aussi était venue avec amour. « Écoute, Rodia, maintenant je sais tout, *tout*. Dmitri Prokofitch m'a tout raconté, m'a tout expliqué. On te tourmente, on te persécute d'un soupçon ridicule et bas... Dmitri Prokofitch m'a dit que la situation ne présente aucun danger, et que tu as tort de t'affecter ainsi. Je ne suis pas de son avis; je comprends parfaitement ton indignation et ne serais pas surprise de la voir laisser en toi des traces ineffaçables. C'est ce que je redoute. Je ne puis te reprocher de nous avoir abandonnées et je ne veux même plus juger ta conduite. Pardonne-moi de l'avoir fait. Je sais que moi-même, si j'avais eu un si grand malheur, je me serais également éloignée de tous. A notre mère je ne raconterai rien de *tout cela,* mais je lui parlerai continuellement de toi et je lui dirai de ta part que tu viendras bientôt la voir. Ne te tourmente pas pour elle; je la rassurerai; mais toi, de ton côté, aie pitié d'elle, souviens-toi qu'elle est une mère. Maintenant, je suis venue seulement pour te dire (Dounia se leva) que si, par hasard, tu avais besoin de moi... ou de toute ma vie... appelle-moi, je viendrai... Adieu! »

En disant ces mots, elle se détourna vivement et se dirigea vers la porte.

« Dounia! appela Raskolnikov, en se levant lui aussi et en s'approchant d'elle. Tu sais, Rasoumikhine, Dmitri Prokofitch, est un excellent homme. »

Dounia rougit légèrement.

« Et alors? fit-elle après une minute d'attente.

— C'est un homme actif, laborieux, honnête et capable d'un solide attachement... Adieu, Dounia. »

La jeune fille était devenue toute rouge, puis son visage exprima l'épouvante.

« Mais enfin, Rodia, tu as l'air de dire que nous nous quittons pour toujours... Est-ce un testament?

— N'importe... Adieu. »

Il s'éloigna d'elle, et alla vers la fenêtre. Elle attendit un moment, le regarda avec inquiétude et sortit toute troublée.

Non, ce n'était pas de l'indifférence qu'il éprouvait à l'égard de sa sœur. Pendant un moment même, tout à la fin, il avait passionnément désiré la serrer dans ses bras, lui faire *ses adieux* et *tout lui dire*. Cependant, il ne put même pas se résoudre à lui donner la main.

« Elle pourrait frissonner plus tard à ce souvenir et dire que je lui ai volé ses baisers. Et puis aurait-elle la force, *elle,* de supporter cet aveu? se demanda-t-il au bout d'un instant. Non, elle ne le supporterait pas; *ces femmes-là* n'en sont pas capables. »

Il se mit à penser à Sonia. Une fraîcheur venait de la fenêtre. Le jour baissait. Il prit sa casquette et sortit.

Il ne se sentait ni la force ni le désir de s'occuper de sa santé. Mais ces angoisses continuelles, ces terreurs ne pouvaient manquer d'agir sur lui, et si la fièvre ne l'avait pas encore terrassé, c'était précisément parce que cet état de tension intérieure et d'inquiétude perpétuelle le soutenait momentanément et lui donnait un semblant d'animation factice.

Il errait sans but. Le soleil se couchait. Il éprouvait depuis quelque temps une sorte d'angoisse toute nouvelle, non point particulièrement pénible ou aiguë, mais qui semblait durable, éternelle. Il pressentait de longues, de mortelles années, pleines de cette froide et terrible anxiété. Vers le soir, en général, cette sensation devenait plus obsédante.

« Voilà, se dit-il, avec ces stupides malaises physiques provoqués par un coucher de soleil, allez-vous empêcher de commettre quelque sottise! On en devient capable d'aller se confesser, non seulement à Sonia, mais à Dounia! » marmotta-t-il d'un ton haineux.

S'entendant appeler, il se retourna. C'était Lebeziatnikov qui courait après lui.

« Figurez-vous que je viens de chez vous, je vous cherchais. Imaginez-vous qu'elle a fait ce qu'elle voulait et elle a emmené les enfants. Nous avons eu grand-peine à les retrouver, Sophie Simionovna et moi. Elle tape sur une poêle et force les enfants à chanter. Les petits pleurent. Ils s'arrêtent aux carrefours et devant les boutiques. Ils ont à leurs trousses une foule d'imbéciles. Venez.

— Et Sonia? demanda avec inquiétude Raskolnikov, en se hâtant de suivre Lebeziatnikov.

— Elle est tout à fait folle, c'est-à-dire pas Sophie Simionovna, mais Catherine Ivanovna. Du reste, Sophie Simionovna a également perdu la tête, mais Catherine Ivanovna, elle, est complètement folle. Je vous dis qu'elle a tout à fait perdu la raison. On finira par les arrêter. Vous vous imaginez l'effet que cela fera. Ils sont maintenant sur le quai du canal, près du pont de N..., non loin du logement de Sophie Simionovna, tout près d'ici. »

Sur le quai, à peu de distance du pont et à deux pas de la maison habitée par Sonia, stationnait une véritable foule composée principalement de fillettes et de petits garçons. La voix rauque, éraillée, de Catherine Ivanovna parvenait jusqu'au pont. En fait, le spectacle était assez étrange pour attirer l'attention des passants. Catherine Ivanovna, vêtue de sa vieille robe et de son châle de drap, coiffée d'un mauvais chapeau de paille qui lui tombait sur l'oreille, semblait, en effet, en proie à un véritable accès de folie. Elle était anéantie, haletante. Sa pauvre figure de phtisique n'avait jamais paru aussi pitoyable (d'ailleurs les poitrinaires ont toujours plus mauvaise mine au grand jour de la rue que chez eux), mais elle semblait, malgré sa faiblesse, dominée par une excitation qui ne faisait que croître d'instant en instant. Elle s'élançait vers ses enfants, les gourmandait, leur montrait devant tout le monde à danser et à chanter, puis, désolée de voir qu'ils ne comprenaient rien, se mettait à les battre.

Ensuite, elle interrompait ces exercices pour s'adresser au public. Lui arrivait-il d'apercevoir dans la foule un badaud à peu près bien vêtu, elle se mettait à lui expliquer à quelles extrémités étaient réduits les enfants d'une famille noble, on pouvait même dire aristocratique. Si elle entendait des rires ou des propos moqueurs, elle prenait aussitôt à partie les insolents et commençait à se quereller avec eux. Quelques-uns riaient en effet, d'autres hochaient la tête, tous en général regardaient curieusement cette folle entourée d'enfants effrayés.

Lebeziatnikov s'était sans doute trompé en parlant de la poêle; tout au moins Raskolnikov n'en vit pas; Catherine Ivanovna battait seulement la cadence de ses mains sèches quand elle obligeait Poletchka à chanter et Lena et Kolia à danser. Parfois, elle se mettait elle-même à chantonner, mais elle était aussitôt arrêtée par une toux terrible qui la désespérait. Elle commençait alors à maudire sa maladie et à pleurer. Mais surtout c'étaient les larmes, la frayeur de Kolia et de Lena qui la faisaient enrager.

Elle avait voulu habiller les enfants comme des chanteurs de rues. Le petit garçon était coiffé d'une sorte de turban rouge et blanc : il représentait un Turc. Manquant d'étoffe pour faire un costume à Lena, Catherine Ivanovna lui avait simplement mis sur la tête le bonnet de laine tricoté (il avait la forme d'un casque) du défunt Simion Zaharovitch, s'étant bornée à le garnir d'une plume d'autruche blanche qui avait appartenu à sa grand-mère et qu'elle conservait jusqu'ici dans son coffre comme une relique de famille. Poletchka, elle, portait sa robe habituelle; elle regardait sa mère d'un air timide et affolé et ne la quittait pas d'une semelle. Elle essayait de lui cacher ses larmes, elle devinait qu'elle n'avait plus toute sa raison et semblait épouvantée de se trouver dans la rue au milieu de cette foule. Quant à Sonia, elle s'était attachée à Catherine Ivanovna et la suppliait en pleurant de rentrer chez elle. Mais celle-ci restait inflexible.

« Assez, Sonia! tais-toi, criait-elle haletante et interrompue par la toux. Tu ne sais pas ce que tu demandes. On dirait une enfant. Je t'ai déjà dit que je ne retournerai pas chez cette ivrognesse d'Allemande. Que tout le monde, que tout Pétersbourg voie mendier les enfants d'un noble père qui a loyalement et fidèlement servi toute sa vie et est mort pour ainsi dire à son poste. (Catherine Ivanovna avait déjà réussi à composer cette légende et à y croire aveuglément.) Que ce vaurien de général voie tout cela. Puis tu es vraiment sotte, Sonia. Comment mangerions-nous à présent? Nous t'avons assez exploitée, je ne veux plus de cela! Ah! Rodion Romanovitch, c'est vous? s'écria-t-elle en apercevant Raskolnikov, et elle se précipita vers lui. Expliquez, je vous prie, à cette petite sotte que j'ai pris le parti le plus sage! On fait bien l'aumône aux joueurs de viole; nous, nous serons tout de suite identifiés, on reconnaîtra en nous une malheureuse famille noble tombée dans la misère et cet affreux général perdra sa place, vous verrez cela. Nous irons tous les jours nous placer sous ses fenêtres et quand l'empereur passera, je me jetterai à ses genoux et je lui montrerai mes enfants. « Défends-nous, sire! » dirai-je. Il est le père des orphelins et il est miséricordieux, vous verrez, il nous protégera, et cet affreux général... Lena! *tenez-vous droite*[1]. Toi, Kolia, tu vas te remettre à danser tout de suite. Qu'as-tu encore à pleurnicher, mais de quoi donc as-tu peur, petit sot? Seigneur, que faire avec eux? Rodion Romanovitch, si vous saviez comme ils sont bêtes! » Et elle lui montrait, les larmes aux yeux (ce qui ne l'empêchait pas de parler sans relâche), ses enfants éplorés. Raskolnikov chercha à la convaincre de regagner son logis et lui fit observer, pensant agir sur son amour-propre, qu'il n'était pas convenable de traîner dans les rues comme les joueurs d'orgue de Barbarie quand on se préparait à être directrice d'un pensionnat pour jeunes filles nobles.

« Un pensionnat? Ha! ha! ha! la bonne plaisanterie, s'écria Catherine Ivanovna qui fut prise d'un accès de toux au milieu de son rire, non, Rodion Romanovitch, ce rêve s'est évanoui. Tout le monde nous a abandonnés, et ce général... Voyez-vous, Rodion Romanovitch, je lui ai lancé à la tête l'encrier qui se trouvait dans l'antichambre sur la table, à côté de la feuille où l'on s'inscrit. Moi, je me suis inscrite, je lui ai jeté l'encrier et je suis partie. Oh! les lâches, les lâches! Mais je m'en moque. Maintenant c'est moi qui nourrirai ces enfants et je ne m'humilierai devant personne. Nous l'avons assez exploitée (elle indiquait Sonia). Poletchka, combien avons-nous recueilli d'argent? Fais voir la recette. Comment? Deux kopecks en tout? Oh! les misérables! Ils ne donnent rien, ils se contentent de courir après nous comme des idiots. Et qu'a ce crétin à rire? (Elle montrait quelqu'un dans la foule.) Tout cela, c'est la faute de Kolia; il ne comprend rien, on en a de la peine avec lui! Eh bien, Poletchka, que veux-tu? Parle-moi français, *parle-moi français*[1]. Je t'ai donné des leçons, tu connais bien quelques phrases, sans cela comment reconnaîtrait-on que vous appartenez à une famille noble et que vous êtes des enfants bien élevés, non des musiciens ambulants? Nous ne chantons pas de chansons triviales, nous autres, mais des romances distinguées.. Ah! oui! mais qu'allons-nous chanter? Vous m'interrompez tout le temps. Voyez-vous, Rodion Romanovitch, nous nous sommes arrêtés ici pour choisir notre répertoire... Nous voulons un air qui permette à Kolia de danser... car vous vous doutez bien que nous n'avons rien préparé; nous devons nous entendre, répéter, et ensuite nous irons sur la perspective Nevsky, où l'on voit passer beaucoup plus de gens de la haute société et où l'on nous remarquera immédiatement. Lena connaît *la Petite Ferme*, mais cela commence à devenir une scie et l'on n'entend plus que ça. Il nous faut un répertoire beaucoup plus distingué... Alors, Polia, donne-moi une idée! Si tu aidais ta mère, au moins! Ah! la mémoire, la mémoire me manque! Sans cela je trouverais bien, car enfin nous ne pouvons tout de même pas chanter l'air du *Hussard appuyé sur son sabre*.

« Ah! voilà, chantons en français *Cinq sous*[1], je vous l'ai appris, cet air-là, vous devez le savoir, et c'est une chanson française, on verra tout de suite que vous appartenez à la noblesse et ce sera beaucoup plus touchant... On pourrait chanter aussi *Malbrough s'en va-t-en guerre*[1], car c'est une chanson enfantine qu'on chante dans toutes les maisons aristocratiques pour endormir les enfants.

Malbrough s'en va-t-en guerre
Ne sait quand reviendra...[1]

commença-t-elle à chanter... Mais non, mieux vaut chanter *Cinq sous*. Allons, Kolia, les mains aux hanches, vivement, et toi, Lena, tourne aussi, mais en sens inverse. Poletchka et moi nous allons chanter et battre des mains!

Cinq sous, cinq sous
Pour monter notre ménage...[1]

« Han, han, han! (elle fut prise d'une toux terrible). Arrange ta robe, Poletchka! tes épaulettes glissent, remarqua-t-elle entre deux quintes.

« Vous devez maintenant vous tenir d'une façon particulièrement convenable et distinguée, afin qu'on voie que vous appartenez à la noblesse. Je disais bien qu'il fallait tailler ton petit corsage plus long; c'est toi, Sonia, qui es venue donner tes conseils : « plus court, plus court. » Et voilà, on a fait de cette enfant une caricature... Tiens, vous vous remettez tous à pleurer! Mais qu'est-ce qui vous prend, petits sots? Allons, Kolia, commence vite, vite, vite. — Oh! l'enfant insupportable que j'ai là...

Cinq sous, cinq sous...[1]

« Encore un soldat! Alors, que veux-tu? »

Un sergent de ville se frayait en effet passage à travers la foule, mais en même temps s'approchait un monsieur d'une cinquantaine d'années et d'aspect imposant qui portait un uniforme de fonctionnaire et une décoration attachée à son cou par un ruban (chose qui fit grand plaisir à Catherine Ivanovna et produisit un certain effet sur le gendarme). Il tendit silencieusement un billet vert de trois roubles à la veuve, tandis que son visage exprimait une compassion sincère. Catherine Ivanovna accepta cette offrande et s'inclina avec une politesse cérémonieuse.

« Je vous remercie, monsieur, commença-t-elle d'un ton plein de dignité; les raisons qui nous ont amenés... prends l'argent, Poletchka. Tu vois, il existe encore des hommes généreux et magnanimes, prêts à secourir une femme de la noblesse tombée dans le malheur. Les orphelins que vous voyez devant vous, monsieur, sont d'origine noble, on peut même dire qu'ils sont apparentés à la plus haute aristocratie. Et ce misérable général était en train de manger des gelinottes... Il s'est mis à taper des pieds parce que je l'avais dérangé... « Votre Excellence, lui ai-je dit, vous avez beau-« coup connu Simion Zaharovitch, protégez les « orphelins qu'il a laissés après lui, car le jour « de son enterrement, sa propre fille a été calom-« niée par le dernier des drôles »... Encore ce soldat!

« Protégez-moi, cria-t-elle au fonctionnaire, pourquoi ce soldat s'acharne-t-il sur moi? Nous en avons évité un dans la rue des Bourgeois... Que me veux-tu, imbécile?

— Il est défendu de faire du scandale dans les rues. Ayez une tenue plus convenable.

— C'est toi qui es inconvenant. Je suis comme les joueurs d'orgue de Barbarie, est-ce que cela te regarde?

— Les joueurs d'orgue de Barbarie doivent avoir une autorisation, vous n'en avez pas et vous provoquez des attroupements dans la rue. Où demeurez-vous?

— Comment, une autorisation! glapit Catherine Ivanovna. J'ai enterré mon mari aujourd'hui, quelle autorisation?

— Madame, madame, calmez-vous, intervint le fonctionnaire, venez, je vais vous conduire... vous n'êtes pas à votre place dans cette foule...! Vous êtes souffrante...

— Monsieur, monsieur, vous ne savez rien, criait Catherine Ivanovna, nous devons aller sur la perspective Nevsky[1]... Sonia, Sonia! Où est-elle? Elle aussi pleure! Mais enfin qu'avez-vous tous?... Kolia, Lena, où allez-vous? s'écria-t-elle tout à coup effrayée. O stupides enfants! Kolia, Lena! Mais enfin, où vont-ils?... »

Or, voici ce qui était arrivé : les enfants affolés par cette foule et par les excentricités de leur mère avaient été saisis de terreur en voyant l'agent prêt à les arrêter et s'étaient enfuis à toutes jambes.

La pauvre Catherine Ivanovna s'élança à leur poursuite en pleurant et en gémissant. Il était affreux de la voir courir, haletante et sanglotante. Sonia et Poletchka se précipitèrent derrière elle.

« Ramène-les, ramène-les, Sonia! Enfants ingrats et stupides! Polia! rattrape-les... c'est pour vous que j'ai... » Elle buta, dans sa course, contre un obstacle et tomba.

« Elle s'est blessée, elle est toute couverte de sang! Oh! Seigneur! » s'écria Sonia en se penchant sur elle.

Un rassemblement se forma autour des deux femmes. Raskolnikov et Lebeziatnikov avaient été des premiers à accourir, ainsi que le fonctionnaire et le gendarme, qui grognait : « C'est un malheur! » Car il pressentait que l'affaire allait devenir ennuyeuse.

« Circulez! Circulez! » Il essayait de disperser la foule des gens qui se pressaient.

« Elle se meurt! cria quelqu'un.

— Elle est devenue folle! fit un autre.

— Pitié, Seigneur! dit une femme en se signant. Est-ce qu'on a retrouvé la petite fille et le garçon? Ah! les voilà, on les ramène, c'est l'aînée qui les a rattrapés... Voyez-moi ces fous! »

Mais en examinant attentivement Catherine Ivanovna on s'aperçut qu'elle ne s'était nullement blessée, comme l'avait cru Sonia, et que le sang qui rougissait le pavé avait jailli de sa gorge.

« Je connais ça, fit le fonctionnaire à l'oreille de Raskolnikov et de Lebeziatnikov, c'est la phtisie : le sang jaillit et amène un étouffement. J'ai été témoin d'une crise pareille, c'est une de mes parentes qui en a été prise, elle a rendu ainsi un verre et demi de sang... brusquement... Mais que faire cependant? Elle va mourir!...

— Par ici, apportez-la chez moi, suppliait Sonia, j'habite par ici... Cette maison, la seconde... chez moi, vite! vite!... Faites chercher un médecin... O Seigneur! »

L'affaire s'arrangea grâce à l'intervention du fonctionnaire. Le sergent de ville aida même à transporter Catherine Ivanovna. On la déposa à moitié morte sur le lit de Sonia. L'hémorragie continuait, mais la malade parut revenir à elle peu à peu.

Dans la pièce, outre Sonia, étaient entrés Raskolnikov, Lebeziatnikov, le fonctionnaire et l'agent qui avait préalablement dispersé les curieux dont plusieurs étaient venus jusqu'à la porte. Poletchka ramena les fugitifs qui tremblaient et pleuraient. On vint également de chez Kapernaoumov, tout d'abord le tailleur lui-même, boiteux et borgne et qui avait l'air bizarre avec ses cheveux et ses favoris raides, puis sa femme qui portait sur sa figure une expression d'épouvante immuable, et quelques-uns de leurs enfants dont le visage n'exprimait qu'une stupeur hébétée. Parmi tout ce monde apparut tout à coup M. Svidrigaïlov. Raskolnikov le regarda avec étonnement. Il ne comprenait pas d'où il sortait et ne se souvenait pas de l'avoir vu dans la foule.

On parla d'appeler un médecin et un prêtre; le fonctionnaire murmura bien à l'oreille de Raskolnikov que les secours de la médecine étaient désormais inutiles, mais il n'en fit pas moins le nécessaire pour les procurer à la malade. Ce fut Kapernaoumov lui-même qui courut chercher le docteur.

Cependant, Catherine Ivanovna avait repris son souffle; l'hémorragie s'était arrêtée. Elle fixait un regard souffrant mais pénétrant sur la pauvre Sonia qui, pâle et tremblante, lui épongeait le front avec un mouchoir. Puis elle demanda à être soulevée. On l'assit sur le lit, en la soutenant de chaque côté avec des oreillers.

« Les enfants, où sont-ils? interrogea-t-elle enfin d'une voix tremblante. Tu les as ramenés, Polia?

Oh! les sots... Enfin pourquoi avez-vous fui?... Oh! »

Le sang couvrait encore ses lèvres desséchées, elle promena ses yeux autour de la pièce.

« Ainsi, voilà où tu vis, Sonia! Je ne suis jamais venue chez toi et voici que l'occasion s'en présente... » Elle la regarda d'un air douloureux.

« Nous t'avons grugée jusqu'au bout, Sonia... Polia, Lena, Kolia, venez ici... Les voilà tous, Sonia, prends-les... je les remets entre tes mains... Moi, j'en ai assez, la fête est finie! Ha...! Couchez-moi, laissez-moi au moins mourir tranquillement... »

On l'étendit sur l'oreiller.

« Quoi? un prêtre?... inutile... auriez-vous un rouble de trop par hasard?... Je n'ai pas de péchés... Dieu doit me pardonner... Il sait combien j'ai souffert... Et s'il refuse, eh bien, tant pis!... »

Un délire fiévreux s'emparait d'elle; ses idées se troublaient de plus en plus; par moments elle tressaillait, promenait ses regards autour d'elle, reconnaissait tout le monde, puis le délire la reprenait. Elle avait la respiration sifflante et pénible, on entendait comme un bouillonnement dans son gosier :

« Je lui dis : « Votre Excellence! »... criait-elle en reprenant son souffle à chaque mot. « Cette Amalia Ludwigovna... Ah! Lena, Kolia, les mains aux hanches, vite, vite, glissé, glissé, pas de basque, tapez des pieds!... sois un enfant gracieux.

Du hast Diamanten und Perlen [1]...

« Comment est-ce après? Voilà ce qu'il faudrait chanter...

Du hast die schönsten Augen...
Mädchen, was willst du mehr [2]?...

« Comment, c'est faux? *Was willst du mehr?* qu'est-ce qu'il va encore inventer, l'imbécile?... Ah! oui, il y a encore ceci :

> Par les midis brûlants
> Des plaines du Daghestan...

« Ah! comme j'aimais... j'adorais cette romance, Poletchka... Tu sais, ton père la chantait quand il était fiancé... Oh! jours!... voilà ce que nous devrions chanter, mais comment est-ce déjà?... voilà que j'ai oublié... mais rappelez-moi donc!.. »

Elle semblait en proie à une agitation extraordinaire et tentait de se soulever. Enfin, d'une voix rauque, entrecoupée, sinistre, elle commença, en s'arrêtant pour respirer à chaque mot, tandis que son visage exprimait une frayeur croissante :

> Par les midis brûlants...
> Des plaines... du Daghestan...
> Une balle dans la poitrine...

Puis tout à coup elle fondit en larmes et s'écria d'une voix déchirante : « Excellence, protégez ces orphelins. En souvenir de feu Simion Zaharovitch... on peut même dire aristocratique. Ha! » fit-elle en tressaillant, puis elle revint à elle, regarda tout le monde d'un air épouvanté et parut chercher à se rappeler où elle se trouvait, mais elle reconnut Sonia aussitôt et sembla surprise de la voir auprès d'elle : « Sonia! Sonia! fit-elle d'une voix douce et tendre, Sonia, chère, toi aussi tu es ici? »

On la souleva de nouveau.

« Assez, l'heure est venue... c'est fini, malheureuse!... la bête est fourbue... Elle est crevée », cria-t-elle avec un amer désespoir, et elle se rejeta sur l'oreiller.

Elle s'assoupit encore, mais ce ne fut pas pour longtemps; son visage jaunâtre et desséché retomba en arrière, sa bouche s'ouvrit, ses jambes se tendirent convulsivement. Elle poussa un profond soupir et mourut.

Sonia se précipita sur son cadavre, l'enlaça, laissant tomber sa tête sur la poitrine décharnée de la morte, puis demeura immobile, pétrifiée. Poletchka se jeta aux pieds de sa mère et se mit à les baiser en sanglotant.

Kolia et Lena, sans comprendre ce qui arrivait, n'en pressentaient pas moins une catastrophe terrible. Ils se tenaient par l'épaule et, après s'être regardés en silence, ouvrirent tout à coup leurs bouches en même temps et se mirent à crier.

Les deux enfants avaient encore leurs costumes de saltimbanques : l'un son turban, l'autre son bonnet garni d'une plume d'autruche.

Par quel hasard le diplôme d'honneur se trouva-t-il tout à coup sur le lit, à côté de Catherine Ivanovna? Il était là, près de l'oreiller, Raskolnikov le vit.

Le jeune homme se dirigea vers la fenêtre. Lebeziatnikov courut le rejoindre.

« Elle est morte, fit ce dernier.

— Rodion Romanovitch, j'ai deux mots importants à vous dire », fit Svidrigaïlov en s'approchant d'eux. Lebeziatnikov céda aussitôt sa place et s'écarta discrètement. Svidrigaïlov, cependant, entraînait dans un coin plus éloigné encore Raskolnikov qui semblait fort intrigué.

« Toute cette histoire, c'est-à-dire l'enterrement et le reste, je m'en charge. Vous savez que j'ai de l'argent dont je n'ai pas besoin; les mioches et Poletchka, je les ferai entrer dans un bon orphelinat et je placerai une somme de quinze cents roubles sur la tête de chacun, jusqu'à leur majorité, pour que Sophie Simionovna puisse vivre tranquille. Quant à elle, je la tirerai du bourbier, car c'est une brave fille, n'est-ce pas? Voilà, vous pourrez dire à Avdotia Romanovna l'emploi que j'ai fait de son argent.

— Dans quel but êtes-vous si généreux? demanda Raskolnikov.

— Eh! sceptique que vous êtes! répondit Svidrigaïlov en riant. Je vous ai pourtant dit que je n'avais pas besoin de cet argent. Vous n'admettez pas que je puisse agir par simple humanité. Car enfin elle n'était pas une vermine (il montrait du doigt le coin où reposait la morte) comme certaine vieille usurière. Ou peut-être est-il préférable que « Loujine vive pour commettre des infamies et qu'elle, elle soit morte »? Sans mon aide, Poletchka, par exemple, prendrait le même chemin que sa sœur... »

Son ton malicieux semblait plein de sous-entendus et, tout en parlant, il ne quittait pas des yeux Raskolnikov. Ce dernier pâlit et frissonna en entendant répéter les paroles mêmes qu'il avait dites à Sonia. Il se recula vivement et regarda Svidrigaïlov d'un air étrange.

« Comment savez-vous cela? balbutia-t-il.

— Mais j'habite ici, de l'autre côté de la cloison, chez Mme Resslich. Ici, c'est le logement des Kapernaoumov et là celui de Mme Resslich, ma vieille et excellente amie. Je suis le voisin de Sophie Simionovna.

— Vous?

— Moi, continua Svidrigaïlov en riant à se tordre. Je puis vous donner ma parole d'honneur, mon très cher Rodion Romanovitch, que vous m'avez prodigieusement intéressé. Je vous l'avais bien dit que nous allions nous lier, je vous l'avais prédit; eh bien, voilà qui est fait. Vous verrez quel homme accommodant je suis. Vous verrez qu'on peut encore vivre avec moi!... »

SIXIÈME PARTIE

I

Une vie étrange commença pour Raskolnikov : c'était comme si une sorte de brouillard l'avait enveloppé et plongé dans un isolement fatal et douloureux. Quand il lui arrivait, par la suite, d'évoquer cette période de sa vie, il comprenait que sa raison avait dû vaciller bien des fois et que cet état, à peine coupé de certains intervalles de lucidité, s'était prolongé jusqu'à la catastrophe définitive. Il était positivement convaincu qu'il avait commis bien des erreurs, ne serait-ce qu'en ce qui concerne la date et la succession chronologique des événements, par exemple; du moins, lorsqu'il voulut, plus tard, rappeler et ordonner ses souvenirs, puis essayer de s'expliquer ce qui s'était passé, ce fut grâce à des témoignages étrangers qu'il apprit bien des choses sur lui-même. Ainsi, par exemple, il confondait les faits, il considérait tel incident comme la conséquence d'un autre qui n'existait que dans son imagination. Il était parfois dominé par une angoisse maladive qui dégénérait même en terreur panique. Mais il se souvenait d'avoir eu également des minutes, des heures et peut-être des jours où il restait, par contre, plongé dans une apathie qu'on ne saurait comparer qu'à l'état d'indifférence de certains moribonds. En général, pendant ces derniers temps, il semblait plutôt chercher à fermer les yeux sur sa situation, que vouloir s'en rendre compte exactement. Aussi certains faits essentiels qu'il se voyait obligé d'élucider au plus vite lui pesaient-ils particulièrement.

En revanche, avec quel bonheur il négligeait certains soucis et des questions dont l'oubli pouvait, dans sa situation, lui être fatal.

C'était surtout Svidrigaïlov qui l'inquiétait. On pourrait même dire que sa pensée s'était fixée, immobilisée sur lui. Depuis les paroles menaçantes et trop claires prononcées par cet homme, dans la chambre de Sonia, au moment de la mort de Catherine Ivanovna, les idées de Raskolnikov avaient pris une direction toute nouvelle. Pourtant, quoique ce fait imprévu l'inquiétât extrêmement, il ne se pressait pas de tirer la chose au clair. Parfois, quand il se trouvait dans quelque quartier solitaire et lointain, à table seul dans un méchant cabaret, sans pouvoir se rappeler comment il y était arrivé, le souvenir de Svidrigaïlov lui revenait tout à coup, il se disait avec une lucidité fébrile qu'il aurait dû avoir au plus tôt une explication décisive avec lui. Un jour même qu'il était allé se promener au-delà de la barrière, il se figura avoir donné rendez-vous à Svidrigaïlov. Une autre fois il se réveilla à l'aube, par terre, au milieu d'un fourré, sans comprendre comment il se trouvait là. Du reste, pendant les deux ou trois jours qui avaient suivi la mort de Catherine Ivanovna, Raskolnikov s'était rencontré plusieurs fois avec Svidrigaïlov, et presque toujours dans la chambre de Sonia, qu'il venait voir souvent, sans but et pour un instant. Ils se bornaient à échanger quelques mots brefs sans aborder le point capital, comme s'ils se fussent entendus, par un accord tacite, pour écarter momentanément ce sujet. Le corps de Catherine Ivanovna reposait encore dans la pièce. Svidrigaïlov s'occupait des funérailles et semblait fort affairé. Sonia était, de son côté, très occupée.

La dernière fois, Svidrigaïlov apprit à Raskolnikov qu'il avait réglé, et fort heureusement, la situation des enfants de la morte; il était arrivé grâce à certains personnages de sa connaissance à faire admettre les orphelins dans des asiles très convenables, et l'argent qu'il avait placé sur leur tête n'avait pas été d'un mince secours, car on recevait plus volontiers les orphelins nantis d'un certain capital que ceux qui étaient sans ressources. Il ajouta quelques mots au sujet de Sonia, promit de passer bientôt chez Raskolnikov et rappela qu'il désirait lui demander conseil au sujet de certaines affaires... Cette conversation eut lieu dans le vestibule, au pied de l'escalier; Svidrigaïlov regardait fixement Raskolnikov, puis, tout à coup, il lui demanda en baissant la voix :

« Mais qu'avez-vous, Rodion Romanovitch? On dirait que vous n'êtes pas dans votre assiette. Non, vraiment, vous écoutez et vous regardez comme un homme qui ne comprend pas. Remontez-vous. Tenez, nous devrions causer, je suis malheureusement fort occupé, tant par mes propres affaires que par celles des autres.. Eh, Rodion Romanovitch, ajouta-t-il brusquement, à tous les hommes il faut de l'air, de l'air, de l'air avant tout. »

Il se rangea vivement pour laisser monter un

prêtre et un sacristain qui venaient réciter les prières des morts. Svidrigaïlov avait tout arrangé pour que cette cérémonie se répétât régulièrement deux fois par jour. Il s'éloigna. Raskolnikov resta un moment à réfléchir, puis il suivit le prêtre chez Sonia.

Il s'arrêta sur le seuil. Le service commençait, triste, grave et solennel. L'appareil de la mort lui inspirait depuis son enfance un sentiment de terreur mystique; il y avait longtemps qu'il n'avait assisté à une messe de requiem. Celle-ci avait pour lui quelque chose de particulièrement affreux et d'émouvant. Il regardait les enfants; tous trois étaient agenouillés près du cercueil, Poletchka pleurait, derrière eux Sonia priait en cherchant à dissimuler ses larmes.

« Elle n'a pas une seule fois levé les yeux sur moi et ne m'a pas dit un mot, tous ces jours-ci », pensa-t-il. Le soleil illuminait la pièce où la fumée de l'encens montait en épaisses volutes. Le prêtre lisait : « Accorde-lui, Seigneur, le repos éternel. » Raskolnikov resta jusqu'à la fin du service.

Le pope distribuait ses bénédictions et prenait congé en promenant alentour des regards étranges.

Après l'office, le jeune homme s'approcha de Sonia. Elle lui prit aussitôt les deux mains et inclina sa tête sur son épaule. Ce geste amical causa à Raskolnikov un profond étonnement. Quoi? elle n'éprouvait pas la moindre répulsion, pas la moindre horreur? Sa main ne tremblait pas le moins du monde dans la sienne! C'était le comble de l'abnégation. C'est du moins ainsi qu'il s'expliqua ce mouvement. La jeune fille ne dit pas un mot. Raskolnikov lui serra la main et sortit.

Il se serait estimé heureux, s'il avait pu, à ce

moment, se retirer dans la solitude, même pour l'éternité; mais le malheur était que tous ces derniers temps, bien qu'il fût presque toujours seul, il n'éprouvait jamais le sentiment de l'être entièrement.

Il lui arrivait de quitter la ville, de s'en aller sur la grand-route, une fois même il s'enfonça dans un bois, mais plus le lieu était solitaire, écarté, plus sensible lui était la présence d'un être vague dont l'approche l'effrayait moins qu'elle ne l'énervait. Aussi se hâtait-il de revenir en ville, de se mêler à la foule; il entrait dans les cabarets, dans les gargotes, il s'en allait sur la place des Halles, au marché aux Puces. Il s'y sentait plus tranquille et plus seul. Dans une de ces gargotes on chantait des chansons à la tombée de la nuit. Il passa une heure à les écouter et y prit même un grand plaisir; mais vers la fin son agitation le reprit, il se sentit torturé par une sorte de remords.

« Je suis là à écouter des chansons, se disait-il, mais est-ce cela que je devrais faire? » Il comprit, du reste, que ce n'était pas là son seul sujet d'inquiétude; il y avait une question qui devait être résolue sans retard, mais qu'il n'arrivait pas à élucider et qu'aucun mot ne pouvait traduire.

Elle formait une sorte de tourbillon dans son esprit. « Non, mieux vaudrait la lutte, plutôt que de se retrouver en face de Porphyre... ou de Svidrigaïlov... Oui, plutôt recevoir un défi, avoir une attaque à repousser... Oui, oui, cela vaudrait mieux », songeait-il, et il sortit précipitamment de la gargote. La pensée de Dounia et de sa mère le jetait dans une sorte de terreur panique. Ce fut cette nuit-là qu'il s'éveilla, à l'aube, dans un fourré de l'île Krestovski : il était glacé et tremblant de fièvre lorsqu'il reprit le chemin de son logis Il y arriva de grand matin; après quelques heures de sommeil, la fièvre le quitta, mais il se faisait déjà tard quand il se leva, plus de deux heures de l'après-midi.

Il se souvint que c'était le jour fixé pour les obsèques de Catherine Ivanovna et se réjouit de n'y avoir pas assisté. Nastassia lui apporta son repas; il mangea et but avec grand appétit, presque gloutonnement. Il se sentait la tête rafraîchie et goûtait un calme qu'il n'avait pas connu depuis trois jours. Il s'étonna même des accès de terreur panique auxquels il avait été sujet. La porte s'ouvrit et Rasoumikhine entra.

« Ah! il mange, c'est donc qu'il n'est pas malade! » fit-il. Il prit une chaise et s'assit en face de son ami. Il semblait fort agité et n'essayait pas de le cacher. Il parlait avec une colère visible, mais sans se presser et sans élever la voix, comme animé d'une intention mystérieuse. « Ecoute, fit-il d'un air décidé, le diable vous emporte tous et je me moque de vous, car je vois, oh! je vois clairement que je ne comprends rien à vos manigances. Ne va pas croire que je viens te faire subir un interrogatoire. Je m'en fiche. Je ne me soucie pas de te tirer les vers du nez. Tu viendrais maintenant me raconter tous vos secrets que je ne voudrais peut-être pas les entendre : je cracherais et je m'en irais. Je ne suis venu que pour m'assurer par moi-même et définitivement, d'abord, s'il est vrai que tu sois fou. Car je dois te dire qu'il y a des gens qui te soupçonnent de l'être. Je t'avouerai que j'étais très disposé à partager cette opinion, étant donné ta manière d'agir stupide, assez vilaine et parfaitement inexplicable, et ensuite ta conduite récente à l'égard de ta mère et de ta sœur. Quel homme, à moins d'être un monstre, une canaille ou alors un fou, se serait comporté avec elles comme tu l'as fait? Donc tu es fou...

— Quand les as-tu vues?

— Tout à l'heure. Et toi, depuis quand ne les vois-tu plus? Dis-moi, je te prie, où tu traînes toute la journée. J'ai passé trois fois chez toi sans te trouver. Ta mère est gravement malade depuis hier. Elle a voulu te voir et Avdotia Romanovna a tout fait pour la retenir, mais elle ne voulait rien entendre. »

« — S'il est malade, disait-elle, s'il perd la raison, « qui viendra à son secours, si ce n'est sa mère? » Nous sommes donc tous venus ici, car nous ne pouvions pas la laisser seule, n'est-ce pas? et durant le trajet nous ne faisions que la supplier de se calmer.

« Lorsque nous sommes arrivés, tu étais absent; tiens, voilà la place où elle s'est assise. Elle y est restée dix minutes, nous debout auprès d'elle en silence. Enfin, elle s'est levée et a dit : « S'il sort, « c'est qu'il n'est pas malade. Il m'a donc oubliée; « ce serait inconvenant pour une mère d'aller se « poster sur le seuil de son fils pour mendier ses « caresses. » Elle est rentrée et a dû s'aliter; maintenant elle a une forte fièvre. « Je vois bien, dit-elle, « qu'il trouve du temps pour *son amie.* » Elle suppose que cette amie, c'est Sophie Simionovna, ta fiancée ou ta maîtresse, je ne sais pas au juste. Aussi, mon ami, suis-je allé aussitôt chez cette jeune fille, car il me tardait d'être fixé là-dessus.

« J'entre et que vois-je?... un cercueil, des enfants qui pleurent et Sophie Simionovna en train de leur essayer des vêtements de deuil. Tu n'étais pas là. Après t'avoir cherché des yeux, je fis mes excuses, sortis et allai raconter à Avdotia Romanovna les résultats de ma démarche. C'est donc que toutes ces suppositions étaient absurdes; puisqu'il ne s'agit pas d'une amourette, l'hypothèse la plus plausible qu'on puisse faire est celle de la folie! Mais maintenant je te vois en train de dévorer ton bœuf avec autant d'avidité que si tu n'avais pas mangé depuis trois jours. Il est vrai qu'être fou n'empêche pas de manger et que, d'autre part, tu n'as pas voulu me dire un mot... mais... je suis sûr que tu n'es pas fou... Je suis prêt à le jurer... c'est pour moi un fait indiscutable. Ainsi, le diable vous emporte tous, car il y a là un mystère, un secret, et je ne suis pas disposé à me casser la tête sur vos énigmes. Je ne suis entré que pour te faire une scène, conclut-il en se levant, et me soulager, mais maintenant je sais ce qui me reste à faire.

— Que penses-tu donc faire?

— Que t'importe?

— Prends garde, tu vas te mettre à boire.

— Comment... comment as-tu deviné cela?

— Comme si c'était difficile! »

Rasoumikhine resta un moment silencieux.

« Tu as toujours été fort intelligent, et jamais, jamais fou, s'écria-t-il avec feu. Oui, tu as dit vrai. Je vais me mettre à boire. Adieu! et il fit un pas vers la porte.

— J'ai parlé de toi avec ma sœur, Rasoumikhine, avant-hier, je crois.

— De moi? Mais où as-tu pu la voir avant-hier? » fit l'autre en s'arrêtant. Il avait un peu pâli, on pouvait deviner, à le voir, que son cœur s'était mis à battre avec force.

« Elle est venue ici, elle s'est assise à cette place et a causé avec moi.

— Elle?

— Oui, elle.

— Mais que lui as-tu dit... je veux le savoir, que lui as-tu dit de moi?

— Je lui ai dit que tu es un excellent homme, fort honnête et laborieux. Quant à ton amour, je n'ai pas eu à lui en parler, car elle sait que tu l'aimes.

— Elle le sait?

— Tiens, parbleu! Où que je m'en aille et quoi qu'il arrive, tu dois rester leur Providence. Je les remets, pour ainsi dire, entre tes mains, Rasoumikhine. Je te dis cela parce que je sais que tu l'aimes et je suis convaincu de la pureté de ton cœur. Je sais également qu'elle aussi peut t'aimer et peut-être t'aime-t-elle déjà? Maintenant c'est à toi de décider si tu dois te mettre à boire.

— Rodka... vois-tu... Eh bien... Ah! diable! Mais toi, où veux-tu aller? Vois-tu, si c'est un secret, eh bien, n'en parlons plus, mais je le découvrirai. Et je suis convaincu que ce sont des niaiseries inventées par ton imagination. Tu es du reste un excellent homme. Un excellent homme...

— Je voulais ajouter, mais tu m'as interrompu, que tu avais parfaitement raison en déclarant tout à l'heure que tu renonçais à connaître mes secrets. Laisse cela, ne t'en inquiète pas. Les choses se découvriront en leur temps, tu apprendras tout, le moment venu. Hier, quelqu'un m'a dit que les hommes ont besoin d'air, comprends-tu, d'air. Je veux aller lui demander tout de suite ce qu'il entend par là. »

Rasoumikhine réfléchissait fiévreusement; tout à coup, une idée lui vint.

« C'est un conspirateur politique sûrement. Et il se trouve à la veille d'un acte décisif, cela est sûr. Il ne peut en être autrement et... et Dounia le sait... », pensa-t-il.

« Ainsi Avdotia Romanovna vient te voir? reprit-il en scandant chaque mot, et toi tu vas vraiment chez un homme qui prétend qu'il faut de l'air, qu'il en faut davantage et... et par conséquent cette lettre... doit être rapportée à tout cela... conclut-il en aparté.

— Quelle lettre?

— Elle a reçu une lettre aujourd'hui et en a paru bouleversée. Je dirai même qu'elle en a été trop émue. J'ai voulu lui parler de toi... et elle m'a prié de me taire. Ensuite... ensuite elle m'a dit que nous allions peut-être nous séparer bientôt. Elle s'est mise à me remercier chaleureusement pour je ne sais quoi, puis elle est partie dans sa chambre et s'y est enfermée.

— Elle a reçu une lettre, dis-tu? demanda Raskolnikov, qui semblait pensif.

— Oui, une lettre, tu l'ignorais? Hum! »

Tous deux se turent.

« Adieu, Rodion! Je te dirai, mon vieux... qu'un moment... non, adieu, il y eut un moment, vois-tu... allons, adieu. Je dois m'en aller. Pour ce qui est de boire, je ne le ferai pas. Ce n'est plus nécessaire... tu te trompes! »

Il paraissait pressé, mais à peine était-il sorti, qu'il rouvrit la porte et dit en évitant de regarder son ami.

« A propos, te souviens-tu de cet assassinat, l'affaire que Porphyre était chargé d'instruire? Le meurtre de la vieille, tu sais? Eh bien, l'assassin a été découvert, il a fait des aveux et fourni toutes les preuves. C'est, figure-toi, un de ces ouvriers peintres que je défendais si chaudement, si tu te rappelles. Croirais-tu que toute cette scène de disputes et de rires qui se passait au moment où le concierge montait avec deux témoins, n'était qu'un truc destiné à détourner les soupçons? Quelle ruse, quelle présence d'esprit chez ce blanc-bec! Vrai, on a peine à le croire, mais il a tout expliqué et fait les aveux les plus complets. Et moi ce que j'ai pu me tromper! Mais quoi! A mon avis, cet homme est un génie, le génie de la dissimulation et de la ruse, de l'alibi juridique, pour ainsi dire et dans ce cas, il ne faut s'étonner de rien. Car enfin, des gens pareils peuvent exister. Qu'il n'ait pu soutenir son rôle jusqu'au bout et ait fini par avouer, cela ne fait que mieux prouver la vérité de ses explications. La chose en paraît vraisemblable!... Mais moi, moi, comment ai-je pu me tromper ainsi? J'étais prêt à me battre en faveur de ces hommes-là!

— Dis-moi, je te prie, où as-tu appris tout cela et pourquoi cette affaire t'intéresse-t-elle tant? demanda Raskolnikov avec une agitation manifeste.

— En voilà une question! Pourquoi elle m'intéresse? demande-t-il. Quant à la source de mes informations, c'est Porphyre entre autres, dis plutôt que c'est lui seul qui m'a presque tout dit.

— Porphyre?

— Oui.

— Eh bien... que t'a-t-il dit? demanda Raskolnikov inquiet.

— Il m'a tout expliqué à merveille, en procédant selon sa méthode psychologique.

— Il t'a expliqué cela? tu dis que lui-même te l'a expliqué?

— Oui, lui-même. Adieu. J'ai encore quelque chose à te raconter, mais ce sera pour plus tard, je suis pressé. A un moment donné j'ai cru... mais quoi, allons, je te dirai cela plus tard... Qu'ai-je besoin de boire maintenant? tes paroles ont suffi à m'enivrer. Car je suis ivre, Rodka! Ivre sans avoir bu; allons, adieu, je reviendrai bientôt. »

Il sortit.

« C'est un conspirateur politique, j'en suis sûr, tout à fait sûr, conclut définitivement Rasoumikhine tandis qu'il descendait lentement l'escalier. Et il a entraîné sa sœur dans son entreprise. Cette hypothèse est fort plausible, étant donné le caractère d'Avdotia Romanovna. Ils ont des rendez-vous... Elle me l'a déjà laissé entrevoir. Certaines de ses paroles... des allusions me le prouvent. D'ailleurs comment expliquer autrement tout cet imbroglio? Hum!... Et moi qui pensais... Oh! Seigneur, qu'ai-je pu penser! Oui, c'était une aberration et je suis coupable envers lui. C'est lui-même qui l'autre jour, dans le corridor, devant la lampe, m'a conduit à cet égarement. Pouah! Quelle honteuse, vilaine et grossière pensée j'ai pu concevoir. Mikolka a joliment bien fait d'avouer... Et comme tout le passé s'explique à présent, cette maladie de Rodion, sa conduite étrange! Même autrefois, autrefois encore à l'Université, comme il était sombre et farouche! Mais que signifie cette lettre? Il y a peut-être encore quelque chose. D'où vient-elle? Je soupçonne... hum. Non, j'aurai le fin mot de tout cela. »

Soudain, il se rappela ce que Rodion lui avait dit de Dounetchka, et il crut que son cœur allait s'arrêter de battre. Il fit un effort et se mit à courir.

A peine Rasoumikhine était-il sorti que Raskolnikov se leva. Il s'approcha de la fenêtre, puis il fit quelques pas et vint se heurter à un coin, puis à un autre, comme s'il avait oublié l'exiguïté de sa cellule. Enfin, il se laissa retomber sur son divan. Une rénovation de tout son être semblait s'être opérée en lui; c'était la lutte de nouveau, une issue possible!

Oui, cela signifiait qu'il pouvait y avoir une issue! Un moyen d'échapper à la situation terrible qui l'étouffait et le plongeait dans une sorte d'hébétement depuis l'aveu de Mikolka chez Porphyre; ensuite s'était passée cette scène avec Sonia, dont les péripéties et le dénouement avaient trompé ses prévisions et ses intentions... C'était donc qu'il avait faibli momentanément. Il avait reconnu avec la jeune fille, et reconnu sincèrement, qu'il ne pouvait continuer à porter seul un pareil fardeau! Et Svidrigaïlov? Svidrigaïlov était une énigme qui l'inquiétait, il est vrai, mais d'une autre façon. Il y aurait à lutter avec lui et on trouverait peut-être moyen de s'en débarrasser; mais Porphyre, c'était une tout autre affaire.

Ainsi le juge d'instruction avait démontré lui-même à Rasoumikhine la culpabilité de Mikolka en procédant par la *méthode psychologique*. « Le voilà qui recommence à fourrer partout cette maudite psychologie, se dit Raskolnikov. Porphyre, lui, n'a pas pu un instant croire Mikolka coupable, après la scène qui venait de se passer entre nous et qui n'admet qu'*une* explication. » (Raskolnikov avait à plusieurs reprises évoqué des bribes de cette scène, mais jamais la scène en entier, il n'en aurait pas supporté le souvenir.) Ils avaient échangé, alors, des mots et des regards, prononcé des paroles, qui prouvaient une conviction que Mikolka n'aurait pu ébranler, d'autant plus que Porphyre l'avait déchiffrée à première vue. Mais quelle situation! Rasoumikhine lui-même commençait à avoir des soupçons. L'incident du corridor n'avait donc pas passé sans laisser de traces. « Alors il s'est précipité chez Porphyre... Mais pourquoi celui-ci a-t-il voulu le tromper? Pourquoi veut-il détourner ses soupçons vers Mikolka? Non, non, il n'a pas pu faire cela sans motif, il nourrit des intentions, mais lesquelles? Depuis lors, il est vrai, il s'est écoulé beaucoup de temps, trop de temps... et pas de nouvelles de Porphyre. C'est peut-être mauvais signe. »

Il prit sa casquette et sortit tout songeur. Il se sentait, ce jour-là, pour la première fois depuis longtemps, en parfait état d'équilibre. « Il faut en finir avec Svidrigaïlov, coûte que coûte, se disait-il, et le plus tôt possible, celui-là doit attendre aussi que je vienne le voir. » Et à cet instant, dans son cœur épuisé surgit une telle haine, qu'il n'aurait sans doute pas hésité à tuer celui de ses ennemis, Svidrigaïlov ou Porphyre, qu'il aurait tenu à sa merci. Tout au moins éprouva-t-il l'impression qu'il était capable de le faire un jour, si ce n'était à présent.

« On verra, on verra bien », répétait-il tout bas; mais à peine venait-il d'ouvrir la porte qu'il se rencontra nez à nez dans le vestibule avec Porphyre. Le juge d'instruction venait le voir. Raskolnikov fut frappé de stupeur au premier moment, mais il se reprit rapidement; si étrange que cela pût paraître, cette visite l'étonnait peu et ne l'effrayait presque point.

Il tressaillit seulement et se mit aussitôt sur ses gardes. « C'est peut-être le dénouement, se dit-il, mais comment a-t-il pu s'approcher ainsi à pas de loup, si bien que je n'ai rien entendu; n'est-il pas venu m'épier? »

« Vous n'attendiez pas ma visite, Rodion Romanovitch? fit gaiement Porphyre Petrovitch. Je me proposais depuis longtemps de venir vous voir; aussi, en passant devant votre maison tout à l'heure, j'ai pensé : « Pourquoi n'entrerais-je pas lui faire une petite visite? » Vous étiez sur le point de sortir? Je ne vous retiendrai pas, je ne resterai que le temps d'une cigarette, si vous le permettez.

— Oui, asseyez-vous, Porphyre Petrovitch, asseyez-vous », dit Raskolnikov en offrant un siège au visiteur, d'un air si aimable et si satisfait que lui-même en eût été surpris s'il avait pu se voir à cet instant. Toute trace de sa frayeur passée avait disparu. C'est ainsi, par exemple, qu'un homme aux prises avec un brigand passe une demi-heure d'angoisse mortelle, pour retrouver son sang-froid quand il sent la pointe du couteau sur sa gorge. Il s'était assis carrément devant Porphyre et le regardait en face. Le juge d'instruction cligna de l'œil et alluma une cigarette.

« Allons, parle! lui criait mentalement Raskolnikov. Pourquoi ne parles-tu pas? »

II

« Ah! ces cigarettes! fit enfin Porphyre Petrovitch; c'est un poison, un vrai poison, mais je ne puis y renoncer. Je tousse, ma gorge commence à s'irriter, j'ai de l'asthme. Comme je suis légèrement peureux, je suis allé voir le docteur B... Il examine chaque malade une demi-heure au minimum. Eh bien, il s'est mis à rire en me regardant. Il m'a soigneusement palpé et ausculté : « Le tabac ne vous « vaut rien, m'a-t-il dit entre autres. Vous avez les « poumons dilatés. » Oui, mais comment abandonner le tabac? Par quoi le remplacer? Je ne bois pas, voilà le malheur, hé! hé! hé! Tout le malheur vient de ce que je ne bois pas. Car tout est relatif, Rodion Romanovitch, tout est relatif. »

« Le voilà de nouveau dans son radotage », pensa Raskolnikov avec dégoût. Son entretien récent avec le juge d'instruction lui revint à l'esprit et, avec ce souvenir, tous ses anciens sentiments affluèrent à son cœur.

« Je suis déjà passé chez vous avant-hier soir, ne le saviez-vous pas? continua Porphyre Petrovitch, en examinant la pièce, et je suis entré ici. J'étais dans la rue, l'idée m'est venue, comme aujourd'hui, de vous rendre votre visite. La porte était grande ouverte. J'ai attendu un moment et je suis parti sans même voir la servante pour lui dire mon nom. Vous ne fermez jamais votre porte? »

Le visage de Raskolnikov s'assombrissait de plus en plus. Porphyre parut deviner les pensées qui l'agitaient.

« Je suis venu m'expliquer, mon cher Rodion Romanovitch. Je vous dois une explication », fit-il avec un sourire en lui frappant légèrement sur le genou. Mais son visage prit aussitôt une expression sérieuse et préoccupée, une ombre de tristesse y glissa même, au grand étonnement du jeune homme. Il ne lui avait jamais vu pareille expression et ne l'en soupçonnait pas capable. « Il s'est passé une scène étrange entre nous, Rodion Romanovitch, la dernière fois que nous nous sommes vus, mais alors... Enfin, voici ce dont il s'agit. J'ai des torts à votre égard, je le sens bien. Vous vous souvenez comment nous nous sommes séparés; il est vrai que nous sommes tous les deux fort nerveux, mais nous n'avons pas agi en hommes bien élevés, et cependant nous sommes des gentlemen, et même nous le sommes avant tout, je puis dire. Il ne faut pas l'oublier. Vous souvenez-vous jusqu'où nous avions été? Nous avions dépassé les bornes. »

« Où veut-il en venir? » se demandait Raskolnikov, tout stupéfait, en levant la tête et en dévorant Porphyre des yeux.

« J'ai pensé que nous ferions mieux d'être francs », continua Porphyre Petrovitch en détournant légèrement la tête et en baissant les yeux, comme s'il craignait de troubler son ancienne victime et voulait marquer son dédain des procédés et des pièges dont il s'était servi. « Oui, de tels soupçons et des scènes pareilles ne doivent pas se renouveler. Sans Mikolka qui est venu y mettre fin, je ne sais comment les choses auraient tourné. Ce maudit bonhomme était resté caché derrière la cloison, figurez-vous. Vous l'avez déjà appris, n'est-ce pas? Je sais d'ailleurs qu'il est venu chez vous aussitôt après cette scène. Mais vous vous étiez cependant trompé dans vos suppositions. Je n'ai envoyé, ce jour-là, chercher personne et je n'avais pris aucune disposition. Vous demanderez pour quelle raison je ne l'avais pas fait? Comment vous dire? J'étais pour ainsi dire trop stupéfait. C'est à peine si j'ai songé à convoquer les concierges (vous les avez bien remarqués, en passant). Une pensée m'était venue, rapide comme l'éclair. J'étais, voyez-vous, Rodion Romanovitch, trop sûr de moi et je me disais que si je m'accrochais à un fait, dussé-je abandonner le reste, je n'arriverais pas moins à mon résultat.

« Vous êtes naturellement fort irascible, Rodion Romanovitch, vous l'êtes même un peu trop; c'est un trait dominant chez vous, une des particularités de votre nature, que je me flatte de connaître, en partie tout au moins. Eh bien, j'ai réfléchi qu'il ne vous arrive pas tous les jours d'entendre un homme vous lancer à brûle-pourpoint la vérité à la figure; sans doute, cela peut arriver, surtout à un homme hors de lui, mais c'est un fait rare. C'est pourtant ainsi que j'ai raisonné : « Si je pou-
« vais, me disais-je, lui arracher le fait le plus
« minime, le plus petit aveu, le plus mince, mais
« une preuve cependant palpable, tangible, autre
« chose enfin que tous ces faits psychologiques!... »
Car je pensais que, si un homme est coupable,

on arrive toujours à lui arracher une preuve réelle. J'étais même en droit d'escompter le résultat le plus surprenant. Je tablais sur votre caractère. Rodion Romanovitch, surtout sur votre caractère. Je vous avouerai que je comptais beaucoup sur vous-même.

— Mais pourquoi me racontez-vous tout cela maintenant? » marmotta Raskolnikov, sans trop se rendre compte de la portée de sa question. « Que veut-il dire? Me croirait-il innocent, par hasard? » se demandait-il.

« Pourquoi je vous parle ainsi? Eh bien, je suis venu m'expliquer, car je considérais que c'était pour moi un devoir sacré. Je veux vous exposer dans ses moindres détails l'histoire de mon aberration. Je vous ai soumis à une cruelle torture, Rodion Romanovitch, mais je ne suis pas un monstre. Car enfin, je comprends ce que doit éprouver un homme malheureux, fier, impérieux et peu endurant, surtout peu endurant, en se voyant infliger cette épreuve. Je dois dire que je vous considère comme un homme plein de noblesse et même, jusqu'à un certain point, un homme magnanime, quoique je ne puisse partager toutes vos convictions. Je juge de mon devoir de vous le déclarer tout de suite, car je ne voudrais point vous tromper.

« Ayant appris à vous connaître, j'ai commencé à éprouver un véritable attachement pour vous. Ces paroles vous feront peut-être rire. Riez, vous en avez le droit. Je sais que vous, en revanche, vous avez été pris d'antipathie pour moi à première vue; je n'ai d'ailleurs rien qui puisse inspirer la sympathie, mais vous pouvez penser ce que vous voulez; moi je vous dis que je désire de toutes mes forces effacer l'impression que je vous ai produite, réparer mes torts et vous prouver que je suis un homme de cœur. Je vous assure que je suis sincère... »

Porphyre Petrovitch s'arrêta à ces mots, d'un air plein de dignité et Raskolnikov se sentit gagné par une épouvante toute nouvelle. La pensée que le juge le croyait innocent l'effrayait.

« Il n'est pas nécessaire de remonter à la source des événements, reprit Porphyre Petrovitch, je pense que ce serait une recherche vaine et même impossible. Au début ont circulé des bruits sur la nature et l'origine desquels je crois superflu de m'étendre; inutile aussi de vous apprendre comment votre personnalité s'y est trouvée mêlée. Quant à moi, ce qui m'a donné l'éveil, c'est une circonstance tout à fait fortuite, dont je ne vous parlerai pas davantage. Tous ces bruits et ces circonstances accidentelles ont fait naître en moi certaine pensée. Je vous avouerai franchement, car, si on veut être sincère, il faut l'être jusqu'au bout, que c'est moi, à vrai dire, qui vous ai le premier mis en cause. Toutes ces annotations faites par la vieille sur les objets et mille autres choses du même genre ne signifient rien; on pourrait compter une centaine d'indices tout aussi importants. J'ai eu également l'occasion de connaître dans ses moindres détails l'incident survenu au commissariat, et cela par le plus simple hasard. Cette scène m'a été contée, avec précision, par la personne qui y avait joué le rôle principal et l'avait, à son insu, menée supérieurement.

« Tous ces faits s'ajoutent les uns aux autres, mon cher Rodion Romanovitch. Comment, dans ces conditions, ne pas se tourner d'un certain côté? « Cent lapins n'ont jamais fait un cheval, pas plus

« que cent présomptions ne font une preuve », comme dit le proverbe anglais, mais c'est la raison qui parle; or, les passions sont tout autre chose : essayez de lutter avec les passions! Après tout, un juge d'instruction n'est qu'un homme et, par conséquent, accessible aux passions. Là-dessus, je me souviens de votre article paru dans une revue, vous rappelez-vous? Nous en avons parlé à votre première visite. Je vous raillais alors à ce sujet, mais c'était pour essayer de vous faire parler, car, je le répète, vous êtes peu endurant et vous avez les nerfs fort malades, Rodion Romanovitch. Quant à votre hardiesse, votre fierté, au sérieux de votre esprit et à vos souffrances... il y a longtemps que je les avais devinés!... Tous ces sentiments me sont familiers et votre article m'a paru exposer des idées bien connues. Il a été écrit, le cœur battant, d'une main fiévreuse et pendant une nuit d'insomnie, cet article, dicté par un cœur plein de passion contenue. Or, cette passion, cet enthousiasme contenus de la jeunesse sont dangereux. Je me suis alors moqué de vous, mais maintenant je vous dirai que j'ai goûté infiniment, en amateur, cette jeune ardeur d'une plume qui s'essaie. Ce n'est que fumée, brouillard, une corde qui vibre dans la brume. Votre article est absurde et fantastique, mais il respire une telle sincérité! Il est plein de jeune et incorruptible fierté, de la hardiesse du désespoir... Il est sombre, votre article, et cela est bien. Je l'ai lu alors, puis je l'ai rangé soigneusement et... en le rangeant, j'ai songé : « Allons, cet homme ne « s'arrêtera pas là! » Eh bien, dites-moi vous-même, comment ne pas me laisser influencer, après cet antécédent, par ce qui en fut la suite? Ah! Seigneur! mais est-ce que je dis quelque chose? Puis-je me risquer à affirmer quoi que ce soit à présent? Je me suis borné alors à en faire la remarque. « Que se « passe-t-il? » ai-je pensé. « Toute cette histoire n'est « peut-être rien du tout, une pure invention de « mon imagination. Il n'est pas convenable pour « un juge d'instruction de se passionner ainsi. » Je ne dois savoir qu'une chose : c'est que je tiens Mikolka. Vous aurez beau dire, les faits sont les faits et lui aussi me tient avec sa psychologie personnelle. Il faut bien m'occuper de ce cas. C'est une question de vie ou de mort après tout. Vous me demanderez pourquoi je vous explique tout cela? Mais pour que vous puissiez juger en connaissance de cause et en votre âme et conscience, pour que vous ne me fassiez plus un crime de ma conduite, si cruelle en apparence, de l'autre jour. Non, cruelle elle ne le fut pas, je vous le dis, hé! hé! hé! Vous vous demandez pourquoi je ne suis pas venu perquisitionner chez vous? Mais j'y suis venu; hé! hé! J'y suis venu quand vous étiez couché, malade, dans votre lit. Pas en qualité de magistrat et de façon officielle, mais j'y suis venu. Votre logement a été fouillé de fond en comble, dès les premiers soupçons. Mais *umsonst*[1]! Je pensais : « Maintenant cet homme va venir chez moi; il « viendra de lui-même me trouver, et d'ici fort peu « de temps; s'il est coupable il doit venir. Un autre « ne le ferait pas, mais lui viendra. » Et vous rappelez-vous les bavardages de M. Rasoumikhine? Nous nous étions arrangés pour les provoquer et vous faire peur, et c'est exprès que nous lui avons fait part de nos conjectures, dans l'espoir qu'il vous en dirait quelque chose, car M. Rasoumikhine n'est pas homme à contenir son indignation. M. Zamiotov a été frappé par votre colère et votre hardiesse. Pensez donc : aller crier en plein cabaret : « J'ai tué! » C'était vraiment trop osé, trop risqué, et je me suis dit : « Si cet homme est coupable, « c'est un terrible lutteur. » Voilà ce que je pensais. Et j'ai attendu... je vous ai attendu de toutes mes forces. Quant à Zamiotov, vous l'aviez tout simplement écrasé et... tout le malheur est que cette maudite psychologie est à deux fins. Bon, donc je vous attends et voilà que Dieu vous envoie. Ce que mon cœur a battu quand je vous ai vu apparaître! Eh! mais qu'aviez-vous donc besoin de venir alors? Et votre rire! Vous êtes entré, si vous vous en souvenez, en riant aux éclats, et moi, à travers ce rire, j'ai déchiffré ce qui se passait en vous, comme on voit tout à travers une vitre transparente. Je n'y aurais cependant prêté aucune attention si je n'avais eu l'esprit prévenu. Et M. Rasoumikhine alors... et encore la pierre, la pierre, vous vous rappelez, sous laquelle les objets ont été enfouis... Je crois la voir d'ici, quelque part, dans un jardin potager... c'est bien d'un jardin potager que vous avez parlé à Zamiotov? Ensuite, quand la conversation s'est engagée sur votre article, nous croyions saisir un sous-entendu derrière chacune de vos paroles... Eh bien, voilà, Rodion Romanovitch, comment ma conviction s'est formée peu à peu; mais quand j'ai été sûr de mon fait, je suis revenu à moi : « Que « me prend-il? », car enfin on pourrait tout expliquer différemment, et cela paraîtrait peut-être plus naturel, j'en conviens. Un vrai supplice! mieux vaudrait la moindre preuve! Mais, en apprenant l'histoire du cordon de sonnette, j'ai tressailli tout entier. « Allons, ça y est, me suis-je dit, la voilà la preuve », et je ne voulais plus réfléchir à rien. A ce moment, j'aurais donné mille roubles de ma poche pour vous voir de *mes propres yeux* faire cent pas aux côtés d'un homme qui vous avait traité d'assassin, sans oser lui répliquer un mot...

« Et ces frissons qui vous prenaient! Et ce cordon de sonnette dont vous parliez dans votre délire! Pourquoi vous étonner, après cela, Rodion Romanovitch, de la façon dont j'en ai usé alors avec vous? Et pourquoi êtes-vous venu chez moi juste à ce moment-là? Un diable semblait vous pousser et, en vérité, si Mikolka ne nous avait pas séparés... vous vous souvenez de l'arrivée de Mikolka? Ça a été comme un coup de foudre! Mais quel accueil lui ai-je fait? Je n'ai pas prêté la moindre attention à ce coup de tonnerre, c'est-à-dire pas ajouté foi le moins du monde à ses paroles. Que dis-je? Plus tard, après votre départ et ses réponses fort raisonnables (il faut vous dire qu'il m'a répondu de façon si intelligente sur certains points que j'en ai été étonné), eh bien, je n'en suis pas moins resté inébranlable comme un roc dans mes convictions. « Non, pensais-je, racontez-nous des histoires. Il « s'agit bien de Mikolka! »

— Rasoumikhine vient de me dire qu'à présent vous êtes convaincu de sa culpabilité; vous-même lui auriez assuré que... »

Il ne put achever, le souffle lui manquait. Il écoutait dans un trouble indescriptible cet homme qui l'avait percé à jour renier son propre jugement. Il n'en croyait pas ses oreilles et cherchait avidement le sens précis et définitif caché derrière ces phrases ambiguës.

« Monsieur Rasoumikhine? s'écria Porphyre Petrovitch, qui semblait bien aise d'entendre enfin une observation sortir de la bouche de Raskolnikov, hé! hé! hé! Mais il fallait bien se débarrasser de lui, qui n'avait rien à voir dans cette affaire. Il était accouru chez moi tout pâle... Enfin, ne nous occupons pas de lui, voulez-vous? Quant à Mikolka, désirez-vous savoir ce qu'il est ou, du moins, quelle idée je me fais de lui? Tout d'abord, ce n'est qu'un enfant; il n'a pas atteint sa majorité et je ne dirai pas qu'il soit précisément poltron, mais il est impressionnable comme un artiste. Non, ne riez pas de me voir le caractériser ainsi. Il est naïf et extrêmement sensible. Il a bon cœur, une nature fantasque. Il chante, danse et conte si bien qu'on vient l'entendre des villages voisins, paraît-il. Il aime s'instruire, tout en étant capable de rire comme un fou pour des niaiseries. Avec ça, il peut boire jusqu'à perdre la raison, non qu'il soit un ivrogne, mais parce qu'il se laisse entraîner, toujours comme un enfant. Il ne comprend pas qu'il a commis un vol en s'appropriant l'écrin qu'il avait ramassé. « Puisque je l'ai trouvé par « terre, dit-il, j'avais bien le droit de le garder. » Et savez-vous qu'il appartient à une secte schismatique, ou plutôt, pas précisément schismatique... mais c'est un fanatique. Il vient de passer deux ans auprès d'un ermite. Au dire des gens de Zaraïsk [1], ses camarades, il manifestait une dévotion exaltée et voulait se faire ermite également. Il passait ses nuits à prier Dieu et à lire des livres saints, « les vrais [2] », les anciens. Pétersbourg a exercé une grande influence sur lui.. les femmes, le vin... vous comprenez? Il est si impressionnable... et cela lui a fait oublier la religion. J'ai appris qu'un artiste s'était intéressé à lui et lui donnait des leçons. Sur ces entrefaites arrive cette malheureuse affaire. Le pauvre garçon a perdu la tête et s'est passé la corde au cou; il a essayé de fuir...

que voulez-vous quand notre peuple se fait une si drôle d'idée de notre justice? Il y a des gens auxquels le mot de jugement suffit à faire peur. A qui la faute? Nous verrons ce que les nouveaux tribunaux vont faire! Ah! fasse le Ciel que tout aille bien!

« Bon, mais une fois en prison, Mikolka est revenu à son ancien mysticisme; il s'est souvenu de l'ermite et a rouvert sa Bible. Savez-vous, Rodion Romanovitch, ce que l'expiation est pour certains de ces gens-là? Ils ne pensent pas expier pour quelqu'un, non, mais ils ont simplement soif de souffrir et si cette souffrance leur est imposée par les autorités, ce n'en est que mieux. J'ai connu, en mon temps, un prisonnier, le plus docile qui soit. Il a passé toute une année en prison à lire la Bible pendant la nuit, tant et si bien qu'il a fini par arracher de son poêle une brique et par la lancer, sans rime ni raison, sur son gardien, mais en prenant toutefois ses précautions pour ne lui faire aucun mal. Vous connaissez le sort réservé à un prisonnier coupable d'avoir attaqué son gardien à main armée? C'est donc qu'il avait pris sur soi d' « expier ».

« Je soupçonne maintenant Mikolka de vouloir « expier » lui aussi. Ma conviction est établie sur des faits, mais lui ignore que j'ai percé à jour ses motifs. Quoi, vous n'admettez pas l'idée qu'un pareil peuple puisse donner naissance à des gens fantastiques? Mais on en voit à tout bout de champ. L'influence de l'ermite est redevenue toute-puissante sur lui, surtout après l'histoire du nœud coulant. Vous verrez d'ailleurs que lui-même viendra se confesser à moi. Vous le croyez capable de soutenir son rôle jusqu'au bout? Non, il s'ouvrira à moi, attendez un peu; il viendra rétracter ses aveux. Je me suis attaché à ce Mikolka et je l'ai étudié à fond. Eh bien, je vous dirai, hé! hé! que s'il a réussi à donner, sur certains points, un caractère de vraisemblance à ses déclarations (il a dû se préparer), il se trouve sur d'autres en contradiction complète avec les faits sans s'en douter le moins du monde. Non, mon cher Rodion Romanovitch, ce n'est pas Mikolka le coupable! Nous sommes en présence d'une affaire sombre et fantastique; ce crime porte la marque de notre temps, le cachet d'une époque où le cœur humain s'est troublé, où l'on affirme, en citant des auteurs, que le sang « purifie », où ne compte que la recherche du confort. Il s'agit du rêve d'un cerveau ivre de chimères, empoisonné par des théories. Le coupable a déployé pour son coup d'essai une grande hardiesse, mais cette audace est d'un caractère particulier; il a pris sa décision, mais comme on se jette du haut d'un clocher, comme on roule du sommet d'une montagne. Ce n'est pour ainsi dire pas sur ses propres jambes qu'il est venu tuer. Il a oublié de fermer la porte derrière lui, mais il a tué, tué deux personnes, pour obéir à une théorie. Il a tué, mais n'a pas su s'emparer de l'argent et ce qu'il a pu emporter, il est allé l'enfouir sous une pierre. Il ne lui a pas suffi des angoisses endurées dans l'antichambre, pendant qu'il entendait les coups frappés à la porte; non, il lui a fallu, cédant dans son délire encore à un besoin irrésistible de retrouver le même frisson, tirer le même cordon de sonnette. Enfin, mettons cela sur le compte de la maladie, mais voici encore un point à noter : il a assassiné, mais il se considère comme un honnête homme et méprise tout le monde. Il a des allures d'ange malheureux... Non, il ne s'agit pas de Mikolka, mon cher Rodion Romanovitch Ce n'est pas lui le coupable! »

Ces derniers mots étaient d'autant plus inattendus qu'ils tombaient après l'espèce d'amende honorable que venait de faire le juge d'instruction. Raskolnikov se mit à trembler de tout son corps comme un homme frappé d'un coup terrible.

« Mais... alors... qui... est l'assassin? » balbutia-t-il d'une voix entrecoupée.

Porphyre Petrovitch se renversa sur sa chaise, de l'air d'un homme stupéfait par une question abracadabrante.

« Comment, qui est l'assassin? répéta-t-il comme s'il n'en pouvait croire ses oreilles, mais c'est vous, Rodion Romanovitch; c'est vous qui avez assassiné », ajouta-t-il presque tout bas et d'un ton profondément convaincu.

Raskolnikov bondit de son divan, resta un moment debout, puis se rassit sans proférer un seul mot. De légères convulsions agitèrent tous les muscles de son visage.

« Voilà que votre lèvre tremble encore comme l'autre jour, marmotta Porphyre Petrovitch d'un air d'intérêt sincère. Je crois que vous ne m'avez pas compris, Rodion Romanovitch, ajouta-t-il après un silence. Voilà d'où provient votre surprise. Je suis venu précisément pour vous exposer toute l'affaire, car j'ai l'intention de la mener désormais ouvertement.

— Ce n'est pas moi qui ai tué, bégaya Raskolnikov, en se défendant comme un enfant pris en faute.

— Si, c'est vous et vous seul », répliqua sévèrement le juge d'instruction.

Tous deux se turent et ce silence se prolongea étrangement, dix minutes au moins. Raskolnikov s'était accoudé sur la table et fourrageait dans ses cheveux. Porphyre Petrovitch, lui, attendait sans donner signe d'impatience. Tout à coup, le jeune homme dit, en regardant le magistrat avec mépris :

« Vous revenez à vos anciennes pratiques, Porphyre Petrovitch, ce sont toujours les mêmes procédés, cela ne vous ennuie-t-il pas, à la fin?

— Eh! laissez donc. Qu'ai-je besoin de procédés à présent? Ce serait différent si nous parlions devant témoins, mais nous causons ici en tête-à-tête. Vous voyez bien que je ne suis pas venu avec l'intention de vous traquer comme un lièvre. Que vous avouiez ou non, en ce moment, cela m'importe peu. Dans les deux cas, ma conviction est faite.

— Mais s'il en est ainsi, pourquoi êtes-vous venu? demanda Raskolnikov d'un air irrité. Je vous répéterai la même question que l'autre jour : si vous me jugez coupable, pourquoi ne m'arrêtez-vous pas?

— Bon, ça au moins c'est une question sensée et je vous répondrai point par point. Il ne me convient pas, tout d'abord, de vous faire arrêter dès à présent.

— Comment, cela ne vous convient pas? Si vous êtes convaincu, il est de votre devoir...

— Eh! qu'importe ma conviction? Elle ne repose, jusqu'à présent, que sur des hypothèses. Et pourquoi vous donnerais-je *le repos* en vous enfermant? Vous savez vous-même que ce serait pour vous le repos puisque vous me le demandez. Si je vous amenais, par exemple, l'homme pour vous confondre, et que vous lui disiez : « Es-tu ivre ou

« non? Qui m'a vu avec toi? Je t'ai simplement « pris pour un homme soûl et tu l'étais. » Et moi, que vous répondrais-je à cela? D'autant plus que votre réponse paraîtrait plus vraisemblable que la sienne qui repose uniquement sur la psychologie et qui étonnerait, venant de cette brute, tandis que vous, vous auriez touché le point faible, car le coquin est connu comme un ivrogne fieffé! Je vous ai d'ailleurs avoué plusieurs fois que toute cette psychologie est à deux fins et risque fort vraisemblablement de tourner à votre profit, surtout que c'est, jusqu'à présent, la seule preuve que je possède contre vous. Sans doute, je vous ferai arrêter; j'étais venu, chose peu banale, vous en aviser, mais je n'hésite pas à vous déclarer (ce qui sort également du commun) que cela ne me servira de rien. Ensuite, je suis venu chez vous pour...

— Oui, parlons-en, de ce second objet de votre visite. (Raskolnikov était toujours haletant.)

— Pour vous donner une explication à laquelle je considère que vous avez droit. Je ne veux pas passer à vos yeux pour un monstre, d'autant plus que je suis très bien disposé à votre égard, vous pouvez me croire ou non. Voilà pourquoi je vous engage franchement à vous dénoncer. C'est le meilleur parti que vous puissiez prendre; il est également avantageux pour vous et pour moi, qui serai ainsi débarrassé de cette affaire. Eh bien, qu'en dites-vous? Suis-je assez franc? »

Raskolnikov réfléchit un moment.

« Ecoutez, Porphyre Petrovitch, dit-il enfin, vous-même vous avouez que vous n'avez contre moi que de la psychologie et cependant vous aspirez à l'évidence mathématique. Qui vous dit que vous n'êtes pas dans l'erreur?

— Non, Rodion Romanovitch, je ne me trompe pas. J'ai maintenant une preuve, cette preuve je l'ai trouvée l'autre jour, c'est Dieu qui me l'a envoyée.

— Quelle preuve?

— Je ne vous le dirai pas, Rodion Romanovitch. Mais, en tout cas, je n'ai pas le droit de temporiser. Je vais vous faire arrêter. Donc, réfléchissez : quelque résolution que vous preniez à présent, peu m'importe, ce que je vous en dis est uniquement dans votre intérêt. Je vous jure que vous feriez bien d'écouter mes conseils. »

Raskolnikov eut un mauvais sourire.

« Votre langage est plus que ridicule; il est même imprudent. Voyons, à supposer que je sois coupable — ce que je ne reconnais nullement — pourquoi irais-je me dénoncer, puisque vous reconnaissez vous-même que le séjour à la prison serait pour moi *le repos?*

— Eh! Rodion Romanovitch, ne prenez pas chaque mot trop à la lettre, peut-être, ce repos, ne le trouverez-vous pas. Car enfin, ce n'est qu'une théorie, et qui m'est personnelle, au surplus. Or, suis-je une autorité pour vous? Et puis, qui sait? Peut-être ai-je encore quelque chose que je vous cache; car vous ne pouvez pas exiger que je vous livre tous mes secrets, hé! hé!

« Passons maintenant à la deuxième question, au profit que vous tireriez d'un aveu; il est incontestable. Savez-vous que votre peine en serait notablement diminuée? Songez un peu à quel moment vous viendriez vous dénoncer! Non, réfléchissez-y : quand un autre est venu s'accuser du crime et jeter le trouble dans l'instruction. Et moi, je vous jure devant Dieu de m'arranger pour vous laisser vis-à-vis de la cour d'assises tout le bénéfice de votre acte, qui aura l'air d'être absolument spontané. Nous détruirons, je vous le promets, toute cette psychologie et je réduirai à néant tous les soupçons qui pèsent sur vous, si bien que votre crime apparaîtra comme le résultat d'une sorte d'entraînement, et, au fond, ce n'est pas autre chose. Je suis un honnête homme, Rodion Romanovitch, et je saurai tenir ma parole. »

Raskolnikov baissa tristement la tête et resta songeur. A la fin, il sourit de nouveau, mais, cette fois, d'un sourire doux et mélancolique.

« Eh! je n'y tiens pas, fit-il comme s'il renonçait à causer désormais avec Porphyre Petrovitch. Inutile! Je n'ai pas besoin de votre diminution de peine.

— Allons, voilà ce que je craignais, s'écria Porphyre avec chaleur et comme malgré lui. Je me doutais, hélas! que vous alliez dédaigner notre indulgence. »

Raskolnikov le regarda d'un air grave et triste.

« Non! Ne faites pas fi de la vie, continua Porphyre. Elle est encore longue devant vous. Comment, vous ne voulez pas d'une diminution de peine? Vous êtes un homme bien difficile!

— Que puis-je attendre maintenant?

— La vie! Pourquoi voulez-vous faire le prophète, et que pouvez-vous prévoir? Cherchez et vous trouverez. Dieu vous attendait peut-être à ce tournant... Vous ne serez d'ailleurs pas condamné à perpétuité...

— J'obtiendrai des circonstances atténuantes... fit Raskolnikov avec un rire.

— C'est peut-être, à votre insu, une honte bourgeoise qui vous empêche de vous avouer coupable, mais vous devriez être au-dessus de cela.

— E-eh! je m'en fiche! » murmura le jeune homme d'un air méprisant. Puis il fit encore mine de se lever, mais il se rassit, sous le poids d'un désespoir qu'il ne pouvait cacher.

« Voilà, c'est bien cela! Vous êtes méfiant et vous pensez que je veux vous flatter grossièrement. Mais, dites-moi, avez-vous déjà eu le temps de vivre, et connaissez-vous l'existence? Il vous invente une théorie, puis se sent tout honteux de voir qu'elle n'a abouti à rien et donne des résultats dénués de toute originalité. La chose est vile, je le reconnais, mais vous n'êtes cependant pas un criminel perdu sans retour. Oh! non, bien loin de là! Vous me demanderez ce que je pense de vous? Eh bien, je vous considère comme un de ces hommes qui se laisseraient arracher les entrailles en souriant à leurs bourreaux s'ils pouvaient trouver une foi ou un Dieu. Eh bien, trouvez-les et vous vivrez! Tout d'abord, il y a longtemps que vous avez besoin de changer d'air. Et puis, quoi, la souffrance n'est pas une mauvaise chose. Souffrez donc! Mikolka a peut-être raison de vouloir souffrir. Je sais que vous êtes sceptique, mais abandonnez-vous sans raisonner au courant de la vie et ne vous inquiétez de rien; il vous portera au rivage et vous remettra sur pied! Quel sera ce rivage? Comment puis-je le savoir? J'ai seulement la conviction qu'il vous reste beaucoup d'années à vivre. Je sais que vous vous dites à présent que je ne fais que jouer mon rôle de juge d'instruction et mes paroles vous paraissent un long et ennuyeux sermon, mais peut-être vous les rappellerez-vous un jour; c'est cet espoir qui me pousse à vous tenir ce langage. Il est encore heureux que vous n'ayez tué que cette vieille, mais, avec une autre théorie, vous auriez pu commettre une action cent millions de fois pire. Remerciez donc Dieu de ne pas l'avoir permis, car Il a peut-être — qui le sait? — des desseins sur vous. Et vous, ayez du courage, ne reculez pas, par pusillanimité, devant la grande action qu'il vous reste à accomplir. Il serait honteux pour vous d'être lâche. Si vous avez commis l'acte, eh bien, soyez fort et faites ce qu'exige la justice. Je sais que vous ne me croyez pas, mais je vous donne ma parole que vous reprendrez goût à la vie. En ce moment, il ne vous faut que de l'air, de l'air, de l'air... »

Raskolnikov tressaillit à ces paroles.

« Mais vous, qui êtes-vous? s'écria-t-il. Pourquoi faites-vous le prophète? Quels sont ces sommets paisibles d'où vous vous permettez de laisser tomber sur moi ces maximes pleines d'une prétendue sagesse?

— Qui je suis? Un homme fini et rien de plus. Un homme sensible et capable de pitié peut-être, et peut-être aussi quelque peu instruit de la vie, mais complètement fini. Vous, vous, c'est autre chose! Dieu vous a destiné à une vie véritable (mais qui sait? peut-être n'est-ce qu'un feu de paille chez vous et s'éteindra-t-il bientôt?). Alors, pourquoi redouter le changement qui va survenir dans votre existence? Ce n'est tout de même pas le bien-être qu'un cœur comme le vôtre pourrait regretter? Et qu'importe cette solitude où vous serez pour longtemps confiné. Ce n'est pas du temps qu'il s'agit, mais de vous-même. Devenez un soleil et tout le monde vous apercevra. Le soleil n'a qu'à exister, à être lui-même. De quoi souriez-vous encore? De me trouver si poétique? Je jurerais que vous pensez que je ruse et que je veux m'insinuer dans votre confiance. Peut-être même avez-vous raison, hé! hé! Je ne vous demande pas de me croire sur parole, Rodion Romanovitch; vous feriez peut-être bien de ne jamais me croire entièrement. C'est mon habitude de n'être jamais tout à fait sincère, j'en conviens. Pourtant, voici ce que je veux ajouter : les événements vous montreront si je suis un homme vil ou si je suis un homme loyal.

— Quand pensez-vous me faire arrêter?

— Eh bien, je puis vous laisser encore un jour ou deux de liberté. Réfléchissez, mon ami, et priez Dieu; c'est dans votre intérêt je vous jure que c'est votre intérêt...

— Et si je m'enfuyais? demanda Raskolnikov avec un sourire étrange.

— Non, vous ne fuirez pas. Un moujik fuirait, un révolutionnaire à la mode du jour aussi, car, celui-là, on peut lui inculquer la foi qu'on veut à jamais. Mais vous, vous avez cessé de croire à votre théorie. Pourquoi fuiriez-vous donc? Que gagneriez-vous à fuir? Et quelle existence horrible et douloureuse que celle d'un fugitif, car, pour vivre, on a besoin d'une situation stable, déterminée, d'un certain air respirable. Cet air, le trouverez-vous dans la fuite? Fuyez et vous reviendrez. *Vous ne pouvez pas vous passer de nous.* Si je vous mets en prison, mettons pour un mois ou deux, ou même trois, un beau jour, souvenez-vous de mes paroles : vous viendrez tout à coup et vous avouerez. Vous y serez amené presque à votre insu. Je suis même sûr que vous vous déciderez à vous soumettre à l'expiation. Vous ne me croyez pas maintenant, mais vous y viendrez, car la souffrance est une grande chose, Rodion Romanovitch. Ne vous étonnez pas de m'entendre parler ainsi, moi, un homme engraissé dans le bien-être. Qu'importe, je dis vrai, et ne vous moquez pas. C'est une idée profonde que j'énonce là. Mikolka a raison. Non, vous ne fuirez pas, Rodion Romanovitch! »

Raskolnikov se leva et prit sa casquette. Porphyre Petrovitch en fit autant.

« Vous allez faire un tour? La soirée promet d'être belle, pourvu qu'il n'y ait pas d'orage... Du reste, cela vaudrait peut-être mieux, l'air en serait rafraîchi...

— Porphyre Petrovitch, fit Raskolnikov d'un ton sec et pressant, n'allez pas vous mettre dans la tête que je vous ai fait des aveux aujourd'hui. Vous êtes un homme bizarre et je ne vous ai écouté que par simple curiosité, mais je n'ai rien avoué... Souvenez-vous-en.

— Allons, bon, on connaît ça, je ne l'oublierai pas. Voyez comme il tremble! Ne vous inquiétez pas, mon cher; il en sera fait selon votre désir. Promenez-vous un peu, mais sans dépasser les limites. J'ai, à tout hasard, encore une petite prière à vous adresser, ajouta-t-il en baissant la voix. Elle est un peu délicate, mais importante : au cas assez improbable (car je n'y crois pas) où la fantaisie vous prendrait en ces quarante-huit à cinquante heures d'en finir autrement, je veux dire d'une façon extraordinaire, bref d'attenter à votre vie (pardonnez-moi cette supposition absurde), eh bien, ayez la bonté de laisser un billet bref, mais explicite. Deux lignes, rien que deux lignes, pour indiquer l'endroit où se trouve la pierre; ce sera plus noble... Allons, au revoir... Puisse Dieu vous envoyer de bonnes pensées! »

Porphyre se retira en courbant la tête et en évitant de regarder le jeune homme. Celui-ci s'approcha de la fenêtre et attendit avec impatience le moment où, selon son calcul, le juge d'instruction serait assez loin de la maison. Ensuite il sortit lui-même en toute hâte.

III

IL était pressé de voir Svidrigaïlov; il ignorait ce qu'il pouvait espérer de cet homme, mais celui-ci avait sur lui un mystérieux pouvoir. L'inquiétude le dévorait depuis qu'il s'en était convaincu et, au surplus, l'heure d'une explication était venue.

Une autre question le tourmentait également : il se demandait si Svidrigaïlov était allé chez Porphyre.

Autant qu'on en pût juger, non, il ne l'avait pas fait. Raskolnikov l'aurait juré. Il y réfléchit encore, évoqua toutes les circonstances de la visite de Porphyre et parvint à la même conclusion négative. Mais si Svidrigaïlov n'était pas allé chez le juge, avait-il l'intention de le faire?

Sur ce point encore, il était enclin à répondre par la négative. Pourquoi? Il n'aurait su l'expliquer, mais même s'il s'était senti capable de trouver cette explication, il n'aurait pas voulu se casser la tête à la chercher. Tout cela le tourmentait et l'ennuyait à la fois. Chose étrange, presque incroyable... sa situation actuelle, si critique, l'inquiétait peu. Il était préoccupé par une autre question singulièrement plus importante, extraordinaire, également personnelle, mais différente. Il éprouvait, en outre, une immense lassitude morale, quoiqu'il fût mieux en état de raisonner que les jours précédents. Et puis, après tout ce qui s'était passé, était-ce bien la peine d'essayer de triompher de nouvelles et misérables difficultés, de s'arranger, par exemple, pour empêcher Svidrigaïlov d'aller chez Porphyre, de se renseigner, de perdre son temps avec un homme pareil?

Oh! que tout cela l'ennuyait!

Il se hâtait cependant de se rendre chez ce Svidrigaïlov. Attendait-il donc de lui quelque chose de nouveau, un conseil, un moyen de se tirer d'affaire? Car un homme qui se noie s'accroche au moindre fétu! Etait-ce le destin ou un instinct secret qui les rapprochait? Ou peut-être simplement la fatigue, le désespoir lui inspiraient-ils ces pensées et fallait-il s'adresser à quelqu'un d'autre au lieu de ce Svidrigaïlov qui ne s'était jamais trouvé que par hasard sur son chemin.

A Sonia? Mais pourquoi irait-il chez elle à présent? Pour faire couler ses larmes encore? D'ailleurs, Sonia lui faisait peur. Elle personnifiait pour lui l'arrêt irrévocable, la décision sans appel. Il devait choisir entre deux chemins : le sien et celui de Sonia. En ce moment surtout, il ne se sentait pas en état d'affronter sa vue. Non, il valait mieux tenter la chance auprès de Svidrigaïlov. Mais était-ce possible? Il s'avouait, malgré lui, que ce dernier lui paraissait, depuis longtemps, en quelque sorte indispensable.

Cependant, que pouvait-il y avoir de commun entre eux? Leur scélératesse même était d'essence toute différente. Au surplus, cet homme lui était fort antipathique; il avait l'air débauché, fourbe, rusé, peut-être même était-il extrêmement méchant.

Des légendes sinistres couraient sur son compte. Il est vrai qu'il s'était occupé des enfants de Catherine Ivanovna, mais qui pouvait deviner ses intentions et le but qu'il poursuivait? Cet homme semblait toujours plein d'arrière-pensées.

Depuis quelques jours, une autre idée ne cessait de troubler Raskolnikov, quoiqu'il essayât de la repousser tant elle le faisait souffrir. Il songeait que Svidrigaïlov avait toujours tourné et tournait encore autour de lui. Svidrigaïlov avait découvert son secret. Enfin Svidrigaïlov avait eu des vues sur Dounia. Peut-être continuait-il à nourrir les mêmes intentions qu'autrefois; oui, on pouvait presque l'affirmer à coup sûr. Et si, maintenant qu'il possédait son secret, il allait chercher à s'en faire une arme contre Dounia!

Cette hypothèse le tourmentait parfois dans son sommeil, mais elle ne lui était jamais apparue avec autant de netteté et de clarté qu'en ce moment où il se rendait chez Svidrigaïlov. Elle suffisait à l'emplir de fureur. D'abord, tout allait changer, même sa propre situation. Il devrait confier son secret à Dounetchka; il devrait aller se livrer pour l'empêcher, elle, de tenter une démarche imprudente. La lettre? Ce matin, Dounia avait reçu une lettre. De qui pouvait-elle recevoir une lettre à Pétersbourg? De Loujine? Rasoumikhine, il est vrai, faisait bonne garde, mais il ne savait rien; peut-être faudrait-il se confier à lui aussi, pensa Raskolnikov avec dégoût.

« En tout cas, je dois voir Svidrigaïlov au plus vite, décida-t-il. Grâce à Dieu, les détails importent moins dans cette affaire que le fond, mais il est capable de... s'il a l'audace d'entreprendre quelque chose contre Dounia, eh bien... »

Raskolnikov était si épuisé par ce mois de souffrance qu'il ne put trouver qu'un parti à prendre : « Eh bien, alors, je le tuerai », pensa-t-il avec un morne désespoir. Un sentiment pénible l'oppressait; il s'arrêta au milieu de la rue et promena ses regards autour de lui. Quel chemin avait-il pris? Où se trouvait-il? Il était sur la perspective *** à trente ou quarante pas de la place des Halles qu'il venait de traverser. Le second étage de la maison qui se trouvait sur sa gauche était occupé par un cabaret. Toutes les fenêtres en étaient ouvertes. A en juger par le nombre de silhouettes qui apparaissaient aux fenêtres, l'établissement devait être bondé. Dans la salle, on chantait, on jouait de la clarinette, du violon et du tambour. Des femmes piaillaient, criaient.

Raskolnikov s'apprêtait à rebrousser chemin, tout surpris de se trouver là, quand il aperçut tout à coup, à l'une des dernières fenêtres, Svidrigaïlov, la pipe à la bouche, devant un verre de thé. Cette vue le remplit d'étonnement, presque d'effroi. Svidrigaïlov lui aussi l'examinait en silence et, chose qui stupéfia Raskolnikov encore davantage, il fit soudain mine de se lever comme un homme décidé à s'éclipser sans être aperçu. Le jeune homme feignit aussitôt de ne pas le voir et se mit à regarder au loin d'un air songeur, tout en le suivant du coin de l'œil. Son cœur battait à une allure fébrile. Oui, il ne s'était pas trompé, Svidrigaïlov tenait à passer inaperçu; il ôta sa pipe de sa bouche et sembla vouloir se cacher, mais, en se levant et en écartant sa chaise, il devina sans doute que l'autre l'épiait. La même scène que le jour de leur première entrevue paraissait se jouer entre eux. Un sourire malin se dessina sur les lèvres de Svidrigaïlov, puis s'élargit, s'épanouit. Chacun d'eux se savait surveillé par l'autre. Enfin, Svidrigaïlov partit d'un bruyant éclat de rire.

« Allons! Allons, entrez donc puisque vous y tenez. Je suis ici », cria-t-il d'une voix sonore.

Raskolnikov monta au cabaret. Il trouva son homme dans un cabinet attenant à la grande salle où quantité de consommateurs, petits bourgeois, marchands, fonctionnaires, et une foule de gens indéterminés, étaient en train de boire du thé en écoutant des chansons, au milieu d'un vacarme épouvantable. Dans une pièce voisine, on jouait au billard. Svidrigaïlov avait devant lui une bouteille de champagne entamée et un verre à demi plein. Il était en compagnie d'un enfant joueur d'orgue de Barbarie qui tenait son petit instrument à la main, et d'une fille robuste aux joues fraîches, habillée d'une jupe rayée, qu'elle avait retroussée, et coiffée d'un petit chapeau tyrolien garni de rubans. C'était une chanteuse; elle paraissait avoir dix-huit ans et, malgré les chants qui arrivaient de l'autre pièce, elle chantait aussi, accompagnée par l'orgue de Barbarie, et d'une voix de contralto assez éraillée, une chanson affreusement triviale.

« Allons, en voilà assez », interrompit Svidrigaïlov à l'entrée de Raskolnikov.

La jeune fille s'arrêta aussitôt et attendit dans une attitude respectueuse. Elle avait d'ailleurs chanté tout à l'heure son inepte mélodie avec la même expression grave et respectueuse

« Hé, Philippe! un verre, cria Svidrigaïlov.

— Je ne boirai pas de vin, fit Raskolnikov.

— A votre aise. Ce n'était pas à vous, du reste,

que je pensais. Bois, Katia. Je n'aurai plus besoin de toi aujourd'hui. Va! »

Il lui versa un grand verre de vin et lui tendit un petit billet jaune [1]. La jeune fille avala le vin d'une seule lampée, comme font toutes les femmes, prit l'argent et baisa la main de Svidrigaïlov, qui accepta de l'air le plus sérieux cette marque de respect servile. Puis elle se retira, suivie du petit joueur d'orgue. Svidrigaïlov les avait simplement ramassés tous deux dans la rue. Il n'y avait pas huit jours qu'il se trouvait à Pétersbourg et cependant on l'eût pris pour un vieil habitué de la maison. Le garçon Philippe le connaissait bien déjà et lui témoignait des égards particuliers. La porte qui donnait dans la grande salle était soigneusement fermée et Svidrigaïlov semblait chez lui dans ce cabaret, où il passait peut-être ses journées. Le cabaret était sale, ignoble et même inférieur à la catégorie moyenne des établissements de ce genre.

« J'allais chez vous, fit Raskolnikov, mais je ne puis comprendre comment il se fait que j'aie pris la perspective *** en quittant la place des Halles. Je ne passe jamais par ici. Je tourne toujours à droite après avoir traversé la place. Ce n'est d'ailleurs pas le chemin pour aller chez vous. A peine avais-je tourné de ce côté que je vous ai aperçu! C'est bizarre!

— Pourquoi ne dites-vous pas tout simplement : c'est un miracle?

— Parce que ce n'est peut-être qu'un hasard.

— C'est une habitude que tout le monde a prise, ici, reprit en riant Svidrigaïlov. Lors même qu'on croit à un miracle, on n'ose pas l'avouer. Vous même, vous dites que « ce n'est peut-être qu'un hasard ». Comme les gens d'ici ont peu le courage de leur opinion! Vous ne sauriez vous l'imaginer, Rodion Romanovitch. Je ne dis pas cela pour vous. Vous, vous possédez une opinion personnelle et vous n'avez pas craint de l'affirmer. C'est même par là que vous avez attiré ma curiosité.

— Par là seulement?

— Oh! c'est bien assez! »

Svidrigaïlov semblait dans un état d'excitation visible, quoique légère, car il n'avait bu qu'un demi-verre de vin.

« Je crois que vous êtes venu chez moi avant d'avoir appris que j'avais ce que vous appelez mon opinion personnelle, fit remarquer Raskolnikov.

— Oh! alors, c'était autre chose. Chacun a ses affaires. Pour ce qui est du miracle, je vous dirai que vous semblez avoir dormi tous ces jours-ci. C'est moi qui vous ai donné l'adresse de ce cabaret. Le fait étonnant que vous y soyez venu n'a donc rien de miraculeux. Je vous ai indiqué moi-même la route à suivre, l'endroit où il se trouve et l'heure à laquelle on peut m'y trouver. Vous en souvenez-vous?

— J'ai oublié, répondit Raskolnikov tout surpris.

— Je vous crois. Je vous l'ai répété deux fois. L'adresse s'est gravée machinalement dans votre cerveau et c'est à votre insu que vous avez pris ce chemin sans savoir ce que vous faisiez, à proprement parler. Je n'espérais même pas, du reste, que vous vous en souviendriez quand je vous l'ai donnée. Vous ne vous surveillez pas assez, Rodion Romanovitch. Ah! je voulais vous dire encore : je suis convaincu qu'il y a à Pétersbourg bien des gens qui vont monologuant tout haut. On y rencontre souvent des demi-fous. Si nous avions de véritables savants, les médecins, les juristes et les philosophes pourraient se livrer ici à des études fort curieuses, chacun dans sa spécialité. Il n'y a guère de lieu où l'âme humaine soit soumise à des influences aussi sombres et bizarres. L'action seule du climat est déjà fort grave. Malheureusement, Pétersbourg est le centre administratif et son influence doit se transmettre à tout le pays. D'ailleurs, ce n'est pas de cela qu'il s'agit. Je voulais vous dire que je vous ai observé plusieurs fois dans la rue. En sortant de chez vous, vous tenez encore la tête droite; au bout de vingt pas, vous la baissez et vous croisez vos mains derrière le dos. A regarder vos yeux, on comprend que vous ne voyez rien de ce qui se passe devant vous ou à vos côtés. Finalement, vous vous mettez à remuer les lèvres et à parler tout seul. Parfois, vous gesticulez et vous déclamez ou bien vous vous arrêtez au milieu de la rue un bon moment. Voilà qui ne vaut rien du tout. D'autres que moi peuvent vous remarquer, ce qui serait fort dangereux. Au fond, peu m'importe et je n'ai pas l'intention de vous guérir, mais vous me comprenez.

— Et vous savez qu'on me suit? demanda Raskolnikov en attachant sur lui un regard scrutateur.

— Non, je ne sais rien, fit Svidrigaïlov d'un air étonné.

— Eh bien, alors, laissez-moi tranquille.

— Bon, on vous laissera tranquille.

— Dites-moi plutôt pourquoi, s'il est vrai, que vous m'avez donné rendez-vous à deux reprises ici et que vous ayez attendu ma visite, pourquoi essayiez-vous de vous dissimuler tout à l'heure en me voyant lever les yeux et pourquoi vous prépariez-vous à fuir? Je l'ai très bien remarqué.

— Hé! hé! Et vous, pourquoi l'autre jour, quand je suis entré dans votre chambre, faisiez-vous semblant de dormir sur votre divan, quand vous étiez parfaitement éveillé?

— Je pouvais... avoir mes raisons... vous le savez très bien.

— Et moi les miennes... que vous ne connaîtrez jamais. »

Raskolnikov avait appuyé le coude droit sur la table, posé son menton sur sa main pliée et s'était mis à considérer attentivement son interlocuteur. L'aspect de son visage l'avait toujours profondément étonné. Et, de fait, il était bizarre! Il avait quelque chose d'un masque. La figure était blanche et rose, les lèvres pourpres, la barbe très blonde, les cheveux blonds également et encore assez épais. Les yeux en semblaient trop bleus et leur regard immobile et lourd. Quoique belle et étonnamment jeune, étant donné l'âge de l'homme, cette figure avait quelque chose de profondément antipathique. Svidrigaïlov portait un élégant costume d'été; son linge était d'une blancheur et d'une finesse irréprochables. Une énorme bague, rehaussée d'une pierre de prix, brillait à son doigt.

« Faut-il donc que je m'occupe encore de vous? s'écria Raskolnikov en entrant brusquement en lice avec une impatience fiévreuse. Quoique vous puissiez être l'homme le plus dangereux, pour peu que vous désiriez me nuire, je ne veux plus me mettre martel en tête ni ruser. Je vais vous prouver tout à l'heure que je tremble moins sur mon sort que vous ne pouvez le penser. Sachez, je suis venu vous en avertir franchement, que si vous nourrissez toujours les mêmes intentions contre ma sœur, et si vous pensez vous servir de ce que vous avez pu apprendre ces temps derniers, eh bien, je vous tuerai avant que vous m'ayez fait arrêter. Vous pouvez en croire ma parole; vous savez que je saurai la tenir. Ensuite, si vous avez quelque chose à me déclarer, car, pendant ces derniers jours, j'ai eu l'impression que vous vouliez me parler, eh bien, faites vite, car le temps presse et peut-être serait-il trop tard bientôt...

— Mais qu'est-ce qui vous presse tant? demanda Svidrigaïlov, en le regardant curieusement.

— Chacun a ses affaires, répliqua Raskolnikov, d'un air sombre et impatient.

— Vous venez de m'inviter vous-même à la franchise, et, à la première question que je vous pose, vous refusez de répondre, observa Svidrigaïlov avec un sourire. Vous me soupçonnez toujours de vagues intentions et vous me regardez avec méfiance. La chose se comprend, étant donné votre situation, mais, quel que soit mon désir de me lier avec vous, je ne prendrai pas la peine d'essayer de vous tromper. Ma parole, le jeu n'en vaut pas la chandelle; je n'ai d'ailleurs rien de particulier à vous dire.

— S'il en est ainsi, pourquoi vouliez-vous donc me voir, car vous êtes toujours à tourner autour de moi?

— Mais c'est que vous me paraissez un homme curieux à observer. Vous me plaisez par ce que votre situation présente de fantastique. En outre, vous êtes le frère d'une personne qui m'a beaucoup intéressé! Enfin, autrefois, cette même personne m'a si souvent parlé de vous que j'en ai conclu que vous exerciez une grande influence sur elle. N'est-ce point suffisant? Hé! hé! J'avoue toutefois que votre question me paraît si complexe qu'il m'est difficile d'y répondre. Tenez, par exemple, maintenant, ce n'est pas seulement pour affaires que vous êtes venu me trouver, mais dans l'espoir que je pourrais vous dire quelque chose de nouveau, n'est-ce pas? Avouez que c'est cela? insistait Svidrigaïlov avec son sourire malin. Eh bien, figurez-vous que moi-même, en me rendant à Pétersbourg, je nourrissais en wagon l'espoir d'apprendre de vous du nouveau, celui de vous emprunter certaines choses. Voilà comme nous sommes, nous autres riches.

— M'emprunter quoi?

— Comment vous dire? Est-ce que je sais, moi? Vous voyez dans quel misérable cabaret je passe mes journées et je m'y sens à merveille, ou, si vous voulez, pas à merveille, mais enfin, il faut bien passer son temps quelque part. Tenez, avec cette pauvre Katia... vous l'avez vue? Si encore j'étais un goinfre ou un gourmet, mais non, voilà tout ce que je peux manger (il montra du doigt, sur une petite table placée dans un coin, un plateau de fer-blanc contenant les restes d'un mauvais bifteck aux pommes). A propos, avez-vous dîné? Moi, j'ai mangé un morceau et je n'ai plus faim. Quant au vin, je n'en bois pas, à l'exception du champagne, et encore pas plus d'un verre en toute une soirée; cela suffit déjà à me donner la migraine. C'est pour me remonter que j'ai commandé cette bouteille; j'ai un rendez-vous d'affaires et j'ai voulu me donner du cœur. Vous me voyez donc d'une humeur toute particulière. C'est parce que je craignais que vous ne vinssiez me gêner que je me suis caché tout à l'heure comme un écolier, mais (et il tira sa montre) il y a bien une heure que nous parlons, il me semble! Il est maintenant quatre heures et demie. Le croiriez-vous? A certains moments je regrette de n'être rien, rien... ni propriétaire, ni père de famille, ni uhlan, ni photographe, ni journaliste. C'est parfois ennuyeux de n'avoir aucun métier. Je vous assure que j'espérais entendre de vous quelque chose de nouveau.

— Mais qui êtes-vous? Et pourquoi êtes-vous ici?

— Qui je suis? Vous le savez, un gentilhomme et j'ai servi deux ans dans la cavalerie. Après quoi j'ai erré deux ans sur le pavé de Pétersbourg, puis j'ai épousé Marfa Petrovna et habité la province. Voilà ma biographie.

— Vous êtes joueur, je crois?

— Joueur? Non, dites plutôt que je suis un grec.

— Ah! vous trichez au jeu?

— Oui.

— On a dû vous battre quelquefois, n'est-ce pas?

— Cela m'est arrivé. Pourquoi me demandez-vous cela?

— Eh bien, vous aviez alors l'occasion de vous battre en duel. Cela met de l'animation dans la vie.

— Je ne veux pas vous contredire... Je ne suis d'ailleurs pas très fort dans les discussions philosophiques. Je vous avouerai que c'est surtout à cause des femmes que je me suis empressé de venir à Pétersbourg.

— Après avoir à peine pris le temps d'enterrer Marfa Petrovna?

— Ma foi, oui, fit en souriant Svidrigaïlov avec une franchise désarmante. Qu'importe? Vous semblez, je crois, scandalisé de m'entendre parler ainsi des femmes?

— Vous vous étonnez de me voir scandalisé par la débauche?

— La débauche! Ah! voilà à quoi vous en avez! Je vais d'abord répondre à votre première question sur la femme en général; je me sens disposé à bavarder. Dites-moi, pourquoi me gênerais-je, je vous prie? Pourquoi fuir les femmes quand j'en suis grand amateur? Cela me fait une occupation tout au moins.

— Ainsi, vous n'êtes venu ici que pour faire la noce?

— Et qu'importe? Admettons que ce soit vrai. On peut dire qu'elle vous tient au cœur, cette débauche, mais je dois vous avouer que j'aime les questions directes. Cette débauche présente au moins un caractère de continuité fondé sur la nature, et qui ne dépend point du caprice — quelque chose qui brûle dans le sang comme un charbon toujours incandescent qui ne s'éteint qu'avec l'âge, et encore difficilement, à grand renfort d'eau froide. Avouez que c'est, en quelque sorte, une occupation.

— Mais qu'y voyez-vous de réjouissant? C'est une maladie, et fort dangereuse.

— Ah! je vous vois venir! J'admets que c'est une maladie comme tout ce qui est exagéré et, dans le cas qui nous occupe, on passe toujours les limites permises, mais, d'abord, c'est une chose qui varie suivant les individus. Ensuite, il est certain qu'il faut se modérer, ne serait-ce que par calcul. Mais sans cette occupation, on n'aurait qu'à se tirer une balle dans la tête. Je sais bien qu'un honnête homme est tenu de s'ennuyer, mais encore...

— Et vous seriez capable de vous tirer une balle dans la tête?

— Ah! vous y voilà, riposta Svidrigaïlov d'un air dégoûté. Faites-moi le plaisir de ne pas parler de ces choses », ajouta-t-il précipitamment, et en oubliant toute fanfaronnade.

Son visage même avait changé.

« Je vous confesse cette faiblesse honteuse, mais que faire? J'ai peur de la mort et je n'aime pas en entendre parler. Savez-vous que je suis un peu mystique?

— Oui! le fantôme de Marfa Petrovna! Dites donc, il vient toujours vous visiter?

— Ah! ne m'en parlez pas; il n'est pas encore venu à Pétersbourg, et puis... le diable l'emporte, s'écria-t-il d'un air irrité. Non, parlons d'autre chose... et d'ailleurs... Hum!... Le temps me manque, je ne puis m'attarder avec vous, mais je le regrette... J'avais quelque chose à vous dire.

— Une femme vous attend?

— Oui, une femme; oh! c'est un cas exceptionnel... un hasard, mais ce n'est pas de cela que je voulais parler.

— La bassesse de cette conduite ne vous tourmente pas? N'avez-vous pas la force de vous arrêter?

— Et vous, prétendez-vous avoir de l'énergie? Hé! hé! hé! Je puis dire que vous m'avez étonné, Rodion Romanovitch, bien que je m'attendisse à vous entendre parler ainsi. C'est vous qui me parlez de débauche et de laideur ou de beauté morale? Vous qui faites le Schiller, l'idéaliste! Certes, tout cela est fort naturel et on pourrait s'étonner s'il en était autrement, mais, étant donné les faits réels, cela peut paraître un peu étrange. Ah! je regrette bien de n'avoir pas de temps, car vous me paraissez un homme extrêmement curieux. A propos, vous aimez Schiller? Moi, je l'adore.

— Mais quel fanfaron vous faites! répondit Raskolnikov avec un certain dégoût.

— Eh bien, je vous jure que je ne le suis pas; je ne veux d'ailleurs pas discuter. Mettons que je sois fanfaron, mais pourquoi ne le serais-je pas quand cela ne fait de mal à personne? J'ai vécu sept ans à la campagne auprès de Marfa Petrovna; aussi, quand je tombe sur un homme intelligent comme vous, intelligent et, de plus, curieux, eh bien, je suis trop heureux de pouvoir bavarder. En outre, j'ai bu un demi-verre de vin qui déjà me monte à la tête. Pourtant, c'est surtout un certain événement... que je tairai, qui m'émeut particulièrement. Mais où allez-vous? » demanda-t-il avec un certain effroi.

Raskolnikov s'était levé en effet. Il étouffait, se sentait mal à l'aise et regrettait d'être venu. Svidrigaïlov lui apparaissait comme le plus pauvre, le plus maigre scélérat qui fût au monde.

« E-eh, attendez, restez encore un moment; faites-vous apporter un verre de thé! Allons, restez, je vous promets de ne plus parler d'absurdités, c'est-à-dire de moi. J'ai quelque chose à vous dire. Voulez-vous, par exemple, que je vous raconte comment une femme a entrepris de me sauver, pour parler votre langage. Cela répondra à votre première question, car cette femme, c'est votre sœur. Le puis-je? Cela nous aidera d'ailleurs à tuer le temps!

— Parlez, mais j'espère que...

— Oh! ne vous inquiétez pas. D'ailleurs, Avdotia Romanovna ne peut inspirer, même à un homme aussi corrompu que moi, que le respect le plus profond. »

IV

« Vous savez sans doute (mais oui, c'est moi-même qui vous l'ai raconté), commença Svidrigaïlov, que j'ai été en prison pour dettes, une dette énorme, et je n'avais pas la moindre possibilité de satisfaire mon créancier. Je ne veux pas entrer dans les détails de mon rachat par Marfa Petrovna; vous savez comme l'amour peut tourner la tête d'une femme. C'était une créature honnête, assez intelligente (quoique parfaitement ignorante). Figurez-vous donc que cette femme jalouse et honnête en arriva, après plusieurs scènes de reproches et de fureur, à accepter de conclure avec moi une sorte de contrat, qu'elle observa scrupuleusement tout le temps que dura notre union. Le fait est qu'elle était mon aînée de beaucoup. J'eus l'âme assez basse, et assez loyale en son genre, si vous voulez, pour lui déclarer franchement que je ne pouvais lui promettre une fidélité absolue. Mon aveu la mit en fureur, mais ma franchise grossière dut lui plaire cependant. Elle pensa : « Il ne veut donc « pas me tromper, puisqu'il me fait cette décla-« ration d'avance », et c'est là la chose la plus importante pour une femme jalouse. Après bien des scènes de larmes, nous en vînmes à conclure une entente verbale : je m'engageais premièrement à ne jamais abandonner Marfa Petrovna et à demeurer toujours son mari; deuxièmement à ne pas quitter nos terres sans son autorisation; troisièmement à ne jamais prendre une maîtresse en titre; quatrièmement, Marfa Petrovna me permettait, en revanche, de faire la cour aux paysannes, mais toujours avec sa permission secrète et en la tenant au courant de mes aventures; cinquièmement, défense absolue d'aimer une femme de notre société; sixièmement, s'il m'arrivait d'être pris par malheur d'une passion profonde et sérieuse, j'étais tenu à me confesser à Marfa Petrovna. En ce qui concerne ce dernier point, je dois vous dire que Marfa Petrovna se sentait assez rassurée. C'était une femme trop intelligente pour voir en moi autre chose qu'un libertin, un débauché, incapable d'un amour sérieux; mais l'intelligence et la jalousie sont deux choses différentes, voilà le malheur! D'ailleurs, si l'on veut juger les êtres d'une façon impartiale, on doit bien souvent abandonner certaines idées préconçues ou toutes faites, et s'abstraire de l'habitude qu'on prend des êtres dont on partage l'existence. Enfin, j'espère tout au moins pouvoir compter sur votre jugement.

« Peut-être avez-vous entendu raconter des choses comiques et ridicules sur Marfa Petrovna. Elle avait, en effet, certaines habitudes bizarres, mais je vous dirai franchement que j'éprouve un remords sincère pour toutes les souffrances que je lui ai causées. Mais il me semble qu'en voilà assez pour une *oraison funèbre* [1] fort convenable dédiée par le plus tendre mari à la mémoire de la plus affectueuse des femmes. Pendant nos querelles, je gardais presque toujours le silence et cet acte de galanterie ne manquait jamais son effet. Elle en était calmée et savait l'apprécier; en certains cas, elle se sentait même fière de moi. Mais elle ne put supporter votre sœur. Cependant, comment s'était-elle risquée à prendre comme gouvernante une femme aussi belle? Je ne me l'explique que parce qu'elle était ardente et sensible et qu'elle tomba elle-même amoureuse, oui, littéralement amoureuse, d'elle. Ah! Avdotia Romanovna! Je compris au premier regard que l'affaire allait mal et, le croirez-vous, je décidai de ne pas lever les yeux sur elle. Mais c'est elle qui fit le premier pas. Me croirez-vous encore si je vous dis qu'au début Marfa Petrovna allait jusqu'à se fâcher parce que je ne parlais jamais de votre sœur; elle me reprochait de rester indifférent aux éloges enflammés qu'elle me faisait d'elle. Je ne puis comprendre ce qu'elle voulait. Naturellement, elle conta à Avdotia Romanovna toute ma biographie. Elle avait ce défaut de mettre tout le monde au courant de nos histoires intimes et de se plaindre de moi à tout venant. Comment laisser passer cette occasion de se créer une nouvelle et merveilleuse amie? Je suppose qu'elles ne faisaient que parler de moi et qu'Avdotia Romanovna connaissait parfaitement les sombres et mystérieux racontars qui couraient sur mon compte! Je jurerais que certains bruits sont arrivés jusqu'à vous, hein?

— Oui, Loujine vous a même accusé d'avoir causé la mort d'un enfant. Avait-il raison?

— Rendez-moi le service de ne pas vous occuper de toutes ces vilenies, fit Svidrigaïlov avec colère et dégoût. Si vous tenez à savoir le fin mot de toutes ces histoires absurdes, je vous raconterai tout cela, mais maintenant...

— On m'a parlé également d'un de vos domestiques dont vous auriez causé la mort...

— Rendez-moi le service de ne pas continuer là-dessus, répéta Svidrigaïlov d'un air fort impatienté.

— Ne serait-ce pas le même qui, après sa mort, est venu vous bourrer votre pipe? C'est vous-même qui m'en avez parlé », insistait Raskolnikov.

Svidrigaïlov le regarda attentivement et le jeune homme crut voir briller un moment dans ses yeux un éclair de cruelle ironie, mais l'autre se contint et répondit poliment :

« Lui-même. Je vois que vous êtes aussi fort intéressé par toutes ces histoires et je me ferai un devoir de satisfaire votre curiosité à la première occasion. Le diable m'emporte! Je m'aperçois que je puis faire figure de personnage romantique. Jugez après cela quelle reconnaissance je dois vouer à la défunte Marfa Petrovna pour avoir raconté à votre sœur tant de choses mystérieuses et intéressantes sur mon compte. Je n'ose imaginer l'impression produite par ces confidences, mais je crois qu'elle m'a été favorable. Malgré l'antipathie que je lui inspirais, mon air sombre et repoussant, elle finit par avoir pitié de l'homme perdu qu'elle voyait en moi. Or, quand la *pitié* s'empare du cœur d'une jeune fille, cela devient dangereux pour elle. Le désir la prend de sauver, de raisonner, de régénérer, d'offrir des buts plus nobles à l'activité d'un homme, une vie nouvelle. Enfin, on connaît les rêves de ce genre. Je compris aussitôt que l'oiseau se précipitait de son propre gré dans la cage et je pris mes précautions. Vous faites la grimace, Rodion Romanovitch. Ça n'en vaut pas la peine; vous savez bien que l'affaire s'est bornée à des vétilles. (Le diable m'emporte! Que je bois de vin ce soir!) Vous savez, j'ai toujours regretté que le sort n'eût pas fait naître votre sœur au second ou au troisième siècle de notre ère; elle aurait pu être la fille d'un petit prince régnant, d'un gouverneur ou d'un proconsul en Asie Mineure. Elle eût certainement grossi le nombre des martyres et souri aux fers rouges et aux tortures. Ce supplice, elle l'eût cherché, quêté. Au cinquième siècle, elle se serait retirée dans le désert d'Egypte pour y vivre trente ans de racines, d'extases et de visions. Elle ne rêve que de souffrir pour quelqu'un et, pour peu qu'on la prive de ce supplice, elle est capable de se précipiter par la fenêtre. J'ai entendu parler d'un certain M. Rasoumikhine, un garçon intelligent, dit-on (un séminariste [1] à en juger par son nom). Eh bien, il fera bien de veiller sur elle. En un mot, je crois l'avoir comprise et m'en glorifie. Mais alors... c'est-à-dire au moment où l'on vient de faire connaissance, on se montre toujours léger, assez peu clairvoyant, on se trompe... Le diable m'emporte! Mais pourquoi est-elle si belle? Ce n'est pas ma faute. En un mot, cela a commencé chez moi par un violent caprice sensuel. Avdotia Romanovna est terriblement et extraordinairement prude (remarquez bien que je vous donne ce détail comme un fait; sa pruderie est presque maladive malgré sa très vive intelligence et risque de lui faire tort dans la vie). A ce moment-là une paysanne, Paracha, Paracha aux yeux noirs entra chez nous. Elle venait d'un autre village et n'avait jamais encore été en place. Elle était fort jolie, mais incroyablement sotte; ses larmes, les cris dont elle remplit la maison causèrent un véritable scandale..

« Un jour, après le dîner, Avdotia Romanovna

me prit à part dans une allée du jardin et *exigea* de moi une promesse de laisser désormais la pauvre Paracha tranquille. C'était peut-être la première fois que nous causions en tête-à-tête. Je m'empressai naturellement d'obtempérer à sa demande et fis tout mon possible pour paraître ému, troublé; bref je jouai fort convenablement mon rôle. A partir de ce moment-là, nous eûmes de fréquents entretiens secrets, des scènes où elle m'exhortait, me suppliait, les larmes aux yeux, oui, les larmes aux yeux, de changer de vie. Voilà jusqu'où va, chez certaines jeunes filles, le désir de catéchiser! Moi, je rejetais, bien entendu, tous mes torts sur la destinée; je me donnais pour un homme avide de lumière; finalement, je mis en œuvre un moyen d'asservir le cœur féminin qui ne trompe personne mais qui ne manque jamais son effet; je veux parler de la flatterie. Il n'est au monde rien de plus difficile que la franchise et de plus aisé que la flatterie. Si à la franchise se mêle la moindre fausse note, il se produit aussitôt une dissonance et c'est un scandale. Mais la flatterie peut n'être que mensonge et fausseté, elle n'en demeure pas moins agréable; elle est accueillie avec plaisir, un plaisir vulgaire, si vous voulez, mais qui n'en est pas moins réel. Et si grossière soit-elle, cette flatterie nous paraît toujours receler une part de vérité. Cela est vrai pour toutes les classes de la société, à tous les degrés de culture. Une vestale même y est accessible. Je ne parle pas des gens du commun. Je ne puis me rappeler sans rire comment je suis arrivé une fois à séduire une petite dame dévouée à son mari, à ses enfants, à sa famille. Ce que c'était amusant et facile! Et vous savez, elle était réellement vertueuse, à sa manière tout au moins. Toute ma tactique consistait à m'aplatir devant elle et à m'incliner devant sa chasteté. Je la flattais sans vergogne et à peine m'arrivait-il d'obtenir un serrement de main, un regard, que je me reprochais amèrement de les lui avoir arrachés de force, tandis qu'elle me résistait si bien que je ne serais arrivé à rien sans mon caractère dévergondé. Je prétendais que, dans son innocence, elle n'avait pu deviner ma fourberie et qu'elle était tombée dans le piège sans le savoir, etc. Bref, je parvins à mon but : ma petite dame restait persuadée de sa pureté et croyait ne s'être perdue que par hasard. Et quelle fureur elle conçut quand je lui dis que j'étais sincèrement convaincu qu'elle n'avait cherché que le plaisir tout comme moi!

« La pauvre Marfa Petrovna, elle aussi, résistait mal à la flatterie et, pour peu que je l'eusse voulu, j'aurais pu faire inscrire la propriété à mon nom, de son vivant (je bois vraiment trop de vin et je bavarde terriblement). J'espère que vous ne vous fâcherez pas si j'ajoute qu'Avdotia Romanovna ne fut pas insensible aux éloges dont je l'accablais. Malheureusement, je fus stupide et je gâtai toute l'affaire par mon impatience. Le croiriez-vous? Une certaine expression de mes yeux avait plus d'une fois déplu à Avdotia Romanovna. Bref, une certaine flamme qui y apparaissait l'effrayait et, peu à peu, lui devint odieuse. Sans entrer dans les détails, qu'il me suffise de vous dire que nous nous sommes brouillés. Là, j'agis encore sottement. Je me mis à railler grossièrement les convertisseuses. Paracha revint en faveur et fut suivie de bien d'autres. En un mot je commençai à mener une vie infernale! Oh! si vous aviez vu, ne fût-ce qu'une fois, Rodion Romanovitch, les éclairs que peuvent lancer les yeux de votre sœur! Ne faites pas attention à ce que je vous dis, je suis ivre et viens de boire tout un verre de vin, mais je dis vrai; je vous assure que ce regard m'a souvent poursuivi en rêve J'en étais venu à ne plus pouvoir supporter le bruit soyeux de sa robe. Je vous jure que je me croyais menacé d'une attaque d'apoplexie; jamais je n'aurais pensé pouvoir être atteint d'une folie pareille. Bref, je voulais faire la paix avec elle, mais la réconciliation était impossible. Devinez ce que je fis alors? A quel degré de stupidité la rage peut-elle conduire un homme! N'entreprenez rien quand vous êtes en fureur, Rodion Romanovitch. Considérant qu'en somme Avdiota Romanovna était une pauvresse (Oh!... pardon, je ne voulais pas dire cela, mais qu'importent les mots s'ils expriment votre pensée), qu'en un mot elle vivait de son travail et qu'elle avait à sa charge sa mère et vous (ah! diable, vous froncez encore le sourcil), je résolus de lui offrir tout l'argent que je possédais (je pouvais réaliser à ce moment-là une trentaine de mille roubles) et de lui proposer de fuir avec moi à Pétersbourg par exemple. Une fois là, je lui aurais, bien entendu, juré amour éternel, bonheur, etc. Le croiriez-vous? J'étais à cette époque si toqué d'elle que si elle m'avait dit : « Assassine ou empoisonne Marfa Petrovna », je l'aurais fait immédiatement. Mais tout cela a fini par la catastrophe que vous connaissez et vous pouvez imaginer ma colère quand j'appris que Marfa Petrovna avait été pêcher ce petit chicaneau de Loujine et manigancé un mariage, qui, à tout prendre, ne valait pas mieux que ce que je lui offrais. N'êtes-vous pas de mon avis? Dites! Non, mais répondez; je remarque que vous vous êtes mis à m'écouter avec beaucoup d'attention... intéressant jeune homme... »

Svidrigaïlov dans son impatience donna un violent coup de poing sur la table. Il était devenu tout rouge. Raskolnikov s'aperçut que le verre et demi de champagne qu'il venait de boire à petites gorgées avait agi fortement sur lui et il décida de profiter de cette circonstance, car Svidrigaïlov lui inspirait la plus vive méfiance.

« Eh bien, après cela, je ne doute plus que vous ne soyez venu ici pour ma sœur, déclara-t-il d'autant plus hardiment qu'il voulait pousser Svidrigaïlov à bout.

— Ah! laissez donc... fit ce dernier en essayant de se reprendre. Ne vous ai-je pas dit... D'ailleurs, votre sœur ne peut pas me souffrir.

— Oh! j'en suis bien certain, mais il ne s'agit pas de cela.

— Ah! Vous êtes sûr qu'elle ne peut pas me supporter? (Svidrigaïlov cligna des yeux et eut un sourire moqueur.) Vous avez raison, je lui suis antipathique. Mais ne répondez jamais de ce qui se passe entre mari et femme ou amant et maîtresse. Il y a toujours là un petit coin qui reste caché à tout le monde et n'est connu que des intéressés. Vous affirmez qu'Avdotia Romanovna me voit avec répugnance?

— Certains mots et certaines réflexions de votre récit me prouvent que vous continuez à nourrir d'infâmes desseins sur Dounia.

— Comment! J'ai pu laisser échapper des mots et des réflexions qui vous le font croire? fit Svidrigaïlov avec une frayeur naïve, sans être offensé le moins du monde par l'épithète dont on qualifiait ses desseins.

— Mais en ce moment même, vous continuez à trahir vos arrière-pensées. Tenez, pourquoi avez-vous pris peur? Comment expliquez-vous vos frayeurs subites?

— Moi, j'ai pris peur? Moi, effrayé? Peur de vous? C'est plutôt à vous de me craindre, *cher ami*[1]. Et quel conte... Du reste, je suis ivre, je le vois bien; un peu plus, j'allais encore lâcher une sottise. Au diable le vin! Par ici, apportez-moi de l'eau! »

Il saisit la bouteille et, sans plus de façon, la jeta par la fenêtre. Philippe lui apporta de l'eau.

« Tout cela est absurde, continua-t-il, en trempant une serviette et en l'appliquant sur son front. Je puis réduire d'un mot tous vos soupçons à néant. Savez-vous, par exemple, que je me marie?

— Vous me l'avez déjà dit.

— Oui? Je l'avais oublié. Mais alors je ne pouvais rien affirmer, car je n'avais pas encore vu ma fiancée; ce n'était qu'une intention; maintenant l'affaire est conclue et, n'était un rendez-vous urgent, je vous conduirais chez elle. Car je voudrais avoir votre conseil. Ah! diable! Je n'ai plus que dix minutes. Regardez vous-même la montre; mais pourtant je vous raconterai cela, car l'histoire de mon mariage est assez curieuse. Où allez-vous? Vous voulez encore vous en aller?

— Non, maintenant, je ne m'en vais plus.

— Vous ne me quitterez pas? Nous verrons! Je vous mènerai voir ma fiancée, mais pas maintenant, plus tard, car nous devons bientôt nous dire adieu. Vous allez à droite, moi à gauche. Et Resslich, la connaissez-vous? La dame chez laquelle je loge maintenant, hein? Vous entendez? Non, vous pensez à autre chose. Vous savez bien, celle qu'on accuse d'avoir provoqué le suicide d'une fillette cet hiver? Enfin, m'écoutez-vous ou non? Eh bien, c'est elle qui a arrangé cela. Elle m'a dit : « Tu as l'air « de t'ennuyer, va te distraire un peu. » Car je suis un homme triste et sombre. Vous me croyiez gai? Non, vous vous trompiez. Je ne fais de mal à personne, mais je reste terré dans mon coin. Il se passe parfois trois journées entières sans qu'on arrive à me faire parler. Quant à cette friponne de Resslich; elle a son idée : elle compte que je serai vite dégoûté de ma femme; je la planterai là et alors elle s'en emparera et la lancera dans la circulation, dans notre monde ou dans une société plus choisie... Elle me raconte que le père est un vieux ramolli, un ancien fonctionnaire infirme; il a perdu depuis trois ans l'usage de ses jambes et ne bouge plus de son fauteuil. Il y a la mère, une dame fort intelligente. Le fils a pris du service quelque part en province et n'aide pas ses parents. La fille aînée est mariée et ne donne pas de ses nouvelles. Les pauvres gens ont sur les bras deux neveux en bas âge; leur plus jeune fille a été retirée du lycée sans avoir fini ses études, elle n'aura seize ans que dans un mois et dans trois mois sera en âge d'être mariée. C'est elle qu'on me destine. Muni de ces renseignements, je me suis présenté à la famille, une vraie comédie, comme un propriétaire veuf, de bonne famille, ayant des relations, de la fortune. Quant à la différence d'âge — elle n'a pas seize ans et moi plus de cinquante —, qui fait attention à cela? Car le parti est tentant, hein? tentant, n'est-ce pas? Il aurait fallu me voir causer avec le papa et la maman. On aurait payé sa place pour assister à ce spectacle. L'enfant arrive, vêtue d'une robe courte et pareille à une fleur en bouton;

elle fait la révérence en rougissant comme une pivoine On lui avait sans doute appris sa leçon. Je ne connais pas votre goût en matière de visages féminins, mais, selon moi, ces filles de seize ans, leurs yeux enfantins, leur timidité, leurs petites larmes pudiques valent mieux que la beauté. Et par-dessus le marché elle est jolie comme une image. Figurez-vous des cheveux clairs, bouclés et frisés qui la font ressembler à un petit mouton, des petites lèvres renflées et purpurines, et les petons! un amour!... Bref, nous fîmes connaissance, j'annonçai que des affaires de famille m'obligeaient à hâter le mariage et le lendemain, c'est-à-dire avant-hier, on nous fiança. Depuis lors, dès que j'arrive, je la prends sur mes genoux et je ne la laisse plus partir... Elle s'empourpre comme une aurore et moi je l'embrasse sans arrêt. Sa maman doit lui faire la leçon et lui dire que je suis son futur époux et que tout doit se passer ainsi. Ainsi compris, le rôle de fiancé est peut-être plus agréable encore que celui de mari. C'est ce qu'on appelle *la nature et la vérité*[1]. Ha! Ha! J'ai causé deux fois avec elle; la fillette est loin d'être sotte. Elle a une façon de me regarder à la dérobée qui incendie tout mon être. Savez-vous, elle a un petit visage qui rappelle celui de la Madone Sixtine de Raphaël[2]. L'expression fantastique et hallucinée qu'il a donnée à cette vierge ne vous a pas frappé? Eh bien, c'est quelque chose de semblable. Dès le lendemain des fiançailles, je lui ai apporté pour quinze cents roubles de cadeaux : une parure de brillants, une autre de perles, un nécessaire de toilette en argent; enfin, tant et tant que le petit visage de madone rayonnait. Hier, je l'ai prise sur mes genoux et j'ai dû me montrer sans doute un peu trop entreprenant, car elle a rougi très fort et des larmes lui sont montées aux yeux, qu'elle essayait de cacher. On nous a laissés seuls; alors elle a jetés ses petits bras autour de mon cou (pour la première fois de son propre gré) et m'a embrassé en me jurant d'être une femme obéissante et fidèle et de consacrer sa vie à me rendre heureux, de tout sacrifier au monde pour mériter *mon estime,* car elle ne voulait que cela et n'avait nullement besoin de cadeaux. Convenez qu'entendre un petit ange de seize ans, en robe de tulle, aux cheveux bouclés, aux joues colorées par une pudeur virginale, vous faire de pareilles déclarations, est assez séduisant. Avouez-le! Voyons, avouez-le!... Ecoutez... écoutez donc, allons, venez avec moi chez ma fiancée...; mais je ne puis vous y mener tout de suite

— Bref, cette monstrueuse différence d'âge attise votre sensualité? Est-ce possible que vous songiez sérieusement à vous marier ainsi?

— Pourquoi pas? C'est absolument décidé. Chacun s'occupe de soi-même ici-bas et celui-là a la vie la plus gaie qui arrive à se créer des illusions... Ha! Ha! mais quel moraliste vous faites! Ayez pitié de moi, mon ami, je suis un pécheur... Hé! hé! hé!...

— Vous vous êtes cependant occupé des enfants de Catherine Ivanovna. Du reste... Du reste, vous aviez vos raisons... Maintenant, je comprends tout.

— J'aime en général les enfants; je les aime beaucoup, fit Svidrigaïlov en riant. Je puis vous raconter à ce sujet un épisode des plus curieux. Le jour même de mon arrivée, je m'en allai dans tous ces cloaques divers; je m'y jetai pour ainsi dire, après sept ans de sagesse! Vous avez sans doute remarqué que je ne suis pas pressé de retrouver mes anciens amis et je voudrais me passer d'eux aussi longtemps que possible. Je dois vous dire que, quand je vivais dans la propriété de Marfa Petrovna, j'étais souvent tourmenté par le souvenir de ces petits endroits mystérieux Le diable m'emporte! Le peuple se livre à l'ivrognerie; la jeunesse cultivée s'étiole et périt dans des rêves irréalisables, elle se perd dans de monstrueuses théories. Les juifs ont tout envahi; ils thésaurisent, cachent l'argent, les autres se livrent à la débauche. Voilà le spectacle que m'a donné la ville à mon arrivée; elle répand une odeur de pourriture. Je tombai dans ce qu'on appelle une soirée dansante; ce n'était qu'un cloaque répugnant (comme je les aime!). On y levait les jambes comme jamais de mon temps, dans un cancan inimaginable. C'est le progrès! Tout à coup, j'aperçois une charmante fillette de treize ans en train de danser avec un beau monsieur. Un autre jeune homme en vis-à-vis. Sa mère est là, assise près du mur, à la regarder. Vous imaginez quelle danse c'était? La fillette est toute honteuse; elle rougit, enfin elle se froisse et commence à pleurer Le beau danseur la saisit, se met à la faire tourner, montre mille singeries et tout le monde de rire aux éclats et de crier : « C'est « bien fait, c'est bien fait, ça leur apprendra à amener « des enfants! » Pour moi, je m'en moquais. Je choisis ma place aussitôt et m'assois à côté de la mère. Je lui raconte que je suis étranger moi aussi et que tous les gens d'ici me semblent stupides et grossiers, incapables de reconnaître le vrai mérite et de le respecter. J'insinue que je suis fort riche et propose de les reconduire dans ma voiture. Je les ramène chez elles, lie connaissance (elles habitaient un véritable taudis et arrivaient de province). Elles me déclarent qu'elles considèrent ma visite comme un grand honneur. J'apprends qu'elles n'ont pas un sou et sont venues faire des démarches. Je leur offre mes services et de l'argent. Elles m'avouent également qu'elles étaient tombées dans cette soirée par erreur, en croyant que c'était un cours de danse. Alors, je leur propose de contribuer à l'éducation de la jeune fille en lui faisant donner des leçons de français et de danse. Elles acceptent avec enthousiasme, se jugent fort honorées, etc., et je les vois toujours. Voulez-vous que nous y allions? Mais plus tard seulement.

— Laissez, finissez vos anecdotes sales et viles, homme corrompu, bas et débauché que vous êtes.

— Non, mais entendez-moi ce poète! Oh! Schiller! Où la vertu va-t-elle se nicher? Eh bien, savez-vous, je vais faire exprès de vous raconter des choses pareilles pour entendre vos exclamations indignées. C'est un vrai plaisir!

— Je crois bien. Vous pensez que je ne me trouve pas ridicule moi-même à cet instant? » marmotta Raskolnikov avec fureur.

Svidrigaïlov riait à gorge déployée. Enfin, il appela Philippe et, après avoir payé sa consommation, il se leva.

« Allons, je suis ivre; *assez causé* [1], dit-il. Un vrai plaisir!

— Je crois bien. Comment ne serait-ce pas un plaisir pour vous? Raconter des aventures scabreuses! Quelle joie pour un homme perdu de vice et usé dans la débauche, surtout quand il songe à un projet monstrueux de la même catégorie et qu'il le raconte à un homme tel que moi... Cela fouette les nerfs!...

— Allons, s'il en est ainsi, reprit Svidrigaïlov avec un certain étonnement, s'il en est ainsi, vous êtes d'un joli cynisme. Vous êtes capable de comprendre bien des choses. Enfin, cela suffit. Je regrette vivement de ne pouvoir m'entretenir plus longtemps avec vous, mais nous nous reverrons... Vous n'avez qu'à prendre patience. »

Il sortit du cabaret, suivi de Raskolnikov. Son ivresse momentanée se dissipait à vue d'œil. Il semblait préoccupé par une affaire importante et son visage s'était assombri, comme s'il attendait un événement grave. Son attitude envers Raskolnikov devenait plus grossière et ironique d'instant en instant. Raskolnikov remarqua ce changement et en fut troublé. L'homme lui inspirait une grande méfiance et il résolut de s'attacher à ses pas.

Ils étaient déjà sur le trottoir.

« Je vais à gauche et vous à droite, ou vice versa si vous voulez; dans tous les cas, nous nous quittons; adieu, *mon plaisir* [1], à la joie de vous revoir. »

Et il s'en alla dans la direction des Halles.

V

Raskolnikov lui emboîta le pas.

« Qu'est-ce que cela signifie? s'écria Svidrigaïlov en se retournant; je croyais vous avoir dit...

— Cela signifie que je ne vous quitte plus.

— Quoi-oi? »

Tous deux s'arrêtèrent et se mesurèrent un instant des yeux.

« Les récits que vous m'avez faits dans votre ivresse m'ont permis de *conclure* que, loin d'avoir renoncé à vos odieux projets contre ma sœur, vous en êtes plus occupé que jamais. Je sais qu'elle a reçu une lettre. Vous avez pu, pendant vos allées et venues, trouver une fiancée; c'est bien possible, mais cela ne veut rien dire. Je veux me convaincre personnellement... »

Raskolnikov aurait sans doute éprouvé quelque peine à expliquer quelle était la chose dont il voulait se convaincre par lui-même.

« Vraiment, et voulez-vous que j'appelle la police?

— Appelez! »

Ils s'arrêtèrent de nouveau l'un en face de l'autre. Enfin, le visage de Svidrigaïlov changea d'expression. Voyant que la menace n'intimidait nullement

Raskolnikov, il reprit tout à coup, du ton le plus gai et le plus amical :

« Quel homme vous faites! Je me suis abstenu à dessein de vous parler de votre affaire, bien que la curiosité me tourmente. Elle est fantastique! J'ai remis notre conversation à un autre jour, mais vous feriez perdre patience à un mort... Allons, venez! mais, je vous préviens, je ne rentre que pour un moment, le temps de prendre de l'argent, puis je ferme l'appartement et m'en vais passer toute la soirée aux Iles. Alors, quel besoin avez-vous de me suivre?

— En attendant, je vous suis jusqu'à votre maison. Je ne vais pas chez vous, mais chez Sophie Simionovna. Je veux m'excuser de n'avoir pas assisté aux funérailles.

— Comme il vous plaira; mais elle n'est pas chez elle. Elle a été conduire les orphelins chez une dame, une noble vieille dame que je connais depuis longtemps et qui est à la tête de plusieurs orphelinats. J'ai séduit cette dame en lui versant de l'argent pour les trois poussins de Catherine Ivanovna et en faisant un don au profit de ses établissements. Enfin, je lui ai raconté l'histoire de Sophie Simionovna dans ses moindres détails et sans rien cacher. Cela a produit un effet indescriptible. Voilà pourquoi Sophie Simionovna a reçu une invitation à se rendre aujourd'hui même à l'hôtel où la grande dame en question loge depuis son retour de la campagne.

— N'importe.

— A votre aise, mais je ne vous accompagnerai pas plus loin. A quoi bon? Nous sommes arrivés. Dites donc, je suis persuadé que vous ne vous méfiez de moi que parce que j'ai été assez délicat pour ne pas vous poser de questions ennuyeuses... Vous me comprenez? La chose vous a paru louche. Je jurerais que c'est cela. Soyez donc délicat!

— Et écoutez aux portes!

— Ah! c'est donc cela, fit Svidrigaïlov en riant. Oui, j'aurais été étonné de vous voir passer ce fait sous silence. Ha! ha! Et quoique j'aie bien compris suffisamment ce que vous... avez manigancé... et raconté ensuite à Sophie Simionovna, enfin, que vouliez-vous dire au juste? Je suis peut-être un homme arriéré, incapable de rien saisir. Mais, mon cher, expliquez-moi cela pour l'amour de Dieu? Eclairez-moi, enseignez-moi les idées nouvelles.

— Vous n'avez rien pu entendre; ce ne sont que des inventions de votre part.

— Il ne s'agit pas de cela! Mais non!... (quoique j'aie vraiment surpris quelque chose de vos confidences). Non, je veux parler de vos soupirs perpétuels. Quel poète vous faites! toujours prêt à vous indigner. Et maintenant, voici que vous voulez défendre aux gens d'écouter aux portes! Si vous êtes si sévère, allez donc déclarer aux autorités : « Il m'est arrivé un malheur, une petite erreur dans « mes théories philosophiques. » Mais si vous êtes convaincu qu'il est défendu d'écouter aux portes, et permis d'occire de pauvres vieilles avec la première arme qui vous tombe sous la main, eh bien, vous feriez mieux dans ce cas de vous expatrier en Amérique au plus vite. Fuyez, jeune homme! Peut-être en avez-vous encore le temps. Je vous parle en toute franchise. Vous n'avez pas d'argent? Je vous en donnerai pour le voyage.

— Je n'y songe même pas, l'interrompit Raskolnikov d'un air méprisant.

— Je comprends (vous n'avez d'ailleurs pas besoin de vous forcer à parler si vous n'en avez pas envie). Je comprends les questions que vous êtes en train de vous poser, des questions morales, n'est-ce pas? Vous vous demandez si vous avez agi comme il sied à un homme et à un citoyen. Laissez ces questions, repoussez-les. A quoi peuvent-elles vous servir maintenant? Hé! hé! Sinon, il ne fallait pas vous engager dans cette affaire et entreprendre une besogne que vous n'êtes pas capable de mener à sa fin. Dans ce cas, brûlez-vous la cervelle! Quoi donc, pas envie?

— Je crois que vous tenez à me pousser à bout, dans l'espoir de vous débarrasser de moi...

— En voilà un original! Mais nous sommes arrivés. Entrez donc. Voyez-vous la porte du logement de Sophie Simionovna : il n'y a personne, vous pouvez vous en convaincre. Vous ne me croyez pas? demandez aux Kapernaoumov. Elle leur confie la clef en sortant. Voilà Mme Kapernaoumov elle-même... Hein? Quoi? (Elle est un peu sourde.) Sortie? Où est-elle allée?

« Eh bien, vous avez entendu maintenant? Elle n'est pas chez elle et ne rentrera pas avant la nuit. Bon, et maintenant venez chez moi. Car vous vouliez venir chez moi? Nous y voici. Mme Resslich est sortie. C'est une femme toujours affairée, mais une brave personne, je vous assure... Elle aurait pu vous aider si vous étiez plus raisonnable. Tenez, veuillez regarder; je prends un titre dans mon bureau (vous voyez qu'il m'en reste encore). Celui-ci va être converti aujourd'hui en espèces. Vous avez bien vu? Je n'ai plus de temps à perdre. Je ferme le secrétaire, la porte d'entrée et nous voici de nouveau dans l'escalier. Voulez-vous que nous prenions une voiture? Car je vais aux Iles. Vous ne voulez pas faire un tour? Le fiacre nous mènera à Elaguine[1]. Hein? Vous ne voulez pas? Tout de même? Allons, venez faire un tour. Je crois qu'il menace de pleuvoir, mais qu'à cela ne tienne, nous relèverons la capote... »

Svidrigaïlov était déjà en voiture. Raskolnikov se dit que ses soupçons étaient pour l'instant peu fondés. Sans répondre un mot, il se détourna et rebroussa chemin dans la direction des Halles. S'il avait tourné la tête, une fois aurait suffi, il aurait pu voir que Svidrigaïlov, après avoir fait cent pas en voiture, mettait pied à terre et payait son cocher. Mais le jeune homme marchait sans regarder autour de lui et il eut bientôt tourné le coin de la rue. Le dégoût profond que lui inspirait Svidrigaïlov le poussait à s'éloigner au plus vite de lui. Il se disait : « Et j'ai pu attendre, espérer quelque chose de cet homme vil et grossier, de ce débauché, de ce misérable! » Pourtant cette opinion qu'il proclamait ainsi était un peu prématurée et peut-être mal fondée. Quelque chose dans la manière d'être de Svidrigaïlov lui donnait une certaine originalité et l'entourait de mystère. En ce qui concernait, sa sœur, Raskolnikov demeurait persuadé que Svidrigaïlov n'en avait pas fini avec elle. Mais toutes ces pensées commençaient à lui paraître trop pénibles pour qu'il s'y arrêtât.

Resté seul, il tomba comme toujours dans une profonde rêverie, et arrivé sur le pont, il s'accouda sur le parapet et se mit à regarder fixement l'eau du canal. Debout, à peu de distance de lui, cependant, Avdotia Romanovna l'observait.

Ils s'étaient croisés à l'entrée du pont, mais il avait passé près d'elle sans l'apercevoir. Dounetchka ne l'avait jamais vu dans cet état et elle fut saisie d'inquiétude. Elle resta un moment à se demander si elle l'accosterait. Tout à coup, elle aperçut Svidrigaïlov qui venait de la place des Halles et se dirigeait rapidement vers elle.

Il avait un air circonspect et mystérieux. Il ne s'engagea pas sur le pont, mais s'arrêta sur le trottoir en essayant d'échapper à la vue de Raskolnikov. Quant à Dounia, il l'avait remarquée depuis longtemps et lui faisait des signes. La jeune fille crut comprendre qu'il l'appelait auprès de lui et lui recommandait de ne pas attirer l'attention de Raskolnikov. Docile à cette injonction muette, elle passa sans bruit derrière son frère et rejoignit Svidrigaïlov.

« Allons vite! fit ce dernier. Je voudrais laisser ignorer notre entretien à Rodion Romanovitch. Je vous préviens que je viens de passer un moment avec lui dans un cabaret où il est venu me trouver et que j'ai eu de la peine à me débarrasser de lui. Je ne sais comment il a été mis au courant de la lettre que je vous ai adressée, mais il paraît se douter de quelque chose. C'est sans doute vous-même qui lui en avez parlé, car si ce n'est vous, qui serait-ce?

— Maintenant que nous avons tourné le coin et qu'il ne peut plus nous voir, je vous déclare que je ne vous suivrai pas plus loin. Dites-moi tout ici. Tout cela peut se dire même en pleine rue.

— D'abord cela ne peut pas se dire en pleine rue. Ensuite, vous devez entendre Sophie Simionovna également. Enfin, j'ai certains documents à vous montrer. Et puis, si vous refusez de monter chez moi, je renonce à vous expliquer quoi que ce soit et je m'en vais. Je vous prie pourtant de ne pas oublier que le curieux secret de votre bien-aimé frère est entre mes mains. »

Dounia s'arrêta indécise et attacha un regard perçant sur Svidrigaïlov.

« Que craignez-vous donc? fit observer ce dernier. La ville n'est pas la campagne et, à la campagne même, vous m'avez causé plus de tort que je ne vous ai fait de mal. Ici...

— Sophie Simionovna est prévenue?

— Non, je ne lui ai pas parlé de cela et je ne sais pas si elle est maintenant chez elle. Elle doit d'ailleurs y être. Elle a enterré sa belle-mère aujourd'hui et je ne la crois pas d'humeur à courir les visites. Pour le moment, je ne veux parler de la chose à personne et regrette même un peu de m'en être ouvert à vous. La moindre imprudence en pareil cas équivaut à une dénonciation. Voici la maison où j'habite, tenez, nous y arrivons. Cet homme que vous voyez est notre concierge; il me connaît parfaitement, vous voyez, il me salue. Il voit que je suis accompagné d'une dame et a sans doute bien remarqué votre visage; cette circonstance doit vous rassurer si vous vous défiez de moi. Excusez-moi de vous parler aussi crûment. J'habite en garni chez des personnes de la maison et un mur seulement sépare la chambre de Sophie Simionovna de la mienne. Elle aussi loge en meublé. Tout l'étage est occupé par différents locataires. Qu'avez-vous donc à redouter comme un enfant, ou alors suis-je si terrible que cela? »

Le visage de Svidrigaïlov fut tordu par un semblant de sourire débonnaire. Mais il était déjà trop ému pour bien jouer son rôle; son cœur battait avec violence et sa poitrine était oppressée. Il affectait d'élever la voix pour dissimuler son agitation grandissante, mais Dounia ne remarquait rien, car les derniers mots de Svidrigaïlov sur le danger qu'elle pouvait courir et ses frayeurs d'enfant l'avaient trop cruellement irritée pour qu'elle pût penser à autre chose.

« Quoique je sache que vous êtes un homme... sans honneur, je ne vous crains pas le moins du monde. Montrez-moi le chemin », fit-elle d'un air tranquille, démenti par la chaleur de son visage.

Svidrigaïlov s'arrêta devant la chambre de Sonia.

« Permettez-moi de m'informer si elle est chez elle... Non. C'est ennuyeux, mais je sais qu'elle doit rentrer d'un moment à l'autre. Car si elle est sortie ce ne peut être que pour aller voir une dame au sujet de ses petits orphelins. Leur mère vient de mourir. Je me suis déjà mêlé à l'histoire et ai pris certaines dispositions. Si Sophie Simionovna n'est pas de retour dans dix minutes, je l'enverrai chez vous ce soir même, si vous voulez. Nous voici chez moi. Mes deux pièces... Ma logeuse, Mme Resslich, habite de l'autre côté de la cloison. Maintenant, jetez un coup d'œil par ici, je m'en vais vous montrer mes principaux documents. La porte de ma chambre donne dans un appartement de deux pièces entièrement vide. Regardez... Vous devez prendre une connaissance exacte des lieux. »

Svidrigaïlov habitait deux chambres meublées assez spacieuses. Dounetchka regardait autour d'elle avec méfiance, mais elle ne constatait rien de particulièrement suspect dans l'arrangement des meubles ou la disposition du local. Elle aurait pu remarquer cependant que le logement de Svidrigaïlov était situé entre deux appartements inhabités. On n'entrait pas chez lui par le corridor, mais en traversant deux pièces, également désertes, qui faisaient partie du logement de sa propriétaire. Ouvrant la porte qui, de sa chambre, donnait dans l'appartement vide, Svidrigaïlov le montra à Dounia, qui s'arrêta sur le seuil sans comprendre pourquoi il l'invitait à regarder, mais l'explication lui en fut bientôt donnée.

« Tenez, jetez un coup d'œil par ici; vous voyez la grande pièce, la seconde. Remarquez cette porte, elle est fermée à clef. Vous voyez la chaise près de la porte; c'est la seule qui soit dans ces deux pièces. Je l'ai apportée de chez moi pour écouter plus commodément. De l'autre côté, derrière la porte, se trouve la table de Sophie Simionovna; c'est là qu'elle était assise et causait avec Rodion Romanovitch pendant que je les écoutais d'ici. Je suis resté à cette place deux soirs de suite et, chaque fois, au moins deux heures; j'ai donc pu apprendre bien des choses, n'est-ce pas?

— Vous écoutiez à la porte?

— Oui, j'écoutais à la porte. Maintenant, venez chez moi; ici on n'a même pas de quoi s'asseoir. »

Il ramena Avdotia Romanovna chez lui, dans la pièce qui lui servait de salon, et l'invita à s'asseoir. Lui-même prit place à l'autre bout de la table et à distance respectueuse de la jeune fille; mais ses yeux brillaient du même feu qui naguère avait tant effrayé Dounetchka. Elle frissonna et jeta encore autour d'elle un regard méfiant. Son geste était involontaire, car elle désirait au contraire se montrer pleine d'assurance. Mais la situation isolée du logement de Svidrigaïlov avait fini par attirer son attention. Elle avait envie de demander si la logeuse tout au moins était chez elle. Pourtant, elle n'en fit rien... par fierté. D'ailleurs, le souci de sa sécurité n'était rien auprès de l'angoisse qui la tourmentait. Elle souffrait de véritables tortures.

« Voici votre lettre, commença-t-elle en la déposant sur la table. Ce que vous m'avez écrit est-il possible? Vous m'avez laissé entendre que mon frère aurait commis un crime. Vos insinuations sont trop claires pour que vous puissiez recourir maintenant à des subterfuges. Sachez que j'ai été, bien avant vos prétendues révélations, mise au courant de ce conte absurde, et je n'en crois pas un mot. C'est un soupçon ignoble et ridicule. Je connais l'histoire et sais ce qui l'a fait naître Vous ne pouvez avoir aucune preuve. Vous m'avez promis de me démontrer la vérité de vos paroles; parlez donc! mais sachez d'avance que je ne vous crois pas, je ne vous crois pas... »

Dounetchka avait prononcé ces paroles avec précipitation et l'émotion qu'elle éprouvait empourpra un instant son visage.

« Si vous n'y croyiez pas, seriez-vous venue seule chez moi? Pourquoi êtes-vous venue? Par simple curiosité?

— Ne me tourmentez pas, parlez, parlez...

— Il faut convenir que vous êtes une jeune fille vaillante. Je vous donne ma parole que je m'attendais à ce que vous demandiez à M Rasoumikhine de vous accompagner. Mais il n'était pas près de vous et ne rôdait pas dans les environs, j'ai bien regardé. C'est courageux de votre part. C'est donc que vous avez voulu ménager Rodion Romanovitch. Du reste, tout en vous est divin!... Quant à votre frère, que vous dirais-je? Vous venez de le voir; que pensez-vous de son attitude?

— Ce n'est pas cependant là-dessus que vous fondez votre accusation.

— Non, mais sur ses propres paroles. Il est venu deux jours de suite passer la soirée avec Sophie Simionovna. Je vous ai indiqué l'endroit où ils étaient assis. Il s'est confessé à la jeune fille. C'est un assassin. Il a tué la vieille, l'usurière chez laquelle il venait lui-même engager des objets, et tué également sa sœur, la marchande Elisabeth, survenue par hasard au moment du meurtre de sa sœur. Il les a assassinées toutes les deux avec une hache qu'il avait apportée. Ce meurtre avait pour objet le vol et il les a volées; il a pris de l'argent et certains objets... Je vous reproduis mot à mot son aveu à Sophie Simionovna, qui est seule à connaître son secret, mais qui n'a pris aucune part effective ni morale au crime. Au contraire, elle a été, en l'apprenant, aussi épouvantée que vous à présent. Soyez tranquille, elle ne le livrera pas.

— Impossible... balbutièrent les lèvres blêmies de Dounetchka qui haletait. C'est impossible... Il n'avait pas la moindre raison, pas le plus petit motif de commettre ce crime... C'est un mensonge, un mensonge!

— Il a tué pour voler, voilà le motif. Il a pris de l'argent et des objets. Lui-même avoue, il est vrai, n'en avoir pas tiré profit; il les a portés et enfouis sous une pierre où ils se trouvent toujours. Mais c'est simplement parce qu'il n'a pas osé en faire usage.

— Mais se peut-il qu'il ait volé? Est-ce vraisemblable? Peut-il seulement avoir eu cette pensée? s'écria Dounia en bondissant de son siège. Enfin, vous le connaissez, vous l'avez vu, est-ce qu'il a l'air d'un voleur? »

Elle avait oublié sa terreur récente et semblait supplier Svidrigaïlov.

« Cette question admet mille réponses, un nombre infini d'arrangements... Un voleur se livre au brigandage, mais il a conscience de son infamie. Eh bien, j'ai entendu raconter qu'un homme plein de noblesse avait dévalisé une fois un courrier. Qui sait? Peut-être pensait-il accomplir une action louable? Certes, j'aurais été, comme vous, incapable d'ajouter foi à la chose si on me l'avait racontée. Mais j'ai été bien forcé de croire au témoignage de mes propres oreilles. Il a expliqué tous ces motifs à Sophie Simionovna. Celle-ci a d'abord refusé de croire ce qu'elle entendait; cependant, elle a fini par se rendre à l'évidence, à l'évidence, m'entendez-vous, puisque c'est lui-même qui lui a tout raconté!

— Quels étaient donc... ces motifs?

— Ce serait trop long à expliquer, Avdotia Romanovna. Il s'agit, comment vous faire comprendre? d'une théorie. C'est comme si je venais dire : un crime initial est permis quand le but poursuivi, le dessein qui l'inspire est louable. Un seul crime et cent bonnes actions! D'autre part, il est assez pénible à un jeune homme plein de qualités et d'un orgueil incommensurable de reconnaître qu'une somme de trois mille roubles suffirait à changer tout son avenir, et de ne pouvoir se les procurer. Ajoutez à cela l'irritation maladive causée par une faim chronique, un logement trop étroit, des vêtements en lambeaux, par la conscience de toute la misère de sa propre situation sociale et, en même temps, de celle de sa mère et de sa sœur. Par-dessus tout, l'ambition, la fierté, tout cela, du reste, malgré, peut-être, d'excellentes qualités naturelles... N'allez pas croire que je l'accuse; d'ailleurs cela ne me regarde pas. Il y avait là encore une théorie personnelle selon laquelle l'humanité est divisée en « troupeau » et en « individus extraordinaires », c'est-à-dire en êtres qui, grâce à leur essence supérieure, ne sont pas tenus d'obéir à la loi. Au contraire, ce sont eux qui créent ces lois pour le reste de l'humanité, pour le troupeau, la poussière, quoi! Enfin, *c'est une théorie comme une autre*[1]. Napoléon l'avait violemment attiré, ou plus précisément l'idée que les hommes de génie ne craignent pas de commettre un crime initial et en prennent la décision sans y penser. Je crois qu'il s'était imaginé être génial, lui aussi, c'est-à-dire qu'il en fut persuadé à un moment donné. Il a beaucoup souffert et souffre encore à la pensée qu'il est capable d'inventer une théorie, mais non de l'appliquer et que, par conséquent, il n'est pas un homme génial. Et cette pensée est fort humiliante pour un jeune homme orgueilleux, de notre temps surtout...

— Et les remords? Vous niez donc tout sentiment moral chez lui? Mais est-il tel que vous voulez le décrire?

— Ah! Avdotia Romanovna, maintenant tout est livré au désordre et à l'anarchie. D'ailleurs, de l'ordre, il n'y en a jamais eu. Les Russes, Avdotia Romanovna, ont l'âme grande, généreuse, grande comme leur pays, et une tendance aux rêveries fantastiques et désordonnées. Mais c'est un malheur d'avoir une âme noble et vaste sans génie. Vous souvenez-vous de tout ce que nous disions à ce sujet en causant, sur la terrasse, tous les soirs après le souper? Vous me reprochiez cette largeur d'esprit! Qui sait? Pendant que vous me parliez ainsi, peut-être était-il couché, en train de songer à son projet... Car il faut bien dire que notre société cultivée n'a pas de fortes traditions, Avdotia Romanovna, si ce n'est celles qu'on peut se former grâce aux livres... ou certaines chroniques du passé. Mais ça, c'est pour les savants, et encore sont-ils pour la plupart si sots qu'un homme du monde aurait honte de suivre leur enseignement. Du reste, vous connaissez mon opinion : je n'accuse personne. Moi-même, je vis dans l'oisiveté et m'y tiens. Mais nous avons plus d'une fois parlé de tout cela avec vous. J'ai même eu le bonheur de vous intéresser en énonçant mes jugements... Vous êtes très pâle, Avdotia Romanovna...

— Je connais cette théorie. J'ai lu dans une revue son article sur les hommes supérieurs auxquels tout est permis... C'est Rasoumikhine qui me l'a apporté...

— M. Rasoumikhine? L'article de votre frère, dans une revue? Il a écrit un article pareil. Je l'ignorais. Ce doit être curieux à lire. Mais où allez-vous ainsi, Avdotia Romanovna?

— Je veux voir Sophie Simionovna, fit Dounia d'une voix faible. Où est l'entrée de sa chambre? Elle est peut-être rentrée maintenant. Je veux la voir tout de suite. Qu'elle me... » Elle ne put achever; elle étouffait littéralement.

« Sophie Simionovna ne rentrera pas avant la nuit. Je le suppose du moins. Elle devait rentrer très tôt, mais si elle n'est pas là, c'est qu'elle ne reviendra que tard...

— Ah! C'est ainsi que tu mens... Je vois bien... tu m'as menti. Je ne te crois pas. Je ne te crois pas », criait Dounia, prise d'un véritable accès de rage qui lui faisait perdre la tête.

Et elle tomba presque évanouie sur une chaise que Svidrigaïlov s'était hâté de lui avancer.

« Avdotia Romanovna, qu'avez-vous? Reprenez vos sens. Voici de l'eau; buvez-en une gorgée... »

Il lui aspergea le visage. Dounetchka tressaillit et revint à elle.

« L'effet a été trop violent, marmottait Svidrigaïlov tout assombri. Avdotia Romanovna, calmez-vous. Sachez qu'il a des amis. Nous le sauverons; nous le tirerons de là. Voulez-vous que je l'emmène à l'étranger? J'obtiendrai un billet en l'espace de trois jours. Quant à son crime, il fera encore tant de bonnes actions qu'il sera effacé. Calmez-vous. Il peut encore devenir un grand homme. Comment vous sentez-vous?

— Homme cruel et indigne! Il ose encore railler... Laissez-moi...

— Où allez-vous? Mais où allez-vous?

— Chez lui. Où est-il? Vous le savez! Pourquoi cette porte est-elle fermée? C'est par là que nous sommes entrés et maintenant elle est fermée à clef. Quand l'avez-vous fermée?

— On ne pouvait tout de même pas laisser entendre à tout le monde ce que nous disions. Je ne songe pas à railler; je suis seulement fatigué de parler sur ce ton. Où voulez-vous aller? Songez-vous à le dénoncer? Vous êtes capable de l'affoler et de le pousser à se dénoncer lui-même. Sachez qu'on le surveille, car ils sont déjà tombés sur ses traces. Vous le livrerez. Attendez : je viens de le voir et de causer avec lui, on peut encore le sauver. Attendez, asseyez-vous et nous allons examiner ensemble ce que nous devons faire. Je ne vous ai fait venir que pour causer tranquillement. Mais asseyez-vous donc...

— Comment le sauverez-vous? Et peut-on le sauver? »

Dounia s'assit. Svidrigaïlov prit place auprès d'elle.

« Tout cela dépend de vous, de vous, de vous seule », fit-il dans un murmure. Ses yeux étincelaient; son agitation était telle qu'il avait peine à articuler les mots. Dounia recula épouvantée. Il tremblait.

« Vous... un seul mot de vous et il est sauvé. Je... je le sauverai. J'ai de l'argent et des amis. Je l'enverrai tout de suite à l'étranger, je prendrai un passeport pour moi... deux passeports, un pour lui, l'autre pour moi. J'ai des amis, des hommes influents... Voulez-vous? Je prendrai également un passeport pour vous... pour votre mère... Qu'avez-vous besoin de Rasoumikhine? Je vous aime tout autant que lui... Je vous aime infiniment. Donnez-moi le bas de votre robe à baiser, donnez. Le bruit que fait votre vêtement me met hors de moi. Ordonnez et j'obéirai. Toutes vos croyances seront les miennes. Je ferai tout, tout... Ne me regardez pas ainsi. Vous me tuez... »

Il commençait à délirer. On eût dit qu'il venait d'être atteint de folie. Dounia bondit et se précipita vers la porte.

« Ouvrez, ouvrez! criait-elle en la secouant. Ouvrez donc. Se peut-il qu'il n'y ait personne dans la maison? »

Svidrigaïlov se leva et revint à lui. Un mauvais sourire railleur apparaissait sur ses lèvres encore tremblantes.

« Il n'y a en effet personne, fit-il d'une voix basse et lente; ma logeuse est sortie et vous avez tort de crier ainsi; vous ne faites que vous énerver inutilement.

— Où est la clef? Ouvre immédiatement la porte,

immédiatement, dis-je, scélérat, fripouille que tu es!

— J'ai perdu la clef.

— Ah! c'est donc un guet-apens! » s'écria Dounia, pâle comme la mort, et elle se précipita dans un coin où elle se barricada derrière une petite table trouvée par hasard.

Elle ne criait plus, mais, immobile, les yeux fixés sur son bourreau, elle surveillait chacun de ses gestes. Svidrigaïlov ne bougeait pas lui non plus. Il semblait redevenir maître de lui, extérieurement tout au moins, mais son visage demeurait pâle. Son sourire continuait à narguer la jeune fille.

« Vous venez de parler de guet-apens, Avdotia Romanovna. Si guet-apens il y a, vous pouvez voir que j'ai pris mes précautions. Sophie Simionovna n'est pas chez elle. Les Kapernaoumov sont loin, cinq pièces nous séparent de leur logement. Enfin, je suis au moins deux fois plus fort que vous et je n'ai d'autre part rien à redouter, car vous ne pouvez porter plainte contre moi. Vous ne voudriez pas perdre votre frère, n'est-ce pas? D'ailleurs, personne ne vous croirait. Pour quelle raison une jeune fille irait-elle toute seule rendre visite à un célibataire? Donc, lors même que vous vous résoudriez à sacrifier votre frère, vous ne pourriez rien prouver. Il est très difficile de prouver un viol, Avdotia Romanovna.

— Misérable!

— A votre aise, mais remarquez que je n'ai avancé que de simples hypothèses. Personnellement, je suis de votre avis. Violenter quelqu'un est une bassesse. Je n'avais qu'un désir : rassurer votre conscience dans le cas où vous... dans le cas où vous voudriez sauver votre frère de bon gré comme je vous le proposais. Vous ne feriez alors que vous incliner devant les circonstances, céder à la nécessité enfin, s'il faut dire le mot. Pensez-y! Le sort de votre frère et celui de votre mère sont entre vos mains. Quant à moi, je serai votre esclave... toute ma vie... J'attendrai ici... »

Svidrigaïlov s'assit sur le divan à huit pas environ de Dounia. La jeune fille n'avait plus aucun doute sur ses intentions; elle les savait inébranlables. D'ailleurs elle le connaissait bien... Tout à coup, elle tira de sa poche un revolver, l'arma et le plaça sur la table à ses côtés.

Svidrigaïlov, surpris, fit un brusque mouvement.

« Tiens! Ah! c'est ainsi? s'écria-t-il avec un mauvais sourire, eh bien, voilà qui change la situation du tout au tout. Vous me facilitez singulièrement la besogne vous-même, Avdotia Romanovna. Mais où avez-vous pris ce revolver? Ne serait-ce pas celui de M. Rasoumikhine? Tiens! mais c'est le mien! Un vieil ami! Et moi qui l'ai tant cherché. Les leçons que j'ai eu l'honneur de vous donner à la campagne n'auront pas été inutiles, à ce que je vois.

— Ce n'est pas le tien, mais celui de Marfa Petrovna, monstre que tu es. Il n'y avait rien à toi dans cette maison. Je l'ai pris quand j'ai compris ce dont tu étais capable. Si tu fais un pas vers moi, je te jure que je te tuerai. »

Dounia était exaspérée et tenait le revolver, prête à tirer.

« Bon, et votre frère? Je vous demande cela par curiosité, fit Svidrigaïlov, toujours immobile à la même place.

— Dénonce-le, si tu veux. Un pas et je tire. Tu as empoisonné ta femme, je le sais, tu es toi-même un meurtrier...

— Et vous êtes bien certaine que j'ai empoisonné Marfa Petrovna?

— Oui, c'est toi-même qui me l'a donné à entendre; tu m'as parlé de poison... Je sais que tu t'en étais procuré... tu l'avais préparé... c'est toi... c'est certainement toi... infâme!

— Lors même que ce serait la vérité, j'aurais fait cela pour toi, tu en aurais été la cause.

— Tu mens; je t'ai toujours haï, toujours...

— Hé! vous me paraissez avoir oublié, Avdotia Romanovna, que, dans votre rôle d'apôtre, vous vous penchiez vers moi avec des regards langoureux... Je lisais dans vos yeux, vous rappelez-vous? le soir, au clair de lune, pendant que le rossignol chantait?

— Tu mens. (La fureur fit étinceler les yeux de Dounia.) Tu mens, calomniateur!

— Je mens? Eh bien, mettons que je mens! J'ai donc menti. On ne doit jamais rappeler ces petites choses aux femmes (il eut un sourire railleur). Je sais que tu vas tirer, jolie petite bête, eh bien, vas-y. »

Dounia le coucha en joue et n'attendit qu'un mouvement de sa part pour faire feu. Elle était mortellement pâle, sa lèvre inférieure tremblait et ses grands yeux noirs lançaient des flammes. Il ne l'avait jamais vue aussi belle. Le feu de ses yeux, au moment où elle leva le revolver sur lui, l'atteignit comme une brûlure au cœur, qui se serra douloureusement. Il avança d'un pas, une détonation retentit. La balle lui effleura les cheveux et alla frapper le mur derrière lui. Il s'arrêta et dit avec un léger rire :

« Une piqûre de guêpe. C'est qu'elle vise à la tête!... mais qu'est-ce donc? du sang? » Il tira son mouchoir pour essuyer un mince filet de sang qui coulait le long de sa tempe droite. La balle avait dû frôler la peau du crâne.

Dounia avait abaissé le revolver et regardait Svidrigaïlov d'un air hébété plutôt qu'effrayé, comme si elle était incapable de comprendre ce qu'elle venait de faire et ce qui se passait devant elle.

« Eh bien, quoi! Vous m'avez manqué. Tirez encore! J'attends, poursuivit tout bas Svidrigaïlov dont la gaieté avait maintenant quelque chose de sinistre. Si vous tardez ainsi, je pourrai vous saisir avant que vous ayez relevé le chien. »

Dounetchka frissonna, arma son revolver et mit en joue.

« Laissez-moi, cria-t-elle désespérément; je vous jure que je vais tirer encore et... je vous... tuerai.

— Eh bien, quoi! A trois pas, en effet, il est impossible de me manquer. Mais si vous ne me tuez pas... alors... » Ses yeux étincelèrent et il fit encore deux pas.

Dounetchka tira; le revolver fit long feu.

« L'arme a été mal chargée. N'importe, vous avez encore une balle. Arrangez ça; j'attends. »

Il était debout à deux pas de la jeune fille et fixait sur elle un lourd regard brûlant qui exprimait une résolution indomptable. Dounia comprit qu'il mourrait plutôt que de renoncer à elle. Et... et maintenant elle était sûre de le tuer à deux pas!

Tout à coup, elle jeta l'arme.

« Vous la jetez! » s'écria Svidrigaïlov tout étonné, et il respira profondément. Son âme était soulagée d'un lourd fardeau qui n'était peut-être pas uniquement la crainte de la mort; pourtant, il aurait eu du mal sans doute à s'expliquer ce qu'il éprouvait. C'était, en quelque sorte, une délivrance d'un autre sentiment plus douloureux, que lui-même n'aurait pu déterminer. Il s'approcha de Dounia et lui enlaça doucement la taille. Elle ne lui opposa aucune résistance, mais elle tremblait comme une feuille et le regardait avec des yeux suppliants. Il s'apprêtait à lui parler, mais ses lèvres ne purent que s'entrouvrir dans une grimace. Il ne proféra pas un mot.

« Laisse-moi! » supplia Dounia.

Svidrigaïlov tressaillit. Ce tutoiement n'était pas celui de tout à l'heure.

« Ainsi tu ne m'aimes pas? » demanda-t-il tout bas.

Dounia fit un signe négatif de la tête.

« Et tu ne peux pas?... tu ne pourras jamais... chuchota-t-il d'un accent désespéré.

— Jamais! » murmura Dounia.

Durant un instant, une lutte terrible se livra dans l'âme de Svidrigaïlov. Ses yeux étaient fixés sur la jeune fille avec une expression indicible. Soudain, il retira le bras qu'il avait passé autour de sa taille, se détourna rapidement et vint se placer devant la fenêtre.

« Voici la clef, fit-il après un moment de silence. (il la tira de la poche gauche de son pardessus et la déposa sur la table, derrière lui, sans se tourner vers Dounia). Prenez-la et partez vite... »

Et il regardait obstinément la fenêtre.

Dounia s'approcha de la table et prit la clef.

« Vite, vite », répéta Svidrigaïlov, toujours sans bouger, mais ce mot « vite » résonnait terriblement.

Dounia ne s'y méprit point; elle saisit la clef, bondit jusqu'à la porte, l'ouvrit précipitamment et sortit en toute hâte. Un instant après, elle courait comme une folle le long du canal dans la direction du pont de...

Svidrigaïlov resta encore trois minutes auprès de la fenêtre. Puis il se retourna lentement, jeta un coup d'œil autour de lui et se passa doucement la main sur le front. Un sourire affreux lui tordit le visage, un pauvre sourire pitoyable qui exprimait l'impuissance, la tristesse et le désespoir. Sa main était rouge du sang de sa blessure. Il la regarda avec colère, mouilla une serviette et se lava la tempe. Le revolver jeté par Dounia avait roulé jusqu'à la porte. Il le ramassa et se mit à l'examiner. C'était une petite arme à trois coups, d'un ancien modèle. Il y restait encore de quoi tirer une fois. Après un moment de réflexion, il le fourra dans sa poche, prit son chapeau et sortit.

VI

IL passa toute sa soirée, jusqu'à dix heures, à courir les cabarets et les bouges. Ayant retrouvé Katia dans un de ces endroits, où elle chantait toujours son ignoble chanson sur le misérable qui « se met à embrasser Katia », il lui paya à boire, ainsi qu'à un joueur d'orgue de Barbarie, aux garçons, à des chansonniers et à deux petits clercs qui avaient attiré sa sympathie pour la bonne raison qu'ils avaient le nez de travers : chez l'un il s'inclinait vers la gauche et chez l'autre vers la droite, chose qui le frappa d'étonnement. Ils finirent par l'entraîner dans un jardin de plaisance dont il leur paya l'entrée. Ce jardin renfermait un sapin malingre, trois autres arbrisseaux et un bâtiment décoré du nom de vauxhall, mais qui n'était en réalité qu'un cabaret où l'on pouvait, du reste, boire également du thé. Dans le jardin, on voyait aussi quelques petites tables vertes accompagnées de chaises. Un chœur de mauvais chansonniers et un paillasse munichois au nez rouge, complètement ivre mais extraordinairement morne, étaient destinés à amuser le public. Les petits clercs se prirent de querelle avec des collègues et commencèrent à se battre. Svidrigaïlov fut choisi comme arbitre. Il mit un quart d'heure à essayer de juger l'affaire, mais tous criaient si fort qu'il n'y avait pas moyen de s'entendre. Il ne comprit qu'une chose, c'est que l'un avait commis un vol et vendu déjà à un juif survenu par hasard le produit de son larcin; mais, la chose accomplie, il avait refusé de partager avec ses camarades le bénéfice de l'opération. A la fin, il se découvrit que l'objet volé était une cuiller d'argent appartenant au vauxhall. Les gens de l'établissement s'aperçurent de sa disparition et l'affaire aurait pu prendre une tournure désagréable si Svidrigaïlov n'avait désintéressé les plaignants. Il paya la cuiller et quitta le jardin. Il était dix heures environ. Il n'avait pas bu de toute la soirée une seule goutte de vin et s'était borné à se faire servir du thé, et encore parce qu'il fallait prendre une consommation.

La soirée était sombre et étouffante. Vers les dix heures, le ciel se couvrit de nuages noirs épais, un violent orage éclata. La pluie ne tombait pas par gouttes, mais en véritables jets qui frappaient et fouettaient le sol. Des éclairs d'une longueur infinie sillonnaient le ciel. Svidrigaïlov arriva chez lui trempé jusqu'aux os. Il s'enferma dans sa chambre, ouvrit son secrétaire, en tira son argent, déchira quelques papiers. Il mit l'argent dans sa poche et s'apprêtait à changer de vêtements, mais, voyant que la pluie continuait à tomber, il jugea que cela n'en valait pas la peine, prit son chapeau et sortit sans fermer la porte. Il se rendit directement dans la chambre de Sonia, qu'il trouva chez elle.

La jeune fille n'était pas seule; elle était entourée des quatre petits enfants du tailleur Kapernaoumov et leur faisait boire du thé. Elle accueillit respectueusement son visiteur, regarda avec surprise ses vêtements mouillés, mais ne dit pas un mot. A la vue de l'étranger, les enfants s'enfuirent aussitôt, saisis d'une frayeur indescriptible.

Svidrigaïlov s'assit devant la table et invita Sonia à prendre place auprès de lui. La jeune fille se prépara timidement à écouter ce qu'il avait à lui dire.

« Sophie Simionovna, commença-t-il, je vais peut-être partir pour l'Amérique et, comme nous nous voyons probablement pour la dernière fois, je suis venu prendre quelques dernières dispositions... Eh bien, avez-vous vu cette dame aujourd'hui? Je sais ce qu'elle a pu vous dire, inutile de me le répéter. (Sonia fit un geste et rougit.) Ces gens-là ont leurs habitudes, leurs manières, leurs idées. Quant à vos petites sœurs et à votre frère, leur sort est assuré; l'argent qui doit leur revenir a été déposé par moi en lieu sûr et contre reçu. Voici les récépissés. Prenez-les à tout hasard. Allons, voici une affaire terminée. Tenez, encore trois titres de cinq pour cent représentant une somme de trois mille roubles. Ils sont pour vous, pour vous personnellement. Je désire que cela reste entre nous, n'en parlez à personne quoi que vous puissiez apprendre. Cet argent vous servira, car, Sophie Simionovna, vous ne pouvez continuer à mener la même vie. Ce serait très mal et vous n'en aurez d'ailleurs plus besoin.

— Vous avez eu tant de bontés pour moi, pour les orphelins et la morte, balbutia Sonia, que si je vous ai mal remercié, eh bien, croyez...

— Eh! laissez donc, laissez donc!

— Quant à cet argent, Arcade Ivanovitch, je vous suis très reconnaissante, mais je n'en ai pas besoin. J'arriverai toujours à me nourrir; ne me considérez pas comme une ingrate : si vous êtes si généreux, eh bien, cet argent...

— Est pour vous, pour vous seule, Sophie Simionovna, et, je vous en prie, n'en parlons plus, car je suis pressé. Il vous sera utile, je vous assure. Rodion Romanovitch n'a que le choix entre deux solutions : se loger une balle dans la tête ou aller en Sibérie. (A ces mots, Sonia regarda son visiteur d'un air effaré et se mit à trembler.) Ne vous inquiétez pas, j'ai tout appris de sa propre bouche, mais je ne suis pas bavard; je n'en soufflerai mot à personne. Vous avez été bien inspirée en lui conseillant d'aller se dénoncer. C'est le meilleur parti qu'il puisse prendre. Eh bien, quand il partira pour la Sibérie, vous l'accompagnerez, n'est-ce pas? N'est-il pas vrai? Donc, vous aurez besoin d'argent. Vous en aurez besoin pour lui. Comprenez-vous? En vous donnant cet argent, c'est comme si je le lui remettais à lui. De plus, vous avez promis à Amalia Ivanovna de la rembourser. Je l'ai entendu. Pourquoi donc, Sophie Simionovna, assumez-vous si légèrement de pareilles charges? Car, enfin, c'est Catherine Ivanovna qui lui devait cet argent et non vous. Vous auriez dû envoyer promener cette Allemande. On ne peut pas vivre ainsi... Enfin, si l'on vous interroge sur moi demain, après-demain ou un de ces jours (et c'est ce qui ne manquera pas d'arriver), ne parlez pas de ma visite et ne dites à personne que je vous ai donné de l'argent. Et maintenant au revoir. (Il se leva.) Saluez Rodion Romanovitch de ma part. A propos, vous feriez bien de confier, en attendant, votre argent à M. Rasoumikhine. Vous le connaissez? Mais oui, vous devez le connaître; c'est un brave garçon. Portez-lui l'argent demain ou bien... quand il sera temps. D'ici là, tâchez de ne pas vous le faire prendre. »

Sonia s'était levée également et fixait un regard effrayé sur son visiteur. Elle avait envie de lui poser une question, de lui parler, mais elle se sentait intimidée et ne savait par où commencer.

« Comment, comment... vous allez sortir par une pluie pareille?

— Quand on part pour l'Amérique, on ne s'inquiète pas de la pluie, hé! hé! Adieu, chère Sophie Simionovna. Je vous souhaite une longue vie, très longue, car vous serez utile aux autres. A propos... saluez de ma part M. Rasoumikhine, n'oubliez pas. Dites-lui qu'Arcade Ivanovitch Svidrigaïlov vous a chargée de ses compliments pour lui. N'y manquez pas. »

Il sortit, laissant la jeune fille toute effarée, craintive et oppressée par d'obscurs soupçons.

On apprit plus tard que Svidrigaïlov avait fait le même soir une autre visite surprenante et singulière. La pluie tombait toujours. A onze heures vingt, il se présenta, tout trempé, chez les parents de sa fiancée qui occupaient un petit logement dans la troisième avenue de Vassilievski Ostrov. Il eut peine à se faire ouvrir et son arrivée, à cette heure insolite, causa au premier moment un grand trouble. Mais Arcade Ivanovitch avait, quand il le voulait, les manières les plus séduisantes, si bien que les parents, qui avaient au premier moment fort raisonnablement pris cette visite pour une frasque d'homme ivre, furent bientôt convaincus de leur erreur. L'intelligente et sensible mère de la fiancée roula auprès de lui le fauteuil du père gâteux et engagea la conversation en choisissant, selon son habitude, des sujets détournés (cette femme n'allait jamais droit au fait, elle commençait par des sourires et mille gestes). Tenait-elle à savoir, par exemple, la date à laquelle Arcade Ivanovitch désirait fixer le mariage, qu'elle commençait à l'interroger avec passion sur Paris et la vie de la haute société, pour le ramener peu à peu de si loin à la troisième avenue de Vassilievski Ostrov. Les autres fois, ce petit manège était scrupuleusement respecté, mais, ce soir-là, Arcade Ivanovitch, plus impatient que de coutume, demanda à voir sa fiancée tout de suite, bien qu'on lui eût annoncé qu'elle était couchée. On s'empressa, bien entendu, de le satisfaire. Arcade Ivanovitch lui annonça simplement qu'une affaire urgente l'obligeait à s'absenter de Pétersbourg; voilà pourquoi il lui apportait une somme de quinze mille roubles, bagatelle qu'il avait depuis longtemps l'intention de lui offrir et qu'il la priait d'accepter comme cadeau de mariage. On ne pouvait guère trouver de rapport logique entre ce présent et le départ annoncé, et il ne semblait pas non plus que cela nécessitât une visite au milieu de la nuit par une pluie battante, mais ses explications furent parfaitement accueillies. Même les exclamations de surprise et les questions d'usage furent prononcées d'un ton délicatement modéré; toutefois, les parents se répandirent en remerciements chaleureux, renforcés par les larmes de l'intelligente mère. Arcade Ivanovitch se leva; en souriant, il embrassa sa fiancée, lui tapota la joue, lui répéta qu'il allait bientôt revenir et, remarquant dans ses yeux, en même temps qu'une expression de curiosité enfantine, une interrogation grave et muette, il l'embrassa une seconde fois en songeant avec dépit que son cadeau serait à coup sûr mis sous clef par la plus intelligente des mères. Il sortit en laissant toute la famille dans un état d'agitation extraordinaire. Mais la sensible maman résolut en un instant certaines questions importantes. Ainsi elle déclara qu'Arcade Ivanovitch était un grand homme, occupé d'affaires fort absorbantes, et qui avait de grandes relations. Dieu seul savait ce qui se passait dans sa tête : il avait résolu de faire un voyage et il mettait son projet à exécution; de même pour l'argent dont il avait fait cadeau; on n'avait à s'étonner de rien. Certes, il était surprenant de le voir tout trempé, mais les Anglais, par exemple, sont encore plus excentriques, et tous ces personnages du grand monde se moquent du qu'en-dira-t-on et ne se gênent pour personne. Peut-être même fait-il exprès de se montrer ainsi pour prouver qu'il ne craint personne. L'essentiel est de ne souffler mot de tout cela à personne, car Dieu sait comment cette histoire finira. En attendant, il faut mettre l'argent sous clef au plus vite. Ce qu'il y a de mieux dans tout cela, c'est que la bonne n'a pas quitté sa cuisine; et surtout il faut se garder de dire quoi que ce soit à cette vieille fourbe de Resslich, etc., etc. Ils restèrent ainsi à bavarder jusqu'à deux heures du matin. La fiancée, cependant, était depuis longtemps retournée au lit, tout étonnée et un peu mélancolique.

Svidrigaïlov rentra en ville par la porte de ***. La pluie avait cessé, mais le vent faisait rage. Il frissonnait et s'arrêta un moment pour regarder avec une curiosité particulière et une sorte d'hésitation l'eau noire de la Petite Néva. Mais il eut bientôt froid à rester ainsi penché sur le fleuve. Il se détourna et s'engagea dans la perspective* **. Pendant près d'une demi-heure, il battit le pavé de cette immense avenue, paraissant chercher quelque chose. Du côté droit, un jour qu'il passait par là, peu de temps auparavant, il avait remarqué un grand bâtiment de bois, un hôtel qui s'appelait autant qu'il pût s'en souvenir l'hôtel d'Andrinople. Il finit par le retrouver. D'ailleurs il était impossible de ne pas le remarquer dans cette obscurité. C'était un long bâtiment encore éclairé malgré l'heure tardive et qui présentait certaines traces d'animation.

Il entra et demanda une chambre à un domestique en haillons qu'il rencontra dans le corridor. Celui-ci jeta sur lui un coup d'œil, puis le conduisit à une toute petite chambre étouffante, située au bout du couloir sous l'escalier. Il n'y en avait pas d'autre, l'hôtel était plein. Le loqueteux attendait en regardant Svidrigaïlov d'un air interrogateur.

« Vous avez du thé? demanda celui-ci.

— Oui, on peut s'en procurer.

— Et quoi encore?

— Du veau, de la vodka, des hors-d'œuvre.

— Apporte-moi du veau et du thé.

— Rien de plus? demanda l'homme avec un certain étonnement.

— Non, non... »

Le loqueteux s'éloigna fort désappointé.

« Ce doit être quelque chose de propre que cette maison, pensa Svidrigaïlov. Comment ne m'en suis-je pas douté? Moi aussi, je dois avoir l'air d'un homme qui revient de faire la noce et a déjà eu une aventure en chemin. Je serais curieux de savoir quelle espèce de gens logent ici. »

Il alluma la bougie et se livra à un examen attentif de la pièce. C'était une véritable cage à une fenêtre, si basse de plafond qu'un homme de la taille de Svidrigaïlov pouvait à peine s'y tenir debout. Outre le lit, fort sale, il y avait une simple table en bois peint et une chaise, qui suffisaient à remplir la pièce. Les murs semblaient faits de simples planches recouvertes d'une tapisserie si poussiéreuse et si sale qu'il était difficile d'en deviner la couleur primitive. L'escalier coupait de biais le plafond et un pan de mur, ce qui donnait à la pièce l'aspect d'une mansarde. Svidrigaïlov déposa la bougie sur la table, s'assit sur le lit et se mit à réfléchir. Mais un murmure de voix incessant, qui s'élevait parfois jusqu'aux cris, venu de la chambre voisine, finit par attirer son attention. Il prêta l'oreille. Une seule personne parlait; elle en gourmandait une autre d'une voix larmoyante.

Svidrigaïlov se leva, mit sa main en écran devant la bougie allumée et aperçut aussitôt une fente éclairée dans le mur. Il s'en approcha et regarda. Dans la pièce, un peu plus grande que la sienne, se trouvaient deux hommes; l'un, en bras de chemise, à la tête crépue, au visage rouge et tuméfié, était debout, les jambes écartées, dans une pose oratoire. Il se donnait de grands coups sur la poitrine et sermonnait son compagnon d'une voix pathétique, en lui rappelant qu'il l'avait tiré du bourbier et pouvait l'y rejeter quand il le voudrait, que seul le Très-Haut voyait ce qui se passait ici-bas... L'ami auquel il s'adressait avait l'air d'un homme qui voudrait bien éternuer mais n'y peut réussir. Il jetait de temps en temps un regard trouble et hébété sur l'orateur et semblait ne pas comprendre un mot de ce que l'autre lui disait, peut-être ne l'entendait-il même pas. Sur la table, où la bougie achevait de se consumer, se trouvaient une carafe de vodka presque vide, des verres de toutes grandeurs, du pain, des concombres et des tasses à thé.

Après avoir considéré attentivement ce tableau, Svidrigaïlov quitta son poste d'observation et revint s'asseoir sur son lit. Le garçon en haillons ne put s'empêcher, en apportant le thé et le veau, de lui redemander encore s'il n'avait besoin de rien d'autre. Mais il reçut encore une fois une réponse négative et se retira définitivement. Svidrigaïlov se hâta de se verser du thé pour se réchauffer; il en but un verre mais ne put rien manger. La fièvre qui commençait à monter lui coupait l'appétit. Il enleva son pardessus, son veston, s'enveloppa dans ses couvertures et se coucha. Il était ennuyé. « Mieux vaudrait, pour cette fois, être bien portant », pensa-t-il avec un rire ironique. L'atmosphère était étouffante, la bougie éclairait faiblement la pièce, le vent grondait au-dehors. On entendait dans un coin un bruit de souris. Du reste, une odeur de cuir et de souris remplissait la pièce. Svidrigaïlov rêvait, étendu sur son lit. Les idées se succédaient confusément dans sa tête; il semblait désireux d'arrêter son imagination sur quelque chose. « Il doit y avoir un jardin sous ma fenêtre, pensa-t-il, on entend le bruit des feuilles agitées par le vent; comme je hais ce bruit de feuilles dans la nuit orageuse! C'est une sensation désagréable, vraiment. » Et il se souvint qu'en passant tantôt dans le parc de Petrovski il avait éprouvé la même répugnance. Ensuite, il songea à la Petite Néva et le même frisson qui l'avait saisi tout à l'heure, quand il était penché sur l'eau, le reprit. « Je n'ai jamais aimé l'eau de ma vie, même en peinture », se dit-il, et une pensée bizarre le fit encore sourire. « Maintenant toutes ces questions de confort et d'esthétique devraient m'importer peu! Et pourtant, me voici devenu aussi difficile que l'animal qui voudrait absolument se choisir une place... dans un cas pareil. J'aurais dû aller tout à l'heure à Petrovski Ostrov, mais non, j'ai eu trop peur du froid et des ténèbres, hé! hé! Monsieur a besoin de sensations agréables... Mais, à propos, pourquoi ne pas éteindre la bougie? (Il la souffla.) Mes voisins se sont couchés, pensa-t-il en ne voyant plus de lumière par la fente de la cloison. C'est maintenant, Marfa Petrovna, continua-t-il, que votre visite serait à propos : il fait sombre, le lieu est propice, la minute originale et c'est précisément maintenant que vous ne viendrez pas... »

Il se souvint tout à coup du moment où il conseillait à Raskolnikov, peu avant l'exécution de son projet concernant Dounia, de la confier à la garde de Rasoumikhine. « Je parlais, en effet, pour me fouetter les nerfs surtout, comme l'a deviné Raskolnikov. C'est un malin celui-là! Il en a supporté des épreuves. Il se formera encore avec le temps, quand toutes ces folies lui seront sorties de la tête. Maintenant, il est *trop* avide de vivre... Sur ce point tous ces gens sont des lâches. D'ailleurs, le diable l'emporte! Il n'a qu'à faire ce qu'il veut, que m'importe à moi! »

Le sommeil continuait à le fuir. Peu à peu, l'image de Dounia se dressa devant lui et un frisson lui courut par tout le corps. « Non, il faut en finir, songea-t-il, en revenant à lui. Pensons à autre chose. Je trouve bizarre et curieux vraiment de n'avoir jamais sérieusement haï personne, jamais éprouvé un désir violent de me venger de quelqu'un. C'est mauvais signe, mauvais signe. Jamais, non plus, je n'ai été querelleur ni violent, encore

pleurait. Elle ne parut pas effrayée à la vue de Svidrigaïlov, mais le regarda d'un air hébété avec ses grands yeux noirs, en reniflant de temps en temps comme il arrive aux enfants qui, après avoir pleuré longtemps, commencent à se consoler, avec de brefs retours de sanglots. Le visage de l'enfant était pâle et épuisé; elle était raidie de froid. Mais comment se trouvait-elle là? Elle s'était donc cachée et n'avait pas dormi de la nuit? Elle s'anima tout à coup et se mit à lui raconter, de sa voix enfantine, avec une rapidité vertigineuse, une histoire où il était question d'une tasse qu'elle avait cassée et de sa mère qui allait la battre. Elle ne s'arrêtait plus...

Svidrigaïlov crut comprendre que c'était une enfant peu aimée de sa mère, quelque cuisinière du quartier ou de l'hôtel même, probablement une ivrognesse qui devait la maltraiter. L'enfant avait cassé une tasse et avait été prise d'une telle frayeur qu'elle s'était enfuie. Elle avait dû errer longtemps dehors, sous la pluie battante, pour enfin se faufiler ici et se cacher dans ce coin, derrière l'armoire, où elle avait passé toute la nuit en pleurant et en tremblant de froid et de peur, à la pensée qu'elle serait cruellement châtiée pour tous les méfaits dont elle s'était rendue coupable.

Il la prit dans ses bras et rentra dans sa chambre, la posa sur le lit et se mit en devoir de la déshabiller. Elle n'avait pas de bas et ses chaussures trouées étaient aussi mouillées que si elles avaient trempé toute une nuit dans une mare. Quand il lui eut ôté ses vêtements, il la coucha et l'enveloppa avec soin dans la couverture. Elle s'endormit aussitôt. Ayant terminé, Svidrigaïlov retomba dans ses pensées moroses.

« De quoi me suis-je mêlé encore, songea-t-il tout oppressé et avec un sentiment de colère. Quelle absurdité! » Dans son irritation, il prit la bougie pour se mettre à la recherche du garçon et quitter au plus tôt l'hôtel. « C'est une gamine! » pensa-t-il en lâchant un juron au moment où il ouvrit la porte. Mais il revint aussitôt sur ses pas pour voir si l'enfant dormait paisiblement! Il souleva la couverture avec soin. La fillette reposait comme une bienheureuse; elle s'était réchauffée et ses joues pâles avaient repris des couleurs. Mais, chose étrange, cette rougeur était beaucoup plus vive que celle qu'on voit ordinairement aux enfants. « C'est la rougeur de la fièvre », pensa Svidrigaïlov, on aurait pu croire qu'elle avait bu, bu tout un verre de vin. Ses lèvres purpurines semblaient brûlantes... Mais qu'était-ce? Il lui parut tout à coup que les longs cils noirs de l'enfant tressaillaient et se soulevaient légèrement. Les paupières mi-closes laissèrent passer un regard aigu, malicieux et qui n'avait rien d'enfantin. La fillette faisait-elle donc semblant de dormir? Oui, c'était bien cela! Ses petites lèvres s'ouvraient dans un sourire et leurs coins tremblaient d'une envie de rire contenue. Mais voilà qu'elle cesse de se contraindre et elle rit franchement; quelque chose d'effronté, de provocant frappe sur ce visage qui n'est point celui d'une enfant. C'est le vice! Ce visage est celui d'une prostituée, d'une femme vénale. Voilà que les deux yeux s'ouvrent franchement tout grands; ils enveloppent Svidrigaïlov d'un regard lascif et brûlant. Ils l'appellent, ils rient... Et cette figure a quelque chose de répugnant dans sa luxure. « Comment, à cinq ans? songe-t-il horrifié. Mais... qu'est-ce donc? » Et voilà qu'elle tourne vers lui son visage

enflammé; elle tend les bras... « Ah! maudite! » s'écrie-t-il épouvanté, et il lève la main sur elle; mais au même instant il s'éveilla...

Il se trouva couché dans le même lit, enveloppé dans la couverture; la bougie n'était pas allumée et l'aube blanchissait aux fenêtres.

« J'ai déliré toute la nuit. » Il se souleva et se sentit avec colère tout courbatu. Un épais brouillard régnait au-dehors et l'empêchait de rien distinguer. Il était près de cinq heures; il avait dormi trop longtemps. Il se leva, endossa son veston, son pardessus encore humides, tâta le revolver dans sa poche, le prit et s'assura que la balle était bien placée. Puis, il s'assit, tira un carnet, y inscrivit, sur la première page, quelques lignes en gros caractères. Après les avoir relues, il s'accouda sur la table et s'absorba dans ses réflexions. Le revolver et le carnet étaient restés près de lui, sur la table. Les mouches avaient envahi la portion de veau demeurée intacte. Il les regarda longtemps, puis se décida à leur donner la chasse de la main droite. Enfin, il s'étonna de l'intéressante occupation à laquelle il se livrait à pareil moment, revint à lui, tressaillit et sortit de la pièce d'un pas ferme. Une minute plus tard il était dans la rue. Un brouillard opaque et laiteux flottait sur la ville. Svidrigaïlov cheminait sur le pavé de bois sale et glissant dans la direction de la Petite Néva et, tout en marchant, il imaginait l'eau du fleuve montée pendant la nuit, l'île Petrovski avec ses sentiers détrempés, son herbe humide, ses taillis, ses massifs lourds de gouttes d'eau, enfin cet arbre-là... Alors, furieux contre lui-même, il se mit à examiner les maisons qu'il longeait pour changer le cours de ses réflexions.

Pas un piéton, pas un fiacre dans l'avenue, et les petites bâtisses d'un jaune vif, aux volets clos, avaient l'air sale et morne. Le froid et l'humidité pénétraient son corps et lui donnaient le frisson. De loin en loin, il apercevait une enseigne qu'il lisait soigneusement d'un bout à l'autre. Enfin, le pavé de bois prit fin. Arrivé à la hauteur d'une grande maison de pierre, il vit un chien affreux traverser la chaussée, en serrant la queue entre les jambes. Un homme ivre mort gisait au milieu du trottoir, la face contre terre. Il le regarda et continua son chemin. A gauche, un beffroi s'offrit à sa vue. « Tiens, pensa-t-il, voilà un endroit; à quoi bon aller dans l'île Petrovski? Ici j'aurai du moins un témoin officiel!... » Il sourit à cette pensée et s'engagea dans la rue... C'est là que se dressait le grand bâtiment surmonté d'un beffroi. Un petit homme, enveloppé dans une capote grise de soldat et coiffé d'un casque, se tenait appuyé au battant fermé de la massive porte cochère. En voyant approcher Svidrigaïlov, il lui jeta un lent regard oblique et froid. Sa physionomie exprimait la tristesse hargneuse qui est la marque séculaire de la race juive.

Les deux hommes s'examinèrent un moment en silence. Le soldat finit par trouver étrange cette station à trois pas de lui d'un individu qui n'était pas ivre et le fixait sans mot dire.

« Qu'est-ce que vous voulez? fit-il sans bouger, d'une voix zézayante.

— Mais rien du tout, mon vieux, bonjour, répondit Svidrigaïlov.

— Passez votre chemin.

— Moi, mon vieux, je m'en vais à l'étranger.

— A l'étranger?

— En Amérique.

— En Amérique? »

Svidrigaïlov tira le revolver de sa poche et l'arma. Le soldat haussa les sourcils.

« En voilà une plaisanterie? Ce n'est pas le lieu, ici, zézaya-t-il.

— Et pourquoi pas?

— Parce que ce n'est pas le lieu.

— Mon vieux, la place est bonne quand même. Si on t'interroge, n'importe, dis que je suis parti pour l'Amérique. »

Il appuya le canon du revolver sur sa tempe droite.

« Dites donc, il ne faut pas faire cela ici; ce n'est pas l'endroit », fit le soldat effrayé en ouvrant de grands yeux.

Svidrigaïlov pressa la détente.

VII

Le même soir, entre six et sept heures, Raskolnikov approchait du logement occupé par sa mère et sa sœur. Elles habitaient maintenant, dans la maison Bakaleev, l'appartement recommandé par Rasoumikhine. L'entrée donnait sur la rue. Il était déjà tout près qu'il hésitait encore. Allait-il monter? Mais rien au monde ne l'aurait fait rebrousser chemin. Sa décision était prise. « D'ailleurs, elles ne savent rien encore, songea-t-il, et elles se sont habituées à me considérer comme un original... » Il avait un aspect minable; ses vêtements étaient trempés, souillés de boue, déchirés. Son visage semblait presque défiguré par la fatigue et la lutte qui se livrait en lui depuis bientôt vingt-quatre heures. Il avait passé la nuit seul à seul avec lui-même. Dieu sait où! Mais, enfin, sa décision était prise.

Il frappa à la porte! ce fut sa mère qui lui ouvrit, Dounetchka était sortie; la bonne même n'était pas là. Pulchérie Alexandrovna au premier moment resta muette de joie, puis elle le saisit par la main et l'entraîna dans la pièce.

« Ah! te voilà, fit-elle d'une voix que l'émotion

faisait trembler. Ne m'en veux pas, Rodia, de te recevoir si sottement avec des larmes. Je ne pleure pas; je ris de joie. Tu crois que je suis triste? Non, je me réjouis et c'est une sotte habitude que j'ai de pleurer de joie. Depuis la mort de ton père la moindre chose me fait verser des larmes. Assieds-toi, mon chéri; tu parais fatigué. Oh! comme te voilà fait!

— J'ai été mouillé hier, maman... commença Raskolnikov.

— Mais non, laisse donc, interrompit vivement Pulchérie Alexandrovna. Tu pensais que j'allais me mettre à t'interroger avec ma vieille curiosité de femme. Ne t'inquiète pas. Je comprends, je comprends tout; maintenant. je suis un peu initiée aux usages de Pétersbourg et je vois qu'on est plus intelligent ici que chez nous. Je me suis dit une fois pour toutes que je suis incapable de te suivre dans tes raisonnements et que je n'ai pas à te demander des comptes... Peut-être as-tu Dieu sait quels projets ou quels plans dans la tête... Sait-on quelles pensées t'occupent! Je n'ai donc pas à venir te troubler par mes questions. A quoi penses-tu? Eh bien, voilà!... Ah! Seigneur, mais qu'est-ce que j'ai à bafouiller ainsi comme une imbécile? Vois-tu, Rodia, je suis en train de relire pour la troisième fois l'article que tu as publié dans une revue; c'est Dmitri Prokofitch qui me l'a apporté. Ç'a été une révélation pour moi. Donc, voilà, me suis-je dit, sotte que tu es, voilà à quoi il pense et tout le secret de l'affaire. Tous les savants sont ainsi. Il roule dans sa tête des idées nouvelles; il y réfléchit tandis que moi je viens le troubler et le tourmenter. En lisant cet article, mon petit, bien des choses m'échappent; il n'y a d'ail-

leurs pas lieu de s'en étonner : comment comprendrais-je, ignorante que je suis!

— Montrez-moi cela, maman. »

Raskolnikov prit la revue et jeta un coup d'œil sur son article. Malgré son état d'esprit et sa situation actuelle, il ressentit le vif et profond plaisir qu'éprouve toujours un auteur à se voir imprimé pour la première fois, surtout lorsqu'il n'a que vingt-trois ans. Mais ce sentiment ne dura qu'un instant. Après avoir lu quelques lignes, il fronça les sourcils et une affreuse souffrance lui serra le cœur. Cette lecture lui avait rappelé toutes les luttes morales qui s'étaient livrées en lui pendant ces derniers mois. Il jeta la brochure sur la table avec un sentiment de violente répulsion.

« Mais si bête que je sois, Rodia, je puis me rendre compte que tu occuperas d'ici peu de temps une des premières places, si ce n'est pas la première, dans le monde de la science. Et ils ont osé te croire fou, ha! ha! ha! Car tu ne sais pas que cette idée leur était venue. Ah! les misérables vers de terre! Comment comprendraient-ils ce qu'est l'intelligence? Et dire que Dounetchka, oui, Dounetchka elle-même, n'était pas éloignée de le croire! Hein, qu'en dis-tu? Ton pauvre père, lui, avait écrit, à deux reprises, à une revue pour lui envoyer d'abord des vers (je les garde, je te les montrerai un jour), puis toute une nouvelle (que j'avais recopiée moi-même). Quelles prières n'avons-nous adressées au Ciel pour qu'ils soient acceptés! Mais non, on les a refusés. Il y a quelques jours, Rodia, je me désolais de te voir si affreusement vêtu et de te voir mal nourri, mal logé, mais maintenant je reconnais que c'était une sottise de ma part, car tu obtiendras tout cela dès que tu le voudras par ton intelligence et

ton talent. Pour le moment, tu n'y tiens sans doute pas et tu t'occupes de choses beaucoup plus importantes.

— Dounia n'est pas là, maman?

— Non, Rodia. Elle sort très souvent en me laissant seule. Dmitri Prokofitch a la bonté de venir me tenir compagnie et il me parle toujours de toi. Il t'aime et t'estime beaucoup. Quant à ta sœur, je ne puis dire qu'elle me manque d'égards. Je ne me plains pas. Elle a son caractère et moi le mien... Il lui plaît d'avoir toutes sortes de secrets et moi je ne veux point en avoir pour mes enfants. Certes, je suis persuadée que Dounetchka est trop intelligente pour... D'ailleurs elle nous aime, toi et moi... mais je ne sais à quoi tout cela aboutira. Elle vient de manquer ta visite qui m'a rendue si heureuse. Quand elle rentrera, je lui dirai : « Ton frère est « venu en ton absence et toi, où étais-tu pendant « ce temps? » Toi, Rodia, ne me gâte pas trop. Quand tu le pourras, passe me voir, mais, si cela t'est impossible, ne t'inquiète pas, je patienterai, car je saurai bien que tu continues à m'aimer et il ne me faut rien de plus. Je lirai tes ouvrages et j'entendrai parler de toi par tout le monde; de temps en temps, je recevrai ta visite. Que puis-je désirer de plus? Ainsi, aujourd'hui, je vois bien que tu es venu consoler ta mère... »

Et Pulchérie Alexandrovna fondit brusquement en larmes.

« Me voilà encore, ne fais pas attention à moi, je suis folle. Ah! mon Dieu! mais je ne pense à rien, s'écria-t-elle en se levant précipitamment. Il y a du café et je ne t'en offre pas. Tu vois ce que c'est que l'égoïsme des vieilles gens! Une seconde, une seconde!

— Maman, laissez cela, ce n'est pas la peine, je m'en vais. Je ne suis pas venu pour cela Ecoutez-moi, je vous en prie... »

Pulchérie Alexandrovna s'approcha timidement de son fils.

« Maman, quoi qu'il arrive, quoi que vous entendiez dire de moi, m'aimerez-vous toujours comme maintenant? demanda-t-il tout à coup, entraîné par son émotion et sans mesurer la portée de ses paroles.

— Rodia, Rodia! Qu'as-tu? Comment peux-tu me demander des choses pareilles? Mais qui oserait me dire un mot contre toi? Si quelqu'un se le permettait, je refuserais de l'écouter et je le chasserais de ma présence.

— Je suis venu vous assurer que je vous ai toujours aimée et maintenant je suis heureux de nous savoir seuls, et même que Dounetchka soit absente, continua-t-il avec le même élan. Je suis venu vous dire que, si malheureuse que vous soyez, sachez que votre fils vous aime plus que lui-même et que tout ce que vous avez pu penser sur ma cruauté et mon indifférence à votre égard était une erreur. Je ne cesserai jamais de vous aimer... Allons, en voilà assez, j'ai senti que je devais vous donner cette assurance et vous parler ainsi... »

Pulchérie Alexandrovna embrassait silencieusement son fils; elle le serrait sur son cœur et pleurait tout bas.

« Je ne sais pas ce que tu as, Rodia, dit-elle enfin. Jusqu'ici je croyais tout bonnement que notre présence t'ennuyait. A présent, je vois qu'un grand malheur te menace, dont le pressentiment te remplit d'angoisse. Il y a longtemps que je m'en doutais, Rodia. Pardonne-moi de t'en parler; j'y pense conti-

nuellement, et je n'en dors pas. Cette nuit, ta sœur aussi a eu le délire et n'a fait que parler de toi. J'ai entendu quelques mots, mais je n'y ai rien compris. Depuis ce matin, je suis comme un condamné qui attend le supplice; j'avais le pressentiment d'un malheur et le voici. Rodia, Rodia, où vas-tu? Car tu es sur le point de partir, n'est-ce pas?

— Oui.

— C'est ce que je pensais. Mais je puis t'accompagner, s'il le faut. Et Dounia aussi. Elle t'aime beaucoup et nous emmènerons Sophie Simionovna aussi. Vois-tu, je l'accepterai volontiers pour fille. Dmitri Prokofitch nous aidera à faire nos préparatifs... mais... où vas-tu?

— Adieu, maman.

— Comment, aujourd'hui même? s'écria-t-elle comme si elle allait le perdre à jamais.

— Je ne puis tarder; il est temps. C'est très urgent!...

— Et je ne puis t'accompagner?

— Non. Mettez-vous à genoux et priez Dieu pour moi. Votre prière sera peut-être entendue!

— Laisse-moi te donner ma bénédiction. Voilà! Voilà! Oh! Seigneur! que faisons-nous? »

Oui, il était heureux, bien heureux que personne, même sa sœur, n'assistât à cette entrevue avec sa mère.. Brusquement, après toute cette période terrible de sa vie, son cœur s'amollit. Il tomba à ses pieds et se mit à les baiser. Puis, tous deux pleurèrent enlacés. Elle ne paraissait plus étonnée et ne posait aucune question. Elle comprenait depuis longtemps que son fils traversait une crise terrible et qu'un moment affreux pour lui était arrivé.

« Rodia, mon chéri, mon premier-né, disait-elle

en sanglotant; te voilà maintenant tel que tu étais dans ton enfance quand tu venais m'embrasser et m'offrir tes caresses. Jadis, du vivant de ton père, ta seule présence nous consolait au milieu de nos peines. Depuis que je l'ai enterré, combien de fois n'avons-nous pas pleuré enlacés comme à présent sur sa tombe. Si je pleure depuis longtemps, c'est que mon cœur maternel avait des pressentiments sinistres. Le soir où nous sommes arrivés à Pétersbourg, dès notre première entrevue, ton visage m'a tout appris et mon cœur en a tressailli, et, aujourd'hui, quand je t'ai ouvert la porte, j'ai pensé, en te voyant, que l'heure fatale était venue. Rodia, Rodia, tu ne pars pas tout de suite, n'est-ce pas?

— Non.

— Tu reviendras encore?

— Oui...

— Rodia, ne te fâche pas, je ne veux pas t'interroger, je n'ose le faire; mais dis-moi seulement : tu vas loin d'ici?

— Très loin.

— Tu auras là un emploi, une situation?

— J'aurai ce que Dieu m'enverra... Priez-le pour moi. »

Raskolnikov se dirigea vers la porte, mais elle s'accrocha à lui et le regarda désespérément dans les yeux. Son visage fut tordu par une expression de souffrance atroce.

« Assez, maman. »

Il regrettait profondément d'être venu.

« Tu ne pars pas pour toujours? Pas pour toujours, n'est-ce pas? Tu reviendras demain, n'est-ce pas? demain?

— Oui, oui, adieu. »

Et il lui échappa.

La soirée était fraîche, tiède et lumineuse. Le temps s'était éclairci depuis le matin. Raskolnikov avait hâte de rentrer chez lui. Il désirait tout terminer avant le coucher du soleil et aurait bien voulu ne plus voir personne jusque-là. En montant l'escalier, il remarqua que Nastassia, occupée à préparer le thé dans la cuisine, interrompait sa besogne pour le suivre d'un regard curieux. « Y aurait-il quelqu'un chez moi? » se dit-il, et il songea à l'odieux Porphyre. Mais, quand il ouvrit la porte de sa chambre, il aperçut Dounetchka assise sur le divan. Elle semblait toute pensive et devait l'attendre depuis longtemps. Il s'arrêta sur le seuil. Elle tressaillit, se dressa devant lui. Son regard immobile, fixé sur lui, exprimait l'épouvante et une douleur infinie. Ce regard seul prouva à Raskolnikov qu'elle savait tout.

« Dois-je entrer ou sortir? demanda-t-il d'un air méfiant.

— J'ai passé toute la journée chez Sophie Simionovna. Nous t'attendions toutes les deux. Nous pensions que tu allais sûrement venir... »

Raskolnikov entra dans la pièce et se laissa tomber sur une chaise, épuisé.

« Je me sens faible, Dounia. Je suis très las et en ce moment surtout j'aurais besoin de toutes mes forces. »

Il lui jeta de nouveau un regard défiant.

« Où as-tu passé la nuit dernière?

— Je ne m'en souviens plus; vois-tu, ma sœur, je voulais prendre un parti définitif et j'ai erré longtemps près de la Néva. Cela, je me le rappelle. Je voulais en finir, mais je n'ai pu m'y décider, balbutia-t-il en scrutant encore le visage de sa sœur.

— Dieu en soit loué! C'est précisément ce que

nous redoutions, Sophie Simionovna et moi. Ainsi, tu crois encore à la vie, Dieu en soit loué! »

Raskolnikov eut un sourire amer.

« Je n'y crois pas, mais, tout à l'heure, j'ai été chez notre mère et nous avons pleuré ensemble, enlacés. Je ne crois pas, mais je lui ai demandé de prier pour moi, Dieu sait comment cela s'est fait, Dounetchka, car moi je n'y comprends rien.

— Tu as été chez notre mère? Tu lui as parlé? demanda Dounetchka épouvantée. Se peut-il que tu aies eu le courage de lui dire cela?

— Non, je ne lui ai pas dit... formellement, mais elle comprend bien des choses. Elle t'a entendue rêver tout haut la nuit dernière. Je suis sûr qu'elle a deviné la moitié du secret. J'ai peut-être mal fait d'aller chez elle. Je ne sais même pas pourquoi je l'ai fait. Je suis un homme vil, Dounia.

— Oui, mais un homme prêt à aller au-devant de l'expiation, car tu iras, n'est-ce pas?

— Oui, j'y vais tout de suite. Pour fuir ce déshonneur j'étais prêt à me noyer, mais, au moment où j'allais me jeter à l'eau, je me suis dit que je m'étais toujours cru un homme fort, et un homme fort ne doit pas craindre la honte. C'est du courage, Dounia!

— Oui, Rodia. »

Une sorte d'éclair s'alluma dans ses yeux ternes; il semblait heureux de penser qu'il avait conservé sa fierté.

« Et ne crois-tu pas, ma sœur, que j'ai eu simplement peur de l'eau? fit-il en la regardant avec un sourire affreux.

— Oh! Rodia! assez », s'écria-t-elle douloureusement.

Pendant deux minutes, le silence régna. Raskol-

nikov tenait les yeux baissés. Dounetchka, debout de l'autre côté de la table, le regardait avec une expression de souffrance indicible. Tout à coup, il se leva.

« L'heure s'avance; il est temps de partir. Je vais me livrer, quoique je ne sache pas pourquoi j'agis ainsi. »

De grosses larmes coulaient sur les joues de la jeune fille.

« Tu pleures, ma sœur, mais peux-tu me tendre la main?

— En as-tu douté? »

Elle le serra avec force contre sa poitrine.

« Est-ce qu'en allant t'offrir à l'expiation tu n'effaceras pas la moitié de ton crime? demanda-t-elle en resserrant son étreinte et en l'embrassant.

— Mon crime? Quel crime? s'écria-t-il dans un accès de fureur subite. Celui d'avoir tué une affreuse vermine malfaisante, une vieille usurière nuisible à tout le monde, un vampire qui suçait le sang des malheureux. Mais un tel crime suffirait à effacer une quarantaine de péchés. Je n'y pense pas et ne songe nullement à le racheter. Et qu'a-t-on à me crier de tous côtés : tu as commis un crime! Ce n'est que maintenant que je me rends compte de toute mon absurdité, de ma lâche absurdité, maintenant que je me suis décidé à affronter ce vain déshonneur. C'est par lâcheté et par faiblesse que je me résous à cette démarche, ou peut-être par intérêt, comme me le conseillait Porphyre.

— Frère, frère, que dis-tu là? Mais tu as versé le sang! répondit Dounia consternée.

— Le sang, tout le monde le verse, poursuivit-il avec une véhémence croissante. Ce sang, il a toujours coulé à flots sur la terre. Les gens qui le ré-

pandent comme du champagne montent ensuite au Capitole et sont traités de bienfaiteurs de l'humanité. Examine un peu les choses avant de juger. Moi, j'ai souhaité le bien de l'humanité et des centaines de milliers de bonnes actions eussent amplement racheté cette unique sottise, ou plutôt cette maladresse, car l'idée n'était pas si sotte qu'elle le paraît maintenant. Quand ils n'ont pas réussi, les meilleurs projets paraissent stupides! Je prétendais seulement, par cette bêtise, me rendre indépendant, et assurer mes premiers pas dans la vie. Puis, j'aurais tout réparé par des bienfaits incommensurables. Mais j'ai échoué dès le début. C'est pourquoi je suis un misérable. Si j'avais réussi, on me tresserait des couronnes et maintenant je ne suis plus bon qu'à jeter aux chiens.

— Mon frère, que dis-tu là?

— Ah! Je ne me suis pas conformé à l'esthétique, mais je ne comprends décidément pas pourquoi il est plus glorieux de bombarder de projectiles une ville assiégée que d'assassiner quelqu'un à coups de hache... Le respect de l'esthétique est le premier signe d'impuissance... Je ne l'ai jamais mieux senti qu'à présent : je ne peux toujours pas comprendre, je comprends de moins en moins, quel est mon crime... »

Son visage pâle et défait s'était coloré, mais, en prononçant ces derniers mots, son regard croisa par hasard celui de sa sœur et il y lut une souffrance si affreuse que son exaltation en tomba d'un coup. Il ne put s'empêcher de se dire qu'il avait fait le malheur de ces deux pauvres femmes, car enfin, malgré tout, c'était lui la cause de leurs souffrances.

« Dounia chérie, si je suis coupable, pardonne-

moi (quoique ce soit impossible, si je suis vraiment un criminel). Allons, ne discutons pas. Il est temps pour moi, grand temps de partir. Ne me suis pas, je t'en supplie. J'ai à passer encore chez... Mais va tenir compagnie à notre mère, je t'en supplie. C'est la dernière prière que je t'adresse, la plus sacrée. Ne la quitte pas. Je l'ai laissée dans une angoisse qu'elle aura peine à surmonter; elle en mourra ou en perdra la raison. Sois auprès d'elle. Rasoumikhine ne vous abandonnera pas. Je lui ai parlé... Ne pleure pas sur moi. Je m'efforcerai d'être courageux et honnête pendant toute ma vie, quoique je sois un assassin. Peut-être entendras-tu encore parler de moi. Je ne vous déshonorerai pas, tu verras, je ferai encore mes preuves... En attendant, adieu », se hâta-t-il d'ajouter; il remarqua encore une étrange expression dans les yeux de Dounia tandis qu'il faisait ces promesses. « Pourquoi pleures-tu ainsi? Ne pleure pas, ne pleure pas... Nous nous reverrons un jour... Ah! j'oubliais, attends... »

Il s'approcha de la table, prit un gros livre empoussiéré, l'ouvrit, en tira un petit portrait peint à l'aquarelle sur une feuille d'ivoire. C'était celui de la fille de sa logeuse, son ancienne fiancée morte dans un accès de fièvre chaude, l'étrange jeune fille qui rêvait d'entrer en religion. Il considéra un moment ce petit visage expressif et souffreteux, baisa le portrait et le remit à Dounia.

« Je lui ai parlé bien des fois *de cela*, je n'en ai parlé qu'à elle seule, ajouta-t-il rêveusement. J'ai confié à son cœur une grande partie de mon projet dont l'issue devait être si lamentable. Sois tranquille, continua-t-il en s'adressant à Dounia, elle en était tout aussi révoltée que toi et je suis bien aise qu'elle soit morte. »

Puis revenant à ses angoisses : « L'essentiel maintenant est de savoir si j'ai bien calculé ce que je vais faire; c'est que ma vie va changer du tout au tout. Suis-je préparé à subir toutes les conséquences de l'acte que je vais commettre? On prétend que cette épreuve m'est nécessaire. Est-ce vrai? Mais à quoi serviront ces souffrances absurdes? Quelle force aurai-je acquise et quel besoin aurai-je de la vie quand je sortirai du bagne, brisé par vingt ans de tortures? Et à quoi bon consentir maintenant à porter le poids d'une pareille existence? Oh! je sentais bien que j'étais lâche, ce matin, quand j'hésitais au moment de me jeter dans la Néva. »

Enfin, ils sortirent. Dounia n'avait été soutenue dans cette pénible épreuve que par sa tendresse pour son frère. Elle le quitta, mais, après avoir fait une cinquantaine de pas, elle se retourna pour le regarder une dernière fois. Lorsqu'il fut au coin de la rue, Raskolnikov se retourna lui aussi. Leurs yeux se rencontrèrent, mais, remarquant que le regard de sa sœur était fixé sur lui, il fit un geste d'impatience et même de colère pour l'inviter à continuer son chemin.

« Je suis dur, méchant, je m'en rends bien compte, se dit-il, bientôt honteux de son geste, mais pourquoi m'aiment-elles si profondément du moment que je ne le mérite point? Oh! si j'avais pu être seul, seul, sans aucune affection, et moi-même n'aimant personne. *Tout se serait passé autrement*. Maintenant, je serais curieux de savoir si, en quinze ou vingt années, mon âme peut devenir humble et résignée au point que je vienne pleurnicher dévotement devant les hommes en me traitant de canaille. Oui, c'est cela, c'est bien cela...

C'est pour cela qu'ils m'exilent; car c'est précisément cela qu'il leur faut... Les voilà qui courent les rues en flot ininterrompu et tous jusqu'au dernier sont cependant des misérables et des canailles par leur nature même, bien plus ils sont tous idiots! Mais, si l'on essayait de m'éviter le bagne, dans leur noble indignation ils en deviendraient enragés. Oh! comme je les hais! »

Il tomba dans une profonde rêverie. Il se demandait comment il pourrait en arriver un jour à se soumettre aux yeux de tous, à accepter son sort sans raisonner, avec une résignation et une humilité sincères. « Et pourquoi n'en serait-il pas ainsi? Certes, cela doit arriver. Un joug de vingt années doit finir par briser un homme. L'eau use bien les pierres. Et à quoi bon, non, mais à quoi bon vivre, quand je sais qu'il en sera ainsi? Pourquoi aller me livrer puisque je suis certain que tout se passera selon mes prévisions et que je n'ai rien à espérer d'autre! »

Cette question, il se la posait pour la centième fois peut-être depuis la veille, mais il n'en continuait pas moins son chemin.

VIII

Le soir tombait quand il arriva chez Sonia. La jeune fille l'avait attendu toute la journée dans une angoisse affreuse, qui ne la quittait pas. Dounia partageait cette anxiété. Se rappelant que, la veille, Svidrigaïlov lui avait appris que Sophie Simionovna savait tout, la sœur de Rodion était venue la trouver dès le matin. Nous ne rapporterons point les détails de la conversation tenue par les deux femmes, ni les larmes qu'elles versèrent et l'amitié qui naquit soudain entre elles. De cette entrevue, Dounia emporta tout au moins la conviction que son frère ne serait pas seul. C'était Sonia qui, la première, avait reçu sa confession; c'était à elle qu'il s'était adressé quand il avait éprouvé le besoin de se confier à un être humain; elle le suivrait en quelque lieu que la destinée l'envoyât... Avdotia Romanovna n'avait point questionné la jeune fille, mais elle savait qu'il en serait ainsi. Elle considérait Sonia avec une sorte de vénération qui rendait la pauvre fille toute confuse; celle-ci était prête à pleurer de honte, elle qui se croyait indigne de lever les yeux sur Dounia. Depuis sa visite à Raskolnikov, l'image de la charmante jeune

fille qui l'avait si gracieusement saluée s'était imprimée en son âme comme une des visions les plus belles et les plus pures qui lui eussent été données de sa vie.

Enfin, Dounetchka n'y put tenir davantage et quitta Sonia pour aller attendre son frère chez lui, car elle était persuadée qu'il y reviendrait.

Sonia ne fut pas plus tôt seule que l'idée que Raskolnikov avait pu se suicider lui enleva tout repos... Cette crainte tourmentait Dounia également. Toute la journée, elles s'étaient donné mille raisons pour la repousser et avaient réussi à garder un certain calme, tant qu'elles se trouvaient ensemble, mais, dès qu'elles se furent séparées, la même inquiétude se réveilla dans l'âme de chacune. Sonia se rappela que Svidrigaïlov lui avait dit la veille que Raskolnikov n'avait le choix qu'entre deux solutions : la Sibérie ou... De plus, elle connaissait l'orgueil du jeune homme, sa fierté et son absence de sentiments religieux... « Est-il possible qu'il se résigne à vivre par lâcheté, par crainte de la mort uniquement? » se demandait-elle, debout devant la fenêtre, regardant tristement audehors. Elle n'apercevait que le mur immense, pas même blanchi, de la maison voisine. Enfin, au moment où elle ne gardait plus aucun doute sur la mort du malheureux, il entra chez elle.

Un cri de joie s'échappa de la poitrine de Sonia. Mais lorsqu'elle eut observé attentivement le visage du jeune homme, elle pâlit soudain.

« Eh bien oui, fit Raskolnikov avec un rire railleur, je viens chercher tes croix, Sonia. C'est toi-même qui m'as envoyé me confesser publiquement au carrefour. D'où vient que tu as peur maintenant? »

La jeune fille le considéra avec stupéfaction. Son accent lui paraissait bizarre. Un frisson glacé lui courut par tout le corps, mais elle comprit au bout d'un instant que le ton et les paroles elles-mêmes étaient feints. Il avait d'ailleurs détourné les yeux en lui parlant et semblait craindre de les fixer sur elle.

« Vois-tu, j'ai jugé qu'il est de mon intérêt d'agir ainsi, car il y a une circonstance... Non, ce serait trop long à raconter, trop long et inutile. Mais sais-tu ce qui m'arrive? Je me sens furieux à la pensée que, dans un instant, toutes ces brutes vont m'entourer, braquer leurs yeux sur moi et me poser toutes ces questions stupides auxquelles il faudra répondre. On me montrera du doigt. Ah! non, je n'irai pas chez Porphyre; il m'embête, je préfère allez chez mon ami Poudre. C'est lui qui sera surpris! Un joli coup de théâtre! Mais je devrais avoir plus de sang-froid; je suis devenu trop irritable ces derniers temps. Me croiras-tu? Je viens de montrer le poing à ma sœur parce qu'elle s'était retournée pour me voir une dernière fois. Quelle honte d'être dans un état pareil! Suis-je tombé assez bas! Eh bien, où sont tes croix? »

Le jeune homme semblait hors de lui. Il ne pouvait tenir une seconde en place, ni fixer sa pensée. Son esprit sautait d'une idée à l'autre sans transition. Il commençait à battre la campagne et ses mains étaient agitées d'un léger tremblement.

Sonia tira silencieusement d'un tiroir deux croix, l'une en bois de cyprès et l'autre en cuivre, puis elle se signa, le bénit et lui passa au cou la croix en bois de cyprès.

« En somme, une manière symbolique d'exprimer que je me charge d'une croix, hé! hé! Comme

si j'avais peu souffert jusqu'à ce jour! Une croix en bois de cyprès, c'est-à-dire la croix des pauvres gens. Celle de cuivre, qui a appartenu à Elisabeth, tu la gardes pour toi. Montre-la; elle devait la porter... à ce moment-là, n'est-ce pas? Je me souviens de deux autres objets, une croix d'argent et une petite image sainte. Je les ai jetés alors sur la poitrine de la vieille. Voilà ceux que je devrais me mettre au cou maintenant. Mais je ne dis que des sottises et j'oublie les choses importantes. Je suis devenu si distrait! Vois-tu, Sonia, je ne suis venu que pour te prévenir, afin que tu saches, voilà tout... Je ne suis venu que pour cela. (Hum! je pensais pourtant en dire davantage.) Voyons, tu désirais toi-même me voir faire cette démarche, eh bien, je vais donc être mis en prison et ton désir sera accompli; mais pourquoi pleures-tu, toi aussi? En voilà assez! Oh! que tout cela m'est pénible! »

Pourtant il était ému en voyant Sonia en larmes. Son cœur se serrait. « Et celle-ci, celle-ci, pourquoi souffre-t-elle? pensait-il. Que suis-je pour elle? Qu'a-t-elle à pleurer, à m'accompagner jusqu'au bout, comme une mère ou une Dounia. Elle me servira de bonne, de nounou?... »

« Signe-toi... Dis au moins un petit bout de prière, supplia la jeune fille d'une humble voix tremblante.

— Oh! je veux bien, je prierai tant que tu voudras, et de bon cœur, Sonia, de bon cœur! »

Ce n'était, du reste, pas tout à fait ce qu'il avait envie de dire...

Il fit plusieurs signes de croix. Sonia saisit son châle et s'en enveloppa la tête. Il était taillé dans un drap vert, ce châle, et c'était probablement celui dont Marmeladov avait parlé naguère et qui servait à toute la famille. Raskolnikov le pensa,

mais ne posa aucune question. Il commençait à se sentir incapable de fixer son attention; un trouble grandissant l'envahissait et il en fut effrayé. Tout à coup, il remarqua avec surprise que Sonia se préparait à l'accompagner.

« Qu'est-ce qui te prend? Où vas-tu? Non, non, ne bouge pas. J'irai seul, s'écria-t-il dans une sorte d'irritation lâche, et il se dirigea vers la porte. Qu'ai-je besoin d'y aller tout de suite », grommela-t-il en sortant.

Sonia était restée au milieu de la pièce. Il ne lui dit même pas adieu; il l'avait déjà oubliée. Un doute pénible, un sentiment de révolte grondait dans son cœur.

« Ai-je raison d'agir ainsi? se demandait-il en descendant l'escalier. N'y a-t-il pas moyen de revenir en arrière, de tout arranger et ne point y aller?... »

Mais il n'en continua pas moins son chemin, et, soudain, il comprit que l'heure des hésitations était passée. Arrivé dans la rue, il se rappela qu'il n'avait pas fait ses adieux à Sonia et qu'elle était restée, enveloppée de son châle, clouée sur place par son cri de fureur... Cette pensée l'arrêta un moment, mais bientôt une idée fulgurante s'offrit à son esprit (elle semblait avoir vaguement couvé en lui et attendu ce moment pour se manifester).

« Pourquoi suis-je allé chez elle maintenant? Je lui ai dit que je venais pour affaire. Quelle affaire? Je n'en ai aucune! Lui annoncer que *j'y vais?* Cela était bien nécessaire! Serait-ce que je l'aime? Mais non, non, car enfin je viens de la repousser comme un chien. Alors quoi, avais-je réellement besoin de ses croix? Oh! comme je suis tombé bas! Non, ce qu'il me fallait, c'étaient ses larmes; ce

que je voulais, c'était repaître ma vue de son visage épouvanté, des tortures de son cœur déchiré. Et encore, je cherchais à m'accrocher à quelque chose, à gagner du temps, à contempler un visage humain. Et j'ai osé m'enorgueillir, me croire appelé à un haut destin! Misérable, et vil, et lâche que je suis! »

Il longeait le quai du canal et avait presque atteint le terme de sa course. Mais, parvenu au pont, il s'arrêta, hésita un instant puis, brusquement, se dirigea vers la place des Halles.

Ses regards se portaient avidement à droite et à gauche; il s'efforçait d'examiner attentivement le moindre objet qu'il rencontrait, mais il ne pouvait concentrer son attention; tout lui échappait. « Voilà, se disait-il, dans une semaine, ou dans un mois, je repasserai ce pont, une voiture cellulaire m'emportera... De quel œil contemplerai-je alors le canal? Remarquerai-je encore l'enseigne que voici? Le mot *Compagnie* y est inscrit; en épellerai-je les lettres une à une? Cet *a* sur lequel je m'arrête, il sera pareil dans un mois; qu'éprouverai-je en le regardant? Quelles seront mes pensées? Mon Dieu, que ces préoccupations sont donc mesquines... Certes, tout cela doit être curieux... dans son genre. (Ha! ha! ha! à quoi vais-je penser là?) Je fais l'enfant et me plais à poser devant moi-même. Et pourquoi aussi aurais-je honte de mes pensées? Oh! quelle cohue! Ce gros-là, un Allemand, sans doute, qui vient de me pousser, sait-il qui il a heurté? Cette femme, qui tient un enfant et demande l'aumône, me croit sans doute plus heureux qu'elle. Si je lui donnais quelque chose, histoire de rire? Ah! voilà cinq kopecks que je trouve dans ma poche; je me demande d'où ils viennent. » « Tiens, prends, ma vieille!

— Dieu te protège! » fit la voix pleurarde de la mendiante.

Il arrivait à la place des Halles. Elle était pleine de monde et il lui déplaisait de coudoyer tous ces gens, oui, cela lui déplaisait fort, mais il ne se dirigeait pas moins vers l'endroit où la foule était la plus compacte. Il aurait acheté à n'importe quel prix la solitude, mais il sentait en même temps qu'il ne pouvait la supporter un seul instant. Au milieu de la foule, un ivrogne se livrait à des extravagances; il essayait de danser mais ne faisait que tomber. Les badauds l'avaient entouré. Raskolnikov se fraya un chemin parmi eux et, arrivé au premier rang, il contempla l'homme un moment, puis partit d'un rire spasmodique. Un instant plus tard, il l'avait oublié tout en continuant à le fixer. Enfin, il s'éloigna sans se rendre compte de l'endroit où il se trouvait. Mais, parvenu au milieu de la place, il fut envahi par une sensation qui s'empara de tout son être.

Il venait de se rappeler les paroles de Sonia. « Va au carrefour, salue le peuple; baise la terre que tu as souillée par ton crime et proclame tout haut à la face du monde : Je suis un assassin! » A ce souvenir, il se mit à trembler de tout son corps. Il était si anéanti par les angoisses des jours précédents, et surtout de ces dernières heures, qu'il s'abandonna avidement à l'espoir d'une sensation nouvelle forte et pleine. Elle s'emparait de lui avec une force convulsive; elle s'allumait dans son cœur comme une étincelle, aussitôt transformée en feu dévorant. Un immense attendrissement le gagnait; les larmes lui jaillirent des yeux. D'un seul élan, il se précipita à terre. Il se mit à genoux au milieu de la place, se courba et baisa le sol boueux avec

une joie délicieuse. Puis il se leva et s'inclina pour la seconde fois.

« En voilà un qui a son compte », fit remarquer un gars près de lui.

Cette observation fut accueillie par des rires.

« C'est un pèlerin qui part pour la Terre sainte, frères, et qui prend congé de ses enfants et de sa patrie. Il salue tout le monde et baise le sol natal en sa capitale Saint-Pétersbourg, ajouta un individu pris de boisson.

— Il est encore jeune, ajouta un troisième.

— Un noble, fit une voix grave.

— Au jour d'aujourd'hui, impossible de distinguer les nobles de ceux qui ne le sont pas. »

Tous ces commentaires arrêtèrent sur les lèvres de Raskolnikov les mots « j'ai assassiné » prêts sans doute à s'en échapper. Il supporta toutefois avec un grand calme les lazzi de la foule et prit tranquillement, sans se retourner, la direction du commissariat. Bientôt, quelqu'un apparut sur son chemin, il ne s'en étonna pas, car il avait pressenti qu'il en serait ainsi. Au moment où il se prosternait pour la seconde fois sur la place des Halles et se tournait vers sa gauche, il aperçut Sonia à cinquante pas de lui. Elle essayait de se dissimuler à ses regards derrière une des baraques de bois qui se trouvent sur la place; c'était donc qu'elle voulait l'accompagner, tandis qu'il gravissait le calvaire.

A cet instant, Raskolnikov comprit; il sentit une fois pour toutes que Sonia lui appartenait pour toujours et qu'elle le suivrait partout, dût son destin le conduire au bout du monde. Il en fut bouleversé; mais voici qu'il arrivait au lieu fatal... Il pénétra dans la cour d'un pas assez ferme. Le bureau du commissariat était situé au troisième

étage. « Le temps de monter m'appartient encore », pensa-t-il. La minute fatale lui semblait lointaine; il croyait pouvoir réfléchir encore tout à son aise.

L'escalier en vis était toujours couvert d'ordures, empuanti par les odeurs infectes des cuisines dont les portes étaient ouvertes à chaque palier. Raskolnikov n'était pas revenu au commissariat depuis sa première visite. Ses jambes se dérobaient sous lui et l'empêchaient d'avancer. Il s'arrêta un moment pour reprendre haleine, se remettre et entrer comme un homme. « Mais pourquoi? A quoi bon? se demanda-t-il tout d'un coup. Puisqu'il me faut vider cette coupe jusqu'au bout, qu'importe la façon dont je la boirai! Plus elle sera amère, mieux cela vaudra. » L'image l'Ilia Petrovitch, le lieutenant Poudre, s'offrit à son esprit. « Quoi! Est-ce réellement à lui que j'ai l'intention de parler? Et ne pourrais-je m'adresser à quelqu'un d'autre? A Nicodème Fomitch, par exemple? Si je m'en retournais et allais trouver de ce pas le commissaire de police à son domicile privé? La scène se passerait d'une façon moins officielle au moins... Non, non, allons chez Poudre, chez Poudre; puisqu'il le faut, vidons la coupe d'un trait. »

Et tout glacé, à peine conscient, Raskolnikov ouvrit la porte du commissariat. Cette fois, il n'aperçut dans l'antichambre qu'un concierge et un homme du peuple. Le gendarme de service n'apparut même pas. Le jeune homme passa dans la pièce voisine. « Peut-être pourrai-je ne pas parler encore? » pensa-t-il. Un scribe, vêtu d'un veston et non de l'uniforme réglementaire, était penché sur son bureau, en train d'écrire. Zamiotov n'était pas là, Nicodème Fomitch non plus.

« Il n'y a personne? demanda Raskolnikov en s'adressant à l'homme assis au bureau.

— Qui demandez-vous?

— Ah! ah! Point n'est besoin d'oreilles et point n'est besoin d'yeux; mon instinct me prévient de la présence d'un Russe... comme dit le conte. Mes hommages », jeta brusquement une voix connue.

Raskolnikov se mit à trembler. Poudre était devant lui. Il était brusquement sorti de la troisième pièce. « C'est le destin, pensa Raskolnikov. Que fait-il ici? »

« Vous venez nous voir? A quel sujet? (Il semblait d'humeur excellente et même un peu surexcité.) Si vous venez pour affaire, il est trop tôt. Je ne suis ici que par hasard... Mais, pourtant, du reste, en quoi puis-je vous être utile? Je vous avouerai, monsieur... comment... ah, j'ai oublié, excusez-moi!

— Raskolnikov.

— Eh! oui, Raskolnikov... Avez-vous pu croire que je l'avais oublié? Ne me considérez pas, je vous prie... Rodion Ro... Ro... Rodionovitch, n'est-ce pas?

— Rodion Romanovitch.

— Oui, oui, oui, Rodion Romanovitch, Rodion Romanovitch. Je l'avais sur la langue. Je me suis souvent informé de vous, je vous avouerai que j'ai sincèrement regretté la façon dont nous avons agi l'autre jour avec vous. Plus tard, on m'a expliqué, j'ai appris que vous étiez un jeune écrivain, un savant même, et j'ai su que vous débutiez dans la carrière des lettres... Oh! Seigneur! quel est donc le jeune littérateur qui n'a pas commencé par se... Ma femme et moi, nous estimons tous les deux la littérature, mais chez ma femme, c'est une véritable passion... Elle raffole des lettres et des arts. Sauf

la naissance, tout le reste peut s'acquérir par le talent, le savoir, l'intelligence, le génie. Prenons, par exemple, un chapeau. Que signifie un chapeau? C'est une galette que je puis acheter chez Zimmermann, mais ce qui s'abrite sous ce chapeau, vous ne l'achèterez pas. J'avoue que j'avais même l'intention de vous rendre votre visite, mais je pensais que... Avec tout cela, je ne vous demande pas ce que vous désirez. Il paraît que votre famille est maintenant à Pétersbourg?

— Oui, ma mère et ma sœur.

— J'ai même eu l'honneur et le plaisir de rencontrer votre sœur, une personne aussi charmante qu'instruite. Je vous avouerai que je regrette de tout mon cœur notre altercation. Quant aux conjectures établies sur votre évanouissement, le tout s'est expliqué d'une façon éclatante. C'était une hérésie, du fanatisme! Je comprends votre indignation. Vous allez peut-être déménager à cause de l'arrivée de votre famille?

— N-non, ce n'est pas cela. Je venais vous demander... Je pensais trouver ici Zamiotov.

— Ah! oui, c'est vrai, vous vous êtes lié avec lui, je l'ai entendu dire. Eh bien, il n'est plus chez nous; nous sommes privés des services d'Alexandre Grigorievitch. Il nous a quittés depuis hier. Il s'est même brouillé avec nous de façon assez grossière. Nous avions fondé quelque espoir sur lui, mais allez vous entendre avec notre brillante jeunesse... Il s'est mis en tête de passer un examen, rien que pour pouvoir se pavaner et faire l'important. Il n'a rien de commun avec vous ou avec votre ami M. Rasoumikhine, par exemple. Vous autres, vous ne cherchez que la science et les revers ne peuvent vous abattre. Les agréments de la vie ne sont rien

pour vous. *Nihil est*[1], comme on dit. Vous menez une vie austère, monacale, et un livre, une plume derrière l'oreille, une recherche scientifique, voilà qui suffit à votre bonheur. Moi-même, jusqu'à un certain point... Avez-vous lu les *Mémoires* de Livingstone?

— Non.

— Moi, je les ai lus. Le nombre des nihilistes s'est, du reste, considérablement accru depuis quelque temps. C'est d'ailleurs bien compréhensible, quand on pense à l'époque que nous traversons. Mais je vous dis là... Vous n'êtes pas nihiliste, n'est-ce pas?... Répondez-moi franchement!

— N-non...

— Non, soyez franc avec moi, aussi franc que vous le seriez envers vous-même. Le service est une chose et... vous pensiez que j'allais dire : l'*amitié* en est une autre. Vous avez fait erreur, pas l'amitié, mais le sentiment de l'homme et du citoyen, un sentiment d'humanité et l'amour du Très-Haut. Je puis être un personnage officiel, un fonctionnaire, mais je n'en dois pas moins sentir toujours en moi l'homme et le citoyen... Tenez, vous venez de parler de Zamiotov. Eh bien, Zamiotov est un garçon qui veut copier les noceurs français. Il fait du tapage dans les lieux mal famés, après avoir bu un verre de champagne ou de vin du Don. Voilà ce qu'est votre Zamiotov. J'ai peut-être été un peu vif avec lui, mais mon zèle pour les intérêts du service m'emportait. D'ailleurs, je joue un certain rôle; je possède un rang, une situation; en outre, je suis marié, père de famille et remplis mes devoirs d'homme et de citoyen. Et lui, qu'est-il? Permettez-moi de vous le demander? Je m'adresse à vous comme à un homme ennobli, élevé par l'éduca-

tion. Tenez encore, les sages-femmes[1] se sont également multipliées au-delà de toute mesure... »

Raskolnikov leva les sourcils et regarda le lieutenant d'un air ahuri. Les paroles d'Ilia Petrovitch, qui, visiblement, se levait à peine de table, résonnaient pour la plupart à ses oreilles comme des mots vides de sens. Toutefois, il en saisissait une partie et regardait son interlocuteur avec une interrogation muette dans les yeux, en se demandant à quoi il tendait.

« Je parle de toutes ces filles aux cheveux courts, continua l'intarissable Ilia Petrovitch; je les appelle toutes des sages-femmes et je trouve que ce nom leur convient admirablement, hé! hé! Elles s'introduisent dans l'Ecole de médecine, étudient l'anatomie; mais, dites-moi, s'il m'arrive de tomber malade, me laisserais-je soigner par l'une d'elles? hé! hé! »

Ilia Petrovitch se mit à rire, enchanté de son esprit.

« J'admets qu'il ne s'agit là que d'une soif d'instruction quelque peu exagérée, mais pourquoi donner dans tous les excès? Pourquoi insulter de nobles personnalités, comme le fait ce vaurien de Zamiotov? Pourquoi m'a-t-il offensé, je vous le demande? Tenez, une autre épidémie qui fait des ravages terribles, c'est celle des suicides. On mange jusqu'à son dernier sou, puis l'on se tue. Des fillettes, des jouvenceaux, des vieillards se donnent la mort. Nous venons justement d'apprendre qu'un monsieur récemment arrivé de province, vient de mettre fin à ses jours. Nil Pavlovitch! Hé, Nil Pavlovitch! Comment se nommait le gentleman qui s'est brûlé la cervelle ce matin sur la rive gauche de Pétersbourg?

— Svidrigaïlov », répondit une voix enrouée et indifférente de la pièce voisine.

Raskolnikov tressaillit.

« Svidrigaïlov? Svidrigaïlov s'est tué? s'écria-t-il.

— Comment, vous le connaissiez?

— Oui... Il était arrivé depuis peu.

— En effet. Il avait perdu sa femme, c'était un viveur, et tout d'un coup voilà qu'il se suicide, et si vous saviez dans quelles conditions scandaleuses : c'est inimaginable... Il a laissé quelques mots écrits dans un carnet pour déclarer qu'il mourait volontairement et demandait qu'on n'accusât personne de sa mort. On prétend qu'il avait de l'argent. Comment le connaissiez-vous?

— Moi, je... Ma sœur a été gouvernante chez eux.

— Bah! bah! bah! Mais alors vous pouvez nous donner des renseignements sur lui. Soupçonniez-vous son projet?

— Je l'ai vu hier; il buvait du vin... Je ne me suis douté de rien. »

Raskolnikov avait l'impression qu'un poids énorme était tombé sur sa poitrine et l'écrasait.

« Voilà que vous pâlissez encore, semble-t-il. L'air est si renfermé chez nous...

— Oui, il est temps que je m'en aille, marmotta Raskolnikov, excusez-moi, je vous ai dérangé.

— Oh! je vous en prie, je suis toujours à votre disposition. Vous m'avez fait plaisir et je suis bien aise de vous déclarer... »

Ilia Petrovitch lui tendit même la main.

« Je ne voulais que... voir Zamiotov.

— Je comprends, je comprends. Charmé de votre visite.

— Je... suis enchanté... au revoir », fit Raskolnikov en souriant.

Il sortit d'un pas chancelant. La tête lui tournait; il avait peine à se tenir sur ses jambes. Il se mit à descendre l'escalier en s'appuyant au mur. Il lui sembla qu'un concierge qui se rendait au commissariat le heurtait en passant, qu'un chien aboyait éperdument en bas, au premier étage, qu'une femme lui jetait un rouleau à pâtisserie et criait pour le faire taire. Enfin, il arriva au rez-de-chaussée et sortit. Là, il vit Sonia non loin de la porte et qui, pâle comme une morte, le regardait d'un air égaré. Il s'arrêta devant elle. Une expression de souffrance et d'affreux désespoir passa sur le visage de la jeune fille. Elle frappa ses mains l'une contre l'autre et un sourire pareil à un rictus lui tordit les lèvres. Il attendit un instant, sourit amèrement et remonta vers le commissariat.

Ilia Petrovitch s'était rassis à sa place et fouillait dans une liasse de papiers. Devant lui se tenait le moujik qui venait de heurter Raskolnikov.

« A-ah! c'est encore vous! Vous avez oublié quelque chose? Mais qu'avez-vous? »

Les lèvres bleuies, le regard fixe, Raskolnikov s'approcha doucement d'Ilia Petrovitch. Il s'appuya de la main sur la table où était assis le lieutenant, voulut parler, mais aucun mot ne sortit de ses lèvres et il ne put proférer que des sons inarticulés.

« Vous vous trouvez mal? Une chaise! voilà, asseyez-vous, de l'eau! »

Raskolnikov se laissa tomber sur la chaise, sans quitter des yeux Ilia Petrovitch dont le visage exprimait une surprise désagréable. Pendant une minute, tous deux se contemplèrent en silence. On apporta de l'eau.

« C'est moi... commença Raskolnikov.

— Buvez. »

Le jeune homme repoussa le verre, et d'une voix basse et entrecoupée, mais distincte, fit la déclaration suivante :

« *C'est moi qui ai assassiné à coups de hache pour les voler la vieille prêteuse sur gages et sa sœur Elisabeth.* »

Ilia Petrovitch ouvrit la bouche. De tous côtés on accourut... Raskolnikov renouvela ses aveux...

ÉPILOGUE

I

La Sibérie. Au bord d'un fleuve large et désert, une ville, un des centres administratifs de la Russie. Cette ville renferme une forteresse qui, à son tour, contient une prison. Dans cette prison se trouve détenu, depuis neuf mois, le condamné aux travaux forcés (de seconde catégorie [1]) Rodion Raskolnikov. Près d'un an et demi s'est écoulé depuis le jour où il a commis son crime. L'instruction de son affaire n'a guère rencontré de difficultés. Le coupable renouvela ses aveux avec autant de force que de précision, sans embrouiller les circonstances, sans chercher à adoucir l'horreur de son forfait, ni à altérer la vérité des faits, sans oublier le moindre incident. Il fit un récit détaillé de l'assassinat et éclaircit le mystère du *gage* trouvé entre les mains de la vieille (c'était, si l'on s'en souvient, une planchette de bois jointe à une plaque de fer). Il raconta comment il avait pris les clefs dans la poche de la morte, les décrivit minutieusement, ainsi que le coffre auquel elles s'adaptaient et son contenu. Il énuméra même certains objets qu'il y

avait trouvés, expliqua le meurtre d'Elisabeth resté jusque-là une énigme... Il raconta comment Koch, suivi bientôt de l'étudiant, était venu frapper à la porte et rapporta mot à mot la conversation tenue par les deux hommes. Ensuite, lui, l'assassin, s'était élancé dans l'escalier; il avait entendu les cris de Mikolka et de Mitka et s'était caché dans l'appartement vide. Il désigna, pour en finir, une pierre près de la porte cochère d'une cour du boulevard Vosnessenski, sous laquelle furent trouvés les objets volés et la bourse de la vieille. Bref, la lumière fut faite sur tous les points. Ce qui, entre autres bizarreries, étonna particulièrement les magistrats instructeurs et les juges, fut qu'il avait enfoui son butin sans en tirer profit et surtout que, non seulement il ne se souvenait point des objets volés, mais qu'il se trompait encore sur leur nombre.

On jugeait surtout invraisemblable qu'il n'eût pas songé à ouvrir la bourse et qu'il continuât à en ignorer le contenu : trois cent dix-sept roubles et trois pièces de vingt kopecks. Les plus gros billets, placés au-dessus des autres, avaient été considérablement détériorés pendant leur long séjour sous la pierre. On s'ingénia longtemps à deviner pourquoi l'accusé mentait sur ce seul point, alors qu'il avait spontanément dit la vérité sur tout le reste.

Enfin, quelques-uns, surtout parmi les psychologues, admirent qu'il se pouvait, en effet, qu'il n'eût pas ouvert la bourse et s'en fût débarrassé sans savoir ce qu'elle contenait et ils en tirèrent aussitôt la conclusion que le crime avait été commis sous l'influence d'un accès de folie momentané. Le coupable avait cédé à la manie de l'assassinat et

du vol, sans aucun but ou calcul intéressé. C'était une occasion de mettre en avant une théorie par laquelle on tente d'expliquer aujourd'hui certains crimes. D'ailleurs, la neurasthénie dont souffrait Raskolnikov était attestée par de nombreux témoins, le docteur Zossimov par exemple, ses camarades, son ancienne logeuse et la servante. Tout cela faisait naître l'idée qu'il n'était pas un assassin ordinaire, un vulgaire escarpe, mais qu'il y avait autre chose dans son cas. Au grand dépit de ceux qui pensaient ainsi, Raskolnikov n'essaya guère de se défendre : interrogé sur les motifs qui l'avaient entraîné au meurtre et au vol, il répondit avec une franchise brutale qu'il y avait été poussé par la misère et le désir d'assurer ses débuts grâce à la somme de trois mille roubles, au moins, qu'il espérait trouver chez sa victime. C'était son caractère bas et léger, aigri au surplus par les privations et les échecs, qui avaient fait de lui un assassin. Quand on lui demanda ce qui l'avait incité à aller se dénoncer, il répondit que c'était un repentir sincère. Tout cela parut peu délicat...

L'arrêt, cependant, fut moins sévère qu'on aurait pu s'y attendre étant donné le crime; peut-être sut-on gré à l'accusé de ce que, loin de chercher à se justifier, il s'était plutôt appliqué à se charger lui-même. Toutes les particularités si bizarres de la cause furent prises en considération. L'état maladif et le dénuement où il se trouvait avant l'accomplissement de son crime ne pouvaient être mis en doute. Le fait qu'il n'avait pas profité de son butin fut attribué pour une part à un remords tardif et pour le reste à un dérangement passager de ses facultés cérébrales au moment du crime. Le

meurtre nullement prémédité d'Elisabeth fournit même un argument à l'appui de cette dernière thèse : il commet deux assassinats et en même temps il oublie qu'il a laissé la porte ouverte! Enfin il était venu se dénoncer, et cela au moment où les aveux fantaisistes d'un fanatique affolé (Nicolas) avaient embrouillé complètement l'affaire et où, d'autre part, la justice n'avait, non seulement aucune preuve à sa disposition, mais ne soupçonnait même pas le coupable. (Porphyre Petrovitch avait religieusement tenu parole.) Toutes ces circonstances contribuèrent à adoucir considérablement le verdict. D'autre part, les débats avaient mis brusquement en évidence d'autres faits favorables à l'accusé : des documents présentés par l'ancien étudiant Rasoumikhine établissaient que, pendant qu'il était à l'Université, l'assassin Raskolnikov avait, six mois durant, partagé ses maigres ressources, jusqu'au dernier sou, avec un camarade nécessiteux et poitrinaire. Après la mort de ce dernier, il s'était occupé de son vieux père tombé en enfance (qui l'avait nourri et entretenu depuis l'âge de treize ans) et avait réussi à le faire entrer dans un hospice. Plus tard, il avait pourvu aux frais de son enterrement.

Tous ces témoignages influèrent fort heureusement sur le sort de l'accusé. Son ancienne logeuse, la veuve Zarnitzine, la mère de sa fiancée, vint également témoigner qu'à l'époque où elle habitait aux Cinq-Coins avec son locataire, une nuit qu'un incendie s'était déclaré dans une maison voisine, Raskolnikov avait, au péril de sa vie, sauvé des flammes deux petits enfants et reçu même quelques brûlures. Ce témoignage fut scrupuleusement contrôlé par une enquête et de nombreux témoins

vinrent en certifier l'exactitude. Bref, la Cour, prenant en considération l'aveu spontané du coupable et ses bons antécédents, ne le condamna qu'à huit années de travaux forcés (deuxième catégorie).

Les débats étaient à peine ouverts que la mère de Raskolnikov tombait malade. Dounia et Rasoumikhine s'arrangèrent pour l'éloigner de Pétersbourg pendant toute l'instruction du procès. Dmitri Prokofitch choisit une ville desservie par le chemin de fer et située à peu de distance de la capitale, afin de pouvoir suivre assidûment les audiences et voir aussi souvent que possible Avdotia Romanovna. La maladie de Pulchérie Alexandrovna était une affection nerveuse assez bizarre, accompagnée d'un dérangement au moins partiel des facultés mentales.

En rentrant chez elle, après sa suprême entrevue avec son frère, Dounia avait trouvé sa mère très souffrante, en proie à la fièvre et au délire. Elle convint le même soir avec Rasoumikhine des réponses à faire à Pulchérie Alexandrovna lorsqu'elle les interrogerait sur son fils : ils imaginèrent même tout un roman sur le départ de Rodion pour une mission longue et lointaine dans une province aux confins de la Russie, qui devait lui rapporter beaucoup d'honneur et de profits. Mais, à leur grande surprise, la vieille femme ne les questionna jamais à ce sujet. Elle avait, au contraire, inventé elle-même une histoire pour expliquer le départ précipité de son fils. Elle racontait en pleurant la scène de leurs adieux et laissait entendre qu'elle était seule à connaître certaines circonstances fort graves et mystérieuses. Rodia, affirmait-elle, avait des ennemis puissants dont il devait se cacher.

Quant à son avenir, elle non plus ne doutait pas qu'il serait très brillant quand certaines difficultés seraient aplanies; elle assurait à Rasoumikhine que son fils deviendrait un jour un homme d'Etat; elle n'en voulait pour preuve que l'article qu'il avait écrit et qui dénotait un si remarquable talent littéraire! Cet article, elle le relisait sans cesse, parfois à haute voix; elle ne le quittait même pas pour dormir, et cependant elle ne demandait jamais où se trouvait Rodia à présent, quoique le soin qu'on prît pour éviter ce sujet dût lui paraître suspect. Le silence étrange où se renfermait Pulchérie Alexandrovna finit par inquiéter Avdotia Romanovna et Rasoumikhine. Ainsi, elle ne se plaignait même pas du silence de son fils, alors qu'autrefois, dans sa petite ville, elle vivait de l'espoir de recevoir enfin une lettre de son bien-aimé Rodia. Cette dernière circonstance parut si inexplicable à Dounia qu'elle en fut vivement alarmée. L'idée lui vint que sa mère pressentait qu'un malheur terrible était arrivé à Rodia et n'osait interroger de peur d'apprendre quelque chose de plus affreux que ce qu'elle pouvait prévoir. Quoi qu'il en fût, Dounia se rendait parfaitement compte que sa mère avait le cerveau détraqué. A une ou deux reprises, du reste, Pulchérie Alexandrovna s'était arrangée pour conduire l'entretien de manière à apprendre où se trouvait Rodia. Les réponses, nécessairement embarrassées et inquiètes qu'elle avait reçues, l'avaient plongée dans une tristesse profonde, et, pendant fort longtemps, on la vit sombre et taciturne.

Enfin, Dounia comprit qu'il était difficile de toujours mentir, d'inventer des histoires et décida de se renfermer dans un silence absolu sur cer-

tains points. Mais il devint de plus en plus évident que la pauvre mère soupçonnait quelque chose d'affreux. Dounia se souvint notamment d'avoir appris par son frère que Pulchérie Alexandrovna l'avait entendue rêver tout haut la nuit qui avait suivi son entretien avec Svidrigaïlov. Les phrases qui lui avaient échappé n'avaient-elles pas éclairé la pauvre femme? Souvent, après des jours et des semaines de mutisme et de larmes, celle-ci était prise d'une agitation maladive; elle se mettait à monologuer à haute voix sans s'arrêter, à parler de son fils, de ses espérances, de l'avenir. Ses inventions étaient parfois fort bizarres. On faisait semblant de partager son avis (peut-être n'était-elle même pas dupe de cet assentiment). Néanmoins, elle ne cessait de parler...

Le jugement fut rendu cinq mois après l'aveu. Rasoumikhine allait voir Raskolnikov aussi souvent que possible dans sa prison, Sonia également. Vint enfin le moment de la séparation. Dounia et Rasoumikhine assuraient qu'elle ne serait pas éternelle. L'ardent jeune homme avait fermement arrêté ses projets dans son esprit : il désirait amasser quelque argent pendant les trois ou quatre années suivantes, puis se transporter, avec la famille de Rodia, en Sibérie, pays où tant de richesses n'attendent, pour être mises en valeur, que des capitaux et des bras. Là, on s'installerait dans la ville où serait Rodia... et on commencerait tous ensemble une vie nouvelle. Tous versèrent des larmes en se disant adieu. Les derniers jours, Raskolnikov paraissait extrêmement soucieux; il multipliait les questions au sujet de sa mère et s'inquiétait constamment d'elle. Cette anxiété finit même par troubler Dounia. Quand on lui donna tous les détails

sur la maladie de Pulchérie Alexandrovna, il s'assombrit encore. Avec Sonia, il se montrait particulièrement silencieux. Munie de l'argent que Svidrigaïlov lui avait remis, la jeune fille s'était depuis longtemps préparée à suivre le convoi de prisonniers dont Raskolnikov ferait partie. Ils n'avaient jamais échangé un mot sur ce sujet, mais tous deux savaient qu'il en serait ainsi. Au moment des derniers adieux, le condamné eut un sourire étrange en entendant sa sœur et Rasoumikhine lui parler chaleureusement de l'avenir prospère qui s'ouvrirait pour eux à sa sortie de prison. Il prévoyait une issue fatale à la maladie de sa mère. Il partit enfin. Sonia le suivit.

Deux mois plus tard, Dounetchka épousait Rasoumikhine. Ce fut une cérémonie triste et paisible. Parmi les invités se trouvaient, entre autres, Porphyre Petrovitch et Zamiotov. Rasoumikhine, depuis quelque temps, semblait animé d'une résolution inébranlable. Dounia lui témoignait une foi aveugle et croyait à la réalisation de ses projets. D'ailleurs, il aurait été difficile de ne point lui faire confiance, car on sentait en cet homme une volonté de fer. Il était rentré à l'Université afin de terminer ses études, et tous deux élaboraient sans cesse des plans d'avenir. Ils avaient la ferme intention d'émigrer en Sibérie dans cinq ans. En attendant, ils comptaient sur Sonia pour les remplacer.

Pulchérie Alexandrovna bénit de tout son sœur l'union de sa fille avec Rasoumikhine. Mais, après ce mariage, elle parut devenir plus soucieuse et plus triste encore. Pour lui procurer un moment agréable, Rasoumikhine lui apprit la belle conduite

de Raskolnikov à l'égard de l'étudiant et de son vieux père. Il lui raconta également comment Rodia avait reçu de graves brûlures en risquant sa vie pour sauver deux petits enfants dans un incendie. Ces deux récits exaltèrent au plus haut point l'esprit déjà troublé de Pulchérie Alexandrovna. Elle ne parla plus que de cela. Dans la rue même, elle faisait part de ces nouvelles aux passants, quoique Dounia l'accompagnât toujours. Dans les voitures publiques, dans les boutiques, dès qu'il lui arrivait de trouver un auditeur bénévole, elle se mettait à l'entretenir de son fils, de l'article qu'il avait écrit, de sa bienfaisance à l'égard d'un étudiant, du dévouement dont il avait fait preuve dans un incendie, des brûlures qu'il avait reçues, etc. Dounetchka ne savait comment l'arrêter; sans parler du danger que présentait cette exaltation maladive, il pouvait arriver que quelqu'un, entendant prononcer le nom de Raskolnikov, se souvînt du procès tout récent et se mît à en parler. Pulchérie Alexandrovna se procura l'adresse des deux enfants sauvés par son fils et voulut à toute force aller les voir. Enfin, elle atteignit les dernières limites de l'agitation. Parfois, elle fondait brusquement en larmes; elle était saisie de fréquents accès de fièvre, accompagnés de délire. Un matin, elle déclara que, d'après ses calculs, Rodia devait bientôt revenir, car elle se rappelait que lui-même avait demandé, en lui faisant ses adieux, de l'attendre dans un délai de neuf mois. Elle se mit donc à ranger le logement en vue de l'arrivée prochaine de son fils, à préparer la chambre qu'elle lui destinait (la sienne), à épousseter les meubles, à laver le parquet, à changer les rideaux, etc. Dounia était fort tourmentée de la voir en cet état,

mais ne disait rien et l'aidait même à tout organiser pour la réception de son frère.

Enfin, après une journée agitée et remplie de visions folles, de rêves joyeux et de larmes, Pulchérie Alexandrovna fut prise d'une fièvre chaude. Elle mourut quinze jours après. Les paroles qui lui échappaient dans le délire firent soupçonner à son entourage qu'elle en savait sur le sort de son fils beaucoup plus qu'on n'aurait pu le supposer.

Raskolnikov ignora longtemps la mort de sa mère, bien qu'il reçût régulièrement, depuis son arrivée en Sibérie, des nouvelles de sa famille par l'entremise de Sonia, qui écrivait tous les mois à l'adresse de Rasoumikhine et recevait chaque fois une réponse de Pétersbourg. Les lettres de Sonia parurent d'abord à Dounia et à Rasoumikhine trop sèches. Elles ne les satisfaisaient point; mais, plus tard, ils comprirent qu'elle ne pouvait en écrire de meilleures, et qu'en somme ces lettres leur donnaient une idée parfaite et précise de la vie de leur malheureux frère, car elles abondaient en détails sur la vie quotidienne. Sonia décrivait, d'une façon très simple et minutieuse, l'existence de Raskolnikov au bagne. Elle ne parlait pas de ses propres espoirs, de ses plans d'avenir, ni de ses sentiments personnels. Au lieu de chercher à expliquer l'état moral, la vie intérieure du condamné, à interpréter certains de ses gestes, elle se bornait à citer des faits, c'est-à-dire les paroles mêmes prononcées par Rodion, à donner des nouvelles de sa santé, à répéter les désirs qu'il avait manifestés, les commissions dont il l'avait chargée, etc. Grâce à ces renseignements extrêmement détaillés, ils crurent bientôt voir leur malheureux frère devant

eux et ils ne pouvaient se tromper en se le représentant, car ils ne s'appuyaient que sur des données bien établies.

Pourtant, les nouvelles qu'ils recevaient n'avaient, au début surtout, rien de consolant pour eux. Sonia racontait à Dounia et à son mari que Rodion était toujours sombre et taciturne, qu'il se montrait indifférent aux nouvelles de Pétersbourg communiquées par la jeune fille, qu'il l'interrogeait parfois sur sa mère et quand Sonia, voyant qu'il soupçonnait la vérité, lui apprit la mort de Pulchérie Alexandrovna, elle remarqua, à sa grande surprise, qu'il restait à peu près impassible. Bien qu'il fût, visiblement, absorbé par lui-même, écrivait-elle, et étranger à ce qui l'entourait, il envisageait avec beaucoup de droiture et de simplicité sa vie nouvelle. Il se rendait parfaitement compte de sa situation et n'attendait rien de mieux d'ici longtemps. Il ne se berçait d'aucun vain espoir (chose naturelle dans son cas) et ne semblait éprouver aucun étonnement dans ce milieu nouveau, si différent de celui où il avait vécu autrefois. Sa santé était satisfaisante. Il allait au travail sans répugnance ni empressement, se bornant à ne point éviter les corvées sans les rechercher. Quant à la nourriture, il s'y montrait indifférent, quoique, les dimanches et les jours de fête exceptés, elle fût si détestable qu'il se décida enfin à accepter de Sonia quelque argent pour se procurer tous les jours du thé. Pour le reste, il lui demandait de ne pas s'en soucier, en lui assurant qu'il lui serait désagréable de voir qu'on s'occupait de lui. Dans une autre lettre, elle leur apprit qu'il couchait avec tous les autres détenus. Elle n'avait jamais visité la forteresse où ils étaient logés, mais certains indices lui faisaient croire qu'il

vivait fort à l'étroit et dans des conditions affreuses et malsaines. Il couchait sur un grabat simplement recouvert d'une étoffe rugueuse et ne songeait même pas à s'installer plus confortablement. S'il refusait ainsi tout ce qui pouvait adoucir son existence et la rendre moins grossière, ce n'était nullement par principe, mais simplement par apathie et par indifférence pour son sort. Sonia avouait qu'au début ses visites, loin de faire plaisir à Raskolnikov, lui causaient une certaine irritation. Il n'ouvrait la bouche que pour la rudoyer. Plus tard, il est vrai, il s'habitua à ces visites et elles lui devinrent presque indispensables, au point qu'il parut tout mélancolique lorsqu'une indisposition obligea la jeune fille à les interrompre pendant quelque temps. Aux jours de fête, elle voyait le prisonnier devant la porte de la prison ou au corps de garde, où on le laissait venir quelques minutes quand elle le faisait appeler. En semaine, elle allait le retrouver pendant le travail dans les ateliers ou à la bijouterie où il était occupé, ou encore dans les hangars au bord de l'Irtych. En ce qui la concernait, Sonia leur faisait savoir qu'elle avait réussi à se créer des relations et quelques protections dans sa nouvelle existence. Elle s'occupait de couture, et comme la ville manquait de couturières, elle s'était faite une jolie clientèle. Ce qu'elle ne disait pas, c'était qu'elle avait réussi à intéresser les autorités au sort de Raskolnikov et à le faire exempter des travaux les plus durs. Enfin, Dounia et Rasoumikhine furent avisés (cette lettre parut à Dounia pleine d'angoisse et d'effroi comme toutes les dernières missives de Sonia) que Raskolnikov fuyait tout le monde, que ses compagnons de bagne ne l'aimaient point, bref qu'il passait des jour-

nées entières sans dire un mot et devenait très pâle.

Dans une dernière lettre, Sonia écrivit qu'il était tombé gravement malade et avait été transporté à l'hôpital du bagne.

II

Sa maladie couvait depuis longtemps, mais ce n'étaient ni les horreurs de la vie du bagne, ni les travaux forcés, ni la nourriture, ni la honte d'avoir la tête rasée et d'être vêtu de haillons qui l'avaient brisé! Oh! que lui importaient toutes ces misères et ces tortures! Il était, au contraire, bien aise de travailler; la fatigue physique lui procurait au moins quelques heures de sommeil paisible. Et que signifiait pour lui la nourriture? Cette mauvaise soupe aux choux où nageaient les blattes! Il avait vu bien pis jadis, quand il était étudiant. Ses habits étaient chauds, adaptés à son genre de vie. Quant à ses fers, il n'en sentait même pas le poids. Restait l'humiliation d'avoir la tête rasée et de porter la livrée du bagne. Mais devant qui en aurait-il rougi? Devant Sonia? Elle le redoutait. Et quelle honte pouvait-il éprouver devant elle? Pourtant, il rougissait devant Sonia elle-même et, pour s'en venger, se montrait grossier et méprisant à son égard. Mais sa honte n'était causée ni par sa tête rasée ni par ses fers. Sa fierté avait été cruellement blessée et il était malade de cette blessure. Qu'il eût été heureux de pouvoir s'accuser lui-même! Il lui aurait été facile alors de tout

supporter, même la honte et le déshonneur; mais il avait beau se montrer sévère envers lui-même, sa conscience endurcie ne trouvait aucune faute particulièrement grave dans tout son passé. Il ne se reprochait que d'avoir échoué, chose qui pouvait arriver à tout le monde. Ce qui l'humiliait, c'était de se dire que lui, Raskolnikov, était sottement perdu à jamais par un arrêt aveugle du destin et qu'il devait se soumettre, se résigner à l'« absurdité » de ce jugement sans appel s'il voulait recouvrer un semblant de calme. Une inquiétude sans objet et sans but dans le présent, un sacrifice continuel et stérile dans l'avenir, voilà tout ce qui lui restait sur terre. Vaine consolation pour lui que de se dire que, dans huit ans, il n'aurait que trente-deux ans et qu'il pourrait alors recommencer sa vie. Pourquoi vivre? Pour quels projets? Vers quoi tendre ses efforts? Vivre pour une idée, pour un espoir, même pour un caprice, vivre simplement ne lui avait jamais suffi. Il voulait toujours davantage. Peut-être était-ce la violence de ses désirs qui lui avait fait croire autrefois qu'il était un de ces hommes auxquels il est permis davantage qu'au commun des mortels! Encore si la destinée lui avait envoyé le repentir, le repentir poignant qui brise le cœur, chasse le sommeil, un repentir dont les affres font rêver d'un nœud coulant, d'eau profonde... Oh! il l'aurait accueilli avec bonheur. Souffrir et pleurer, c'est encore vivre. Mais il n'éprouvait aucun repentir de son crime. Du moins aurait-il pu se reprocher sa sottise, comme il s'en était voulu autrefois pour les actes stupides et monstrueux qui l'avaient mené en prison. Mais, quand il réfléchissait maintenant, dans *le loisir* de la captivité, à toute sa conduite

passée, il était loin de la trouver aussi stupide et monstrueuse qu'elle lui avait paru à cette époque tragique de sa vie.

« En quoi, pensait-il, non, mais en quoi mon idée était-elle plus bête que les idées et les théories qui errent et se livrent bataille dans le monde depuis que le monde existe? Il suffit d'envisager la chose d'une façon large, indépendante, de se dégager de ses préjugés, et alors mon plan ne paraîtra plus aussi... bizarre. Oh! négateurs, sages philosophes de quatre sous, pourquoi vous arrêtez-vous à mi-chemin? Oui, pourquoi mon acte leur a-t-il semblé monstrueux? se demandait-il. Parce que c'est un crime? Que veut dire ce mot « crime »? Ma conscience est tranquille. Sans doute, j'ai commis un acte illicite; j'ai violé la loi et versé le sang. Eh bien, pour cette loi transgressée, prenez ma tête et voilà tout. Certes, dans ce cas, de nombreux bienfaiteurs de l'humanité, qui s'emparèrent du pouvoir au lieu d'en hériter dès le début de leur carrière, auraient dû être livrés au supplice, mais ces hommes ont réalisé leurs projets; ils sont allés jusqu'au bout de leur chemin et leur réussite *justifie* leurs actes, tandis que moi, je n'ai pas su poursuivre le mien, ce qui prouve que je n'avais pas le droit de m'y engager. »

C'était là le seul tort qu'il se reconnût, celui d'avoir faibli et d'être allé se dénoncer. Une autre pensée le faisait également souffrir. Pourquoi ne s'était-il pas suicidé? Pourquoi avait-il hésité, penché sur le fleuve, et, plutôt que de se jeter à l'eau, préféré se livrer à la police? L'amour de la vie était-il donc un sentiment si pressant, si difficile à vaincre? Svidrigaïlov en avait bien triomphé pourtant, lui qui redoutait la mort...

Il réfléchissait douloureusement à cette question et ne pouvait comprendre qu'au moment où, penché sur l'eau de la Néva, il songeait au suicide, peut-être pressentait-il déjà son erreur profonde et la duperie de ses convictions. Il ne comprenait pas que ce pressentiment pouvait contenir le germe d'une nouvelle conception de la vie et qu'il annonçait sa résurrection.

Il admettait plutôt qu'il avait cédé à la force obscure de l'instinct (par lâcheté et par faiblesse). Il observait avec étonnement ses camarades du bagne. Comme ils aimaient la vie tous, combien précieuse elle leur semblait. Il lui parut même que ce sentiment était plus vif chez le prisonnier que chez l'homme libre. Quelles horribles souffrances avaient endurées certains d'entre eux, les vagabonds par exemple! Se pouvait-il qu'un rayon de soleil, une forêt ombreuse, un ruisselet frais coulant au fond d'une solitude ignorée, eussent tant de prix à leurs yeux; que cette source glacée rencontrée peut-être trois ans auparavant, ils y pensent encore comme un amant rêve à sa maîtresse! Ils la voient en songe dans sa ceinture d'herbes vertes, avec l'oiseau qui chante sur la branche voisine. A mesure qu'il observait ces hommes, il découvrait des faits plus inexplicables encore.

Certes, bien des choses lui échappaient dans le bagne, dans ce milieu qui l'entourait, et peut-être ne voulait-il pas les voir. Il vivait en quelque sorte les yeux baissés, car ce qu'il pouvait voir lui semblait répugnant et insupportable. Mais, à la longue, certaines particularités le frappèrent et il finit par remarquer ce dont il n'avait jamais soupçonné l'existence. Ce qui l'étonnait le plus, c'était l'abîme effrayant, infranchissable, qui s'ouvrait entre lui

et ces hommes. On eût dit qu'ils appartenaient à des races différentes. Ils se regardaient mutuellement avec une méfiance hostile. Il connaissait et comprenait les causes générales de ce phénomène, mais n'avait jamais supposé qu'elles fussent si fortes et si profondes. Au bagne, se trouvaient également des condamnés politiques polonais exilés en Sibérie. Ceux-là considéraient les criminels de droit commun comme des brutes ignorantes et n'avaient pour eux que du mépris, mais Raskolnikov ne pouvait partager cette manière de voir; il apercevait clairement que, sous beaucoup de rapports, ces brutes étaient bien plus intelligentes que les Polonais. Puis il y avait des Russes, un officier et deux anciens séminaristes qui, eux aussi, dédaignaient cette plèbe; leur erreur n'échappait pas davantage à Raskolnikov.

Quant à lui, on ne l'aimait pas et tous l'évitaient. On finit même par le haïr. Pourquoi? Il l'ignorait. On le méprisait, il était l'objet des railleries. Des condamnés bien plus coupables que lui se moquaient de son crime.

« Toi, tu es un seigneur, lui disaient-ils. Etait-ce à toi d'assassiner à coups de hache?

— Ce n'est pas l'affaire d'un barine! »

La seconde semaine du grand carême, ce fut son tour de faire ses pâques avec sa chambrée. Il allait à l'église et priait avec ses compagnons. Un jour, sans qu'il sût lui-même à quel propos, une querelle éclata entre lui et ses codétenus. Tous l'assaillirent avec rage.

« Tu es un athée. Tu ne crois pas en Dieu, lui criaient-ils. Il faut te tuer. »

Jamais il ne leur avait parlé de Dieu ni de religion, et pourtant ils voulaient le tuer comme

mécréant. Il ne leur répondit rien. Un prisonnier, au comble de l'exaspération, s'élançait déjà sur lui. Raskolnikov, calme et silencieux, l'attendit sans sourciller, sans qu'un muscle de son visage tressaillît. Un garde-chiourme s'interposa à temps : un instant de plus et le sang coulait.

Restait une autre question qu'il n'arrivait pas à résoudre : pourquoi tous aimaient-ils tant Sonia? Elle ne cherchait pas à gagner leurs bonnes grâces; ils la voyaient rarement et n'avaient l'occasion de la rencontrer qu'au chantier ou à l'atelier, où elle venait retrouver Raskolnikov. Et cependant, tous la connaissaient et tous savaient qu'elle l'avait suivi au bagne; ils étaient au courant de sa vie, ils connaissaient son adresse. La jeune fille ne leur donnait pas d'argent, elle ne leur rendait guère de services. Une fois seulement, à la Noël, elle apporta un cadeau pour toute la prison, des pâtés et de grands pains russes. Mais, peu à peu, entre eux et Sonia s'établirent des rapports plus intimes; elle écrivait des lettres à leurs familles et les mettait à la poste. Quand leurs proches venaient en ville, c'était sur leur indication qu'ils remettaient à Sonia les effets et même l'argent qui leur étaient destinés. Leurs femmes et leurs maîtresses la connaissaient et lui rendaient visite. Lorsqu'elle venait voir Raskolnikov en train de travailler parmi ses compagnons ou qu'elle rencontrait un groupe de prisonniers se rendant à l'ouvrage, tous ôtaient leurs bonnets et la saluaient. « Chère Sophia Simionovna, tu es notre mère douce et secourable », disaient ces galériens, ces êtres grossiers et endurcis, à la frêle petite créature. Elle souriait en leur rendant leur salut à tous, ils aimaient ce sourire. Ils aimaient même sa démarche et se retournaient pour la

suivre des yeux lorsqu'elle s'en allait, en célébrant ses louanges. Ils louaient jusqu'à sa petite taille; ils ne savaient plus quels éloges lui adresser. Ils allaient même la consulter dans leurs maladies.

Raskolnikov passa à l'hôpital toute la fin du carême et la première semaine de Pâques. En revenant à la santé, il se rappela les cauchemars qu'il avait eus dans le délire de la fièvre. Il lui semblait voir le monde entier désolé par un fléau terrible et sans précédent qui, venu du fond de l'Asie, s'était abattu sur l'Europe. Tous devaient périr, sauf quelques rares élus. Des trichines microscopiques, d'une espèce inconnue jusque-là, s'introduisaient dans l'organisme humain. Mais ces corpuscules étaient des esprits doués d'intelligence et de volonté. Les individus qui en étaient infectés devenaient à l'instant même déséquilibrés et fous. Toutefois, chose étrange, jamais les hommes ne s'étaient crus aussi sages, aussi sûrs de posséder la vérité. Jamais ils n'avaient eu pareille confiance en l'infaillibilité de leurs jugements, de leurs théories scientifiques, de leurs principes moraux. Des villages, des villes, des peuples entiers, étaient atteints de ce mal et perdaient la raison. Tous étaient en proie à l'angoisse et hors d'état de se comprendre les uns les autres. Chacun cependant croyait être seul à posséder la vérité et se désolait en considérant ses semblables. Chacun, à cette vue, se frappait la poitrine, se tordait les mains et pleurait... Ils ne pouvaient s'entendre sur les sanctions à prendre, sur le bien et le mal et ne savaient qui condamner ou absoudre. Ils s'entretuaient dans une sorte de fureur absurde. Ils se réunissaient et formaient d'immenses armées pour

marcher les uns contre les autres, mais, la campagne à peine commencée, la division se mettait dans les troupes, les rangs étaient rompus, les hommes s'égorgeaient entre eux et se dévoraient mutuellement. Dans les villes, le tocsin retentissait du matin au soir. Tout le monde était appelé aux armes, mais par qui? Pourquoi? Personne n'aurait pu le dire et la panique se répandait. On abandonnait les métiers les plus simples, car chacun proposait des idées, des réformes sur lesquelles on ne pouvait arriver à s'entendre; l'agriculture était délaissée. Çà et là, les hommes formaient des groupes; ils se juraient de ne point se séparer, et, une minute plus tard, oubliaient la résolution prise et commençaient à s'accuser mutuellement, à se battre, à s'entre-tuer. Les incendies, la famine éclataient partout. Hommes et choses, tout périssait. Cependant, le fléau étendait de plus en plus ses ravages. Seuls, dans le monde entier, pouvaient être sauvés quelques hommes élus, des hommes purs, destinés à commencer une nouvelle race humaine, à renouveler et à purifier la terre; mais nul ne les avait vus et personne n'avait entendu leurs paroles, ni même le son de leurs voix.

Raskolnikov souffrait, car l'impression pénible de ce songe absurde ne s'effaçait point. On était déjà à la deuxième semaine après Pâques. Les journées devenaient tièdes, claires et vraiment printanières. On ouvrait les fenêtres de l'hôpital (des fenêtres grillagées sous lesquelles allait et venait un factionnaire.) Pendant tout le temps de sa maladie, Sonia n'avait pu le voir que deux fois et encore lui fallait-il préalablement demander une autorisation difficile à obtenir. Mais souvent, surtout vers la fin du jour, elle venait dans la cour

de l'hôpital, parfois simplement pour le regarder une minute, de loin, par la fenêtre.

Un soir, il était déjà presque guéri, Raskolnikov s'endormit. A son réveil, il s'approcha par hasard de la croisée et aperçut Sonia debout près de la porte cochère. Elle semblait attendre quelque chose. Raskolnikov tressaillit; une douleur lui transperçait le cœur. Il s'éloigna en toute hâte de la fenêtre. Le lendemain, Sonia ne vint pas, le surlendemain non plus. Il remarqua qu'il l'attendait anxieusement. Enfin, il quitta l'hôpital. Lorsqu'il revint au bagne, ses compagnons lui apprirent que Sonia Simionovna était malade et gardait le lit. Fort inquiet, il envoya prendre de ses nouvelles; il apprit bientôt que sa maladie n'était pas grave. De son côté, Sonia, le voyant tourmenté par son état, lui écrivit une lettre au crayon pour lui dire qu'elle allait beaucoup mieux et n'avait souffert que d'un refroidissement. Elle lui promettait d'aller le voir le plus tôt possible aux travaux forcés. Le cœur de Raskolnikov se mit à battre violemment.

La journée était encore belle et chaude. A six heures du matin, il s'en alla travailler au bord du fleuve où l'on avait établi, dans un hangar, un four à cuire l'albâtre. Ils n'étaient à ce four que trois ouvriers. L'un d'eux, accompagné du garde-chiourme, partit chercher un instrument dans la forteresse; le second commença à chauffer le four. Raskolnikov sortit du hangar, s'assit sur un tas de bois amoncelé sur la berge et se mit à contempler le fleuve large et désert. De cette rive élevée, on découvrait une vaste étendue de pays. Du bord opposé et lointain arrivait un chant dont l'écho retentissait aux oreilles du prisonnier. Là, dans la steppe immense inondée de soleil, apparaissaient,

çà et là, en points noirs à peine perceptibles, les tentes des nomades. Là était la liberté, là vivaient des hommes qui ne ressemblaient en rien à ceux du bagne. On eût dit que là le temps s'était arrêté à l'époque d'Abraham et de ses troupeaux. Raskolnikov regardait cette lointaine vision, les yeux fixes, sans bouger... Il ne réfléchissait plus; il rêvait et contemplait, mais en même temps une inquiétude vague l'oppressait.

Tout à coup, Sonia se trouva à ses côtés. Elle s'était approchée sans bruit et assise près de lui. La journée était fort peu avancée et la fraîcheur matinale se faisait encore sentir. Elle portait sa vieille cape râpée et son châle vert. Son visage, épuisé, pâle et amaigri, gardait les traces de sa maladie. Elle sourit au prisonnier d'un air aimable et heureux, mais, selon son habitude, ne lui tendit la main que timidement.

Elle faisait toujours ce geste avec timidité, parfois même elle s'en abstenait de peur de lui voir repousser sa main tendue, et lui semblait toujours la prendre avec répugnance. Parfois même, il paraissait fâché de la voir et il n'ouvrait pas la bouche tout le temps de sa visite. Certains jours, elle tremblait devant lui et le quittait profondément affligée. Maintenant, au contraire, leurs mains ne pouvaient rompre leur étreinte. Il lui jeta un rapide coup d'œil, ne proféra pas un mot et baissa les yeux. Ils étaient seuls, nul ne pouvait les voir. Le garde-chiourme s'était détourné. Soudain, et sans que le prisonnier sût comment cela était arrivé, une force invincible le jeta aux pieds de la jeune fille. Il se mit à pleurer en enlaçant ses genoux. Au premier moment elle fut terriblement effrayée et son visage devint mortellement pâle. Elle bondit sur

ses pieds et le regarda en tremblant, mais, au même instant, elle comprit tout. Un bonheur infini rayonna dans ses yeux. Elle comprit qu'il l'aimait, oui, elle n'en pouvait douter. Il l'aimait d'un amour sans bornes; la minute si longtemps attendue était donc arrivée!

Ils voulaient parler, mais ne purent prononcer un mot. Des larmes brillaient dans leurs yeux. Tous deux étaient maigres et pâles, mais, sur ces pauvres visages ravagés, brillait l'aube d'une vie nouvelle, celle d'une résurrection. C'était l'amour qui les ressuscitait. Le cœur de l'un enfermait une source de vie inépuisable pour l'autre. Ils décidèrent d'attendre et de prendre patience. Ils avaient sept ans de Sibérie à faire. Que de souffrances intolérables à s'imposer jusque-là et que de bonheur infini à goûter! Mais Raskolnikov était régénéré, il le savait; il le sentait de tout son être. Quant à Sonia, elle ne vivait que pour lui.

Le soir, quand les prisonniers furent enfermés dans leurs chambres, le jeune homme, couché sur son lit de camp, songea à elle. Il lui avait même semblé que, ce jour-là, tous les détenus, ses anciens ennemis, le regardaient d'un autre œil. Il leur avait adressé la parole et tous lui avaient répondu amicalement. Il s'en souvenait maintenant, mais sans étonnement : tout n'avait-il pas changé? Il pensait à elle, il songeait qu'il l'avait abreuvée de douleurs; il évoquait son pâle et maigre visage, mais ces souvenirs ne lui étaient plus un remords; il savait par quel amour infini il rachèterait désormais les souffrances qu'il avait fait subir à Sonia.

D'ailleurs, qu'étaient maintenant tous ces chagrins du passé? Tout, jusqu'à son crime, jusqu'à l'arrêt qui le condamnait et l'envoyait en Sibérie,

tout cela lui apparaissait comme un événement lointain qui ne le concernait pas. Il était, du reste, ce soir-là, incapable de réfléchir longuement, et de concentrer sa pensée. Il ne pouvait que sentir. Au raisonnement s'était substituée la vie; son esprit devait être régénéré de même.

Sous son chevet se trouvait un évangile. Il le prit machinalement. Ce livre appartenait à Sonia. C'était là-dedans qu'elle lui avait lu autrefois la résurrection de Lazare. Au commencement de sa captivité, il s'attendait à être persécuté par elle avec sa religion. Il croyait qu'elle allait lui jeter sans cesse l'Evangile à la tête et lui proposer des livres pieux. Mais, à son grand étonnement, il n'en avait rien été; elle ne lui avait pas offert une seule fois de lui prêter le Livre Sacré. Lui-même le lui avait demandé quelque temps avant sa maladie et elle le lui avait apporté sans rien dire. Il ne l'avait pas encore ouvert.

Maintenant même, il ne l'ouvrait pas, mais une pensée traversa rapidement son esprit : « Sa foi peut-elle n'être point la mienne à présent ou, tout au moins, ses sentiments, ses tendances, ne nous seront-ils pas communs? »...

Sonia, elle aussi, avait été fort agitée ce jour-là et le soir elle retomba malade. Mais elle était si heureuse, d'un bonheur si inattendu, qu'elle s'en trouvait presque effrayée. Sept ans! Seulement sept ans! Dans l'ivresse des premières heures, peu s'en fallait que tous deux ne considérassent ces sept années comme sept jours. Raskolnikov ne soupçonnait pas que cette vie nouvelle ne lui serait point donnée pour rien et qu'il devrait l'acquérir au prix de longs efforts héroïques...

Mais ici commence une autre histoire, celle de la

lente rénovation d'un homme, de sa régénération progressive, de son passage graduel d'un monde à un autre, de sa connaissance progressive d'une réalité totalement ignorée jusque-là. On pourrait y trouver la matière d'un nouveau récit, mais le nôtre est terminé.

NOTES ET BROUILLONS

NOTE DE L'ÉDITEUR

*Parmi les carnets de Dostoïevski on en a retrouvé trois * qui sont presque entièrement consacrés au travail préparatoire de* Crime et Châtiment. *Ils contiennent des plans, des indications, des scènes qui se rapportent à ce roman, en particulier au mobile et à la signification du crime, et qui couvrent en tout deux cent quarante-deux pages d'une écriture fine. Le manuscrit est surchargé de ratures, de notes marginales, de phrases intercalées. Il est par conséquent difficile à lire.*

Le professeur I. Glivenko à qui nous devons la publication intégrale de ces carnets en 1932, a entrepris de reconstituer le texte de ce qu'on appelle depuis le Journal de Raskolnikov *et qui constitue le fragment le plus important de l'ébauche du récit au « je ». Ce texte se trouve dispersé, principalement dans le deuxième carnet, pages 27-33, 43, 45-85, 88-109. Le début en est page 45. Là, il est intitulé chapitre II et daté du 16 juin. Dostoïevski y suit*

* Dans les citations, ils seront numérotés I, II, III.

d'assez près le plan qui commence par les mots : « Si c'est un journal » et qui est reproduit ci-après. Il a servi à la rédaction définitive des chapitres, I, II, III, IV, VI, et à la seconde partie du roman.

Nous faisons précéder le texte du Journal de Raskolnikov *des passages suivants tirés des carnets qui peuvent aider à son intelligence.*

I. Plans

Fouiller toutes les questions dans ce roman. Le sujet y oblige. *Récit de l'auteur et non du héros.*

Si c'est une confession, aller jusqu'à la dernière limite, tout expliquer. Pour que tout soit clair à *n'importe quel moment* du récit. (Dans la marge : Sincérité absolue, parfaitement sérieuse, jusqu'à la naïveté, et le *nécessaire,* uniquement.)

N. B. — Dans certains points la confession ne sera pas chaste, il sera difficile de comprendre pourquoi elle a été écrite. (I, p. 107.)

Récit de *l'auteur.* Il faut trop de naïveté et de sincérité. Supposer que l'auteur est un être *omniscient* et *infaillible* qui expose aux regards de tous un homme de la nouvelle génération.

Encore un plan; l'écrivain raconte comme une personne invisible mais qui sait tout, qui ne quitte pas le héros une minute des yeux... tout cela est arrivé d'une façon si parfaitement inattendue... (I, p. 109.)

D'abord : visite chez la vieille; il engage sa montre; *d'ailleurs* il se renseigne. Puis la lettre, la promenade sur le boulevard, désagréments, haine de l'humanité et soudain il pense à la vieille, *mais pourtant pas d'une façon tout à fait surprenante,*

car il doit reconnaître que *cette idée existe déjà depuis longtemps* en lui, mais qu'elle prend pour la première fois une forme nette et définitive. Puis, *alors, absolument par hasard,* Lisavéta.

... Il reconnaît et comprend que toute l'action est arrivée *presque fortuitement* (elle le pousse irrésistiblement, *l'attire*...). Il reconnaît pourtant que tout est issu *d'une idée logiquement exacte,* que ce n'est pas une folie. Non, absolument pas. Il le nie avec fureur. (I, p. 109.)

Autre plan : Récit du meurtrier huit ans plus tard (pour le placer dans un recul définitif).

Cela s'est passé il y a huit ans; je veux raconter tout dans l'ordre. Je commençai par aller engager ma montre chez la vieille. N. N. (l'étudiant) m'avait parlé d'elle depuis longtemps. Ce qu'était cette vieille, la visite, son appartement, etc. Il étudiait les lieux (*N. B.* — Peu clair, pourtant le lecteur sent déjà *quelque chose*.) Je quittai la vieille tout tremblant. Je passai devant un cabaret; puisque je veux raconter tout dans l'ordre je commencerai par dire comment j'ai fait la connaissance de Marmeladov. Parler en détail de Marmeladov et noter à la fin que cet homme devait influencer sa destinée. (I, p. 110.)

Si c'est un journal.

N. B. — 1) Le trou sous la planche d'appui.

1) Allé engager sa montre et *étudier les lieux*. Considérations. *N. B.* — Pour faire comprendre au lecteur qu'il n'y est pas allé seulement pour sa montre et que quelque chose se cache là-dessous.

2) Rencontre au cabaret avec Marmeladov.

3) A la maison. Rapports avec la logeuse. Lettre de sa mère. Au sujet du fiancé. Non, elles ne doivent

pas souffrir. Raisonnements sceptiques. Les Halles Centrales. Lisbeth.

4) Avant les préparatifs. Souvenirs, considérations. Meurtre.

5) Au commissariat de police. Sous la pierre. Sur le boulevard. Vingt kopecks. Il rend la traduction.

6) Maladie. Lettre de sa mère, l'argent.

7) Il s'est enfui. Le cabaret. Arrogance singulière. Dispute avec les ouvriers. Mort de Marmeladov. (I, p. 120.)

Autre plan. Ensuite la lettre. Il le connaît. Réponse. Il sort sur le boulevard, il erre. « Non, ils doivent être heureux! » Il ne peut pas revenir à la maison, il doit errer encore. *L'idée lui vient en tête.* Plus loin : Chapitre N. Cette idée était *depuis longtemps* installée dans sa tête. Par quels détours elle était arrivée jusqu'à lui, c'est difficile à raconter. Les mathématiques. (Le chapitre le plus difficile dans un récit de l'auteur. Très sérieux, et pourtant avec un humour fin.)

L'anatomie essentielle du roman. Après la maladie, etc. Diriger absolument la marche de l'affaire sur le véritable point et *écarter l'imprécision,* donc expliquer le meurtre *d'une façon ou de l'autre* et déterminer le caractère du héros et son rapport avec le crime. Commencer ensuite la seconde partie du roman. Le heurt avec la réalité et le retour logique à la loi naturelle et au devoir.

En marge de cette note, en face des mots « expliquer le meurtre » : « Orgueil, personnalité, susceptibilité. » (I, p. 118.)

Confession, relation du meurtre : je ne m'y attendais pas moi-même; tout le long du récit il persiste comme une sorte d'étonnement à l'égard de soi-même. (I, p. 123.)

II. Indications et scènes

Chez Rasoumikhine il démontre surtout qu'il est indispensable d'avoir (sous ce mot est écrit : 5000) dès le début, pour ne pas dériver ensuite, tu n'auras pas besoin de commettre de bassesses, de te montrer trop aimable, de dire toujours oui. (I, p. 103.)

A la soirée chez Rasoumikhine on lui reproche de s'être toujours éloigné des autres, bien que ses camarades pussent l'appécier à sa valeur. Rasoumikhine lui fait le même reproche. (I, p, 105.)

Le ton... Troisième ou quatrième chapitre. Je dois reconnaître que cette idée est déjà venue *plus d'une fois.*

N. B. — De cette façon on peut expliquer *plus naturellement* le crime tout en conservant la gravité. Cette gravité absolue doit apparaître au cours de la soirée chez Rasoumikhine dans son orgueil satanique. (I, p. 106.)

D'abord. Il s'en va, par exemple, chez la vieille, pour se renseigner, au reste sans intention et sans se rendre compte de ce qu'il projette précisément. Donc en tout cas. *Puis* la suite et des événements secondaires, même humoristiques. *Comme s'il ne croyait pas lui-même* que cela puisse arriver. *Ensuite.* Le meurtre est commis *presque par hasard...*

Pendant qu'il erre : Est-il donc possible de les aimer? Est-il possible de souffrir pour eux? *Haine de l'humanité!*

Ce fragment se termine par les mots suivants :

« Enfin. Soudain, tristesse maussade et orgueil infini et lutte pour (idées) que sa vie ne soit pas

anéantie, mais pour que la vie commence. » (I, p. 109).

Il va chez Rasoumikhine à la soirée, remué, raffermi et fier. Orgueil démoniaque. (I, p. 108.)

« Je ne peux pas ne pas vivre. Mon sens est dans le mot vivre. Je ne suis pas un homme à abandonner les faibles aux méchants. J'interviendrai. Je veux intervenir. C'est pourquoi je veux être puissant. C'est pourquoi je veux devenir un homme. A commencer par l'instruction parce que l'instruction est une force et ensuite la vie tout entière. » (I, p. 114.)

L'essentiel et l'important : « Jamais ils ne parlaient entre eux; mais Sonia, outre qu'elle l'a aimé dès le soir où son père est mort, est frappée d'abord que lui, pour la rassurer, lui raconte qu'il a tué, donc il la respectait au point de ne pas craindre de s'ouvrir à elle complètement. Ainsi lui, sans parler d'amour, voyait qu'elle lui était indispensable comme l'air, comme tout, et il l'aimait infiniment. Dans une conversation, il lui dit même (le lendemain) : « Je vous respecte. — Je le sais, répond-elle, sinon seriez-vous venu me voir, voilà pourquoi précisément il m'a paru que je devais absolument venir et être près de vous. »

... Elle lui a écrit dans une lettre : « Je vous aime, je serai votre esclave », elle a été prise par son orgueil, son indépendance et son discours qu'elle est humiliée. Lettre avec du style. Il va la voir après cette lettre. *Il se confesse à elle*. Elle chancelle. Il sort. Incendie. Salut! Hourra! La vie est là! Son désespoir. Marche; il analyse tous les points. Il s'occupe des trois enfants. Il songe à un nouveau crime. Il sauve de la mort. (I, p. 115.)

« Ce n'est pas vrai, dit Sonia, car dans le confort,

dans la richesse vous n'auriez peut-être rien vu des misères humaines. Dieu envoie beaucoup de malheurs à celui qu'il aime, à celui en qui il espère, pour qu'il comprenne par lui-même et mieux, car l'homme malheureux voit plus les peines des gens que l'homme heureux. — Quand on est très malheureux le bonheur paraît encore plus vif... »

Projet d'une conversation avec le juge d'instruction sans doute :

« Vous n'avez donc pas remarqué que jamais un homme au pouvoir ne s'est soumis à ces lois. Les Napoléon les ont foulées et trahies, d'autres plus faibles s'en sont servis, les autres plus faibles encore les tournent. Il n'existe qu'une loi, c'est la loi morale.

— D'accord, d'accord! Mais et cette loi?

— Quoi, si ma conscience me laisse en repos, je m'empare de la puissance, j'acquiers de la force — en argent ou en pouvoir —, pas pour le mal. J'apporte le bonheur. Etre derrière la barrière, regarder par-dessus, envier, haïr, et rester inactif? C'est bas. » (I, p. 117.)

En marge de cette conversation, Dostoïevski a noté une réflexion de Raskolnikov :

« Diable! Mais c'est en partie juste. »

Soirée chez Rasoumikhine (orgueil effrayant). (I, p. 121.)

Troisième partie. Orgueil absolu. (I, p. 123.)

« A partir du meurtre commence son développement moral, la possibilité de questions qui ne se posaient pas auparavant. Dans le dernier chapitre,

au bagne, il dit que sans ce crime il n'aurait pas découvert en lui de tels problèmes, de tels désirs, de tels sentiments, de tels besoins, de telles aspirations et un tel développement. » (I, p. 123.)

En marge :

la vie est finie d'un côté, elle commence d'un autre, la tombe et les malédictions, de l'autre la résurrection.

L'essentiel *N. B.* — Dominer la société! Toutes ces bassesses autour de lui le révoltent. Mépris profond des hommes. Orgueil. Il expose à Sonia son mépris des hommes. Ne veut pas par orgueil. Il discute avec Sonia : « *Oh! je ne peux pas me réconcilier avec eux.* » A la fin il se réconcilie avec tous. Vision du Christ. Il demande pardon publiquement. Orgueil. (I, p. 133.)

Remarque à la confession :

Oui, va leur expliquer : ils diront : c'est idiot, il a tué sans raison, il a volé 230 roubles et pour 20 roubles d'affaires. Si au moins j'avais volé 15 000 roubles ou tué Kraevski, alors ils ne riraient pas, ils verraient et croiraient que j'avais de grands projets. Mais maintenant je dois encore endurer le rire et le mépris. Ils diront : c'est un idiot, il a tué pour rien, en s'imaginant qu'avec 200 roubles il assurerait sa vie et rendrait tout le monde heureux.

Ils ne croiront pas à mon plan quand je l'expliquerai. Oh! honte, honte! Il n'évite pas même la honte la plus vile. Oh! je suis un rien, un rien! Je les traite de bas, de vils et moi-même je cours

après leur opinion! Je ne suis bon à rien, à rien! La vie ne m'a rien donné encore! (I, p. 144.)

L'idée du roman; la conception juste de l'orthodoxie. Il n'y a pas de bonheur dans le confort, le bonheur s'achète au prix de souffrances... L'homme n'est pas né pour le bonheur. L'homme mérite son bonheur et toujours par la souffrance. Il n'y a pas là d'injustice, car la science de la vie et la conscience (c'est-à-dire ce qui est senti d'une façon immédiate par le corps et l'esprit, c'est-à-dire encore par toute l'expérience de la vie) s'acquièrent par l'expérience du pour et du contre et il faut les payer leur prix.

En marge :

« Par la souffrance, telle est la loi de notre planète, mais cette conscience immédiate, formée par la vie est une telle grande joie qu'on peut la payer de beaucoup d'années de souffrances. » (II, p. 3.)

L'essentiel. Que m'importe ce qui sera plus tard (dit Raskolnikov à Sonia), maintenant, est-il possible de vivre? (Je ne veux pas passer devant toutes ces horreurs, ces souffrances et ces malheurs, et rester froid. Je veux la puissance.) (II, p. 110.)

J'ai deviné, Sonia, que la puissance échoit seulement à celui qui ose se baisser et la prendre. Que cela : il suffit d'oser!... Je... j'ai désiré *oser* et j'ai tué... j'ai seulement désiré oser, Sonia, voilà toute la cause. (II, p. 202.)

... J'avais besoin de savoir autre chose et c'est ce qui m'a poussé : j'avais besoin de savoir alors, et au plus vite, si je suis un fou comme tous ou un homme? Pourrais-je franchir ou non? Devrai-je ou non me baisser et prendre? Suis-je une créature tremblante ou ai-je le droit? (II, p. 204.)

Projet de conversation avec Sonia :

Vous avez fait cela pour secourir votre mère? — Non, pas du tout, pour moi seul, je ne voulais pas une injustice...

ou bien :

je ne l'ai pas fait pour d'autres, mais pour moi, pour moi — je l'ai fait pour moi seul. (III, p. 1.)

Je suis jeune, peut-être. Je ne peux pas même saisir qui peut le deviner. Mais j'avais besoin de faire un premier pas. J'ai besoin de puissance... Je ne veux pas. Je veux que tout ce que je vois soit autrement. Jusqu'ici c'est tout ce qui m'était nécessaire, aussi ai-je tué et j'ai besoin ensuite de plus. (III, p. 1.)

Il personnifie dans le roman l'idée d'un orgueil, d'une arrogance et d'un mépris de la société sans mesure. Son idée est de dominer cette société.

Après cette phrase l'auteur avait écrit d'abord :

« pour lui faire du bien »,

puis il a rayé ces mots.

Le despotisme est son trait de caractère, qui force sa nature (?)

(Ce point d'interrogation est dans l'original.)

N. B. — En rédigeant ne pas oublier que le héros a 23 ans.

Il veut dominer, mais il n'en connaît pas les moyens. Etre puissant et s'enrichir au plus vite. Ainsi l'idée du meurtre lui est venue toute prête.

Qui que je sois, et quoi que je fasse ensuite, que

je devienne un bienfaiteur de l'humanité ou que je lui suce le sang comme une araignée, c'est mon affaire. Je sais que je veux *dominer, un point c'est tout.* (III, p. 4.)

Elans passionnés et tourmentés. Pas de froideur ni de désespoir, rien de ce qui a été émis par Byron. Une soif infinie et insatiable de jouissance, une soif inapaisée de vivre, diversité des jouissances et des assouvissements. Une conscience parfaite et l'analyse de chaque volupté, sans crainte d'en être affaibli, parce que cette analyse est un besoin de la nature elle-même, de l'organisme. Jouissances artistiques jusqu'au raffinement et en même temps brutales, précisément parce que la brutalité sans limites s'unit au raffinement (tête coupée). Jouissances psychologiques. Jouissances mystiques (pour la nuit). Jouissances du repentir, du monastère (jeûne sévère et prières). Jouissances de mendiants (demander l'aumône). Jouissances de la Madone de Raphaël. Jouissances du vol, du pillage, du suicide (a hérité vers 35 ans, était jusque-là précepteur ou fonctionnaire, redoutait ses supérieurs (veuf). Jouissances de l'instruction (c'est pour cela qu'il étudie). Jouissances des bonnes actions. (III, p. 11.)

Pour dominer : lorsqu'on objecte à Raskolnikov que, pour parvenir à la puissance, il commettra tant de saloperies qu'il ne pourra pas ensuite les réparer, il répond sarcastiquement : « Quoi, il vaut la peine de faire d'autant plus de bien ensuite et de calculer alors le doit et l'avoir pour qu'en fin de compte il reste plus de bien. » Puis il ajoute avec colère : « Je n'ai pas besoin de faire le bien. Je vis pour moi, oui, pour moi. » (surtout il n'y avait pas d'issue). (III, p. 59.)

N. B. Son orgueil, son arrogance et son assu-

rance vont toujours crescendo et soudain, en pleine puissance, après l'incendie, il va se livrer. (III, p. 69.)

N. B. — Dans une conversation avec Sonia : « Je ne leur veux pas du bien, je ne suis pas fait pour le bien mais pour la puissance. — Mais vous faites le bien. — Je cherche la puissance; pour faire le bien, il faut dominer avant tout. Quoi, est-ce bien que tu parcoures aussi les rues? Poletchka ira aussi. Je ne veux pas passer et me taire... Il faut une loi pour tous, mais pas pour les élus. Chaque péché se paie en souffrances... ». (III, p. 90.)

Mots impertinents de Raskolnikov quand on chasse Loujine. Il faut *dominer*. (III, p. 100.)

Je comprends, dit Avdotia Romanovna, que tu es un homme excentrique et à part, mon vieux. Nous ne sommes pas de la même pâte. — Tu crois? demanda Raskolnikov. (III, p. 102.)

Dans la troisième Partie. Qu'avez-vous gagné à tuer la vieille? — C'était une gaffe, dit Raskolnikov. Je n'ai pas eu le temps de prendre l'argent. Ce n'est même pas une gaffe, mais une *aspiration*. L'idée a mûri dans tout cela, voilà ce qui est important. (III, p. 110.)

La vieille, c'est une gaffe! J'ai fait une gaffe. (III, p. 112.)

— Comme je n'aime pas cette vieille, surtout maintenant après cela! Je ne peux pas lui pardonner.

au-dessus de la ligne :

je ne lui pardonnerai pour rien au monde. Je la tuerais encore une fois peut-être, ou je la volerais. (III, p. 113.)

Loujine. — Marmeladov, en voilà un nom de confiserie. — En quoi vaut mieux Raskolnikov? (évidemment c'est Raskolnikov qui pose cette question). La mère. Les Raskolnikov sont une bonne famille, bien que ton père ait été précepteur, et les Raskolnikov sont connus depuis 200 ans. (III, p. 115.)

Projet de conversation avec Sonia :

Ah! Sonia, je ne veux pas attendre. Je désire tout de suite mes droits d'homme. Je ne peux pas passer sans payer toutes mes dettes. Je ne parle pas comme les socialistes. Non, je n'ai besoin de rien. Je veux dominer. Ainsi, je serai étudiant pendant dix ans; ma mère, ma sœur. Vous (tableau de sa vie à elle et de son avenir). Sonia, eh bien, vous vivez et attendez.

Sonia : Mais comment peut-on tuer quelqu'un pour cela?

— C'est un pou.

— Non, pas un pou, car si elle était un pou, pourquoi vous tourmenteriez-vous ainsi?

— C'est de l'arithmétique : qui pèsera le plus sur la balance? Peut-être êtes-vous moins lourde, vous. Ne me tourmentez pas avec ces bêtises. Ne comprenez-vous pas que j'ai médité cela à fond, et que j'ai épuisé mon tourment. D'autres enfin agissent de même, et moi je veux. Ecoutez : il y a deux sortes de gens. Les natures élevées ont le droit de sauter les obstacles.

— Vous êtes malade.

— Oui, je suis malade. Ils m'agacent. La famille. Je ne peux pas vivre avec eux. Je lutte contre les préjugés. Je m'habituerai. (III, p. 120.)

Autre projet de conversation avec Sonia :

A Sonia : Aime! Car, moi ne suis-je pas un amant, puisque je me suis décidé à prendre un tel crime sur moi? Oui, c'est le sang d'autrui et non le mien? Mais ne suis-je pas prêt à donner tout mon sang? Si c'était nécessaire? Il se met à songer. Devant Dieu qui me voit, et devant ma conscience en me parlant à moi-même, je dis : je le donnerais! (III, p. 132.)

Ce n'est pas la vieille que j'ai assommée; j'ai assommé un principe...

— Où est le bonheur? demanda Sonia. Le bonheur c'est la puissance, répondit Raskolnikov. (III, p. 144.)

— Non, la vieille c'était une gaffe. Je n'ai pas eu le temps de voler, je n'ai su que tuer, comme ils disaient hier. Ce n'est pas cela. (III, p. 148.)

Lui à Sonia : Pourquoi me suis-je attaché à toi? Parce que toi seule es mienne, parce que tu es la seule personne qui me reste. Tu es tout pour moi, ma mère, ma sœur me sont tout étrangères. Maintenant ils ne s'accorderont plus jamais avec moi. Si je ne leur dis pas, moi je ne pourrai pas m'accorder avec eux; si je leur révèle tout, ce sont eux qui ne s'accorderont pas. Mais nous, nous sommes tous deux maudits, donc nous avons la même voie, bien que nous regardions dans des directions différentes. Tu es maintenant mon maître et mon destin, ma vie, tout. Nous sommes tous deux des maudits, des parias de la société...

La dernière page. Inexplorables sont les voies par lesquelles Dieu trouve l'homme...

Ne pas recommencer à être accommodant. Je

ne veux pas. Les maîtres de la vie ont agi autrement. Ils ont retourné le monde, ils ont joué avec des milliers de gens comme aux échecs! Pourquoi n'ont-ils pas hésité? Justement parce qu'ils étaient *forts*...

Tous les grands hommes ont été heureux (leurs peines étaient un bonheur, leurs souffrances étaient un bonheur), ils devaient être heureux. Un grand homme ne peut pas être malheureux. Et qu'on les crucifie, cela ne signifie rien...

Ai-je tué la vieille? Je me suis tué, pas la vieille. Là, d'un coup, je me suis frappé, pour toujours...

Le finale du roman, Raskolnikov va se tuer.

JOURNAL DE RASKOLNIKOV

NOTE

Le journal commence au moment où Raskolnikov, après avoir prémédité et commis son crime, rentre chez lui avec son maigre butin et tombe sur son lit en proie à l'épouvante et à la fièvre.

Dans ma traduction, j'ai suivi le plus exactement possible l'édition critique qui en a été publiée en russe par Glivenko. Je n'ai supprimé que quelques variantes, purement grammaticales ou intraduisibles en français, et quelques bribes de phrases dont il m'a été impossible de saisir le sens, même approximatif; j'ai gardé la ponctuation même lorsqu'elle était défectueuse, et je n'ai fait qu'ajouter ou supprimer quelques alinéas et quelques virgules; j'ai placé entre crochets [ ] la fin de tous les mots que l'auteur avait laissés inachevés; lorsque je n'étais pas sûr d'en avoir bien compris le sens, je l'ai indiqué par un point d'interrogation; de même pour les mots dont il m'a été impossible de fixer la terminaison.

Le texte principal se compose de celui qui remplit les pages du manuscrit plus les additions marginales lorsqu'elles en font évidemment partie.

Au cours du récit, Dostoïevski passe de la première personne à la troisième; de « moi » Raskolnikov devient de temps en temps « lui »; son prénom est tantôt Vassili, tantôt Rodion. Quant aux autres personnages, ils portent des noms interchangeables : Alexandre Ivanovitch, Alexandre Iliitch, Bakavine, Tolstonogov et Sonetchka dont il est question dans le Journal *s'appellent dans le texte définitif : Alexandre Grigoriévitch (Zamiotov), Ilia Petrovitch (lieutenant Poudre), Zossimov, Vakhrouchine et Pachenka.*

V. P.

CHAPITRE II

> Il faut qu'à tout moment le récit soit interrompu par des détails inutiles et inattendus.

16 juin. — Dans la nuit d'avant-hier j'ai commencé la description et j'ai passé dessus quatre heures. Ce sera un document...

On ne trouvera jamais ces feuilles chez moi. La planche d'appui de ma fenêtre se déplace et personne ne le sait. Elle se déplace depuis trois mois, il y a beau temps que je le savais. En cas de besoin on peut la soulever et la remettre en place de telle façon que si un autre y touchait elle ne céderait pas. D'ailleurs, personne n'y songerait. C'est là, sous l'appui, que j'ai tout caché. J'ai enlevé deux briques...

Nastassia vient de monter chez moi, elle m'apporte du chtchi. Elle n'a pas eu le temps de le faire dans la journée. Cela de façon que la propriétaire n'en sache rien.

J'ai soupé et lui ai rapporté mon assiette moi-même. Nastassia ne me parle pas. On dirait qu'elle est aussi mécontente de quelque chose.

Je me suis arrêté au moment où, après avoir déposé la hache dans la loge du dvornik et m'être traîné jusque chez moi je me suis jeté sur mon

lit dans un état d'évanouissement. Sans doute suis-je resté étendu ainsi longtemps.

Il m'arrivait de temps en temps de me réveiller, alors je remarquais qu'il faisait déjà nuit, cependant il ne me venait pas à l'idée de me lever. Enfin presque complètement revenu à moi, je m'aperçus que le jour commençait à poindre. Je restai étendu à plat sur mon divan, encore engourdi par le sommeil et l'étourdissement. Je percevais vaguement de la rue des cris terribles, désespérés, que j'entends chaque [...] vers trois heures sous ma fenêtre. Tiens, voilà les ivrognes qui sortent des cabarets, il est près de trois heures; à cette pensée je sautai tout d'un coup sur mes pieds comme si quelqu'un m'avait tiré de dessus le divan. Comment, il est trois heures! Je m'assis sur le divan, et alors je me rappelai tout, mais tout! Soudain, en un clin d'œil je me suis souvenu de tout.

Une seconde plus tard je me jetai sur le divan en proie à un effroi extrême. J'avais froid. Cela à cause de la fièvre qui s'était emparée de moi pendant que je dormais, ce que j'avais déjà ressenti...

[*Note marginale*] : J'avais l'impression de rôtir sur un feu.

Aussitôt levé, je fus secoué par un tel frisson que les dents faillirent me sauter hors de la bouche; tout mon corps tremblait. J'ouvris la porte et j'écoutai. Toute la maison était plongée dans un sommeil profond. Je jetai un coup d'œil sur moi-même et tout autour; j'étais plein de stupéfaction : je n'arrivais pas à comprendre. Comment avais-je pu en rentrant hier ne pas fermer la porte et me jeter sur le divan non seulement sans me déshabiller, mais même sans ôter mon chapeau, car celui-ci avait roulé par terre et se trouvait toujours

à la même place, près de l'oreiller. Si quelqu'un était entré ici qu'aurait-il pensé? Que je suis soûl? Pourtant... D'un bond je me précipitai vers la fenêtre. Il faisait assez clair, je me mis à m'inspecter des pieds à la tête, à examiner mes effets : ne portaient-ils pas quelque trace? Impossible de le faire ainsi! Toujours secoué par le frisson, j'entrepris de me déshabiller complètement, et de visiter attentivement mes habits de nouveau. Je regardais chaque fil, chaque loque et ne me fiant pas à moi, car je sentais que pour rien au monde je ne pouvais concentrer mon attention, je recommençai l'inspection à trois reprises. Mais je ne trouvais rien, aucune trace, sauf sur le pantalon, dont le bas tout effiloché pendait en frange. Dieu merci! dis-je à part moi. J'étais vraiment heur[eux]. Il y avait sur la frange comme des taches de sang qui à présent s'étaient coagulées. Je saisis mon canif et coupai toute la frange. Il n'y avait plus rien nulle part. A cet instant je me souvins que la bourse, Dieu merci, et tous les objets que j'avais retirés du coffre se trouvaient encore dans ma poche. Je n'avais pas songé à les en retirer ni à les cacher. Aussitôt je vidai mes poches et jetai leur contenu sur la table. D'ailleurs, je ne comprenais rien : j'étais en proie à la fièvre et au vertige. Après avoir tout tiré de mes poches que j'ai même retournées pour m'assurer qu'il n'y avait plus rien dedans je portai le tas dans un coin de la chambre où j'avais aménagé un endroit secret. Les papiers y étaient déchirés et c'est dans le trou, sous la tapisserie, que je fourrai tous les objets. J'éprouvais une impression singulière à regarder la bourse et les bijoux, je ne voulais plus les avoir sous mes yeux et étais content de les avoir cachés, mais

peut-ê[tre]. On ne pouvait pas les remarquer car le coin était très obscur, pourtant l'endroit était mal choisi. Je m'en rendais compte, bien que la tête me tournât. Je n'avais même pas espéré rapporter ces objets. J'avais compté ne trouver que de l'argent que je serais arrivé à dissimuler d'une manière ou d'une autre. Je voyais nettement ce que j'avais à faire. « Dès demain il faut découvrir une cachette », pensai-je. Exténué, dans une sorte d'hébétement, je m'assis sur le divan et aussitôt le frisson me reprit de plus belle. Machinalement je tirai à moi ma capote qui était chaude, bien que toute déchirée, et je m'en couvris; un sommeil mêlé de délire s'empara de moi.

Mais soudain je bondis de nouveau comme si quelqu'un m'avait arraché de dessus le divan et je me remis à examiner encore une fois mes vêtements. Comment ai-je pu me rendormir sans même avoir rangé mes effets, mon Dieu, c'est bien ça! C'est bien ça! Je n'ai pas enlevé le nœud coulant de l'intérieur de la manche, j'avais oublié, je n'avais pas songé à le faire. Serais-je devenu fou? pensai-je. Et s'il y avait eu une perquisition et qu'on ait vu cela! J'arrachai le nœud et après l'avoir défait le déchirai en menus morceaux que je jetai ensuite sous mon lit. Des bouts de toile ne pouvaient en aucun cas éveiller de soupçons. Je m'étais arrêté au milieu de la pièce et regardais avec une attention aiguë — car je ne pouvais toujours pas me ressaisir —, autour de moi, sur le plancher et ailleurs pour voir si je n'avais rien oublié. Ce qui me pesait le plus, c'était la sensation que quelqu'un m'avait abandonné, que la mémoire allait m'abandonner de même, que bien que je voulusse concentrer mes pensées, passer tout

en inspection, prendre toutes les précautions et calculer les moyens de me sauver, je ne pouvais pas, je ne savais pas le faire. Comment ai-je pu ne pas remarquer le nœud, en examinant mes effets? Ne reste-t-il pas encore quelque chose? L'attention tendue, je regardai stupidement devant moi. Il me vint à l'idée que peut-être mes vêtements étaient ensanglantés en plusieurs endroits et que je ne l'apercevais pas. Oui, faible, désemparé et privé de jugement, je ne devinais rien; ma raison chancelait et s'en allait. Tout à coup je vis que les fils de la frange que je venais de couper à mon pantalon traînaient tels quels sur le plancher, coupés mais non cachés. Seigneur, comment ai-je pu les laisser là? Où les fourrer? Sous le lit? impossible; dans la cheminée? Mais c'est par là, certainement, qu'ils commenceront la visite et trouveront aussitôt la chose. A ce moment-là un rayon de soleil éclaira ma botte gauche; je la regardai; sur la chaussette qu'on voyait par un trou de la chaussure il y avait comme des taches. Je me déchaussai bien vite; en effet, il y avait du sang. Sans doute, avais-je sali ma botte en posant le pied dans cette mare. J'examinai mes chaussures on n'y remarquait rien. Mais que faire, que faire, comment supprimer toutes ces taches? Laver? Non, il vaut mieux sortir dans la rue et jeter, jeter tout cela. Oui, il vaut mieux tout jeter, dis-je en me laissant tomber sans force sur le divan. Une tristesse étrange s'empara de moi à la pensée que je n'étais même pas capable de cacher les bijoux; je me remis à frissonner. Longtemps, pendant plusieurs heures peut-être, la même idée se présentait à moi à travers une sorte de délire : il faut tout jeter, aller quelque part et tout jeter. Pourtant je

ne me levais pas. Je ne me souviens pas à quel moment je me suis de nouveau recouvert de ma capote; je me réveillais... jour, très tard, aux coups frappés violemment à ma porte. Au premier moment j'ai cru qu'on voulait la défoncer, mais je compris aussitôt que (je) quelqu'un cognait; en même temps je sentis que j'étais saisi par la fièvre, peut-être même par le délire. Je m'en étais rendu compte à travers le sommeil. Le vacarme continuait de l'autre côté de la porte, je me levais et m'assis.

« Ouvre donc! tu n'es pas mort? Il ne fait que roupiller, cria Nastassia. Il ne fait que roupiller comme un chien toute la journée. On voit qu'il n'a rien à faire.

— Peut-être n'est-il pas chez lui, observa le dvornik (dit une autre voix. Comment? Le dvornik? Qu'est-ce donc? Je bondis).

— Mais alors, qui aurait fermé la porte au crochet? Voilà qu'il commence à s'enfermer! il a peur qu'on le vole! Ouvre donc, vieux, réveille-toi! »

Mon Dieu, il n'est encore jamais arrivé que Nastassia vînt me réveiller, et pourquoi ce dvornik?

Je me soulevai à moitié, me penchai et soulevai le crochet. Ma chambre était large de trois pas, je pouvais ouvrir la porte sans quitter le lit. C'est cela : j'aperçus devant moi Nastassia et le dvornik. La servante me considéra d'un air étrange. Je regardai le dvornik avec une expression provocante et désespérée, bien que je fusse hébété par le sommeil et par le délire.

Il me tendit, sans mot dire, un papier gris, plié en deux et cacheté de cire.

« On vous mande au commissariat de police, dit le dvornik.

— Au commissariat de police?

— On vous y mande, répéta-t-il.

— Pour quoi faire?

— Est-ce que je sais? Vas-y puisqu'on le demande. »

Il me dévisagea d'un air singulier, inspecta les lieux du regard et fit demi-tour pour s'en aller.

« Tu m'as tout l'air d'être malade », fit tout à coup Nastassia qui ne me quittait pas des yeux. Le dvornik se retourna pour un instant.

« Regardez, il a la fièvre. »

Je ne répondis rien et serrai la lettre dans mes mains sans la décacheter.

« Regardez, répéta Nastassia. Faut pas te lever, ajouta-t-elle, en voyant que je posais les pieds par terre. Puisque tu es malade, reste ici... Qu'est-ce que tu as dans tes mains? »

Je regardai : je tenais dans les mains la frange coupée, la chaussette d'hier et les bouts d'étoffe. J'avais dormi ainsi; en y songeant, plus tard, je me suis rappelé qu'en me réveillant à demi dans des transports fiévreux je serrais fortement ces chiffons dans ma main et me rendormais.

« Voyez-moi ces guenilles, il dort avec comme si c'était un trésor. » Et Nastassia partit [d'un éclat] de rire : elle était rieuse.

Je fourrai bien vite les loques sous ma capote et regardai attentivement Nasta[ssia]. Quoique je ne fusse pas en état de réfléchir, je sentais vaguement qu'on ne parle pas ainsi avec un homme lorsqu'on vient pour l'arrêter. Pourtant, la police!

— Prends au moins du thé, en veux-tu? Je t'en apporterai.

— Non, j'y vais moi-même, j'y vais, répondis-je.

— Tu ne pourras sans doute pas descendre l'escalier.

— Si, j'y vais.

— Comme tu veux. »

Elle se retourna et s'en alla.

Je saisis ma chaussette et me mis à l'examiner. La tache y était toujours, mais la boue et le frottement l'avaient rendue invisible. Nastassia ne l'aurait pas distinguée quand même elle l'aurait regardée de près. Je décachetai machinalement la lettre qu'on venait de m'apporter; l'ayant dépliée, je la lus. Je la lus longuement et je finis par comprendre. C'était une convocation ordinaire du commissariat de police; on m'invitait à me rendre au bureau du commissaire aujourd'hui à neuf heures et demie.

Les bras m'en tombèrent... Cinq minutes s'écoulèrent ainsi. C'est peut-être une ruse, ils veulent m'attirer chez eux par une ruse, quelle autre affaire puis-je avoir avec eux? Mais alors pourquoi cette convocation? J'y vais, j'y vais, j'y vais moi-même, mon Dieu. Je me jetai à genoux pour prier, mais je me relevai aussitôt et commençai à m'habiller. Il faut mettre la chaussette, pensai-je, elle va se frotter, se salir encore davantage, et les taches disparaîtront. Mais à peine l'avais-je mise que je la retirai. Pourtant, à la pensée que je n'en avais pas d'autre, je l'enfilai de nouveau. D'ailleurs l'effroi que me causait ma visite imminente au commissariat absorbait tout autre sentiment. Ils veulent m'avoir par ruse. De plus, la tête me tournait douloureusement de fièvre.

Je me sentais très mal lorsque je pris mon chapeau et sortis en chancelant dans l'escalier.

Je me rappelai que j'avais laissé les objets dans le trou de la tapisserie, je m'arrêtai, mais un tel

désespoir s'empara de moi que je résolus de n'y pas songer et continuai mon chemin. Advienne que pourra!

Pourvu que je sache bien vite à quoi m'en tenir! pensais-je à part moi. C'est qu'ils m'ont aperçu hier lorsque, la chose accomplie, je passais devant le commissariat, c'est une ruse, me dis-je en sortant dans la rue.

Une chaleur terrible, accablante; la bousculade; des échafaudages, des tas de plâtre, de sable, de poussière; de mauvaises odeurs s'échappant de l'intérieur des boutiques; les cris des marchands ambulants; des ivrognes que je rencontrais à tout moment bien qu'on ne fût pas un jour de fête et que l'heure fût matinale. Le soleil m'éclaira et resplendit tout autour avec une telle force que mes yeux eurent de la peine à le supporter; les objets se mirent à tournoyer devant moi : sensation habituelle d'un homme qui a la fièvre et qui sort dans la rue, à l'air frais. Il me semblait que ma tête allait éclater comme une bombe. Je marchais en chancelant et, sans doute, en bousculant les passants; j'étais pressé.

« S'ils m'interrogent, je dirai tout : oui, pensai-je, non, je dirai : non! non! non! non! » Ce mot bourdonnait dans ma cervelle lorsque j'approchai du commissariat, je frissonnais, le corps tendu par l'attente.

Le bureau de police était à quelque quatre cents pas de chez moi. Je savais où il se trouvait mais je n'y étais jamais allé. Entré, sous la porte cochère, j'aperçus un paysan qui, un livret entre les mains, descendait un escalier, venant de je ne sais où, d'en [haut]. Donc le bureau se trouvait dans cet escalier. Je commençai à monter à mon tour;

je parlerai selon les circonstances. Je tomberai à genoux et raconterai tout.

Le bureau de police avait été transféré depuis peu dans cette maison. L'escalier était étroit, sale, ruisselant d'ordures. Les cuisines de tous les logements, aux quatre étages de la maison, donnent sur cet escalier, elles restent ouvertes presque toute la journée. Des dvorniks, leur livret sous le bras, des gens de toute condition : hommes et femmes, des visiteurs montaient et descendaient les marches étroites. Au quatrième étage, la porte à gauche, qui menait au bureau, était grande ouverte, j'entrai et m'arrêtai dans l'antichambre. Il y avait quelques paysans qui attendaient. Il faisait très lourd, même dans l'escalier, de plus le bureau exhalait une odeur de peinture fraîche. Après un moment je décidai de passer dans la pièce voisine. Elle était minuscule, comme toutes les autres. Des scribes, à peine mieux vêtus que je ne l'étais, y étaient assis qui écrivaient. Je m'adressai à l'un d'eux.

« Qu'est-ce que tu veux? »

Je lui montrai la convocation du commissaire.

« Vous êtes étudiant? demanda-t-il après avoir parcouru le papier.

— Oui, étudiant. »

Il m'examina avec curiosité.

« Allez voir le greffier », et il pointa le doigt dans la direction de la pièce du fond.

J'y entrai. Le local était exigu et bondé de monde. Les gens qui s'y trouvaient étaient beaucoup mieux mis que ceux qui remplissaient les autres pièces. Je remarquai même dans l'assistance deux dames. L'une d'elles, pauvrement vêtue d'une robe de deuil, était assise à la table du greffier et

écrivait ce que lui dictait ce dernier. L'autre dame, très corpulente, au visage rubicond, men[ues]... tach[es]... et, habillée d'une façon qu'on pourrait appeler luxueuse, se tenait à l'écart, dans une attitude d'attente. Il y avait encore dans le bureau deux visiteurs en manteaux usés, un marchand tout imprégné d'une odeur de cabaret, vêtu d'une sibirka et d'un gilet extrêmement crasseux en satin noir, un étranger et d'autres personnes dont je ne me souviens pas. Des gens se faufilaient à travers les quatre pièces, les unes s'en allaient, les autres arrivaient. Je tendis mon papier au greffier, qui me jeta un rapide coup d'œil, dit : « Attendez un moment » et il continua à s'occuper de la visiteuse. Il me vint à l'idée. Sans doute, ce n'est pas ça. Petit à petit, je revenais à moi. Je restai longtemps debout à attendre. Certaines choses m'étonnaient et m'intéressaient dans leurs plus petits détails, certaines autres passaient inaperçues pour moi. Le greffier attirait particulièrement mon attention. Je voulais me rendre compte quel homme c'était, devin[er] quelque chose d'après son visage. C'était un jeune garçon d'environ vingt-deux ans, d'un extérieur assez heureux, vêtu selon la mode et même avec recherche; une raie sur la nuque partageait ses cheveux bien peignés et pommadés; ses doigts bien blancs étincelaient de nombreuses bagues; il portait une montre à chaîne d'or, et un lorgnon en or également. Il dit à l'étranger quelques mots en français. Non, il va certainement me parler d'autre chose, me dis-je, en le dévisageant de toutes mes forces, pour comprendre ce qu'il était et ce qu'il pouvait bien penser sur mon compte.

« Asseyez-vous donc, Louisa Ivanovna, dit-il dis-

traitement à la dame rubiconde et attifée qui avait l'air de ne pas oser s'asseoir.

— *Ich danke* », prononça-t-elle, et elle s'assit doucement avec un frou-frou de soie en regardant autour d'elle.

Je me retournai et me mis à l'examiner attentivement. Sa robe bleu ciel garnie de dentelle blanche se gonflait autour de la chaise tel un ballon et occupait près de la moitié de la pièce. La dame restait assise, dans une attente timide, souriante, et en même temps confuse d'occuper tant de place. A peine se tourn[a-t-]elle qu'il se répandit une forte odeur de parfum.

La dame en deuil finit d'écrire et se leva. Soudain un officier à l'air gaillard entra bruyamment dans le bureau en remuant les épaules à chaque pas, il lança sa casquette ornée d'une cocarde sur une table voisine et se laissa tomber dans un fauteuil.

En l'apercevant la dame attifée bondit de sa place et se mit à lui tirer des révérences; mais l'officier ne lui prêta pas la moindre attention; elle ne se rassit plus en sa présence. Cet homme était l'adjoint du commissaire du quartier, un lieutenant. Il me regarda de travers et avec une certaine indignation. J'étais vraiment trop mal mis. De plus, je devais être ébouriffé, enfiévré, tout en nage.

« Qu'est-ce que tu fais ici? » cria-t-il, en voyant que je ne m'éclipsais pas devant son regard foudroyant.

Ce cri me calma un peu.

Donc, ils ne savaient rien.

« On m'a fait venir... j'ai reçu une convocation, répondis-je d'une voix tremblotante, et soudain je

fus pris de colère. Sa silhouette insolente... Aujourd'hui j'en suis moi-même étonné.

— Nous l'avons cité pour exiger de lui, de cet étudiant, le paiement de l'argent, intervint le greffier. Approchez ici, voilà, dit-il, en me passant un cahier et en m'indiquant un papier. Lisez!

— Quel argent? pensai-je. Ce n'est donc pas du tout pour la chose.

— A quelle heure vous a-t-on dit de venir, cria le lieutenant, toujours furieux contre moi. On vous a écrit de vous présenter à neuf heures, et maintenant il est déjà onze heures passées.

— Il n'y a qu'un quart d'heure que j'ai reçu votre convocation, répondis-je avec vivacité. C'est déjà bien assez que je sois venu tout en ayant la fièvre. Vous me convoquez pour neuf heures et vous m'envoyez le papier à onze.

— Monsieur, veuillez ne pas crier!

— C'est vous qui criez, moi je parle tout doucement. Veuillez apprendre que je suis étudiant et que je ne souffrirai pas d'être traité ainsi. »

Le lieutenant s'emporta à un tel point qu'il bondit de sa place en frémissant.

« Veuillez vous taire! Vous êtes à l'audience. Ne soyez pas insolent..., mo-o-onsieur!

— Vous aussi, vous êtes à l'audience, pourtant vous fumez. Par conséquent, c'est vous qui nous manquez de respect à tous », répondis-je.

Le greffier qui, lui aussi, fumait nous regardait en souriant. Quant à moi, je tressaillais sous l'affront. L'adjoint du commisaire paraissait interdit.

« Ça ne vous regarde pas, vociféra-t-il. tout confus, et affectant de crier pour dissimuler son embarras. Veuillez faire la déclaration qu'on exige de vous. Montrez-lui, Alexandre Ivanovitch, dit-il

au greffier. On se plaint de vous! Vous ne payez rien... Quel toupet! »

Le greffier déplia de nouveau son cahier et m'indiqua du doigt un certain endroit.

Je pris le papier et me mis à lire.

Le lieutenant-poudre continuait à crier, mais je ne l'écoutais plus, je parcourais avidement le papier. Je le lus et le relus et je ne compris rien.

« Qu'est-ce que c'est? demandai-je au greffier.

— C'est un billet que vous avez à payer. Vous devez ou bien le solder avec tous les frais, amendes, etc., ou bien déclarer à quelle date vous pouvez le faire et en vous engageant en même temps à ne pas quitter la ville, à ne pas vendre ni dissimuler votre bien jusqu'à ce que vous vous soyez acquitté de votre dette.

— Mais, pardon, je ne dois rien à personne.

— Cela vous regarde. Quant à nous, nous sommes saisis d'une plainte parfaitement fondée, avec, à l'appui, un effet protesté; c'est un billet pour la somme de soixante-quinze roubles, au nom de la veuve d'un assesseur de collège Zarnitzine, signé par vous il y a neuf mois.

— Mais c'est ma logeuse!

— Qu'est-ce que ça peut bien faire que ce soit votre logeuse? »

Le greffier me considérait avec un sourire de condescendance et de pitié auquel se mêlait un certain triomphe; ainsi on regarde un novice qui est pour la première fois au feu : Eh bien, qu'en dis-tu à présent? Mais un sentiment de joie et de vigueur emplissait mon âme, tout mon être; je ne mentirais pas en disant que je vécus là une minute ou plutôt un instant d'un bonheur ineffable. Je ressentais tant de plaisir à m'entretenir de mon

affaire avec le greffier, je débordais d'un tel sentiment de joie et d'amitié, que j'éprouvais un désir très, mais très fort, d'engager avec lui une conversation longue, détaillée, cordiale. Mon âme s'amollissait, fondait délicieusement. Comme si tout, tout, tous les soucis avaient déjà disparu, comme si jamais il n'y avait rien eu; à ce moment-là je ne me souciais absolument d'aucune chose. Il n'y avait que cette joie animale d'être sauvé. Je respirais à pleins poumons.

Tout à coup la foudre et le tonnerre s'abattirent sur nous.

En effet, il y eut comme une sorte de foudre.

« Et toi, espèce de garce, cria le lieutenant en s'adressant à la dame luxueusement habillée : il voulait sans doute soutenir aux yeux des autres son prestige auquel j'avais porté atteinte en lui reprochant de fumer, quel scandale s'est passé chez toi? Encore un scandale, hein? Rixe, soûlerie à réveiller toute la rue? Tu veux tâter de la prison? Je t'ai prévenue, je t'ai déjà bien prévenue, vieille drôlesse, que la prochaine fois je ne te manquerais pas, et voilà que tu recommences, etc. Espèce de coquine! etc. »

Je laissai échapper de mes mains le papier que me tendait le greffier et je me mis à regarder avec ahurissement la dame attifée qu'on traitait avec si peu de cérémonie. A ce qu'il me souvient cette scène me causait même un certain plaisir.

« Ilia Petrovitch », hasarda le greffier d'un ton de sollicitude mais il se tut car il n'y avait plus moyen de retenir le lieutenant si ce n'est en le prenant par les bras.

La dame bien mise fut secouée d'un tremblement, mais, chose étrange, en dépit des injures les

plus grossières, elle prit une attitude de politesse extrême et de profonde attention, et même, plus le langage de l'officier devenait brutal et plus le sourire que la matrone adressait au terrible lieutenant était courtois et charmant. On eût dit que ce flot de jurons lui causait du plaisir. Elle ne tenait pas en place, multipliait ses révérences, en attendant qu'on lui permît enfin de placer un mot.

« Il n'y a eu chez moi ni tapage, ni rixe, monsieur le capitaine, aucun, aucun scandale, dit-elle très vite, dans un russe qu'elle parlait couramment, bien qu'avec un accent allemand. Ils sont venus vers trois heures du matin, monsieur le capitaine, commença-t-elle en souriant, ils étaient ivres, monsieur le capitaine, je vous raconterai tout, capitaine, nous ne sommes pas coupables, ni moi ni les demoiselles, car je tiens une maison respectable, monsieur le capitaine, et nos manières sont toujours comme il faut, je n'admets jamais, jamais aucun scandale. Eux, ils étaient ivres, ils ont demandé trois bouteilles de champagne, et puis, l'un d'eux s'est mis debout, a levé les pieds et a commencé à jouer du piano avec. C'est très mal dans une maison convenable. Il m'a cassé tout mon piano; ce ne sont pas de bonnes manières, que j'ai dit; c'est impoli, que j'ai dit. Et lui me répliqua qu'il a toujours joué ainsi dans les concerts, devant le public, puis il saisit une bouteille avec laquelle il se mit à pousser par-derrière une demoiselle; puis il m'en frappa de toutes ses forces sur la joue. Alors j'ai appelé le dvornik; Karl est venu, mais l'autre a saisi Karl, lui a poché un œil et m'a donné encore trois claques sur la joue. C'est tellement peu délicat de se comporter ainsi dans une

maison convenable, monsieur le capitaine. Je criais en pleurant, monsieur le capitaine, et lui, ouvrit la fenêtre donnant sur le canal et se mit à hurler par la croisée comme un pourceau. C'est une honte! Comment peut-on hurler comme un pourceau par la croisée! C'est honteux! C'est une honte! Foui-foui-foui, on ne peut pas permettre aux visiteurs de se comporter ainsi : moi-même, bien que je sois la patronne. je ne peux pas me conduire ainsi; dans ma maison, monsieur le capitaine, personne encore n'a crié à travers la croisée comme un pourceau. Karl le tira par les basques de son frac pour lui faire quitter la fenêtre, et, c'est vrai, capitaine, il lui déchira *sein Rock*. Alors l'autre réclama en criant une amende de quinze roubles. Je lui donnai moi-même, mon capitaine, douze roubles. Quel visiteur peu délicat, monsieur le capitaine, il a pris l'argent et, devant toutes ces demoiselles a fait une saleté au milieu de la pièce. J'aime, a-t-il dit, le faire toujours, j'écrirai une satire sur votre compte, et je la publierai dans le journal car je peux inventer pour les journaux n'importe quoi et sur n'importe qui.

— C'est donc un écrivain.

— Oh! monsieur le capitaine, c'est un visiteur mal élevé, puisque dans une maison comme il faut, devant des demoiselles, mon capitaine, au beau milieu du plancher...

— Voyons! voyons! Du calme! Je t'en ficherai une maison comme il faut! Eh bien, vieille, continua-t-il sur un ton plus doux, je te pardonne. Je t'avais pourtant prévenue, je t'avais prévenue trois fois. S'il se produit encore un seul scandale chez toi, respectable Louisa Ivanovna, je te fais coffrer, comme on dit dans le grand style. Ainsi donc un

écrivain, un littérateur a pris douze roubles pour la basque de son habit.

— Ilia Petrovitch », dit de nouveau à voix basse le greffier; le lieutenant le regarda vivement. Le jeune homme hocha légèrement la tête.

« Naturellement. Les voilà bien, ces littérateurs! (Et il me jeta un regard mi-sévère, mi-moqueur) avant-hier, dans un cabaret, il est arrivé une histoire du même genre : un monsieur qui avait dîné et qui refusait de payer, ou, disait-il, je vous décris dans une pièce satirique. Un troisième a injurié, l'autre semaine, à bord d'un bateau, une famille respectable : un conseiller d'Etat, sa fille et sa femme. Il y a trois jours, dans une confiserie, des officiers ont ordonné de chasser à coups de pied un écrivaillon. Les voilà, les auteurs, les littérateurs, les étudiants, les prophètes! Diable! Et vous, pourquoi donc ne vous êtes-vous pas présenté plus tôt? s'adressa-t-il à un homme vêtu d'une sibirka et d'un gilet crasseux en soie noire et qui avait l'air d'un petit bourgeois. Et toi, file, tu viendras encore me parler de maison comme il faut. Au beau milieu!... »

Louisa Ivanovna se mit à saluer de tous côtés avec une expression d'aimable dignité; tout en continuant à tirer ses révérences elle s'approcha de la porte. Mais, arrivée sur le seuil, elle bondit de nouveau, car elle venait de heurter du dos un bel officier au visage frais et ouvert orné de superbes favoris d'un noir de jais; c'était Nicodème Fomitch, le commissaire du quartier lui-même. Louisa Ivanovna s'empressa de s'incliner jusqu'à terre et s'enfuit d'un petit pas sautillant.

« De nouveau du vacarme! de nouveau foudre et éclairs, trombe et ouragan, dit d'un ton amical

et aimable Nicodème Fomitch à Alexandre Iliitch. On a encore dû vous mettre hors de vous, et vous vous êtes emporté. Je vous ai entendu de l'escalier.

— Eh bien », prononça Alexandre Iliitch, en passant à sa table avec je ne sais quels papiers; il remuait artistement les épaules à chaque pas, minaudait visiblement et faisait le beau.

Voici, voyez-vous, un littérateur, il m'indique de la tête, c'est-à-dire un étudiant, ou plutôt un ancien étudiant, Monsieur ne paie pas ses dettes, signe des billets, refuse de quitter son appartement, provoque des plaintes continuelles contre lui, pourtant il a daigné se formaliser parce que j'ai allumé une cigarette en sa présence. Il fait l'insolent, mais regardez-le tel qu'il est ici sous son aspect le plus attrayant.

« Pauvreté n'est pas vice, mon ami, mais quoi, on sait bien que vous êtes vif comme poudre. Sans doute quelque chose vous aura vexé et vous vous êtes emporté, continuait Nicodème Fomitch, en s'adressant à moi avec amabilité, mais en cela vous avez eu tort. C'est une personne excellente, excellente, c'est vrai, seulement ce n'est pas un homme, c'est de la poudre. Il s'emporte, il bout, il se met hors de lui, et puis, c'est fini, tout est passé, il ne reste que de l'or pur, que de la noblesse d'âme. Et quelle noblesse! Au régiment on l'avait déjà surnommé « lieutenant-poudre ».

— Et quel régiment c'était », fit Alexandre Iliitch, très content qu'on l'ait loué, tout en le taquinant agréablement, et il remua les épaules.

Quant à moi, j'éprouvai soudain une disposition joyeuse et expansive, un désir de leur dire à tous quelque chose d'extrêmement plaisant.

« Excusez-moi, capitaine, commençai-je, je suis prêt à demander pardon à monsieur, si je l'ai en quelque sorte... je... je suis un pauvre étudiant, malade, accablé par la misère (c'est ainsi que j'ai dit : accablé). Je suis un ancien étudiant, car je n'ai plus de quoi vivre... Mais je dois recevoir de l'argent. J'ai ma mère et ma sœur qui habitent dans le gouvernement de S... Elles m'enverront quelques roubles. Alors je paierai. J'ai des leçons... j'en trouverai, je paierai tout. Ma logeuse est une bonne femme, mais elle a été tellement fâchée de ne pas être payée depuis quatre mois — car j'ai perdu mes leçons — qu'elle ne m'envoie plus mes dîners. Je ne m'explique pas ce que signifie ce billet. Elle exige à présent que je m'acquitte de cette dette, mais où prendre l'argent pour la payer?

— Pourtant..., fit le greffier... vous avez signé ce billet et, par conséquent, contracté l'obligation de payer, observa le greffier.

— Permettez-moi de vous expliquer, permettez, tout cela est exact, l'interrompis-je avec précipitation et je continuai en m'adressant non pas à lui mais à Nicodème Fomitch et en faisant tout mon possible pour attirer l'attention d'Alexandre Iliitch bien que celui-ci fît semblant de s'occuper de ses paperasses et affectât dédaigneusement de ne pas me remarquer, permettez-moi de vous expliquer que je vis chez elle depuis plus de deux ans, depuis que je suis arrivé de la province, et que, dans le temps, mais oui, pourquoi ne pas l'avouer? tout au début... j'ai... j'ai promis d'épouser sa fille... à vrai dire, je n'étais point amoureux, c'était autre chose... d'ailleurs je ne veux pas insinuer que quelqu'un m'ait forcé, j'agissais de mon propre gré... A cette époque ma logeuse m'a ouvert un

large crédit. Je menais une vie toute différente, j'étais fort léger...

— Quels détails intimes, ricana Alexandre Iliitch...

— Permettez, l'interrompis-je de nouveau. Il y a un an la jeune fille est morte du typhus. Je vous ai déjà dit que je n'étais pas amoureux d'elle, j'étais frivole. Je suis resté locataire, comme par le passé, et ma logeuse lorsqu'elle a emménagé dans l'appartement qu'elle occupe à présent, m'a déclaré d'une façon amicale et sur un ton très ému, qu'elle avait pleine confiance en moi et cætera... mais qu'elle serait contente si je lui signais un billet de soixante-quinze roubles, somme que, à son avis, je lui devais. Permettez : elle m'a dit précisément qu'une fois l'effet signé, elle me ferait crédit autant que je le voudrais et que jamais, au grand jamais — ce sont ses propres paroles —, elle ne ferait usage de ce billet et attendrait que je le paie moi-même. Elle pleurait en me disant tout ça. Je vous avoue que j'ai été très touché; j'ai signé le papier, malgré que, je le répète, je n'avais pas été très épris de sa fille, du tout, et n'avais agi que par légèreté d'esprit... maintenant que j'ai perdu mes leçons et que je n'ai plus de quoi manger, ma logeuse ne se contente pas de me priver de dîner mais, parce que je lui dois son loyer de quatre mois, elle me fait encore présenter cet effet. Qu'en dites-vous! Excusez-moi, mais c'est, mais c'est... Que dire à présent?

— Tous ces détails sentimentaux, m'interrompit avec dédain Alexandre Iliitch, ne nous regardent point, monsieur, vous feriez mieux de les garder pour vous et de nous donner la déclaration et l'engagement; quant à l'histoire de vos amours et à

tous ces passages tragiques, ils ne nous intéressent en aucune façon.

— Tu es trop dur... murmura Nicodème Fomitch, en me jetant un regard de compassion. D'ailleurs il se dirigea aussitôt vers la table d'Alexandre Iliitch, s'installa devant elle et se mit à parapher des papiers.

— Ecrivez donc, me dit le greffier.

— Que faut-il écrire?

— Je vais vous dicter. »

Il me sembla qu'après ma confession il prenait pour s'adresser à moi un ton plus indifférent et plus dédaigneux.

« Mais vous ne pouvez pas écrire, vous allez laisser tomber la plume, fit le greffier en me regardant avec curiosité. Seriez-vous malade pour de bon?

— Oui... la tête me tourne, répondis-je, mais je vous écoute. »

Il se mit à me dicter le texte d'une obligation ordinaire, comme quoi ne pouvant payer je m'engageais à ne pas quitter la ville et à ne pas vendre ni donner mon avoir.

« Puisque je n'ai rien.

— C'est seulement pour la forme.

— Comment donc? Elle va me faire emprisonner? demandai-je en continuant d'écrire.

— Il se peut qu'elle ne le fasse pas, répondit le fonctionnaire d'un ton impassible en examinant ma signature, vous trouverez un moyen de vous raccommoder, ce n'est pas... vous avez quelques jours devant vous. »

Je ne l'écoutais plus!, je rejetai la plume, m'accoudai sur la table, serrai ma tête dans mes mains. Je souffrais comme si on m'eût enfoncé un clou dans

la tête, je voulus me remettre d'aplomb et restai comme pétrifié sur place. Nicodème Fomitch était en train de raconter quelque chose avec animation, des bribes de phrases parvenaient jusqu'à mes oreilles.

« C'est impossible... On doit les relâcher immédiatement. Premièrement, toute l'histoire ne tient pas debout : jugez-en, pourquoi seraient-ils allés chercher le dvornik? S'ils avaient fait le coup seraient-ils allés se dénoncer eux-mêmes? Quant à Povalichtchev, celui-là, avant de se rendre chez la vieille, il était resté une demi-heure chez le bijoutier d'en bas et n'est monté chez elle qu'à huit heures moins le quart précises... Maintenant, réfléchissez.

— Mais permettez, puisqu'ils affirment qu'ils ont frappé et que la porte était fermée; or, ils l'ont trouvée ouverte lorsque trois minutes plus tard ils sont revenus avec les dvorniks.

— C'est bien ça, car il est certain que l'autre était encore là. L'étudiant a placé Povalichtchev au guet devant la porte. Si Povalichtchev ne s'en était pas allé pour hâter le dvornik, l'assassin aurait été pincé sur place. Car c'est précisément dans cet intervalle que l'homme trouva le temps de descendre l'escalier et de passer près d'eux inaperçu.

— Et personne ne l'a remarqué?

— C'est facile à dire. La maison est grande comme l'arche de Noé, il y habite au moins une centaine de locataires », observa, de sa place, le greffier.

Je me levai en chancelant, ramassai péniblement mon chapeau qui avait roulé par terre et me dirigeai vers la sortie...

Revenu à moi, je m'aperçus que j'étais assis sur

une chaise; l'homme au gilet crasseux me soutenait à droite; à gauche, quelqu'un tenait un petit verre jaune rempli d'une eau jaune et tiède; Nicodème Fomitch me dévisageait avec assez de sollicitude. Je voulus me lever et chancelai.

« Qu'est-ce qu'il y a? Vous êtes malade? me demanda Nicodème Fomitch, d'un ton brusque où se faisait sentir une certaine pitié.

— Oui,... répondis-je en regardant autour de moi.

— Lorsque monsieur signait son papier il ne pouvait même pas tenir la plume entre ses doigts, observa le greffier en s'installant à sa table et en parcourant ses paperasses.

— Il y a longtemps que vous êtes malade? cria Alexandre Iliitch qui, debout, à sa place, feuilletait des papiers. Il avait dû certainement s'approcher de moi lorsque j'avais perdu connaissance et s'était éloigné en me voyant reprendre mes sens.

— Depuis... hier, balbutiai-je.

— Vous êtes sorti de chez vous hier? continuait Alexandre Iliitch.

— Oui.

— Et où êtes-vous allé? permettez-moi de vous le demander.

— Dans la rue.

— Hum!

— Il se tient à peine sur ses jambes et toi... fit Nicodème Fomitch.

— Ce n'est rien... », répliqua Ilia Petrovitch en soulignant ses paroles. Nicodème Fomitch voulait ajouter quelque chose mais, rencontrant le regard du greffier fixé sur lui, il se tut. Tout cela était bien étrange.

« Ça va, dit Alexandre Petrovitch. Vous pouvez vous retirer.

Je sortis. Dès que j'eus franchi le seuil de la porte j'entendis les fonctionnaires engager brusquement une conversation animée; la voix de Nicodème Fomitch dominait les autres. Un instant plus tard je descendais l'escalier complètement revenu à moi.

Une perquisition, une perquisition, tout à l'heure il va y avoir une perquisition, me disais-je, tout tremblant et glacé d'effroi. Ils ont deviné. Ce scélérat d'adjoint Ilia Petro[vitch] a deviné.

Et si la perquisition a déjà eu lieu pendant que j'étais au commissariat? pensai-je en m'approchant de l'escalier, et si... je les trouve justement... chez moi?

Mais voici ma maison. Voici ma chambre. Rien ne s'y est passé; personne, certainement, n'y est même entré; tout est tel que je l'ai laissé. Nastassia elle-même n'a touché à rien. D'ailleurs, il y a longtemps qu'elle a cessé de ranger mes affaires. Tout est couvert de poussière. Je respirai.

Ni hier, ni aujourd'hui, ils n'ont eu aucun soupçon sur mon compte, m'efforçai-je de raisonner.

Pourtant cet Alexandre Iliitch, qui n'agissait que par bêtise et par mauvaise humeur, a éveillé leurs soupçons, à présent, ils vont certainement me surveiller, me filer... et peut-être même me rendre visite. Il est possible qu'ils viennent maintenant. C'est même très possible, très, très possible. Mais, mon Dieu, mon Dieu, que je me suis humilié. Aussi dois-je me sauver, vite, vite, vite, immédiatement. Seigneur, où vais-je mettre à présent tous ces objets, où? Je m'assis sur le lit, et soudain une sensation singulière s'empara de moi. Dissim[uler] les traces, c'est même cert[ain?]

Car il faut absolument les porter ailleurs, et cela

sur-le-champ, sur-le-champ, sans tarder, avant que les autres se soient déjà mis à la besogne. Comment ai-je pu laisser toutes ces affaires s[ans] y prêter att[ention]. Je me rendais compte que je devais concentrer toutes mes pensées pour juger de ma situation, ramasser toutes mes forces pour me sauver. Je courus au coin, introduisis ma main sous la tapisserie et me mis à retirer les bijoux du trou et à les fourrer dans mes poches. Il y avait en tout et pour tout, si je ne me trompe, huit objets. Je me les rappelle sans les avoir examinés. Je m'en suis souvenu machinalement en les comptant. Il y avait, notamment, je crois, deux petites boîtes, j'en suis même certain, qui contenaient je ne sais quoi, sans doute des boucles d'oreilles (je ne les ai pas regardées), puis quatre écrins, et une chaînette, à en juger au toucher, qui était simplement enveloppée dans un bout de journal. Il y avait, semble-t-il, encore un autre paquet, du reste, il se peut que je me trompe; tous ces objets dansaient devant mes yeux. Je répartis le tout dans mes différentes poches pour éviter de les gonfler trop. Quant à la bourse, je la fourrai dans la poche de côté de mon pardessus. Je me souviens de cette bourse comme si je la voyais devant moi; elle était en daim vert, avec un fermoir en acier, ronde et tachée de sang sur un côté. Je ne l'avais pas encore ouverte et ne songeai pas à le faire cette fois-là. Par conséquent, la poche de mon pantalon est aussi maculée, pensai-je. Ensuite je quittai en hâte la pièce dont, selon mon habitude, je laissai la porte ouverte, d'ailleurs, elle ne fermait pas du dehors, la clef manquant depuis longtemps.

Je marchais d'un pas pressé et ferme, et bien que je me sentisse effrayé à la pensée d'une pour-

suite, et tout brisé, je conservais ma présence d'esprit. Mon intelligence s'affaiblissait, mes forces m'abandonnaient, je m'en rendais parfai[tement] comp[te]. Par conséquent, il fallait tout accomplir tant que je n'avais pas perdu mon [jugement?]. Je craignais que dans une demi-heure, voire dans un quart d'heure, on ne donnât ordre de me surveiller; je devais arriver à temps. Il était nécessaire de faire disparaître toutes les pièces à conviction. A présent je ne chancelais plus et ne butais plus comme tout à l'heure. Je dois dire que beaucoup plus tôt, dans la matinée, et même au cours de la nuit, j'avais déjà pris la résolution de jeter tous ces objets n'importe où, dans le canal ou dans la Néva, ou bien de les abandonner dans quelque escalier et, décidai-je, de mettre ainsi fin à tout.

D'ailleurs, il fallait aller assez loin. Mais où? J'examinai, à plusieurs reprises, les marches qui conduisaient vers l'eau du Canal Catherine. Mais partout, près des escaliers, il y avait ou bien des radeaux qu'on [...?] ou bien des canots; on pouvait aussi m'apercevoir de toutes les fenêtres des maisons qui s'allongeaient sur le quai; un homme qui s'arrête pour lancer quelque chose dans l'eau semble suspect du coup. Non, il est impossible de noyer mon paquet dans le canal! D'autant plus que les passants me regardent, me regardent avec curiosité, comme s'ils ne s'occupaient que de ma personne. Enfin, il me vint à l'idée d'aller jusqu'à la Néva, où il y avait moins de monde. A cette pensée j'éprouvai de l'étonnement; comment avais-je pu, sachant que je devais m'éloigner le plus possible de ma demeure, errer toute une demi-heure sans songer à me diriger vers la Néva? comment ne m'y étais-je pas résolu depuis longtemps? Ma tête travaillait

mal. Je suivis la perspective V-i. Mais, chemin faisant, j'eus une nouvelle idée.

Je décidai de m'en aller quelque part très loin, dans l'île Krestovski ou Petrovski, et une fois là, d'enterrer les objets dans un endroit solitaire de la forêt au pied d'un arbre dont j'aurais à me rappeler l'emplacement. En argumentant et en méditant tant que je pouvais, c'est-à-dire en faisant des efforts surhumains pour aboutir à une conclusion quelconque, je trouvai mon projet bon et je me dirigeai droit vers l'île Vassilievski. J'oubliai que, affaibli et n'ayant pas mangé depuis la veille, je n'aurais sans doute pas la force d'aller jusqu'au bout. Après avoir marché un quart de verste je me dis à part moi : je fais bien de m'en aller si loin, car autrement j'aurais erré dans mon quartier, le long du canal, et les autres seraient certainement tombés sur ma trace.

Pourtant je ne devais pas aller jusqu'à l'île Krestovski; de toute façon la fatigue ne me l'aurait pas permis. Voici ce qui arriva : comme je débouchais de la perspective Vozn[essenski] sur la place Marie j'aperçus tout à coup, à ma gauche, l'entrée d'une cour qui était de tous côtés entourée de murs. Au fond se trouvaient plusieurs hangars et des tas de poutres. Plus loin s'élevait une bâtisse en bois, vieille et basse, et sans doute habitée par des ouvriers. C'était un établissement de carrosserie ou de serrurerie. Le fond de la cour était sale et couvert de charbon qui avait noirci le sol tout autour. Voilà le meilleur endroit pour tout jeter, me vint-il à l'idée, jeter et ficher le camp. Rempli de cette pensée, j'entrai dans la cour et après avoir franchi le seuil de la porte cochère en planches noires, qui était grande ouverte sur la rue, je vis

à ma gauche une clôture en bois qui commençait à l'entrée et, vingt pas plus loin, tournait de nouveau à gauche. A droite de la porte cochère, la cour était bordée par le mur de derrière non blanchi d'une maison voisine à quatre étages. Juste à l'entrée, il y avait (comme dans toutes les maisons où habitent les ouvriers, les cochers, les travailleurs) une gouttière en bois; comme toujours dans des endroits pareils quelqu'un avait inscrit à la craie sur le mur : Défense d(-)uriner.

Néanmoins c'était précisément un endroit pour cela. Cela arrive toujours ainsi. C'était bien, ne fût-ce que pour la raison que le fait d'être entré et de m'être arrêté devant la gouttière ne pouvait éveiller aucun soupçon. Je regardai autour de moi pour m'assurer qu'il n'y avait personne. Oui, parfaitement, c'est ici qu'il faut tout jeter en vrac, m'en aller!

J'inspectai les lieux encore une fois et j'avais déjà plongé la main dans ma poche quand j'aperçus contre la clôture, entre la porte cochère et la gouttière (séparées par un espace de deux archines) une grande pierre qui pouvait bien peser un poud [1]. De l'autre côté de la clôture, qui adhérait au mur extérieur (celui-ci était en pierre et donnait sur la rue), c'était le trottoir; j'entendais le bruit des passants, toujours nombreux en cet endroit; pourtant on ne pouvait m'apercevoir du dehors à moins de s'approcher de la gouttière, ce qui était fort possible et m'obligeait à me hâter. On ne voyait non plus venir personne du côté de la cour. Ce fut l'affaire d'un instant! Je saisis la pierre et la renversai sans grand effort; comme de juste, j'aperçus un enfoncement à l'endroit qu'elle avait occupé, je me mis bien vite à vider mes poches et à entas-

ser les bijoux dans le trou. Je jetai la bourse sur le tas, mais, naturellement, le creux n'était même pas rempli à moitié. Ensuite je soulevai la pierre et d'un coup la retournai; elle se trouva juste où elle était auparavant, tout au plus était-elle un peu exhaussée. Je la frappai deux fois du pied. Elle s'enfoncera d'elle-même, pensai-je. Ensuite je sortis, je me dirigeai vers la place Marie. Personne, personne ne m'avait remarqué!

Une joie profonde s'empara de moi. Ça y est. Toutes les pièces à conviction sont cachées. Qui songerait à aller les chercher sous cette pierre? A qui viendrait l'idée de déplacer cette masse? Elle est peut-être là depuis vingt ans. J'étais tellement content que je me mis à ri[re]. Et quand même ils trouveraient les objets, en seraient-ils plus avancés? Qui pourrait me soupçonner? A cette pensée je me mis même à rire doucement et joyeusement. En passant... je respirai à pleins poumons l'air frais. Il faisait chaud et très lourd, une poussière épaisse s'élevait. J'avais mal à la poitrine. Je me dirigeai vers la place du Sénat. Là il y a toujours du vent, surtout près du monument [1]. Endroit triste et pénible.

Pourquoi n'ai-je nulle part trouvé de spectacle plus pénible ni plus triste que celui de cette énorme place? Ce jour-là je la contemplais d'un air étrange, je sentis bientôt ma tête s'engourdir, j'étais distrait. Je repris le dessus sur moi-même une fois arrivé au pont Nikolaïevski et ce n'est qu'alors que je me rendis compte que j'allais chez Rasoumikhine, mon camarade, un ancien étudiant qui, comme moi, avait été exclu de l'Université. Une semaine plus tôt j'avais décidé d'aller le voir pour une affaire très urgente, qui l'était devenue encore plus depuis que

j'avais jeté la bourse sous la pierre. Il est amusant que je sois allé chez lui, j'avais résolu de le faire une demi-heure plus tôt en même temps que je décidais de me rendre dans l'île Krestovski.

J'éprouvais une sensation singulière. Pourquoi aller chez Rasoumikhine? Pour la bonne raison que si, plus tard, on allait m'inculper, me presser et me demander, pourquoi j'avais quitté ma chambre pour une journée entière, malgré ma maladie et mon évanouissement, je pourrais répondre : j'avais tellement faim que je suis allé emprunter quelques sous chez mon camarade, qui habite très loin, dans l'île Vassilievski, sur la Petite Néva, et naturellement le camarade pourrait déposer que j'étais venu lui demander de l'argent et, par conséquent, il n'y aurait rien de suspect dans mon absence prolongée.

Je m'étonne d'avoir pu échafauder pareil plan dans l'état où je me trouvais, car la mémoire, la raison et les forces m'avaient complètement, mais complètement abandonné et je ne rentrais en possession de mes moyens que pour quelques moments de temps à autre. Je ne m'étais même pas rendu compte de mon projet, d'autant plus que je ne pouvais juger positive[ment] de rien.

Ainsi par exemple je ne m'étais pas du tout aperçu que j'avais suivi jusqu'au bout l'interminable Première Ligne qui conduit à la Petite Néva, sans éprouver la moindre fatigue d'une pareille randonnée, comme toujours lorsqu'on est par trop fatigué, exténué, épuisé.

Ayant escaladé les quatre étages de la maison où habitait Rasoumikhine je ressentis dans mon être une étrange sensation que je ne puis traduire en paroles.

Rasoumikhine était chez lui, dans sa petite chambre, il vint lui-même m'ouvrir. Il était en train d'écrire. Nous n'étions pas de très grands amis, mais plutôt d'anciens camarades, d'ailleurs assez intimes. Je ne l'avais pas revu depuis près de cinq mois. Lorsque j'avais décidé de lui rendre visite, je n'avais point songé que je me trouverais en sa présence tout à l'heure ce qui est autre chose que de se l'imaginer, en un mot, je puis dire — je ne comprends pas cette sensa[tion] — qu'il me semble que je n'aurais pas dû aller chez Rasoumikhine, et aussi, que je ne devais plus m'occuper de rien. Ou plutôt, je ne le pensai pas, mais si à présent il y avait pour moi quelque chose de pénible, d'impossible, c'était de causer et de me rencontrer... avec les gens, comme auparavant. Je ne saurais exprimer précisément ce que j'ai éprouvé, mais je le sais, moi. A peine entré je le ressentis pour la première fois. Et ce fut peut-être le moment de plus grande angoisse pendant ce dernier mois, où pourtant je suis passé par des souffrances sans fin.

« Que t'arrive-t-il? s'écria-t-il en me regardant avec stupéfaction. Est-ce possible que tes affaires soient si mauvaises? » Il examinait mon costume. « Eh bien, mon vieux, tu nous dépasses tous. » Bien qu'habillé de haillons, Rasoumikhine avait l'air plus convenable que moi. « Assieds-toi ». Je tombai sur son divan recouvert de toile cirée et alors seulement il s'aperçut que j'étais malade.

(Rasoumikhine était toujours le même : grand, maigre, mal rasé, aux cheveux noirs, à l'air bon, aux yeux noirs et énormes comme des cuillers... Il n'était point sot parfois il faisait la noce, il passait pour un gaillard très solide... Une nuit, se trouvant en nombreuse compagnie il avait descendu

d'un seul coup un agent haut de deux mètres. Il se distinguait encore par la faculté qu'il avait de jeûner indéfiniment et de supporter le plus grand froid sans trop en souffrir. Tout un hiver il n'avait pas chauffé sa pièce et disait qu'ainsi il dormait mieux.)

« Tu es malade, sérieusement malade. » Il voulut me tâter le pouls, je retirai ma main.

« Inutile, lui dis-je, je suis venu... Voici : je n'ai plus de leçons... je voulais. D'ailleurs, je n'ai pas besoin de leçons.

— Tu sais, mon cher, tu as le délire, dit-il, après un moment de silence.

— Non. Adieu. »

Je me levai du divan.

« Attends donc un peu, que tu es drôle!

— Inutile! répétai-je en dégageant ma main.

— Ecoute-moi donc, mais ce sera comme tu *vourras* (en parlant il supprimait toujours des lettres). Voici : je n'ai pas de leçons, et je m'en fiche; en revanche, j'ai au marché un libraire Kherouvimov. C'est mieux qu'une leçon ou plutôt ce bonhomme est une leçon en son genre. Il publie de petits bouquins sur les sciences naturelles. Voici deux feuilles de texte allemand, du charlatanisme le plus sot; l'auteur examine la question de savoir si la femme est un être humain et prouve pompeusement qu'il en est ainsi. Je suis en train de traduire cela; avec ses deux feuilles mon libraire va en confectionner trois fois autant; il fera précéder le tout d'un titre grandiloquent long d'une demi-page, il vendra l'exemplaire cinquante kopecks; et ça s'enlèvera. Je touche pour ma traduction six roubles par feuille. Donc, douze roubles en tout, sur lesquels j'en ai reçu six d'avance. Lorsque j'aurai terminé

cette traduction il y en aura d'autres; quelque chose sur les baleines et cætera. Infatigable. Veux-tu traduire la seconde feuille de *La femme est-elle un être humain ou non?* Si c'est oui, prends-la tout de suite ainsi que ces trois roubles, car j'ai reçu une avance pour tout le travail et cette somme te revient par conséquent pour ta part. Du reste, tu vas m'aider, tu me rendras même service. Je ne suis pas fort sur l'orthographe, quant à l'allemand, je n'en sais pas un mot, et suis forcé pour la plupart d'inventer tout de mon propre chef, mais oui. D'accord? »

Sans mot dire je pris les feuillets, sans doute arrachés dans quelque revue allemande, ainsi que les trois roubles, et toujours silencieux, je me retirai, mais, arrivé à la Première Ligne, je retournai sur mes pas, remontai chez Rasoumikhine, posai les pages de la traduction et les trois roubles sur sa table et m'en allai sans proférer une parole.

« Mais tu es fou, s'écria Rasoumikhine, stupéfait. Pourquoi es-tu venu alors?

— C'est que je n'ai pas besoin... de traductions, fis-je en descendant l'escalier.

— Tu es le plus naïf des hommes, je suis un lâche, moi, je reviendrai une autre fois.

— Dis donc, écoute-moi, tu n'as peut-être pas mangé depuis trois jours, ne te gêne pas.

— Ah! Alors de quoi as-tu besoin, diable! Où demeures-tu? » me cria-t-il.

Je ne répondis rien et repris le chemin de la maison.

« Eh bien, va-t'en au diable », retentit dans l'escalier.

Je traversais le pont Nikolaïevski, plongé dans mes pensées lorsque je revins à moi, et voici comment : le cocher d'une voiture me donna un

grand coup de fouet sur le dos parce que inattentif à ses cris prolongés j'avais failli me trouver sous les pieds de ses chevaux. Le coup du fouet m'irrita tellement que, reculant vers la balustrade, je me mis à grincer et à claquer des dents. Autour de moi, on riait.

Et la bourse. Pourquoi avoir tué si ensuite tu jettes ton butin? Hier tu convoitais ces objets. Tu les as convoités, n'est-ce pas? et aujourd'hui tu les précipites dans le canal. Mais tu as peut-être fait cela inconsciemment, sous l'influence de la peur. Eh bien, maintenant que tu es pleine conscience et raison, ramasse tes forces! Qu'aurais-tu fait? en pleine conscience? tu les aurais jetés quand même dans le canal. N'est-ce pas vrai? Souv[iens-toi]. Es-tu malade? Tu es fou à présent. As-tu le délire? Tu délires, mais songe que tu n'as pas encore ouvert la bourse pour regarder son contenu. Non, cela ne t'est même pas venu à l'idée.

Justement comme j'étais adossé à la balustrade et regardais stupidement le carrosse qui s'éloignait je m'aperçus que quelqu'un me mettait dans la main une pièce d'argent : « Prends ceci, pour l'amour du Christ. » Je tournai la tête et vis devant moi une marchande âgée et sa fille. J'acceptai l'aumône; les deux femmes s'éloignèrent. A mes vêtements elles pouvaient très bien me prendre pour un mendiant, pour un vrai ramasseur de petits sous dans la rue; quant à ce qu'elles avaient donné, vingt kopecks, je le devais sans doute au coup de fouet qui avait apitoyé la marchande sur mon sort.

Je serrai la pièce d'argent dans ma main, fis douze pas, me tournai vers la Néva, du côté du Palais[1], et revenant à la place où j'avais stationné

tout à l'heure je m'y arrêtai de nouveau, je ne sais pourquoi.

Il faisait une journée torride, claire, le ciel était pur, l'eau de la Néva presque bleue, ce qui est très rare. La coupole de la cathédrale qui ne paraît jamais aussi belle que vue précisément de cet endroit du pont, à quelques pas de la chapelle Nikolaïevski, resplendissait; on en voyait, distinctement, tant l'air était pur, les plus petits ornements. Je me rappelai vaguement qu'à l'époque où je fréquentais l'Université, il m'arriva peut-être plus de cent fois, en rentrant chez moi, de contempler ce merveilleux panorama. Il me semblait étrange de me trouver debout à cet endroit comme si je ne pouvais plus rester au mê[me] endroit qu'auparavant. J'aimais m'arrêter ici, étonné chaque fois de l'impression que je ressentais, je m'étais même fait une habitude de stationner quelques minutes sur le pont, juste à cette place, et savez-vous. Elle a en elle une certaine particularité. Je restai longtemps ainsi, enfin me souvenant de mes vingt kopecks, je desserrai la main, regardai la pièce d'argent et la jetai silencieusement dans l'eau.

Ce n'était plus mes pensées mais celle d'un autre.

A ce souvenir, je souris, amusé par une pareille impres[sion], puis il me sembla bizarre que je me disposasse à ne jamais plus avoir... de pensées. Non parce que je m'étonnais d'avoir pris intérêt à de semblables choses mais parce que (sur cette question ni sur aucune autre) il ne m'était possi[ble] d'avoir,... parce que tout m'était égal, et que tout cela me... et...

... qui détruit tout, meurtrit tout, réduit tout à zéro, et cette particularité, c'est l'aspect froid et morne de ce panorama. Il répand un froid inex-

plicable. Chaque fois l'esprit de silence, de mutisme, esprit muet et sourd..., répandu dans ce panorama, me ser[re] le cœur. Je ne m'exprime pas bien, pourtant il ne s'agit même pas là de mort, car n'est mort que ce qui a été vivant, tandis qu'ici j'ai toujours ressenti je ne sais quoi de muet, de sourd, de néga[tif]... Je me rappelai soudain toutes ces ancie[nnes] impres[sions] et j'éprouvai un sentiment étrange.

Je m'explique mal, mais je sais que mon impression n'était point ce qu'on dit, abstraite, cérébrale, inventée, mais parfaitement spontanée, je n'ai jamais vu ni Venise ni la Corne d'Or mais certainement la vie y est morte depuis longtemps bien que les pierres y parlent, y « crient » toujours.

Eh bien, lorsque je me suis arrêté par habitude à cet endroit, la même sensation douloureuse qui s'était emparée de moi une demi-heure plus tôt chez Rasoumikhine, me serra le cœur. Car tout à coup il me sembla que je n'avais aucune raison de m'arrêter ici, ni ailleurs, que l'impression que me faisait ce panorama aurait dû m'être indifférente et que, à présent, j'avais de tous autres intérêts; quant à tout cela, à tous ces anciens sentiments, préoccupations et hommes, ils étaient si loin de moi, comme s'ils se trouvaient sur une autre planète. Comme je restais penché par-dessus la balustrade je sentis dans ma main la pièce qu'on m'avait donnée, je desserrai les doigts, regardai attentivement les vingt kopecks et les laissai tomber dans l'eau. Ensuite je repris le chemin de la maison.

Lorsque je rentrai chez moi il était déjà tard, le soir était venu. Par conséquent j'étais de retour vers cinq ou six heures, je ne sais pas ce que j'ai bien pu faire pendant tout ce temps-là. Je me

déshabillai, en frissonnant de tout mon corps, non pas de fièvre mais de faiblesse comme un cheval harassé... je m'étendis sur le divan et me recouvris de ma capote. J'avais gardé mes chaussettes. Je les enlevai et les jetai dans un coin. Ensuite je m'assoupis. Je ne pensais plus à rien.

Je fus réveillé par un cri terrible; l'ombre emplissait ma chambre, où, le soir, même en été, il fait presque noir. J'ouvris les yeux. Dieu, quel cri c'était! Je n'avais jamais entendu de bruits aussi peu naturels, de pareils hurlements, grincements de dents, pleurs, jurons et rixe. Je n'aurais jamais pu m'imaginer pareille sauvagerie, pareille excitation. Effrayé, je me soulevai et m'assis sur mon divan. Je ne tremblais plus, j'étais transi, je souffrais. Les bruits de coups, les cris, les hurlements et les invectives retentissaient de plus en plus fort. A mon extrême étonnement, je distinguai tout à coup la voix de ma logeuse; elle hurlait, elle geignait et se lamentait si vite qu'on ne pouvait pas comprendre ce qu'elle disait : elle suppliait sans doute qu'on cessât de la battre, car on la battait impitoyablement, d'abord dans l'appartement... puis sur le palier où on la traîna. La voix de l'agresseur respirait une haine, une fureur si effroyable qu'elle en était même devenue rauque, pourtant je compris que c'était Alexandre Iliitch, qui battait la logeuse et qui sans doute lui donnait des coups de botte, de poing, la piétinait, et, saisissant ses tresses lui cognait la tête contre les marches de l'escalier. Il ne pouvait en être autrement, les hurlements et les cris désespérés de la pauvre femme l'indiquaient bien.

Sans doute, y avait-il foule à tous les étages. Des voix nombreuses me parvenaient, des gens en-

traient, frappaient, claquaient les portes, tout le monde accourait. « Qu'est-ce qu'il y a? pensais-je, pourquoi, pour quelle raison la bat-il? » L'épouvante me glaçait. Il me semblait que je devenais fou, pourtant j'entendais très distinctement chaque bruit. Maintenant on va venir chez moi, chez moi aussi; à cette pensée, je me levai à demi pour m'enfermer [?] au crochet, mais je me ravisai. Enfin, après avoir duré dix minutes, tout ce vacarme s'apaisa peu à peu. La logeuse gémissait et soupirait. Alexandre Ivanovitch s'éloigna tout en continuant de proférer injures et menaces. J'entendais même le bruit de ses pas. La patronne alla s'enfermer chez elle. Ensuite les spectateurs regagnèrent petit à petit leurs étages et leurs appartements respectifs, ils discutaient, ils poussaient des exclamations, tantôt élevant leur voix, tantôt murmurant tout bas. Ils devaient être nombreux, la maison entière était accourue. Seigneur, qu'est-il arrivé? Pourquoi Alexandre Iliitch est-il venu? Est-ce que tout cela est possible? Comment a-t-il osé la battre?

Je me recouchai, mais je ne pus plus fermer l'œil. Je dois être resté une demi-heure étendu ainsi, souffrant de stupéfaction et d'épouvante, en proie à une sensation comme je n'en avais jamais ressenti. Soudain, de la lumière. Je vis devant moi Nastassia qui tenait une bougie et une assiette de soupe. Elle me regarda et voyant que je ne dormais pas, elle posa sur la table du pain, l'assiette et une cuiller en bois.

« Sûrement tu n'as rien mangé depuis hier. Tu as traîné la journée dans la rue et cela malgré ta fièvre.

— Nastassia... Pourquoi a-t-on battu la patronne?

— La patronne? Qui a battu la patronne?

— Tout à l'heure, il y a trente minutes, Alexandre Iliitch, le commissaire, l'adjoint. Je l'ai reconnu. Pourquoi l'a-t-il ainsi malmenée? Et comment l'a-t-elle permis? »

Nastassia fixa sur moi son regard sans rien dire. Elle me contempla longuement et sévèrement. Je fus effrayé.

« Nastassia, pourquoi ne réponds-tu pas? lui demandai-je.

— C'est le sang, répliqua-t-elle d'une voix basse et lugubre.

— Le sang? Le sang de qui? Quel sang? balbutiai-je avec effort, et mon visage se contracta douloureusement.

— C'est le sang qui crie en toi, qui circule dans ton corps, c'est pour ça que tu as des visions, c'est la peur. Personne n'a battu la patronne... et ne va la battre », ajouta-t-elle.

Une épouvante encore plus violente s'empara de moi.

« Pourtant je n'ai pas dormi, je m'étais assis sur mon lit, fis-je après un long silence. Alexandre Iliitch est bien venu ici?

— Personne n'est venu. C'est le sang qui crie en toi. C'est quand il commence à se cailler dans le foie, qu'on a des visions. Mange donc! Vas-tu manger. » Je ne répondis pas et me recouchai silencieusement sur mon paquet.

Au lieu de l'oreiller qui n'existait pas, depuis longtemps je plaçais d'habitude sous ma tête un paquet fait de tout mon linge et je dormais dessus.

Je ressentis (une peur telle que je le crois) les cheveux se dressèrent sur ma tête. Nastassia était toujours près de moi.

« Donne-moi à boire... Nastassiouchka », parvins-je enfin à prononcer.

Elle descendit silencieusement l'escalier et revint, si je ne me trompe, très vite, mais je ne me rendais plus compte de rien. Je ne me souviens que d'avoir bu une gorgée d'eau; ensuite j'ai perdu connaissance. Je ne m'étais pas tout à fait évanoui. Je me rappelle beaucoup de choses, mais tantôt indistinctement, tantôt d'une façon qui différait de la réalité. Parfois il me semblait que plusieurs personnes m'entouraient, qu'elles voulaient me prendre et m'emporter quelque part, qu'elles discutaient et se querellaient à mon sujet. D'autres fois, je me voyais seul; tout le monde m'avait abandonné; on avait même peur de moi; on n'ouvrait que rarement la porte, de derrière laquelle on me menaçait; on m'injuriait, on se moquait de moi. Le plus souvent je croyais entendre des rires. Je me souviens d'avoir souvent aperçu Nastassia près de moi. Je remarquai également un homme, qui m'était bien connu, je ne pouvais pourtant pas me rappeler qui c'était; cela m'angoissait, je me démenais, je pleurais, je concentrais mes pensées pour situer ce personnage, et je n'y parvenais pas. Je le demandais aux autres, on me renseignait, j'oubliais aussitôt. Tantôt je me figurais être alité depuis un an, tantôt il me semblait que la même journée continuait toujours. Parfois j'étais torturé par une peur terrible, et ce qui est plus étrange, c'est qu'elle était provoquée non pas par *la chose* — je me le rappelle très bien —, mais parce que je m'imaginais qu'un inconnu voulait lâcher sur moi son bouledogue qu'il tenait caché derrière la porte, en tapinois, ou une autre histoire dans ce gen[re]. Quant au sujet précis de mon effroi, je l'ignorais,

je l'avais complètement oublié; je m'arrachais de ma place, je voulais m'en aller, m'enfuir, mais quelqu'un m'arrêtait de force et je me rendormais. A la fin, je me réveillai complètement.

Il devait être près de cinq heures de l'après-midi. A cette heure-là, un rayon de soleil pénètre toujours dans ma chambre. A mon chevet se trouvaient Nastassia et un homme qui me dévisageait d'un regard très curieux et circonspect. Je ne le connaissais point. C'était un jeune garçon barbu, vêtu d'un cafetan russe et qui paraissait être le chasseur de quelque établissement. La logeuse regardait par la porte entrebâillée. Je promenais sur l'assistance un regard fixe puis je me soulevai.

« Nastassia, qui est-ce? demandai-je en montrant le jeune garçon.

— Tiens, il a repris ses sens, fit la servante.

— Monsieur a repris ses sens », répéta comme un écho l'homme. La patronne s'empressa de disparaître, en fermant la porte derrière elle.

« Qui... êtes-vous? demandai-je au jeune homme.

— Eh bien, nous venons pour affaire... » commença-t-il, mais à cet instant la porte s'ouvrit, livrant passage à Rasoumikhine qui se courba en entrant à cause de sa haute taille.

« C'est une vraie cabine de bateau! s'écria-t-il. Tiens, si je ne me trompe, tu es revenu à toi?

— Il vient de reprendre ses sens, fit Nastassia.

— Monsieur a repris ses sens, ajouta le jeune homme.

— Mais qui êtes-vous? demanda Rasoumikhine, en se détournant de nous pour s'adresser tout à coup à ce dernier. Je me nomme moi, voyez-vous, Vrasoumikhine, non pas Rasoumikhine comme on m'appelle d'habitude, mais Vrasoumikhine, étu-

diant et fils de noble; monsieur est mon ami. Eh bien, et vous, qui êtes-vous?

— Je suis chasseur, je viens de la part du marchand Cherstobitov, pour affaire.

— Asseyez-vous, dit Rasoumikhine. Tu as bien fait de reprendre connaissance : tu es resté comme ça, mon vieux, cinq journées sans manger ni boire. Je t'ai amené deux fois (Zamiotov), Bakavine. Il t'a examiné et a déclaré dès le premier jour que ce n'était rien, des bêtises, une bagatelle nerveuse, causée par la mauvaise nourriture, par le manque de bière et de raifort; il a dit que c'est pour ça que tu es tombé malade mais que tu allais bientôt recouvrer tes esprits et que rien de grave n'était à redouter. Un fameux type, ce Bakavine, il soigne bien, il a tout deviné! Eh bien, je ne vais pas vous retenir, s'adressa-t-il de nouveau à l'envoyé du marchand Cherstobitov, voulez-vous m'exposer ce qui vous amène. Remarque que c'est la deuxième fois qu'on vient chez toi de chez ce marchand, seulement l'autre jour, ce n'était pas lui, mais un autre... et, nous avons causé avec lui. Qui est-ce qui est venu ici avant vous?

— C'était, je crois, avant-hier. En effet, c'est Alexeï Petrovitch qui est venu. C'est le chef des chasseurs de chez nous.

— Il me semble qu'il est plus débrouillard que vous, n'est-ce pas?

— Oui, il est plus posé.

— C'est bien, et alors? Du reste, je vois que, vous aussi, vous êtes un peu... Enfin, passons à l'affaire.

— Voici, je viens de la part de Semion Semionovitch que vous devez bien connaître, commença le jeune homme en s'adressant directement à moi. Au

cas où vous auriez repris connaissance je dois vous remettre de l'argent, dix roubles, car Semion Semionovitch en a reçu l'ordre d'Andron Ivanovitch Tolstonogov, de Penza. Vous le saviez?

— Je connais le marchand Tolstonogov.

— Vous entendez, il connaît Tolstonogov, c'est qu'il est en pleine possession de ses sens, s'écria Rasoumikhine. Quant à mes paroles de tout à l'heure, c'était pour rire. D'ailleurs vous me paraissez intelligent. Je viens d'en faire la remarque. Oui, continuez. Il est agréable d'entendre des discours sensés.

— C'est bien ça. Tolstonogov, Andron Ivanovitch, sur la demande de votre maman, qui vous avait déjà envoyé de l'argent par son intermédiaire, ne lui a pas non plus refusé cette fois-ci et a prié Semion Semionovitch de vous verser pour l'instant de la part de votre maman dix roubles en attendant mieux, car bien que votre mère ne possède pas encore de fortune, ses affaires reprennent; quant à Andron Ivanovitch et Semion Ivanovitch ils régleront leurs comptes comme d'habitude.

— Eh bien, qu'en dites-vous, est-il revenu à lui ou non, l'interrompit Rasoumikhine en me désignant.

— Je veux bien, moi. Seulement comment faire pour le reçu, il en faudrait un...

— Il va le griffonner. Qu'est-ce que vous avez là? Votre carnet?

— Oui. Voici.

— Passez-le-moi. Allons, Vassiouk, soulève-toi. Je vais t'aider, prends la plume et signe. Pour acquit et cætera, car, mon cher, nous avons horriblement besoin d'argent. Plus que de miel.

— Il ne faut pas, dis-je en repoussant la plume.

— Qu'est-ce qu'il ne faut pas?

— Je ne vais pas... signer.

— Que diable, comment faire sans reçu?

— Je n'ai pas besoin d'argent...

— Pour cela, mon vieux, tu mens. Il recommence ses histoires, ne vous inquiétez pas. Je vois que vous êtes un homme sensé... nous allons le guider.

— Je peux aussi bien repasser un autre jour.

— Non, non, non, vous êtes un homme sensé. Eh bien, Vassili! » Et il se mit à diriger ma main. « Laissez-moi, je vais le faire... » et je signai.

Le jeune homme laissa l'argent et se retira.

« Eh bien, Vassia, as-tu envie de manger?

— Oui, répondis-je.

— Il y a de la soupe?

— Oui, dit Nastassia qui était restée tout le temps dans la chambre. De la soupe aux pommes de terre et au riz.

— Je sais cela par cœur. Va, apporte-nous de la soupe, et du thé.

— Tout de suite. »

Deux minutes plus tard, elle revint avec la soupe et dit que le thé serait bientôt prêt. Il y avait outre la soupière deux cuillers et deux assiettes. La nappe était propre. Les cuillers, qui étaient en argent, appartenaient à la logeuse. Devant Rasoumikhine, Nastassia plaça une salière et tout un service de table : moutarde, etc. Dans la soupe il y avait également de la viande.

« Nastassiouchka, Sofia Timofeevna la logeuse ferait bien de nous envoyer deux bouteilles de bière. On les videra!

— Voyez-vous ce chenapan! » dit Nastassia et elle alla faire la commission.

Je ne me rendais pas encore entièrement compte

de ce qui se passait. Cependant, Rasoumikhine vint s'asseoir tout près de moi, sur le divan; maladroit comme un ours il me souleva la tête de son bras gauche, pourtant je me sentais beaucoup mieux qu'il ne se l'ima[ginait], de la main droite il portait à ma bouche une cuillerée de soupe, après avoir soufflé dessus plusieurs fois pour que je ne me brûle pas la bouche. Pourtant le potage était à peine tiède. J'avalai avidement une cuillerée, puis une seconde, à la troisième je me mis à protester, et Rasoumikhine me l'enfonça de force dans la bouche. A ce moment-là Nastassia entra avec deux bouteilles de bière.

« Tu vois, Nastassia, il en a mangé trois cuillerées! C'est qu'il avait très faim. Veux-tu du thé?

— Oui.

— Va vite chercher le thé, Nastassia. Voilà la bière », fit-il en s'asseyant à table et en rapprochant de lui la soupière et le plat de bœuf. Il se mit à manger avidement comme s'il avait jeûné depuis trois jours.

« Mon vieux, je dîne ainsi chez vous tous les jours, dit-il, la bouche pleine et clignant de l'œil gauche. Tu crois que c'est à tes frais? Nullement! Ça ne figurera pas sur ton compte. Tu penses peut-être que je vais régler ces deux bouteilles de bière? Pour rien au monde, c'est Sonetchka, ta logeuse, qui nous les offre, à ses frais, en signe de son contentement. Mais voilà Nastassia qui apporte le thé. Elle va vite! Nastenka, veux-tu de la bière?

— Tu te paies ma tête!

— Du thé, alors?

— Du thé, oui.

— Assieds-toi. Sers-toi. Non, attends, je vais te servir moi-même. »

Il versa une tasse de thé, ensuite une autre et cessant de manger, revint s'asseoir sur mon divan; il me souleva la tête et l'appuya contre son bras gauche comme tout à l'heure et il se mit à me verser dans la bouche des cuillerées de thé en soufflant sans cesse dessus, je fus obligé ainsi d'en avaler une dizaine, ensuite je me laissai retomber sur mon oreiller.

Il y avait, en effet, un oreiller sous ma tête. Jusqu'alors je l'avais remplacé par mon linge que j'enlevais pour la nuit.

Je me taisais et écoutais avidement. Plusieurs détails me semblaient étranges. La mémoire m'était complètement revenue bien que la tête... me tournât un peu, je voulais... me bien renseigner.

« Il faut que Sonetchka nous envoie dès aujourd'hui de la confiture de framboise. On va confectionner une boisson, dit Rasoumikhine en se rasseyant à sa place et en attaquant de nouveau le potage et la bière.

— Où veux-tu qu'elle prenne de la framboise? demanda Nastassia.

— Dans une boutique, ma chère, dans une boutique. Mon amie, elle prendra de la framboise dans une boutique. Vois-tu, il s'est passé ici toute une histoire. Lorsque tu t'es enfui de chez moi, comme un filou, sans laisser ton adresse, j'ai décidé de te retrouver et une heure plus tard je me mettais en campagne. Ce que j'ai couru, ce que j'ai questionné! J'ai perdu ainsi toute une journée et imagine-toi, j'ai retrouvé ta trace au bureau des adresses. Tu y es inscrit.

— J'y suis inscrit? ne put s'empêcher de s'écrier Raskolnikov.

— Comment donc! mais quant au général Kobe-

liov on n'a pu retrouver son adresse au bureau. Enfin, il serait trop fastidieux de raconter en détail mon arrivée ici; du coup je fus initié à toutes tes affaires. A toutes, mon cher, à toutes; elle peut te le dire. J'ai fait la connaissance de Nicodème Fomitch, du dvornik et de M. Zamiotov, qui est le greffier de ce quartier, et enfin, de Sonetchka. Ç'a été le bouquet. Nastia en est témoin.

— Tu l'as enjôlée, murmura Nastassia, avalant un petit morceau de sucre, et buvant le thé qu'elle avait versé dans une soucoupe.

— Si vous sucriez votre thé, Nastassia Nikiphorovna.

— Oh! le coquin, s'écria la servante en éclatant de rire. Je m'appelle Petrovna et non pas Nikiphonovna, ajouta-t-elle, calmée.

— J'en prendrai note, répondit Rasoumikhine. Eh bien, frérot, pour ne pas bavarder outre mesure, je te dirai que d'abord j'avais envie de secouer comme avec une pile électrique tous les préjugés de ce patelin. Mais Sonetchka m'a subjugué. Je ne m'attendais pas, vieux, à la trouver aussi... avenante. Qu'en penses-tu? Elle est même très avenante. Elle n'est pas du tout si mal que ça, au contraire tout, chez elle, est à sa place.

— Voyez l'animal! gronda Nastassia à qui cette conversation semblait causer un extrême plaisir.

— Le malheur, mon vieux, c'est que dès le commencement, tu t'y es mal pris, continua Rasoumikhine, avec elle, il fallait procéder autrement. Elle a, pour ainsi dire, un caractère bien bizarre. C'est presque... Par exemple, qu'as-tu fait pour qu'elle ait osé ne plus t'envoyer ton dîner? Et ce billet! Il faut être fou pour signer un effet. Et ce mariage qu'on avait projeté avant la mort de la jeune fille?

D'ailleurs, je touche là à une corde délicate, excuse-moi, tu me raconteras ça une autre fois (ajouta-t-il avec tout le sérieux dont il était capable). D'après toi, Vassia : Sonetchka est-elle bête ou non?

— Caractère des plus bizarres », continua Rasoumikhine comprenant parfaitement bien — Raskolnikov le voyait d'après l'expression de son visage —, que son ami ne voulait pas lui répondre.

« Non, elle n'est pas bête... répliqua Raskolnikov pour alimenter la conversation.

— C'est bien ce que je pense. Elle n'est ni bête, ni intelligente, mais juste ce qu'il faut pour une personne rubiconde et bien en chair. Elle a au moins quarante ans, elle n'en avoue que trente-six, et elle a le droit de le faire. Impossible de la pincer, je te le confie en secret, tout t'échapperait de la main. Ainsi donc, tout se passa ainsi parce que, voyant que tu avais quitté l'Université, que tu étais sans leçons et sans vêtements, que, sa fille morte, elle n'avait plus de raison de te considérer comme un des siens, elle a eu tout à coup peur, et, comme de ton côté tu n'as pas maintenu avec elle les rapports d'autrefois, elle a résolu de te déloger. Elle en avait l'intention depuis longtemps, mais elle tenait à ton billet. D'autre part, tu lui assurais toi-même que ta maman allait payer.

— Je l'ai dit par bassesse d'âme... répliquai-je. Maman elle-même est presque réduite à demander l'aumône... à Penza... Moi, j'ai menti... pour qu'on ne me chasse point de ma chambre.

— Tu as bien fait. Mais voici le *hic* : ta logeuse est tombée sur monsieur l'assesseur de collège Tchebarov. Sans lui, Sonetchka n'aurait rien entrepris. Elle se serait gênée. Ce Tchebarov s'occupe d'affaires, j'entends d'affaires louches, il est aussi

employé quelque part. Il griffonne des vers satiriques, où il poursuit les vices publics, détruit les préjugés et est d'une noble indignation quand on lui parle des trois poissons sur lesquels repose la terre. Pour tout cela un journaliste lui paie de trois à sept roubles par semaine : quelle somme! C'est que, vois-tu, monsieur ne recherche que l'argent, la manière de se le procurer ne lui importe guère. C'est un homme d'affaires, il vend sa noble indignation, mais à cela il préfère d'autres [combinaisons] : procès, chicane, prêts à intérêts, cabarets loués aux noms d'hommes de paille; entre autres, il s'intéresse à des affaires comme la tienne. Un exemple, Sonetchka possède cet effet de (soixante-quinze roubles). La question est de savoir s'il y a moyen de monnayer ce papier? Oui, puisqu'il existe une certaine maman comme dit l'envoyé du marchand Chelopaïev. »

(Vois-tu, frérot, il existe de ces requins de par le monde, qui nagent dans la mer. Il y a, mon vieux Vassia, des hommes de toutes sortes. Ça ne nous regarde pas, ni toi, ni moi, nous sommes de braves gens.)

(Il se peut qu'elle (ta logeuse) se soit fâchée contre toi précisément parce que tu n'as pas voulu t'y prendre comme il le fallait. C'est terriblement vexant lorsque quelqu'un ne sait pas s'y prendre.) Qui jeûnerait toute une année pour arriver, dix-huit mois plus tard, à mettre de côté soixante-quinze roubles sur les cent vingt qu'elle touche comme pension. La maman engagerait ses revenus futurs, la sœurette qui est gouvernante accepterait tout pour sauver son frère. Pourquoi t'agiter? J'ai appris, mon vieux, toutes tes affaires et si je te parle c'est que je t'aime et te comprends. Lorsque

tu entretenais avec Sonetchka des relations quasi familiales, tu lui as fait des confidences. C'est de là que vient tout le mal. Sonetchka elle-même n'aurait jamais rien entrepris contre toi, elle est trop corpulente pour cela, si on ne lui avait pas recommandé Tchebarov. Ce type a machiné toute la combinaison car, crois-moi, pour ce qui concerne les prélèvements d'argent, il n'existe pas d'aussi grands filous que ceux qui s'indignent au sujet des trois poissons et qui vendent leur indignation. Remarque bien, si par exemple tu dois quelque chose à un de ces « trois poissons », ou si un de ces messieurs est mêlé à ton affaire, aussitôt il essaie de te faire envoyer en prison. C'est leur principe. Ils appellent cela : élément positif, mépris du préjugé (mépris du devoir mais pas de ce qu'on leur doit dans le cas où ils sont créanciers). Eh bien, donc, Tchebarov est précisément de ces « trois poissons », c'est-à-dire de ceux qui ne voient rien au-delà de leurs trois poissons, il a même écrit une satire sur ce sujet... Ioulenka lui a revendu ton billet. Il l'a examiné et, pour une somme de dix roubles, s'est chargé de l'affaire. Il n'avait naturellement pas acheté ton billet à Sonetchka, seulement ils ont fait un papier comme quoi il en était désormais le propriétaire; car, vois-tu, Sonetchka est trop timide, elle se gênerait de traîner elle-même en prison le fiancé de sa fille, aussi a-t-elle trouvé un requin pour t'avaler. Zamiotov en ami m'a confié toute l'histoire. Nous sommes allés avec lui chez Louise. Tu te souviens de Louise Ivan[ovna]. Connais-tu Louise? C'est une brave femme. Nous sommes ici toute une bande qui nous rencontrons presque tous les soirs dans un cabaret. Ensuite, je me rendis chez Tchebarov; imagine-

toi, je suis allé chez lui plusieurs fois, et à toutes les heures de la journée, cela trois jours de suite; je lui ai laissé des billets pour lui dire que je venais au sujet de l'affaire d'un tel; il n'était jamais chez lui, ni à l'aube, ni à l'heure du dîner ni même à minuit passé, mais toujours à sa villa, car il a une villa et des chevaux. Si j'avais réussi à l'atteindre je l'aurais secoué comme une pile électrique, mais vers ce temps-là je me liais d'amitié avec Sonetchka et lui ordonnai d'arrêter la procédure en répondant de ta dette. Mon cher, je me suis porté garant pour toi! Entends-tu? Alors elle a prié Tchebarov de retirer la plainte et elle lui a payé dix roubles pour son travail. Il était content car il n'y était pas allé de main morte et il avait dépensé sans compter son talent littéraire. J'ai lu au commissariat sa sommation de paiement : « Je considère comme de mon devoir d'ajouter que NN a l'intention de quitter la capitale Saint-Pétersbourg. » Il en a menti; comment toi, NN, aurais-tu fait pour quitter quoi que ce soit? Voilà ce que c'est qu'un homme d'affaires. Pour le cas où tu songerais à déguerpir il te dénonçait à la police : ouvrez l'œil! C'est lui qui depuis vingt ans se mêle d'éditer Klopstock. Je l'ai su par Kherouvimov. N'est-ce pas vrai, Nastassiouchka? Les voilà bien cachés ces dix roubles, qui voudraient revenir à leur ancienne place! Ce n'est qu'à présent, Vassia, que je m'aperçois de ma sottise. J'ai voulu te distraire, t'amuser par mon bavardage et je crois que je n'ai réussi qu'à t'échauffer la bile. »

Après un moment de silence, Raskolnikov demanda sans se retourner :

« C'est toi que je voyais près de moi pendant mon délire... et que je ne reconnaissais pas?

— Oui, tu avais même des accès de rage. Un jour je suis passé te voir avec Zamiotov.

— Avec Zamiotov? Avec le gref[fier]? Pour quoi faire?

— Il a exprimé le désir de faire ta connaissance... lui-même. C'est un garçon très aimable. Nous sommes allés avec lui chez Louise, et nous avons beaucoup parlé de toi. A présent nous sommes amis. Qui d'autre que lui aurait pu me renseigner sur ton compte?

— Est-ce que j'ai eu le délire? »

(Comme ne m'appartenant plus.)

« Sur quel sujet ai-je divagué? demanda-t-il tâchant de se soulever sur le lit.

— En voilà une question! Ce que tu disais? Voyons, ne te lève donc pas. On sait bien ce que peut dire un homme lorsqu'il a la fièvre. Et maintenant, mon vieux, à la besogne.

— Qu'est-ce que je disais?

— Pendant que tu délirais? Mon Dieu, c'est que tu y tiens! N'aurais-tu pas peur d'avoir laissé échapper quelque secret? Tu peux te rassurer : il n'a pas été question de la comtesse. Par contre, tu as parlé d'un bouledogue, d'un dvornik, d'Alexandre Iliitch et de Nicodème Fomitch, surtout de ces deux derniers. Ils ont dû te frapper l'autre jour. En plus, vous vous intéressiez extrêmement à l'une de vos chaussettes, vous vous lamentiez : qu'on me donne ma chaussette! Zamiotov l'a cherchée lui-même dans tous les coins et vous a apporté cette saleté dans ses propres mains parfumées et ornées de bagues. Ce n'est qu'alors que vous vous êtes calmé et avez pressé cette guenille dans vos bras pendant toute une journée... Vous la pressiez si fort qu'on ne pouvait vous l'enlever,

elle doit se trouver encore quelque part sous ta couverture. Tu demandais également une frange pour ton pantalon. Zamiotov t'a longtemps interrogé pour savoir de quelle frange tu parlais. »

Silencieux, je faisais le mort. Zamiotov est venu examiner mes chaussettes. Je tâtai de la main les objets qui m'entouraient : c'est bien ça, la chaussette est toujours à côté de moi. Je la serrai dans les mains...

« A présent, revenons à nos affaires, continua Rasoumikhine. Voici, je prélève sur ton argent, si tu ne protestes pas, trente roubles qui, je le vois, cherchent un emploi et je reviens incontinent. Nastenka, si monsieur avait besoin de quelque chose, aidez-le. Et n'oubliez pas la confiture. De la framboise, absolument! Du reste, je passerai moi-même chez Sonetchka. Je t'enverrai Zossimov. D'ailleurs, je reviendrai, aussi.

— Il l'appelle Sonetchka. Quel toupet! » dit Nastassia dès que Rasoumikhine fut sorti; on voyait qu'elle était depuis longtemps sous le charme du jeune homme. Je me taisais, la servante se détourna, commença par ouvrir la porte pour entendre ce qui se passait en bas, ensuite elle descendit l'escalier à son tour. Elle était trop curieuse de savoir comment Rasoumikhine allait se comporter envers Sonetchka. Enfin, il restait seul.

Nastassia à peine partie, je saisis la chaussette, celle-là même du pied gauche, et me mis à l'examiner attentivement à la lumière : est-il possible de distinguer quoi que ce soit? Mais la chaussette avait été, même avant la chose, tellement usée, noire, et sale, et je l'avais depuis si longtemps frottée contre le sol et mouillée qu'il était impossible de deviner en la regardant qu'elle était macu-

lée de sang. Le bout de la chaussette et toute la plante ne formaient qu'une grande tache sombre. Je me tranquillisais. Zamiotov n'a rien pu voir, néanmoins, c'est très curieux qu'il soit venu jusqu'ici et se soit déjà lié avec Rasoumikhine. Ce qui me faisait surtout enrager, c'est que je me sentais faible, impuissant et sous la tutelle de Rasoumikhine pour qui tout à coup je ressentis presque de la haine. A présent il ne va plus me quitter tant que je ne serai pas rétabli; je suis encore si faible que la raison peut me manquer et il m'échapperait alors quelque parole imprudente. Il vaut mieux me taire tout le temps. Qu'ils soient maudits! Je ne veux pas rester avec eux, je veux être seul. La solitude, voilà ce que je désire. L'irritation et la fièvre m'avaient repris; je n'ai pas besoin d'eux! Le fait que Rasoumikhine m'avait retrouvé, sauvé, soigné à ses frais, qu'aujourd'hui encore il s'efforçait de me consoler et de me distraire, tout cela ne faisait que me tourmenter et me fâcher. J'attendais son retour avec une rage froide. Cependant j'avais mal à la tête, tout tournait devant moi, je fermai les yeux. Nastassia entra en faisant grincer la porte, me regarda et croyant que je m'étais rendormi se retira. Une heure et demie plus tard, comme il faisait déjà sombre, la voix bruyante et sonore de Rasoumikhine me parvint de l'escalier. Je m'étais assoupi. Cette voix me fit sursauter. Rasoumikhine ouvrit la porte mais voyant que j'avais les yeux fermés s'arrêta sans mot dire sur le seuil. Alors je le regardai.

« Puisque tu ne dors pas, me voilà! Nastassia, apporte tout ici, cria-t-il. Je vais te rendre mes comptes. Tu as fait un fameux somme. » Il serrait avec un air de triomphe un paquet entre les mains.

Je le considérai froidement.

« Le sommeil est une bonne chose, mon vieux Vassia, je vais bientôt me retirer jusqu'à demain. Dors, cela te fait du bien. Chemin faisant, je suis passé chez Bakavine, il va venir t'examiner. Profitons de ce qu'il n'est pas encore là pour regarder mes emplettes. Nastassiouchka nous tiendra compagnie. » La servante était déjà entrée dans ma chambre, on eût dit qu'elle ne pouvait lâcher d'un pas Rasoumikhine.

« Eh bien, premièrement », continua-t-il en défaisant son paquet.

(Raskolnikov se souleva, étonné; qu'est-ce? quelle heure est-il? cria-t-il), premièrement, voici une casquette. Veux-tu me permettre de te l'essayer?

Il s'approcha de moi, me souleva pour me faire essayer la casquette. Je le repoussai avec dégoût.

« Non, non. Demain... fis-je.

— Si, mon vieux Vassia, laisse-toi faire. Demain il serait trop tard, d'ailleurs l'inquiétude me tiendrait éveillé toute la nuit car j'ai acheté la casquette sans avoir de mesures, au jugé. C'est ça, s'écria-t-il d'un ton de triomphe, c'est juste à la mesure. A présent, je peux dormir tranquille. Cela, mon vieux Vassia, est la chose la plus importante, dit-il en enlevant la casquette de ma tête et en la contemplant avec extase. Le couvre-chef, à parler d'une manière générale, contribue aux succès dans la haute société. Toute la philosophie quotidienne y est incluse. La casquette est merveilleuse, continua-t-il avec une sincère admiration. Maintenant, Nastenka, comparez ces deux chapeaux, ce palmerston », il prit dans un coin mon feutre rond et déformé qu'il appela je ne sais pourquoi palmerston, et le posa sur la table à côté de la cas-

quette nouvellement achetée, « comparez ce palmerston et cette acquisition élégante. Vois-tu, Vassia, nous allons faire don au Musée académique de ce chapeau rond que nous dirons être le nid d'un oiseau de Zanzibar, dont les œufs se sont cassés en route. A présent, continuons : Vassia, à ton avis, qu'est-ce que j'ai payé cette casquette. Devine un peu le prix! Nastassiouchka, s'adressa-t-il à la servante, voyant que je me taisais.

— Eh bien... Tu as dû en donner vingt kopecks, fit Nastassia en admirant à son tour la casquette.

— Vingt kopecks! Idiote! Soixante kopecks. Est-ce qu'on peut de nos jours acheter une casquette pour vingt kopecks. On m'a promis que si tu usais celle-là au cours de cette année, l'an prochain on t'en donnerait une autre pour rien. Je te le jure. Passons à présent aux Etats-Unis d'Amérique. Que dis-tu de cette culotte? Je te préviens : j'en suis fier! et il déroula devant nous un pantalon gris.

— Pas un seul trou, pas une seule tache, malgré qu'il ait été porté. Gilet assorti : de la couleur du pantalon, comme la mode l'exige, et également usé, mais c'est même préférable : il n'en est que plus souple, plus doux. Vois-tu, Vassia, pour faire sa carrière dans le monde il suffit à mon avis, de se guider sur la saison. Nous sommes en été, aussi ai-je acheté un gilet et une culotte d'été. Evidemment, en automne tes vêtements auront vécu comme le monarque de Babylone, bien que non pas du fait d'un excès de magnificence, ni de troubles intérieurs; mais la saison alors exigera quand même une étoffe plus épaisse, d'autre part il nous restera des loques très respectables pour confectionner des bandes à remplacer les chaussettes en hiver. Maintenant, devine le prix! »

Il regarda Nastassia d'un air vainqueur; mon expression froide et même rageuse devait le troubler.

« Un rouble vingt-cinq kopecks, ni plus ni moins, pour le pantalon et le gilet. C'est vraiment pour rien, d'autant plus qu'on m'a également promis que si tu arrivais à les user, tu aurais le droit de prendre dans la même boutique à ton choix des vêtements en meilleure étoffe anglaise. On te les donnera gratis. Maintenant, passons aux bottes. Vassia, regarde, elles ont été portées mais, qu'en penses-tu? elles feront encore bien un usage de trois mois. Ça, c'est certain. Je les ai achetées en connaisseur. Je suis un spécialiste en matière de chaussures, et j'en suis fier; cette paire n'a été portée qu'une semaine, elle vient de l'étranger : le secrétaire de l'ambassade anglaise s'en est défait au marché. Il était très à court d'argent. Je l'ai payée un rouble frais de transport compris. C'est de la chance!

— Elles n'iront peut-être pas à son pied, fit Nastassia.

— Et cela, qu'est-ce que c'est? » et Rasoumikhine tira solennellement de sa poche ma vieille botte, horriblement trouée, desséchée, toute sale et recroquevillée.

« J'ai songé à tout comme le savant naturaliste qui reconstitue un squelette sur un seul os, le boutiquier Fomine a relevé l'exacte dimension de la botte d'après cette ruine, en m'assurant que ça le connaissait, et sachez qu'un naturaliste mentirait plutôt que Fomine. A présent, Vassia, passons au chapitre des intimités. Tu n'as pas de chemise — celle-ci ne vaut rien — en voici donc deux en toile avec des devants à la mode. Car, mon cher, le bon

linge, plus on le porte, meilleur il devient. C'est un fait connu; les chemises ont été portées mais elles n'en sont que plus solides : un rouble cinquante les deux; on m'a donné le caleçon par-dessus le marché, il n'y en a qu'un seul mais il doit te suffire, car c'est un article qu'on dissimule aux yeux des autres, surtout dans la haute société. Donc un rouble cinquante et un rouble font deux roubles cinquante, plus un rouble vingt-cinq et soixante kopecks; total quatre roubles trente et cinq roubles soixante-dix de monnaie, que voici. (Il posa l'argent sur la table.) Tu es habillé des pieds à la tête, car à mon avis ton manteau palmerston non seulement peut encore servir mais a un certain air d'extrême distinction. Quant aux chaussettes et au reste, envoie-les au diable. A quoi sont-elles bonnes? Tu y pourvoiras toi-même... Je te conseille de laver la chemise que tu as sur toi et comme elle est depuis longtemps en loques tu n'auras qu'à en confectionner des bandes pour envelopper tes pieds. Il y en aura assez pour deux paires, je n'ai pas besoin d'ajouter qu'à présent ce procédé est très à la mode même parmi les dames. Donne qu'on te change de chemise.

— Je ne veux pas... je ne veux pas, dis-je en le repoussant des mains.

— Il le faut, Vassia, celle que tu portes est tellement sale et imprégnée de sueur, etc., que, si tu la gardais, tu en serais malade trois jours de plus. Laisse-moi t'aider! Nastenka, ne faites pas la prude, venez me donner un coup de main. » Et, de force, il me changea de linge. Nastassia prit ma vieille chemise pour la laver. Furieux, je me rejetai sur mon oreiller et versai des larmes de rage.

« Voyons! voyons! Quel homme! s'écria Rasou-

mikhine abandonnant complètement son ton artificiel et enjoué; il me regarda avec reproche.

— Je n'ai pas besoin de nounous, je n'ai pas besoin de bienfaiteurs ni de consolateurs, laissez-moi, laissez-moi », balbutiai-je d'une voix rauque, en sanglotant.

Cependant Rasoumikhine me contemplait très tristement, d'un air de sincère affliction.

« Pourquoi, continuai-je, la voix empoisonnée de haine, pourquoi causes-tu avec moi? »

A cet instant la porte s'ouvrit et Bakavine entra dans la chambre. C'était un médecin pour le moment sans travail, un médecin très habile; il était grand, avait un visage bouffi, des cheveux blonds, des yeux grands mais incolores, un sourire sarcastique. Je l'avais déjà rencontré. Sa présence m'avait toujours été particulièrement pénible.

« Eh bien, fit-il, le regard fixé sur mon visage, il s'assit sur le lit.

— Toujours hypocondriaque; il a pleuré parce que nous l'avons changé de linge.

— C'est naturel. »

Il me tâta le pouls et la tête.

« Toujours mal à la tête?

— Je me porte bien, parfaitement bien, insista Raskolnikov avec irritation en se soule[vant],

— Hum! Ça va. Bien. Très bien. A-t-il mangé? »

On lui répondit, puis on demanda ce qu'on pouvait me donner.

« On peut lui donner...

— Du potage, du thé..., tant qu'il voudra. Il a pour ces choses sa propre mesure. Naturellement, les champignons et les concombres lui sont interdits. Donnez-lui du bœuf, quant au reste, nous verrons demain s'il ne faut pas lui enlever sa potion.

— Demain soir, je lui ferai faire une promenade, s'écria Rasoumikhine. Son costume l'attend; nous passerons au Jardin Ioussoupov et ensuite au Palais de Cristal.

— Demain je ne le dérangerai pas, fit Zossimov sur un ton apathique. A moins que ce soit pour quelques instants seulement... Et si le temps le permet.

— C'est dommage, alors après-demain.

— Après-demain non plus.

— C'est vraiment dommage, je me disposais justement à l'emmener chez Zamiotov. Il connaît tous les endroits intéressants et est accueilli partout comme le maître.

— Ah! si vous pouviez venir aujourd'hui chez moi, je serai là. Je peux déjà marcher et j'irai n'importe où... si je le veux.

— Qui est-ce que tu attends? »

Zossimov se taisait.

« Que c'est dommage! s'écria Rasoumikhine. Aujourd'hui, je pends la crémaillère, c'est à deux pas d'ici, j'aurais voulu qu'il vînt. Tu viendras, toi? Tu as promis, s'adressa-t-il brusquement à Zossimov.

— Je ne sais pas, peut-être. Qui sera là?

— Des camarades d'ici; il m'arrive de n'avoir pas d'amis pendant deux mois, et d'autres fois j'en ai toute une bande.

— Qui est-ce?

— Un maître de poste de je ne sais quel district. Il y a passé sa vie entière. A présent il touche une pension. Pauvre homme, il ne dit jamais rien, j'aime bien le rencontrer, une fois tous les cinq ans.

— Des personnes qui ne sont pas d'ici, contem-

por[?]! Si ce n'est mon vieil oncle, un vieillard de soixante-cinq ans qui est arr[ivé] à Pétersbourg il y a une semaine pour affaires.

— Peu importe. Tous les autres. Ton ami Porphyre Stepanovitch, le juge d'instruction. C'est bête vraiment, parce que vous vous êtes querellés un jour, tu es capable de ne pas venir.

— Ne parlons plus des endroits, mais à part ça, qu'est-ce qu'il peut y avoir de commun entre vous deux et Zamiotov, demanda Bakavine, en me désignant du doigt, et en esquissant des lèvres un sourire entendu.

— Quel homme! Toujours ces principes. Quelle bêtise! Quant à moi, j'aime tous les braves types. Que la personne soit sympathique, voilà mon principe. Pour ce qui est de Zamiotov, nous avons, en effet, entrepris une certaine affaire ensemble.

— Je serais curieux de savoir quoi? fit Bakavine.

— Mais à propos du peintre en bâtiments. Nous finirons par le faire élargir, du reste, il n'y a pas de mal, on va le relâcher sans notre intervention. A présent, l'affaire est tout à fait claire, nous ne ferons que hâter le cours des événements.

— De quel peintre parles-tu?

— Je te l'ai pourtant racontée, cette histoire. Non? C'est vrai, tu ne sais que le début de l'affaire, c'est au sujet du meurtre de la vieille, le cas du peintre n'est venu s'y joindre que plus tard.

— J'ai été au courant de cet assassinat avant que tu m'en aies parlé... J'en ai lu quelque chose dans les journaux, cette affaire m'intéresse particulièrement.

— On a aussi égorgé Lisbeth, l'interrompit tout à coup Nastassia en s'adressant à moi.

— Qui est-ce, Lisbeth? ne puis-je m'empêcher de balbutier.

— Lisbeth Petrovna, la marchande. Tu devais la connaître. Elle venait ici en bas. C'est elle qui t'a rapiécé ta chemise, celle-ci.

— Cette chemise, répétai-je tout bas.

— Mais oui! Tu penses peut-être que je m'en suis occupée moi-même! Je ne sais pas coudre avec une aiguille fine. Elle t'a mis cinq pièces, murmurait-elle en examinant la chemise, tu as là un beau chiffon. Tu devais dix kopecks pour le travail que tu n'as pas encore payé. On l'a tuée enceinte. Elle avait été battue souvent. N'importe qui pouvait la maltraiter.

— Eh bien, et ton peintre, l'interrompit Bakavine en s'adressant à Rasoumikhine.

— Il est tout bonnement accusé de ce meurtre.

— Est-ce qu'il y a des charges? Comment... donc? On a trouvé de nouvelles charges? demanda Bakavine, qui, manifestement, voulait apprendre je ne sais quoi.

— Quelles charges! Du reste, il y avait justement une charge mais ce n'en était pas une, et c'est ce qu'il s'agit de prouver. Au début, il y a eu des soupçons contre ces..., comment donc s'appellent-ils? contre Bergstolz et l'étudiant Kopiline. Mon Dieu, que c'est stupide! Ça m'échauffe la bile. A propos, Vassia, tu es au courant de l'affaire, toi? En ton absence, c'est-à-dire pendant que tu es resté étendu, on a commis un meurtre à côté d'ici; qu'est-ce que je raconte! à cette époque-là tu sortais encore; mais oui, le jour même où tu es allé au commissariat... tu as entendu tout raconter là-bas, on en a parlé devant toi; tu as eu un évanouissement. C'était encore avant ta maladie. (La

veille du jour où tu es venu me voir. Tu es longtemps resté sans connaissance, on m'a racon[té]... il a eu un évanouissement là-bas.)

Je me détournai, sans mot dire. Je ne pouvais regarder mes visiteurs, je respirais à peine

« Eh bien?

— Eh bien, Bergstolz, le gros, et Kopiline ont fourni des explications satisfaisantes. Porphyre Filippovitch a dû te le raconter. En premier lieu, pourquoi auraient-ils commis le meurtre et amené le dvornik aussitôt après. On dit que la porte était ouverte. Ils sont allés prévenir le dvornik que la porte était fermée à l'intérieur, et en revenant ils l'ont trouvée ouverte. C'est là qu'est la pierre d'achoppement; cela les a déroutés, eux, ainsi que Bergstolz.

— Je sais, fit Bakavine. Il rachetait à la vieille les objets non dégagés à temps. C'est un filou; il en est toujours ainsi chez nous, puisque c'est un filou, puisqu'il rachetait des objets non dégagés, on en déduit que c'est lui l'assassin. Pourquoi avoir conclu cela? Quel baveur!

— Je sais que vous avez failli vous battre avec Porphyre chez les Porochine. C'est vrai qu'il est fier mais il est très doué, il fera un excellent juge d'instruction. Avec les réformes actuelles nous avons besoin de ces hommes pratiques.

— Et qu'est-ce qui est arrivé ensuite? interrompit Bakavine d'un ton mécontent.

— Voilà. Ces deux types, l'étudiant et Bergstolz, n'ont plus été inquiétés. Des dizaines de témoins les avaient vus pendant la dernière demi-heure. Ils ont présenté pour chaque minute un témoin spécial.

— Je sais tout cela.

— De plus, les dvorniks les avaient vus entrer, d'abord Bergstolz, ensuite l'étudiant. Ce dernier venait dégager un objet, le temps qu'il y est resté, trois minutes au plus, ne pouvait suffire à commettre un meurtre, encore que le dvornik ait trouvé les deux cadavres tièdes. Par conséquent, juste au moment où ces messieurs cognaient à la porte l'assassin se trouvait dans l'appartement. Ils l'avaient surpris, dérangé et l'auraient attrapé comme une souris si Bergstolz, ennuyé d'attendre l'étudiant, n'était pas allé, sot qu'il est, chercher le dvornik lui aussi. L'assassin souleva le crochet et s'enfuit aussitôt.

— (Je connais toutes ces suppositions.) On croit que lorsque les autres sont revenus l'assassin se cachait dans l'appartement vide. Je connais cette hypothèse, ajouta Bakavine, d'un ton moqueur.

— C'est évident, s'écria vivement Rasoumikhine, comme s'il prévoyait des objections, sinon on l'aurait rencontré.

— Malheureusement, tout cela, murmura Bakavine en faisant une moue, est beaucoup trop fin. Il y faudrait plus de clarté et plus de consistance.

— Quel type tu fais, Bakavine, s'écria Rasoumikhine avec une expression de douleur et de vif reproche, tu es un garçon sans égal, un cœur des plus nobles, et pourtant tu es rempli de haine! Parce que vous fréquentez, tous les deux dans la même maison et que vous vous êtes chamaillés pour des raisons idiotes, il faut que tu t'obstines à contredire et à ne pas comprendre ce qui est l'évidence même. A mon avis, Porphyre a deviné juste, mais juste!

— Vois-tu, dès le début, se présente un problème

qu'il ne peut pas résoudre, dit tranquillement Bakavine : Lisbeth et la vieille se trouvaient-elles ensemble dans l'appartement quand l'assassin les a tuées ou bien les a-t-il égorgées séparément.

— Séparément, séparément, vociféra Rasoumikhine, échauffé. C'est là le point essentiel, toutes les conjectures sont à présent basées là-dessus.

— Séparément? Donc, il s'est mis à égorger la vieille et a oublié de fermer la porte, puisque l'autre femme est venue plus tard. Sinon, l'aurait-il laissée entrer? Il aurait eu peur et se serait caché comme à l'arrivée de Bergstolz.

— C'est que précisément cette porte ouverte est un fait précieux qui aide à établir toute l'histoire.

— C'est bien fini...

— Ce n'est pas fini du tout. Bakavine, mon vieux, il suffit que tu prennes quelqu'un en grippe pour que tu sois prêt à le déchirer. Parce que Porphyre et toi vous faites la cour à la même jeune fille ce n'est pas une raison pour...

— Ne raconte pas de bêtises, répliqua Bakavine en pâlissant mais toujours calme.

— Des bêtises? Les faits ont démontré que ce ne sont pas des bêtises ni des théories en l'air. A présent tout est reconstitué, cela a dû se passer ainsi. Premièrement, l'assassin, quel qu'il soit, est une personne inexpérimentée.

— Le (juge d'instruction) Semionov affirme que l'homme était habile et expérimenté, habile, le nœud...

— Il ment, il en a menti. Du reste il ne l'avait dit que tout au début, à présent il est de notre avis. L'homme était certainement malhabile et inexpérimenté, c'était là son premier crime. Il était tellement troublé qu'il en a oublié même de

refermer la porte. (C'est là, c'est la vérité exacte, le fondement de tout. Question de psychologie. Pourquoi ris-tu?) Il n'a su que tuer, car il n'a même pas trouvé le temps de prendre l'argent. Les obligations à 5 % étaient là, dans le coffre.

— On a retrouvé près de quinze cents roubles qu'il n'avait pas pris; il s'est contenté de quelques petites bricoles, bonnes à rien; il se peut même qu'il n'ait rien pris et notamment non pas parce qu'on l'aurait dérangé mais pour la raison que troublé comme il l'était il ne savait quoi choisir. Il est vrai qu'on l'avait également dérangé. Lisbeth est rentrée; mais parfaitement, elle n'était pas à la maison et ne pouvait y être, d'ailleurs on a retrouvé auprès d'elle son sac avec lequel le dvornik l'avait vue entrer par la porte cochère et monter chez elle. Cela a eu lieu dix minutes avant qu'on eût trouvé les femmes assassinées. Par conséquent, le coup a été consommé en cinq minutes environ. Le meurtrier, effrayé que la porte fût ouverte, ce qui avait permis à Lisbeth de rentrer, s'enferma dans l'appartement. Remarque : il a lavé sa hache. A cet instant Bergstolz et Kopiline surviennent et se mettent à cogner à la porte; pourtant le point essentiel c'est que pas plus tard qu'avant-hier matin on a apporté au commissariat de police des boucles d'oreilles, engagées dans le cabaret du paysan Morterine le soir même du crime, et précisément par le peintre qui travaillait dans l'appartement vide. Les boucles se trouvaient dans un étui, qui était enveloppé dans du papier; la vieille avait l'habitude d'inscrire sur ces papiers le nom du possesseur du gage, plusieurs objets retrouvés dans le coffre étaient enveloppés de la même manière et portaient des noms. L'ouvrier a tout avoué, il a

apporté le papier qu'il avait laissé dans l'appartement.

— Il a avoué? cela veut dire...

— Précisément, cela ne veut rien dire. A votre avis, ce n'est pas... Voilà pourquoi nous nous sommes remués; il a tout expliqué et a dit toute la vérité. Cet objet, ces boucles d'oreilles, continua Rasoumikhine d'une voix distincte et solennelle, cet étui il l'a trouvé derrière la porte de l'appartement vide, à l'heure même, presque au même instant où le dvornik, Bergstolz et l'étudiant montaient là-haut et apercevaient les cadavres.

— Comment le prouve-t-il?

— On l'a vu, on l'a vu! C'est qu'on l'a vu. Trois témoins qui sont passés dans l'escalier à peu près à ce moment-là l'ont vu. Bergstolz et l'étudiant avaient témoigné, dès le début, lorsque personne ne soupçonnait encore le peintre, que celui-ci se tenait sur le palier quand ils étaient montés l'un après l'autre et avaient trouvé la porte fermée.

— Comment aurait-il pu se trouver en même temps en deux endroits? Un employé, qui a rencontré Bergstolz dans l'escalier, se rappelle également avoir vu l'ouvrier; quant à Bergstolz il s'était même arrêté pour demander au peintre à qui appartenait le logement (le logement inhabité que l'on était en train de peindre). Le soir du premier interrogatoire Bergstolz a cité cette question et sa conversation avec l'ouvrier comme une preuve, comme un alibi, car il y était depuis une minute seulement et une minute plus tard il était descendu chercher le dvornik, donc, impossible de tuer en une seule minute. Si même les deux hommes avaient commis le meurtre, ils n'avaient aucun intérêt à appeler

le dvornik avant d'avoir vidé le coffre. D'ailleurs il ne s'agit pas d'eux mais de l'ouvrier.

— Lorsque les deux visiteurs sont allés chercher le dvornik, l'ouvrier est parti à la recherche de Mitka, son camarade, ouvrier également, avec lequel il travaillait; il se heurta en poussant des cris au groupe composé de Bergstolz, de l'étudiant et du dvornik qui remontaient déjà l'escalier. Ceux-ci ont engueulé le peintre qui a continué sans s'arrêter. Il ressort de tout cela que le véritable assassin avait trouvé le temps de sortir sur le palier; en entendant les dvorniks approcher il s'était glissé dans l'appartement, resté ouvert et vide puisque l'ouvrier venait de le quitter pour rejoindre Mitka; il y avait attendu que le dvornik et Bergstolz fussent passés près de lui (je m'imagine son ét[at] à cet i[nstant]) et dès que ceux-ci s'en allèrent l'homme se sauva; pourtant il laissa une trace : l'étui avec les boucles. Un moment plus tard, l'ouvrier, ayant rossé Mitka, revenait dans l'appartement, il aperçut par terre des boucles. Aussitôt il ferma le logement à clef et s'en alla dans le cabaret où il engagea sa trouvaille à Morterine pour la somme de deux roubles. Le bijou est en bon état et vaut bien six roubles. De son côté, Morterine, lorsqu'il eut appris la nouvelle du meurtre, se fit quelques réflexions, après quoi il se présenta au commissariat avec les boucles d'oreilles; tout cela a eu lieu avant-hier. Il raconta ce qu'il savait, et voilà l'histoire! Tu vas voir, ils y ont mêlé tout le monde.

— Je l'ignorais, j'avoue que le cas est compliqué, marmotta Bakavine en se levant de sa place.

— Sais-tu que, Rasoumikhine... je dois dire que tu es un grand amateur de potins.

— Je m'en fiche. Peut-être me suis-je échauffé tout

à l'heure et ai-je dit quelque chose de vexant pour toi?

— Que le diable t'emporte! répliqua Bakavine, qui hocha la tête avec une expression à moitié amicale et sortit.

— Serait-il fâché? s'écria Rasoumikhine.

— Il vivait avec Lisbeth, déclara Nastassia dès que le médecin fut sorti.

— Comment? Lui? C'est pas possible, répliqua Rasoumikhine.

— Oui, lui. Elle lui lavait son linge. Lui aussi ne payait rien à la bonne femme.

— Tu te trompes, dit Rasoumikhine. Elle avait un autre ami. Je le sais.

— Il se peut qu'elle en ait eu également un troisième et un quatrième. » Nastassia se mit à rire. « C'était une fille coulante. Et pas parce qu'elle le désirait; elle le tolérait par humilité. Tout chenapan s'en amusait. L'enfant qu'on a trouvé, était de lui, du médecin.

— Quel enfant?

— Tu sais qu'on lui a ouvert le ventre. Elle était enceinte de six mois. C'était un garçon. Il était mort.

— Oui..., je m'en souviens, fit Rasoumikhine, pensif. Je ne savais pas que c'était de Bakavine. D'ailleurs, Nastassia, tu dois mentir. Rakhmetov sifflota. Du reste, pourquoi pas, l'un n'empêche pas l'autre, car, vois-tu, Vassia, il est fâché après le juge d'instruction, Porphyre Petrovitch; ils font tous les deux la cour à la fille des Porochine. C'est tout juste s'ils n'en viennent pas aux mains, ils rivalisent en tout. A présent, il va de nouveau aller chez les Porochine pour se disputer avec l'autre et épancher sa bile. D'ailleurs, c'est un brave garçon,

mais oui... Vassia, nous avons dû te fatiguer avec notre conversation. Tu dors? » Sans mot dire je me tournai vers le mur.

« En effet, je suis un drôle de type. tout m'intéresse, serais-je vraiment une commère? (fit-il d'un ton songeur et doux). Bien sûr, une commère, Bakavine a dit vrai. Je vais m'en déshabituer, ajouta-t-il avec une bonhomie rêveuse. Eh bien, assez. Nastenka, n'oubliez pas ce que je vous ai dit. Si, si, venez ici de temps en temps. La nuit également. Au revoir, Vassia. Je t'ai remis tes vêtements et ton argent... je n'ai rien oublié, adieu. Nastassia, sors avec moi, j'ai à te dire encore quelques gentillesses. »

Dès qu'ils furent sortis je me rejetai à la renverse et me serrai la tête avec les deux mains.

(Je soupçon[nais] tout le monde... Je me guide sur mes souvenirs pour écrire.)

A l'aube j'étais obsédé à travers une sorte de demi-sommeil par le plan de m'en aller, de m'enfuir, d'abord en Finlande, et ensuite en Amérique...

Cependant la guérison approchait. Trois jours plus tard, tandis que toutes ces souffrances morales, maladie, méfiance, susceptibilité, avaient atteint en moi des proportions monstrueuses; je sentis les forces me revenir de plus en plus vite; pourtant je le dissimulais. J'ai trompé tout le monde. J'étais poussé par je ne sais quelle ruse animale : tromper le chasseur, égarer cette meute de chiens. Je ne songeais qu'à moi et à mon salut et j'étais loin de me douter qu'il ne pesait point sur moi de tels soupçons et charges que je me l'étais imaginé, en exagérant tout, et que, en réalité, j'étais presque hors de danger. La conversation au sujet du meurtre qui avait eu lieu entre Rasoumikhine et Baka-

vine à mon chevet m'avait irrité à un point extrême; ce qui est remarquable c'est que, assailli par ces souffrances, par cette peur, pas une seule fois je n'ai rien senti, je n'ai point songé au crime que j'avais commis; une fureur animale et un sentiment de conservation avaient fait taire le reste. Ainsi donc, je les ai trompés tous. Trois jours durant j'ai simulé une faiblesse à ne pouvoir même me remuer afin de leur inspirer confiance. Je n'adressais la parole presque à personne, à Rasoumikhine moins qu'à tout autre. C'est incompréhensible, mes regards, mon attention, ma grossièreté témoignaient d'une telle haine à son égard qu'il aurait bien dû, semble-t-il, m'abandonner. En effet, il avait l'air d'en être vexé à part lui, mais ce qui m'irritait le plus c'est que sans doute il attribuait ma conduite à mon état maladif, et supportait tout. On aurait dit qu'il avait juré de me remettre sur pied et de faire, jusqu'à ce moment-là, la nounou auprès de moi, aussi éprouvais-je le désir de les stupéfier afin qu'ils n'attribuassent plus ma rage uniquement à ma maladie...

Le troisième jour, à la tombée du soir, lorsque ce sacré Bakavine qui avait pris l'habitude de venir bavarder chez nous (Dieu, qu'ils sont tous bavards!) se fut retiré je fis aussitôt semblant de m'endormir. Rasoumikhine répéta ses recommandations habituelles et s'en alla après avoir longuement regretté que je ne pusse venir chez lui le lendemain soir à l'occasion de son anniversaire (je savais qu'il rattrapait le temps perdu en ma compagnie en travaillant toutes les nuits jusqu'à quatre heures du matin). A peine fut-il sorti que je me levai, enfilai mes vêtements et partis à la recherche d'un nouvel appartement. J'espérais que

l'argent que je possédais suffirait à mon déménagement; j'aurais sous-loué un coin chez des habitants, de plus je devais recevoir un de ces jours une certaine somme de ma mère. Ce dont je me réjouissais en m'imaginant leur étonnement lorsqu'ils allaient apprendre que le malade qui, la veille, avait de la peine à se remuer venait de changer d'adresse. Je n'arrive pas à comprendre pourquoi j'avais résolu que j'allais me débarrasser ainsi de tout le monde, que je ne les attirerais pas tous, à plus forte raison, dans mon nouvel appartement et que je n'éveillerais pas ainsi en eux des soupçons, cette fois-ci graves. Aujourd'hui en y songeant et en raisonnant en moi-même je me persuade que tous ces jours et surtout ce soir-là j'étais un peu fou. Le lendemain (d'ailleurs), j'en eus comme un soupçon. Je m'en souviens.

Je descendis doucement comme un chat, l'escalier et me dirigeai vers le pont Voznessenski. Je voulais louer un coin dans un endroit éloigné de la Fontanka [1] ou même au-delà. Il était près de huit heures. A l'angle de la rue Sadovaïa et de la perspective Voznessenski j'aperçus un hôtel, comme j'étais sûr d'y trouver des journaux j'y entrai pour lire à la rubrique des faits divers ce qu'on disait du meurtre de la vieille. Encore chez moi j'avais brûlé du désir de lire les journaux mais, par méfiance j'avais eu peur de prier Rasoumikhine de m'en procurer. A peine étais-je entré et avais-je demandé un verre de thé et *La Voix* que j'aperçus (on dirait un fait exprès) dans la pièce voisine Zamiotov avec un monsieur, très gros. Il y avait devant eux une bouteille de champagne. C'était le monsieur qui payait. Ce n'est pas tout, du premier regard je me rendis parfaitement compte que Zamio-

tov m'avait aperçu mais ne voulait pas que je le susse. Je décidai de rester exprès, j'allumai une cigarette et m'assis près de la porte, en tournant le dos à Zamiotov. Il ne pouvait pas ne pas passer près de moi en sortant. « Voudra-t-il me reconnaître ou pas? » pensai-je.

Je trouvai effectivement dans le journal un article, le deuxième sur ce sujet avec des renvois au premier. Je demandai le numéro qui contenait le commencement de l'article. On le retrouva et on me l'apporta. Je n'avais pas peur que Zamiotov remarquât ce que j'étais en train de lire. Au contraire, je voulais même qu'il le sût, et c'est un peu pour cette raison que j'avais demandé le premier numéro. Je ne comprends pas pourquoi j'avais envie de risquer cette bravade, pourtant, j'en éprouvais le désir. Peut-être étais-je poussé par une fureur, fureur animale qui ne raisonne point.

Dans le journal.

VIE DE DOSTOIEVSKI

1821. A Moscou, le 30 octobre, naissance de Féodor Mikhaïlovitch Dostoievski. Son père, Mikhaïl Andréiévitch Dostoievski, médecin militaire, avait épousé en 1819 la fille d'un négociant, Maria Féodorovna Netchaiev. Un premier fils, Michel, le frère préféré de Féodor, était né en 1820. En 1821, le docteur Dostoievski ayant été nommé médecin traitant à l'hôpital Marie, l'hôpital des pauvres de Moscou, la famille fut logée dans un pavillon de l'hôpital, où naquit Féodor.

1831. Le docteur Dostoievski acquiert deux villages, Darovoié et Tchermachnia. Sa femme, déjà atteinte de tuberculose, y vivra la plupart du temps jusqu'à sa mort en 1837.

1833/1834. Féodor et son frère Michel sont demi-pensionnaires à la pension du Français Souchard, puis internes à la pension Tchermak.

1838. Le docteur Dostoievski conduit ses deux fils à Saint-Pétersbourg dans la pension de Kostomarov, qui doit les préparer à l'examen d'entrée de l'Ecole supérieure des Ingénieurs militaires. Féodor est reçu, Michel ajourné.

1838. En juin, à Darovoié assassinat du docteur Dostoiesvski par des serfs qu'il avait maltraités.

1843. En août, Féodor passe avec succès l'examen de sortie de l'Ecole supérieure des Ingénieurs militaires, est nommé sous-lieutenant, et entre comme dessinateur à la Direction du Génie, à Saint-Pétersbourg.

1843. Dostoievski traduit *Eugénie Grandet,* en témoignage d'admiration pour Balzac, qui venait de séjourner à Saint-Pétersbourg.

1844. Il quitte l'armée et commence à écrire. *Les Pauvres Gens.* Criblé de dettes, il mène une vie difficile et est déjà sujet à des attaques d'épilepsie.

1846. *Les Pauvres Gens,* puis *Le Double,* paraissent dans le *Recueil pétersbourgeois.* En décembre, il écrit *Nietotchka Niezvanova.*

1847-48. Installé à Saint-Pétersbourg avec sa femme. Publie *Les Nuits Blanches, Le Mari jaloux.*

1849. Dès 1846, Dostoievski entre en contact avec Pétrachevsky, fonctionnaire au Ministère des Affaires étrangères, et son groupe de jeunes gens libéraux, enthousiastes de Fourier, Saint-Simon, Proudhon, George Sand. Le 23 avril 1849, la police arrêta trente-trois membres du groupe, dont Dostoievski, qui furent tous incarcérés dans la forteresse Pierre et Paul. Le 22 décembre après un simulacre d'exécution, la peine capitale fut commuée en une peine de travaux forcés en Sibérie, quatre ans pour Dostoievski.

Du 25 *décembre* 1849 *au* 15 *février* 1854. Travaux forcés à la forteresse d'Omsk, puis en 1854 incorporation de Dostoievski comme soldat au 7e bataillon de ligne d'un régiment sibérien à Sémipalatinsk. Dostoievski fait la connaissance de Marie Dimitrievna Issaieva, femme d'un instituteur et en devient passionnément

amoureux. Il se remet à écrire et commence en 1855 les *Souvenirs de la maison des morts.*

1856. Il est nommé sous-lieutenant. Marie Dimitrievna étant devenue veuve, il la demande en mariage et après d'orageuses fiançailles, il l'épouse le 7 février 1857.

1859. Après de longues démarches pour quitter l'armée et rentrer en Russie, il obtient finalement cette autorisation le 2 juillet, et six mois plus tard, celle de s'installer à Saint-Pétersbourg.

1861. *Humiliés et offensés* commencent à paraître dans le premier numéro de la revue *Vremia* (« le Temps ») que Dostoievski vient de fonder avec son frère Michel. Mauvaise santé de Dostoievski. Il fait la connaissance de Pauline Souslova, jeune étudiante aux idées très avancées.

1862. *Les Souvenirs de la maison des morts* paraissent dans *Le Monde russe* et ont un grand retentissement. Premier voyage à l'étranger : Berlin, Dresde, Paris, Londres, Genève, Lucerne, Turin, Florence, Venise, Vienne. Retour en Russie au bout de deux mois.

1863. Interdiction de la revue *Vremia* à la suite d'un article sur l'insurrection polonaise. Second voyage à l'étranger. Dostoievski est devenu l'amant de Pauline et la rejoint à Paris. Ils partent ensemble en Italie, mais elle se refuse à lui, car elle en aime un autre. Dostoievski joue à la roulette et perd. Genève, Turin, Rome. Il rentre seul et sans argent à Saint-Pétersbourg.

1864. Mort de Marie Dimitrievna. A son chevet, Dostoievski a écrit *Le Sous-sol.* Mort de Michel laissant

une veuve, quatre enfants et des dettes que Dostoievski prend à sa charge.

1865. Dostoievski signe un contrat avec l'éditeur Stellovski, qui le livre pieds et poings liés à celui-ci, paie quelques dettes et part pour l'étranger. Il perd au jeu l'argent qui lui reste. Détresse. Il commence *Crime et Châtiment* qui paraît chapitre par chapitre dans le *Messager russe* au début de 1866.

1866. Succès considérable de *Crime et Châtiment.* Préparation du *Joueur* qui doit être remis à Stellovski le 1er novembre. Il le dicte en vingt-six jours à une jeune secrétaire, Anna Grégorievna Snitkine, envoyée par un ami. Il l'aime, le lui dit, et elle accepte de devenir sa femme.

1867. Mariage de Dostoievski et d'Anna Grégorievna. Départ pour l'étranger. Casinos, roulettes, gains, pertes.

1868. A Genève, naissance et mort d'une première fille. Dostoievski rédige *L'Idiot* qui paraît dans le *Messager russe.*

1869. A Dresde, naissance d'une fille. Première idée des *Démons.* Il écrit *L'Eternel Mari,* terminé en décembre.

1870. *L'Eternel Mari* paraît dans la revue l'*Aube.*

1871. Retour en Russie grâce à une avance du *Messager russe* sur *Les Démons.* Naissance d'un fils, Féodor.

1872. Fin de la publication des *Démons* dans le *Messager russe.*

1873. Dostoievski devient son propre éditeur, secondé par sa femme et publie en volumes *L'Idiot* et *Les Démons.* Il peut louer une petite villa à Straraïa Roussa et se met à écrire *L'Adolescent.*

1875. Publication de *L'Adolescent.* Naissance d'un second fils, Alexei.

1876. Dostoievski publie une revue *Le Journal d'un Ecrivain* dont il est l'unique collaborateur et pour laquelle il écrit des articles de critique, de politique et, de temps à autre, des nouvelles : *La Douce, Le Songe d'un Homme ridicule, Bobok.*

1877. *Le Journal d'un Ecrivain* a trois mille abonnés et quatre mille acheteurs au numéro.

1878. Mort du petit Alexei après une violente crise d'épilepsie. Dostoievski est élu membre correspondant de l'Académie impériale des sciences. Il interrompt la publication du *Journal d'un Ecrivain* pour se consacrer aux *Frères Karamazov.* Il se rend au monastère d'Optina, où il s'entretient avec le staretz Ambroise qui deviendra le staretz Zossima des *Karamazov.*

1879. Un fragment important du roman paraît dans le *Messager russe.*

1880. Inauguration du monument Pouchkine à Moscou. Dostoievski est invité à y prendre la parole et prononce un discours qui lui donne l'occasion d'exprimer en public ses idées sur le rôle de la Russie dans le monde. Le discours soulève un enthousiasme délirant.

8 *novembre* 1880. Dostoievski termine *Les Frères Karamazov* et s'installe à Saint-Pétersbourg.

27 *janvier* 1881. A la suite de deux hémorragies, Dostoievski meurt, après avoir lu dans un Evangile ouvert au hasard ces mots « Ne me retiens pas » (Matt. III, 14).

31 *janvier* 1881. Enterrement de Dostoievski, suivi par des dizaines de milliers de personnes.

NOTES

P. 9.

1. En français dans le texte.

P. 11.

1. *Les Nuits égyptiennes :* Œuvre en prose inachevée de Pouchkine.

P. 13.

1. *Dussaud :* Restaurant et hôtel de Pétersbourg que Dostoïevski aimait et où il habita.

P. 14.

1. En français dans le texte.

P. 15.

1. En français dans le texte.

P. 16.

1. *Malaïa-Vichera :* Petite station de chemin de fer dans la région de Pétersbourg.

P. 52.

1. *ce métier d'éditeur :* Dostoïevski, qui avait cédé à l'éditeur Stellovski les droits sur ses œuvres complètes pour une somme minime et qui fut toute sa vie talonné par le souci de terminer une œuvre à temps pour un éditeur, caressa longtemps le rêve d'éditer lui-même ses romans. Ce rêve fut

réalisé par sa femme Anna Grigorievna qui édita elle-même *Les Possédés* et les œuvres suivantes, et se consacra à la réédition des œuvres de Dostoïevski après sa mort.

P. 71.

1. *Nouveau Testament :* Dostoïevski, en route pour le bagne, avait reçu à Tobolsk la visite de plusieurs femmes de Décembristes (les insurgés de 1825), qui avaient suivi leur mari en exil. Elles lui remirent un Evangile, seul livre autorisé dans la prison. Dostoïevski ne s'en sépara jamais. Il avait l'habitude de le consulter en l'ouvrant au hasard et en lisant en haut et à gauche la page qui se présentait. Il se le fit encore apporter quelques heures avant sa mort.

P. 72.

1. *à la septième verste :* A sept verstes de Pétersbourg se trouvait un asile d'aliénés. En Russie, les endroits sont souvent désignés par leur distance de la ville la plus proche.

P. 76.

1. *la résurrection de Lazare :* Cette scène fut jugée immorale par les rédacteurs du *Messager Russe* où *Crime et Châtiment* paraissait alors et Dostoïevski, sur la demande de Katkov, dut la récrire et la réduire notablement.

P. 83.

1. En français dans le texte.

P. 88.

1. En français dans le texte.

P. 118.

1. *sa main droite toucha terre :* Geste fréquent en Russie pour saluer, s'excuser ou à l'église lorsqu'on se prosterne sans se mettre à genoux sur le sol.

P. 129.

1. *la rue des Bourgeois :* Rue d'un quartier populeux de Pétersbourg que Dostoïevski habita à l'époque où il travaillait à le revue *Le Temps.*

P. 134.

1. En français dans le texte.

P. 136.

1, *Dobrolioubov :* Ecrivain et critique de l'opposition. Eut une grande influence sur la jeunesse dans les années 1860.
2. *Bielinsky :* Célèbre critique et publiciste russe. Hégelien rationaliste, il collabora aux *Annales de la Patrie,* puis au *Contemporain* avec le poète Nekrassov.

P. 150.

1. *le koutia rituel :* Voir la note de la page 102, tome I.

P. 151.

1. *Gostiny Dvor :* rangée de magasins bordée d'une colonnade et occupant quatre rues à Pétersbourg.
2. *pani :* Madame, en polonais.

P. 157.

1. *pane :* Monsieur, en polonais.

P. 163.

1. *Vater aus Berlin :* Son père de Berlin (en allemand dans le texte).

P. 164.

1. En français dans le texte.

P. 165.

1. *die Wäsche* et *die Dame :* En allemand dans le texte.

P. 166.

1. *Geld :* D'argent (en allemand dans le texte).

P. 168.

1. *la carte jaune* : La carte des prostituées.

P. 174.

1. *Gott der barmherzige!* : Dieu de miséricorde! (en allemand dans le texte).

P. 182.

1. *Piderit* : Ecrivain et médecin allemand, auteur d'un ouvrage sur la physiognomonie.
2. *Wagner* : Economiste allemand.

P. 187.

1. *Pane ladak!* : Monsieur Coquin (en polonais).

P. 225.

1. En français dans le texte.

P. 226.

1. En français dans le texte.

P. 227.

1. En français dans le texte.

P. 229.

1. *la perspective Nevsky* : La plus longue, la plus belle et la plus animée des avenues de Pétersbourg s'étend sur cinq kilomètres, du palais de l'Amirauté au couvent Alexandre Nevsky à l'autre bout de la ville. Elle traverse ainsi les quartiers les plus variés. Elle était à cette époque parcourue par une foule très bariolée.

P. 232.

1. *Du hast Diamanten...* : Romance sur des paroles de Heine.
2. Ce fragment de romance est en allemand dans le

texte : *Tu as des diamants et des perles... [Tu as les plus beaux yeux... Fille, que veux-tu de plus?...]*

P. 258.

1. *umsonst :* en vain (en allemand dans le texte).

P. 261.

1. *Zaraïsk :* Ville de la province de Riazan, dans le centre de la Russie.
2. *les vrais :* Les livres saints qui dataient d'avant la revision des textes sacrés par le patriarche Nikon.

P. 279.

1. *un petit billet jaune :* Un billet d'un rouble.

P. 291.

1. En français dans le texte.

P. 294.

1. *séminariste :* Ne veut pas dire ici futur prêtre, mais fils de prêtre, élève d'un séminaire. Les familles de prêtre avaient souvent des noms qui décelaient leur origine. *Razoum* en russe veut dire raison, bon sens.

P. 299.

1. En français dans le texte.

P. 301.

1. En français dans le texte.
2. *La Madone Sixtine de Raphaël :* Dostoïevski mettait Raphaël au-dessus de tous les peintres et dans l'œuvre de celui-ci il avait une prédilection pour la madone de Saint-Sixte qui se trouve à Dresde. Il en parle dans plusieurs de ses œuvres. Au-dessus du divan où il mourut, dans son bureau, était accrochée une reproduction de ce tableau, cadeau

de la comtesse Tolstoï, veuve du poète Alexis Tolstoï.

P. 304.

1. En français dans le texte.

P. 305.

1. En français dans le texte.

P. 310.

1. *Elaguine* : Une des îles, lieu de promenade dans la banlieue de Pétersbourg.

P. 318.

1. En français dans le texte.

P. 373.

1. *Nihil est* : En latin dans le texte. Allusion au nihilisme.

P. 374.

1. *les sages-femmes* : Autre allusion aux nihilistes. Les premières femmes émancipées étaient presque toutes des sages-femmes, car c'était le seul métier qui leur fût ouvert.

P. 379.

1. Il y avait dans l'ancienne Russie trois catégories de travaux forcés pour criminels de droit commun, selon la durée de la peine : la première était celle des forçats condamnés à perpétuité ou à plus de douze ans de bagne; la seconde, celle des forçats condamnés à une peine de huit à douze ans de bagne; la troisième, celle des forçats condamnés à moins de huit ans de bagne. Au milieu du XIXe siècle les forçats de la première catégorie travaillaient encore dans les mines, ceux de la seconde catégorie à la construction de forteresses, et ceux de la troisième dans les usines. Plus tard

cette distinction fut supprimée, et tous furent employés dans les mines.
Tous les condamnés au bagne étaient privés de leurs droits civiques.

JOURNAL DE RASKOLNIKOV

P. 453.

1. *Un poud :* Environ trente-cinq livres.

P. 454.

1. *près du monument :* La célèbre statue équestre en bronze de Pierre le Grand par Falconet.

P. 459.

1. *du côté du Palais :* Le Palais d'Hiver.

P. 497.

1. *La Fontanka :* Un des canaux de Pétersbourg; doit son nom aux fontaines du Jardin d'Eté qui l'alimentent.

TABLE

BRODARD ET TAUPIN — IMPRIMEUR - RELIEUR
Paris-Coulommiers. — France.
06.120-I-8-1009 - Dépôt légal n° 3849, 3e trimestre 1964.
LE LIVRE DE POCHE - 4, rue de Galliéra, Paris.